KAWAI's LABORATORY MEDICINE

# 異常値の出るメカニズム

[編集]

山田俊幸 自治医科大学教授・臨床検査医学

本田孝行 長野県立病院機構理事長・信州大学名誉教授

小谷和彦 自治医科大学教授・地域医療学センター

[執筆(執筆順)]

本田孝行 長野県立病院機構理事長・信州大学名誉教授

松本　剛 信州大学助教・医学部附属病院臨床検査部

岩津好隆 自治医科大学准教授・分子病態治療研究センター

山田俊幸 自治医科大学教授・臨床検査医学

小谷和彦 自治医科大学教授・地域医療学センター

松田和之 信州大学教授・医学部保健学科


医学書院

**異常値の出るメカニズム**

発　行　1985年1月15日　第1版第1刷
1988年10月1日　第1版第7刷
1989年12月15日　第2版第1刷
1993年2月1日　第2版第4刷
1994年6月1日　第3版第1刷
2000年8月15日　第3版第6刷
2001年4月15日　第4版第1刷
2007年9月1日　第4版第8刷
2008年3月15日　第5版第1刷
2012年9月15日　第5版第7刷
2013年2月1日　第6版第1刷
2016年11月1日　第6版第5刷
2018年3月31日　第7版第1刷
2022年3月1日　第7版第5刷
2024年3月15日　第8版第1刷©

編　集　山田俊幸（やまだとしゆき）・本田孝行（ほんだたかゆき）・小谷和彦（こたにかずひこ）

発行者　株式会社　医学書院
代表取締役　金原　俊
〒113-8719　東京都文京区本郷1-28-23
電話　03-3817-5600（社内案内）

印刷・製本　三美印刷



ISBN978-4-260-05385-3

# 第8版序

本書の初版編者である河合忠博士が臨床検査医学の教育手法として実践したものにRCPC(reversed clinico-pathological conference)がある．簡単に説明すると，症例の病態を解析する際に，実臨床では臨床検査に先立って行われる問診，診察などから得られる情報をあえてマスクし，基本的な臨床検査データのみを提示して，病態を推理させ，追加すべき検査を提案させるものである．個々の臨床検査項目への理解度が深まる優れた教育手法である．

筆者もこれを学生教育に取り入れているが，よく経験することに，「ALTが少し高いので肝障害を疑います」と答える学生が少なからず存在する．これには2つのことをこちらから問い返す．肝障害という表現は適切なのか(何の障害なのか)，1つの検査で肝障害と直接的に言っていいのか，である．「ALTは肝細胞内に比較的多く存在するので，肝細胞のダメージが疑われる，ただし肝細胞以外にも存在するので，他の逸脱酵素も参考にして考えると…」などと答えてくれるとこちらとしては嬉しくなる．肝細胞の細胞質に存在するALTが肝細胞膜の障害によって血中に逸脱することで血清活性が高くなる，というメカニズムの理解があってこその回答である．実臨床はスピードが求められるので，ALT＝肝障害との判断で進めることになろうが，メカニズムの理解があるかないかでは，診療の深みが違ってくると思われる．

本書は，検査値が異常になるメカニズムに焦点をあてた臨床検査の教科書である．有難いことに多くの支持を得て，5年ごとに改訂を重ね，今回は第8版をお届けする．

第7版では，スタイルの変更を行ったが，今版では全体的に見直し，例えば基本的検査と二次的検査を明確に分けていたものを，今版ではその線引きを排し，順序やボリュームでアクセントをつけた．また前版では，それまでページ数が増加する一方であったためスリム化を行ったが，スリム過ぎるとのご意見をいただいたため，今版は記載を厚くした部分があり，全体として前版よりややページ増になっている．これらの改変が歓迎されることを期待したいが，内容に関するご意見は次版の参考にさせていただきたく，ぜひお願いしたい．

前版から本書には「KAWAI's LABORATORY MEDICINE」と副題をつけている．引き続き臨床検査医学を学ぶ医学科，検査技術科の学生はもとより，多くの医療関係者に愛用していただけたら幸いである．

2024年3月

編者を代表して　山田俊幸

# 初版 序

患者の病態を診断するには，問診，診察，検査が必要である．医学の進歩によって，ありとあらゆる検査が行われるようになった．確かにそれだけ診断精度は向上している．しかし，プライマリ・ケアにおいてすべての検査が行われうるとは限らないし，また高度な技術を必要とする検査がすべての患者に必要であるわけでもない．患者にとって最も負担の少ない検査から順次行うべきことはいうまでもない．

検体検査のうちでも，本書でとり上げた検査項目の大部分はいずれも日常診療の場で広く使われているものばかりである．これらの検査の一つ一つは決して病名診断に決定的な役割をもっているわけではなく，患者の病態把握のためのスクリーニングに使われている．それだけに，正しく読みこなすことによって，次の段階での精密診断，治療方針の決定，予後の推定にきわめて大きな医学的情報を提供してくれるものである．

今日，ともすれば“むずかしい”検査，最新の検査を数多く実施すると，あたかも“高度な”診療を行っているかの如き錯覚をもちがちである．むしろ基本的なスクリーニング検査から最大限の医学情報を読みとることがきわめて大切である．これによって，患者により多くの負担(経済的にも，肉体的にも)を強いることを避けられよう．こうした意図から，医学書院から発行されている月刊内科雑誌「メディチーナ」に，わかり易く図解を中心に連載した内容を集め，さらに一部加筆，編集したのが本書である．

臨床の第一線で活躍されている勤務医ならびに開業医の諸兄姉はもとより，医学生，その他の医療従事者の方々にご一読頂き，編者の意図を少しでも理解して頂き，しかも日常診療の一助となれば幸いである．図解，内容など不備な点もあると思うが，読者の方々のご叱正を頂き，よりなじみ易い書に改めるよう努力したいと念じている．

1984 年 10 月

編者

# 目次

# 1章 末梢血液一般検査

##  総論

### A 基本的な血球検査の読み方

血液は血管を通って体内を循環し，ほとんどすべての臓器および組織の活動に関係している．体内で異常が生じ血管内の血球に影響を及ぼせば，血球に数的あるいは質的変化をもたらす．血球検査はこの血球変化を解析することにより，血管外に起こった事象を明らかにしている．血球検査値を解釈する場合，血管内の血球変化で各臓器に生じた病態を類推していることを忘れてはいけない．

血球には，赤血球，白血球，血小板の3種類が含まれ，主に骨髄(bone marrow)で産生され，血管内に放出される．赤血球と血小板は主に血管内で，白血球の大部分は血管外へ移行し各々の役割を果たす．各血球数は，血管内に流入する数と血管内から失われる(消費されるか血管外に移行する)数のバランスで決まり，変化する血球数とその速度が各病態により異なる．

赤血球および白血球には分画があり，分画を加味することで病態をより詳細に把握できる．網赤血球もしくは桿状核好中球など幼若血球が血中に多く出現していれば，成熟血球が消費される病態が生じ，骨髄が血球を増産していると解釈できる．

血球の形態異常は，血液塗抹標本を鏡検することで簡便に観察できる．マラリア感染症(malaria)など血球形態異常からも多くの病態を類推できる(図1-1)．

### B 時系列データで解釈する

末梢血一般検査(血算)は，一般的に自動血球計算器を用いて検査され，赤血球数，ヘモグロビン濃度(Hb 濃度)，ヘマトクリット値(Ht 値)，白血球数，血小板数が計測され，保険点数は21点である．Wintrobe の赤血球指数は上記データから算出される．

血算は，比較的安価で繰り返し行える特徴を有している．複数回行える検査は時系列データとして読めるので，その変化により病態を解釈できる．1回の血算データだけでは，基準範囲を外れているので異常と判断しても，詳細な病態を明らかにできない．

Hb 濃度が短時間で上昇すれば，基準範囲内であっても脱水を考慮しなければならない．白血球数が短時間に減少すれば，好中球消費を疑い細菌感染症が鑑別に挙げられる(図1-2)．重症患者の血小板が短時間に減少すれば，最初に播種性血管内凝固(disseminated intravascular coagulation；DIC)を疑いその原因を検索しなければならない．検査値が動く場合，基準範囲内であっても必ず理由がある．基準範囲内であれば異常なしと判断するのは誤りである．2回の検査で変化に乏しいことを確認して初めて異常なしと考える習慣も必要である．

### C 複数の検査で一つの病態を解釈

赤血球，白血球，血小板の減少だけを検討しても，骨髄からの供給低下なのか，血管内外での消費亢進なのか判断できない．他のルーチン検査の

| 形態イラスト | 形態変化/主な関連病態 | 形態イラスト | 形態変化/主な関連病態 |
|---|---|---|---|
| 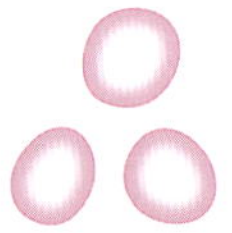 | 正常赤血球(discocyte) | 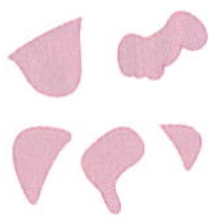 | 破砕赤血球(red cell fragment)，分裂赤血球(schizocyte，schistocyte) |
| | | | 血管内溶血(HUS，TTP など)，DIC，人工弁，重症熱傷，敗血症，ヘモグロビン異常症 |
| 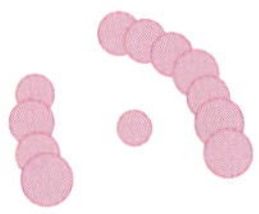 | 連銭形成(rouleaux formation) |  | 血球凝集(hemagglutination)，凝血塊(aggregates) |
| 弱拡大 | M 蛋白血症，多発性骨髄腫 | 弱拡大 | 免疫学的溶血性貧血，寒冷凝集素高値 |
|  | マラリア原虫(malaria)<br>環状体(ring form)<br>シュフネル斑点(Schüffner dots) | 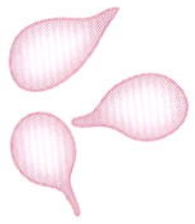 | 涙滴赤血球(tear drop cell)，変形赤血球(dacryocyte)，奇形赤血球(poikilocyte) |
| | マラリア感染 | | 骨髄線維症，脊髄癆，髄外造血 |
| 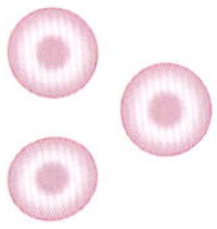 | 標的赤血球(target cell，codocyte) |  | 金平糖状赤血球，ウニ状赤血球(echinocyte) |
| | サラセミア，重症肝障害，赤血球膜異常，摘脾後 | | 摘脾後，尿毒症，保存赤血球輸血後，緩やかに乾燥した標本 |
| 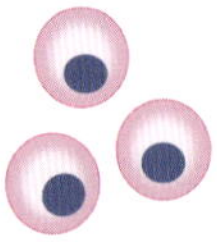 | 有核赤血球(nucleated erythrocyte) | 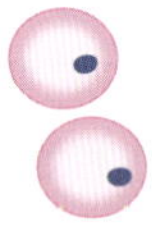 | ハウエル-ジョリー小体(Howell-Jolly body) |
| | 赤芽球症，赤血球過形成，髄外造血，骨髄転移，うっ血性心不全 | | 摘脾後，赤血球過形成，無効造血 |

| | | | | | |
|---|---|---|---|---|---|
|  | 球状赤血球(spherocyte) |  | 楕円赤血球，卵形赤血球(elliptocyte，ovalocyte) |  | 鎌状赤血球(sickle cell，drepanocyte) |
| | 球状赤血球症，崩壊寸前の赤血球，重症溶血，自己免疫性溶血性貧血 | | 楕円赤血球症，重症溶血 | | 鎌状赤血球症，重症溶血 |

**図 1-1　さまざまな赤血球の形態異常**(原図・河合)

助けを借りることにより，詳細な病態が見えてくる．身体で起こっている病態をより明らかにするためには，一つの検査ではなく，複数の検査で検討する習慣も必要になる．

血算は単独で検査されることは少なく，他のルーチン検査(生化学検査，尿・糞便検査もしくは凝固線溶検査)と同時に行われる．ヘモグロビン低下を認めても，ヘモグロビンだけを眺めていたのでは，貧血の原因はわからない．他の検査の助けを借りて貧血の原因をさぐらなければならない．ヘモグロビン値が低く血小板も低ければ，最初に DIC 様の病態を疑う．フィブリノゲン低下，

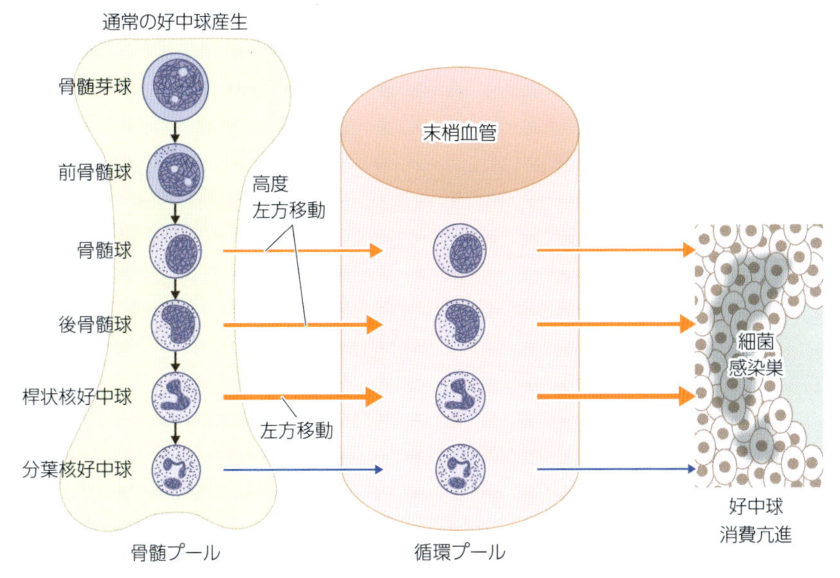


**図 1-2 細菌感染症における好中球の消費亢進**
左方移動の矢印の太さは，好中球消費量を示している.

CRP 上昇は DIC を支持するデータとなる．一方，尿素窒素(UN)上昇が認められれば消化管出血を疑う.

血算検査は，それだけで病態を正確に解釈することは難しい．複数検査を適切に組み合わせることにより，病態をより詳細に解明できる．基本的な病態をルーチン検査で解釈する場合，その組み合わせは多くはない．ルーチン検査は，いつも同じ組み合わせで同じ順序で検討すれば，異常所見の見落としも少なくなり，最大の情報が手に入る.

## D 陰性データも重要

陽性データだけが重要ではなく，陰性データも有用であることを忘れてはいけない．ヘモグロビン値が基準範囲内にあり時系列データで変化がなければ，少なくともヘモグロビンを低下させる病態はない．白血球数も基準範囲内で変化がなければ，急性細菌感染症は考えにくい．血小板が基準範囲内で変化がなければ，少なくとも DIC 様病変はない.

考えにくい病態を排除しながら鑑別診断を絞っていけば，正しい診断に効率的に到達できる.

## E 血球の産生(図 1-3)

赤血球，白血球，血小板は主に骨髄で産生され，血管内に放出される．骨髄障害〔放射線療法，抗がん剤療法，悪性腫瘍(転移性を含む)による骨髄占拠など〕が生じると，多能性幹細胞(pluripotent stem cell)も障害され血球産生が低下するので，血中の血球数が減少する．3 つの血球系がすべて減少する場合もあるが，1 系統もしくは 2 系統のみの場合も稀でない．また，骨髄異形成症候群(myelodysplastic syndrome；MDS)，巨赤芽球症貧血(myeloblastic anemia)では，成熟過程において血球が破壊される(成熟障害)ため成熟球が減少する.

骨髄産生能を直接判断するには骨髄検査が必要で，骨髄穿刺(bone marrow aspiration)が主体で必要に応じて骨髄生検(bone marrow biopsy)が行われる．骨髄穿刺液は，塗抹標本および圧挫伸展標本を作製し染色する．正常骨髄では多種類の細胞(表 1-1)が観察される.

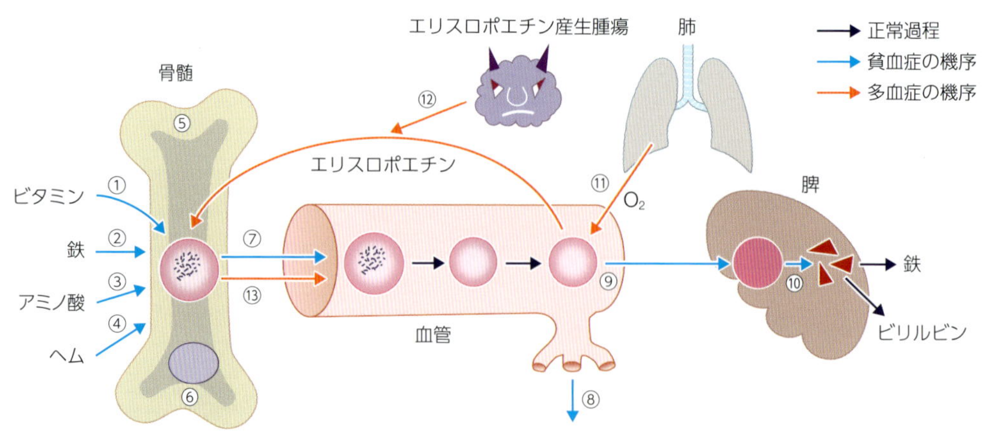


**図 1-3　赤血球の体内動態と赤血球系異常の機序**（原図・河合）

**貧血症**：① 造血ビタミンの欠乏，② 鉄欠乏，③ グロビン合成異常，④ ヘム合成異常，⑤ 骨髄の低形成，⑥ 骨髄占拠性病変，⑦ 二次性骨髄機能低下，⑧ 出血，⑨ 溶血疾患，⑩ 脾内での赤血球破壊亢進

**多血症**：⑪ 低酸素状態，⑫ エリスロポエチン産生腫瘍，⑬ 真性多血症

**表 1-1　骨髄中に見られる正常細胞**

| 顆粒球系細胞[*1]<br>単球系細胞 | 赤芽球系細胞[*1] | 巨核球系細胞[*1] | リンパ・<br>形質系細胞 | その他の細胞 |
|---|---|---|---|---|
| 骨髄芽球<br>(myeloblast)<br>前骨髄球<br>(promyelocyte)<br>骨髄球[*2]<br>(myelocyte)<br>後骨髄球<br>(metamyelocyte)<br>桿状核好中球<br>(band n. or stab cell)<br>分葉核好中球<br>(segmented n.)<br>好酸球<br>(eosinophil)<br>好塩基球<br>(basophil) | 前赤芽球<br>(proerythroblast)<br>好塩基性赤芽球<br>(basophilic e.)<br>多染性赤芽球<br>(polychromatophilic e.)<br>正染性赤芽球<br>(orthochromatophilic e.)<br>網赤血球<br>(reticulocyte)<br>赤血球<br>(erythrocyte) | 巨核芽球<br>(megakaryoblast)<br>前巨核球<br>(promegakaryocyte)<br>巨核球<br>(megakaryocyte)<br>血小板<br>(platelet) | リンパ芽球<br>(lymphoblast)<br>大リンパ球<br>(large lymphocyte)<br>小リンパ球<br>(small lymphocyte) | 細網細胞<br>(reticulum cell)<br>マクロファージ<br>(macrophage)<br>泡沫細胞<br>(foam cell)<br>青藍組織球<br>(sea blue histiocyte)<br>脂肪細胞<br>(fat cell)<br>肥満細胞<br>(mast cell)<br>破骨細胞<br>(osteoclast)<br>骨芽細胞<br>(osteoblast) |
| 単芽球(monoblast)<br>前単球(promonocyte)<br>単球(monocyte) | | | 形質細胞<br>(plasma cell, plasmocyte) | |

n.：neutrophil, e.：erythroblast
[*1] 上から下に向かって，細胞核と細胞質が同調して順次成熟していく.
[*2] この段階以後は好中性，好酸性，好塩基性に分かれるが，そのほとんどは好中性である.

## F　血球の消費(消失)

血球が血管内で破壊されるか，血管外に移行すると，血中の血球数は減少する．DIC，敗血症，ウイルス感染症など血管内で異常が生じると，血球は消費性に減少する．また，血球に対する自己抗体が産生される特発性血小板減少性紫斑病

(idiopathic thrombocytopenic purpura；ITP)，自己免疫性溶血性貧血(autoimmune hemolytic anemia；AIHA)においては，血球が破壊され減少する．血球貪食症候群(hemophagocytic syndrome；HPS)では血球がマクロファージに貪食され減少する．脾機能が亢進すると多くの血球が破壊され血球が減少する．大量出血では血球が血管外に失われ減少する．細菌感染症初期および重症例では，供給を上回る大量の好中球が感染巣に移行するため，血中の好中球数は減少する．

# 2 全血球算定(CBC)

## A 全血球算定(CBC)の測定法

全血球算定(complete blood counting；CBC)は，赤血球数(red blood cell count；RBC，$\times 10^4/\mu L$)，ヘモグロビン濃度(hemoglobin concentration；Hb 濃度，g/dL)，ヘマトクリット値(hematocrit value；Ht 値，%)に加えて，白血球数(white blood cell count；WBC，$\times 10^3/\mu L$)，血小板数(platelet count；Plt，$\times 10^4/\mu L$)を含んでいる．CBC 5 項目のうち何項目検査しても，末梢血液一般検査として診療報酬点数は変わらない．自動血球計数器にて，Wintrobe の赤血球指数である平均赤血球容積(mean corpuscular volume；MCV)，平均赤血球ヘモグロビン量(mean corpuscular hemoglobin；MCH)および平均赤血球ヘモグロビン濃度(mean corpuscular hemoglobin concentration；MCHC)は，上記の検査値から算出される．また，自動血球計数器は白血球5種類(好中球，リンパ球，単球，好中球，好塩基球)をスクリーニング的に分類できる機能を備えているが，桿状核球(stab cell)と分葉核球(segmented cell)を識別する機能は有していない．

## B 自動血球計測器の特性

自動血球計測器の機能は，以下の3つに大別される．

① 血球の計測と容積測定
② ヘモグロビンの化学的測定
③ 白血球の物性・化学的特性による分類

自動血球計数器では，Ht 値は古典的な遠心法ではなく，物理的な方法(機種により異なる)により得られた赤血球数と赤血球容積(MCV)から計算される．自動血球計数器では表 1-2 のような誤差が生じる．

表 1-2 自動血球計数器測定における主な誤差要因

| 項目 | 高値傾向をとるとき | 低値傾向をとるとき |
|---|---|---|
| RBC | クリオグロブリン，巨大血小板，5 万/μL 以上の WBC | 赤血球凝集塊，凝血，溶血，小赤血球 |
| Hb 濃度 | 10% 以上のカルバミノヘモグロビン($CO_2$-Hb)溶血，5 万/μL 以上の WBC，脂質異常症，M 蛋白血症 | スルフォヘモグロビン |
| Ht 値 | RBC に同じ | RBC に同じ |
| MCV | RBC の偽性低値，Ht 値の偽性高値，網赤血球増加，赤血球凝集塊，赤血球変形性低下 | RBC の偽性高値，Ht 値の偽性低値，巨大血小板，溶血，小赤血球，5 万/μL 以上の WBC |
| MCHC | Ht 値の偽性低値，Hb 濃度の偽性高値，赤血球凝集塊，凝血，溶血 | Ht 値の偽性高値，Hb 濃度の偽性低値，5 万/μL 以上の WBC |
| WBC | クリオグロブリン，M 蛋白血症，有核赤血球，不溶赤血球，血小板凝集塊 | 白血球凝集，変性白血球 |

## C 基本的検査としての CBC の有用性

河合らは，CBC を外来初診時のスクリーニング検査(基本的検査)として推奨している．筆者も同様に，CBC をルーチン検査(信州大学では，血算，生化学，凝固線溶，尿・糞便検査に動脈血ガス分析を加えている)としてスクリーニング的に行う価値があると考えている．

CBCは病態を探るのが主体であり，CBCだけで確定診断までたどり着くことは少ない．白血球が多く好中球しかも桿状核球が増加していれば細菌感染症を疑い，好酸球が増加していればアレルギー疾患が疑える．ただ，さらにくわしい病態を検討したければ，他の検査の助けが必要になる．複数検査を時系列で検討できれば，病態はより明らかになる．もちろん，陰性所見も鑑別診断を考えるうえでは大きな意味をもつ．

外来初診時もしくは入院時のCBCは，その患者の基準となり陰性であっても重要である．CBCが変動すれば，患者の病態を詳細に探るための重要なデータになる．一方，医療費抑制の観点からは，CBCをすべての初診患者に行うべきか議論が分かれる．American College of Physicians の疫学調査結果では，外来スクリーニングにおいてCBCは特異度および疾患有病率が低く，無症状者の軽度異常を発見しても利益になる確証がないとされている．また，入院患者でもCBC異常が疑われない患者には有用でないという報告もある．

# 3 赤血球

赤血球(erythrocyte)は円盤状で，多量に含んでいるヘモグロビンにより赤色を呈する．赤血球数，ヘモグロビン濃度，ヘマトクリット値が末梢血の赤血球に対する検査として行われる．これらの検査値から Wintrobe の赤血球指数が算出される(表 1-3)．

## A 赤血球の一般検査

### 1 検査法

自動血球計数器にて検査され，計算盤を用いる用手法はほとんど行われていない．自動血球計数器による検査値の再現性は良好であるが，機器による計測であることを忘れてはいけない．予想外の異常値を認めたら，機器による原因も検討しなければならない．

表 1-3　Wintrobe の赤血球指数(erythrocyte indices)

**平均赤血球容積(mean corpuscular volume)**

$$\mathrm{MCV\,(fL)} = \frac{\mathrm{Ht\,(\%)}}{\mathrm{RBC\,(10^6/\mu L)}} \times 10$$

基準範囲：83.6～98.2 fL

**平均赤血球ヘモグロビン量**
**(mean corpuscular hemoglobin)**

$$\mathrm{MCH\,(pg)} = \frac{\mathrm{Hb\,(g/dL)}}{\mathrm{RBC\,(10^6/\mu L)}} \times 10$$

基準範囲：27.5～33.2 pg

**平均赤血球ヘモグロビン濃度**
**(mean corpuscular hemoglobin concentration)**

$$\mathrm{MCHC\,(\%)} = \frac{\mathrm{Hb\,(g/dL)}}{\mathrm{Ht\,(\%)}} \times 100$$

基準範囲：31.7～35.3%

#### a 赤血球数(RBC)

自動血球計数器では，血液を 500～10,000 倍に希釈し，電気抵抗法もしくは光学的測定法(フローサイトメトリー法)により計測する．赤血球を一つひとつ計測するので，正確である．

#### b ヘモグロビン濃度(Hb 濃度)

白血球数測定時のために溶血処理した液を比色しヘモグロビン濃度を測定する．

#### c ヘマトクリット値(Ht 値)

ヘマトクリット値は，全血液容積に占める赤血球容積比率である．自動血球計数器では，赤血球数と平均赤血球容積から算定するため再現性がよい．

用手法では，古典的に Wintrobe 管を用いたが，最近では毛細ガラス管を遠沈し沈降した赤血球容積を測定し比率を求める．この方法では，赤血球同士の間隙に微量の血漿が取り込まれるため測定誤差の原因になる．

#### d 精度管理

管理された検査室では，種々の方法で精度管理が行われ，技術的変動が最小限になるように努力している(表 1-4)．しかし，異なる日に繰り返し

**表 1-4 血球数算定に関する全国精度管理の現状**

| 測定項目 | Hb 濃度 | 赤血球数 | Ht 値 | 白血球数 | 血小板数 |
|---|---|---|---|---|---|
| 方法間 CV*1 | 1.27<br>1.57 | 0.99<br>1.44 | 3.20<br>3.10 | 3.99<br>1.70 | 4.67<br>4.90 |
| 方法内 CV*2 | 0.88<br>1.16 | 1.04<br>1.19 | 1.49<br>1.65 | 1.89<br>5.08 | 2.53<br>3.15 |

CV：coefficient of variation，変動係数(単位：%)
表中数値下段は異常値を示す試料(赤血球は低値，白血球は高値，血小板は低値)，上段はほぼ健康基準範囲内の試料における CV(%)を示す．
*1 方法間 CV：同一試料(人工血液)を全国 3,093 施設で測定した結果において異なる機種を使用した施設群の平均値の変動係数(%)
*2 方法内 CV：同一試料(人工血液)を全国 3,093 施設で測定した結果において同一機種を使用した施設群の施設間変動係数(%)
〔日本医師会：令和 4 年度(第 56 回)臨床検査精度管理調査結果報告書．2023 より抜粋〕

行われた同一個人の検査データの変動幅が下記の基準を超えた場合，技術的問題，血液濃縮(急激な脱水)などを考慮する必要がある．

| | |
|---|---|
| 赤血球数(RBC) | $25 \times 10^4/\mu$L 以上 |
| ヘモグロビン(Hb)濃度 | 0.5 g/dL 以上 |
| ヘマトクリット(Ht)値 | 3% 以上 |
| MCV | 2 fL 以上 |
| MCHC | 2% 以上 |

また，異常のない血液では，測定上の大きな誤りがない限り下記が成立する．

**3 rules by Rutsky**

① first rule of 3：
RBC×3＝Hb, RBC＝Hb/3, Hb/RBC＝3
② second rule of 3：
Hb×3＝Ht, Hb＝Ht/3, Hb/Ht＝1/3
③ rule of 9(3×3)
RBC×9＝Ht, RBC＝Ht/9, Ht/RBC＝9
単位は RBC：$100 \times 10^4/\mu$L, Hb：g/dL, Ht：%

MCHC は，Hb 濃度および Ht 値から算出される．新生児や遺伝性球状赤血球症以外の疾患では，MCHC は 37% 以上にはならない．MCHC が 37% 以上の場合，RBC，Hb 濃度，Ht 値のいずれかに誤りのある可能性がある．

採血時には抗凝固剤の量にも注意が必要である．過剰に加えると，赤血球が萎縮し Ht 値の誤差が大きくなる．また，毛細管血の Ht 値は静脈血より 15～20% 高くなるので注意を要する．

## 2 基準範囲と生理的変動

採血部位のほか，性別，年齢，体位によっても基準範囲は異なる．臥位では，赤血球数，Hb 濃度，Ht 値は立位よりも 10% 程度低くなる．性別，年齢の差も認められる(図 1-4，5)．男性では加齢に伴い赤血球数が減少し，60 歳代で約 20 万/$\mu$L 減少し，75 歳以上でさらに約 20 万/$\mu$L 減少する．また，男性高齢者では Hb 濃度が約 1 g/dL，Ht 値が約 2% 低下する．一方，いずれの検査値も女性ではほとんど変化しない．

## 3 体内動態

図 1-3 のとおり，赤血球は骨髄で産生されたのち血管内に放出され，役割を終えると網内系(特に脾臓)にて破壊される．血管内での寿命は約 120 日である．くわしくは C 網赤血球を含む幼若赤血球(9 頁)参照．

## 4 基準範囲

日本臨床検査標準化協議会(JCCLS)が提案した共用基準範囲を表 1-5 に示す．また，覚えやすいように日本臨床検査医学会が設定した学生用共通基準範囲を表 1-6 に示す．

Hb 量が酸素運搬能を反映するので，赤血球検査では Hb 濃度が最も重要である．Hb 濃度は測定上の誤差が小さく，Hb 濃度が基準範囲以下の場合に貧血と呼ぶ．ただ，基準範囲内であっても，Hb 濃度が低下すれば異常であり，原因を明らかにしなければならない．

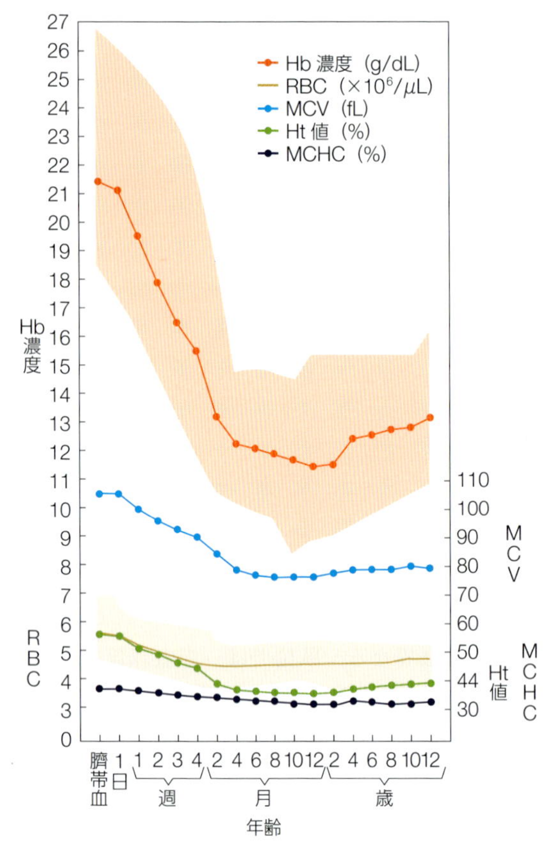


**図 1-4　小児期の赤血球検査値の年齢別による差**（Altman & Dittmer による）

Hb 濃度は生後 4 週まで著しく低下し，12 か月まで徐々に低下し，その後上昇する．また，RBC も生後 4 週まで減少し，その後徐々に増加する．

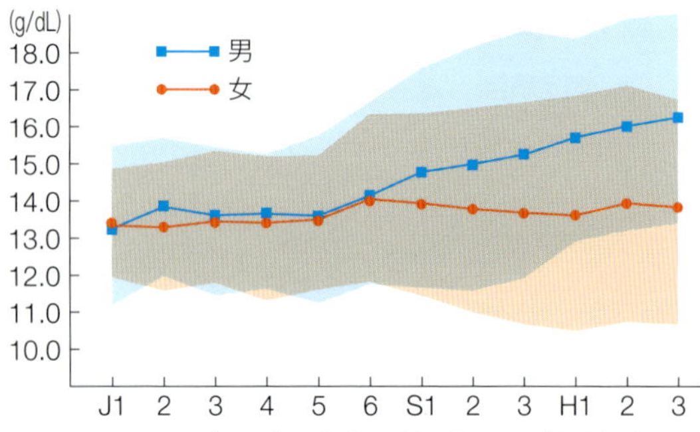


**図 1-5　ヘモグロビン濃度の性別および年齢別による差**（森・五十嵐・河合による）

集団検診におけるヘモグロビン濃度について，正規確率紙を用いて求めた基準範囲の平均値と幅の推移を示す．小学校(J)では男女間の差がなく，6 年生でやや増加傾向がみられている．中学生(S)および高校生(H)では明らかな男女差がみられ，男性では年齢による変動も有意にみられる．

**表 1-5　赤血球の共用基準範囲**

| | | |
|---|---|---|
| Hb 濃度 (g/dL) | 男 | 13.7〜16.8 |
| | 女 | 11.6〜14.8 |
| RBC (×$10^6$/μL) | 男 | 4.35〜5.55 |
| | 女 | 3.86〜4.92 |
| Ht 値 (%) | 男 | 40.7〜50.1 |
| | 女 | 35.1〜44.4 |

**表 1-6　赤血球の学生用共通基準範囲**

| | | |
|---|---|---|
| Hb 濃度 (g/dL) | 男 | 14〜18 |
| | 女 | 12〜16 |
| RBC (×$10^6$/μL) | 男 | 4.0〜5.5 |
| | 女 | 3.5〜5.0 |
| Ht 値 (%) | 男 | 40〜50 |
| | 女 | 35〜45 |

## 5 貧血症(anemia)

D 貧血のメカニズム(12 頁)参照.

## 6 多血症(polycythemia)

末梢血中の RBC，Hb 濃度，Ht 値が基準範囲を超える．血液濃縮(脱水など)による見かけ上の赤血球増加(相対的多血症)を除外し，表 1-7 の疾患を鑑別する．

### a 真性多血症(真性赤血球増加症)

造血幹細胞に異常が起こり，正常の抑制がかからないため，赤血球が過剰に産生される．

**表 1-7　多血症の分類**

真性多血症
二次性多血症
1. 動脈血酸素飽和度の低下
　① 換気血流不均等分布，拡散障害，あるいは肺胞性過換気(例：慢性閉塞性肺疾患，びまん性肺線維症，Pickwickian 症候群)による呼吸器疾患
　② 右-左短絡(例：種々のチアノーゼを伴う先天性心疾患)
　③ 高山病
2. 動脈血酸素飽和度正常
　① うっ血性心不全
相対的多血症
1. 血液濃縮
2. ストレス多血症(Gaisböck 症候群)

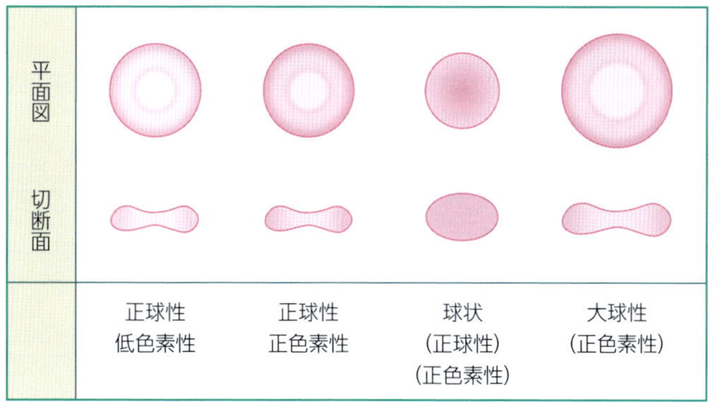


図 1-6 各種赤血球の形態的特徴

#### ⓑ 二次性多血症

① **全身の低酸素状態**(図 1-3 の⑪)：動脈血酸素飽和度低下を伴う肺疾患および心疾患，高地在住では，より多くの酸素を運べるように Hb 量を増加させる．

② **うっ血性心不全**

③ **エリスロポエチン産生腫瘍**(図 1-3 の⑫)

#### ⓒ 相対的多血症

① **血液濃縮**

② **ストレス多血症**

## B 末梢血液像と赤血球形態

血液・造血器疾患が疑われる場合，必ず末梢血液像検査を行う必要がある．自動血球計数器の検査だけでは把握できない異常が捉えられることも多い．末梢血塗抹標本の鏡検も，血液・造血器疾患のスクリーニング検査である．

### 1 標本全体の観察

適切に塗抹，染色された標本を用いる．最初に中拡大で，赤血球，白血球，血小板を観察する．赤血球数が判明していれば，赤血球との比率で白血球数，血小板数を推定できる．次に強拡大で異常細胞(癌細胞，巨細胞など)を観察する．

### 2 赤血球形態の読み方

適切な標本であるかを確認した後，赤血球の大きさ，形，配列，染色性，内容物を観察する(図 1-1，2 頁参照)．

#### ⓐ 大きさ

健常人の標本を対照群にして比較する．大きさ(小球性，正球性，大球性)，大小不同を観察する．

#### ⓑ 形，配列

正常の赤血球は，中央が窪んだ円盤状を呈している．破砕赤血球は溶血を示唆する．

#### ⓒ 染色性

ヘモグロビンは赤色に染色されるが，染色性は一定ではなく標本ごとに異なる．正色素性と低色素性の判別は，明るい中央部分の大きさで行う．明るい中央部分が赤血球直径の半分未満であれば正色素性，半分以上あれば低色素性とする(図 1-6)．

多染性は，Hb の赤色にリボソームの青色が加味されるもの，および特殊染色をして初めて確認できるものがある．

## C 網赤血球を含む幼若赤血球

### 1 赤血球産生と体内動態

赤血球は基本的に骨髄において産生される．造血幹細胞(stem cell)のうち，赤芽球系幹細胞から発生し，以下の①～⑥の成熟過程を経て赤血球になる(図 1-7)．

① 前赤芽球(proerythroblast)

② 好塩基性赤芽球(basophilic erythroblast)

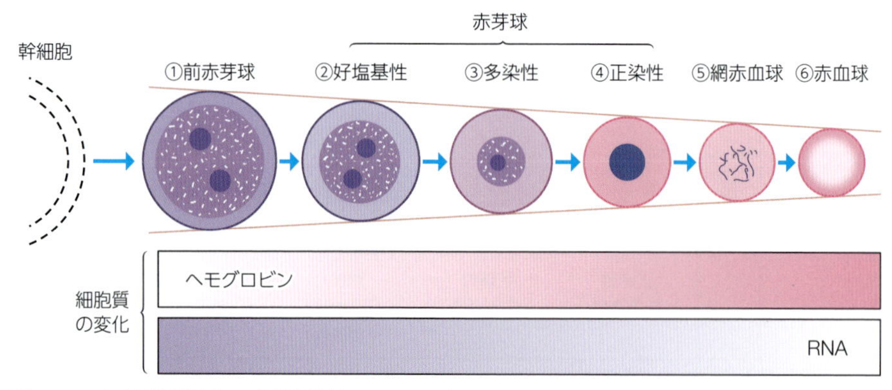


図 1-7　**赤血球系細胞の成熟過程**（原図・河合）

③ 多染性赤芽球（polychromatophilic erythroblast）
④ 正染性赤芽球（orthochromatophilic erythroblast）
⑤ 網赤血球（reticulocyte）
⑥ 赤血球（erythrocyte）

①～④の赤芽球は核を有するので，末梢血に認められると有核赤血球（nucleated red cell）と呼ばれることもある．赤血球の成熟過程において，細胞および核は徐々に小さくなり，核小体が消失し，核クロマチンは濃縮する．一方，細胞質は RNA 減少により好塩基性を失い，Hb 含有量が増すため赤みが増す．

胎生期，赤血球は骨髄以外の肝臓，脾臓でも産生される．生後において骨髄以外の組織で病的に造血されることがあり，髄外造血という．

赤血球寿命は約 120 日で，毎日 200 億個の赤血球が新生され末梢血中に放出され，同数が破壊される．この 200 億個は循環する赤血球の約 1% 弱で，末梢血中の網赤血球数の割合に一致する．

骨髄実質と血管系の間には，毛細血管構造を有するジヌソイド（類洞，洞様毛細血管）が存在し，赤芽球および幼若赤血球が末梢血中に放出される際の関門の役割を担っている．大きな細胞，粘着性のある細胞はジヌソイド関門を通りにくいとされている．網赤血球は成熟にしたがい小さくなり粘着性も低下するので，末梢血中に放出されやすくなる．

網赤血球は骨髄にも存在し，末梢血中と同じ割合で存在する．骨髄の網赤血球はより幼若で，成熟赤血球になるまでに平均 48 時間を要する．一方，末梢血中に放出された網赤血球は 24 時間で成熟する．

## 2 網赤血球の読み方

May-Giemsa 染色にて，網赤血球は赤血球よりも大型で球形を呈し，内部に青色に染まる網状構造を有している．末梢血中の網赤血球増加は，赤血球消費が亢進したため，骨髄での赤血球が増産されたことを示唆している．赤血球が失われると，骨髄が代償性に赤血球産生を増加させ末梢血中へ供給を増やしている．

骨髄プールに赤血球が蓄えられているが，末梢血中への放出量が増すと枯渇するため幼若赤血球を供給しなければならなくなる．末梢血中の網赤血球数増加は，骨髄で赤血球の産生を亢進しているが，十分に代償できていない状況を示している．赤血球が大量に失われる出血，溶血などで起こることが多い．

### a 網赤血球の基準範囲

網赤血球割合（%）は全赤血球数に対する比率を表し，健常成人では 0.5～2.0%，生後 5 日以内の新生児では 2.5～6.5% である．血液 1 μL 中の赤血球数を 500 万個とした場合，成人の網赤血球数の基準範囲は 2.5 万～10.0 万/μL になる．簡易的には血小板の絶対数が 10.0 万/μL 以上あれば増加と考えてよい．

**表 1-8 末梢血の網赤血球寿命の補正**

| Ht(%) | 平均寿命(日) |
|---|---|
| 45 | 1 |
| 35 | 1.5 |
| 25 | 2 |
| 15 | 2.5 |

### b 網赤血球割合の寿命による補正

ヘモグロビン低下(貧血)が起こると，骨髄は骨髄プールから末梢血への赤血球供給量を増やし，赤血球産生を亢進する．循環プールの赤血球が不足すれば，その補填のためにより幼若な網赤血球を放出する．末梢血中の網赤血球割合が高ければ高いほど，貧血が高度で骨髄が赤血球産生を亢進している．しかし，貧血のないときに骨髄から放出される網赤血球は24時間で赤血球になり，骨髄のより幼若な網赤血球は48時間を要す．したがって，単純に末梢血中の網赤血球数から，骨髄の赤血球産の程度を推定できない．貧血が高度なほど末梢血中に幼若網赤血球が多くなり，網赤血球寿命(赤血球になるまでの時間)が延長し見かけ上の網赤血球は多く認められる．したがって，表1-8のように，貧血の程度(Ht値で判断)から網赤血球寿命を推定し，同一患者でも経時的に比較できる網赤血球数に補正する必要がある．

### c 網赤血球産生指数

貧血において，骨髄の赤血球産生能が十分にあるかを判定する．正常状態では計算上1となる．

$$\text{網赤血球産生指数} = \frac{\text{網赤血球数(\%)}}{\text{網赤血球寿命(日)}} \times \frac{\text{Ht(\%)}}{45\%}$$

>3：骨髄での赤血球造血能が亢進し，十分な産生機能がある．

<2：骨髄での赤血球造血能が低下し，十分な産生機能がない．

### d 異常値を示す場合

**❶ 網赤血球数が減少する場合(reticulocytopenia)**

網赤血球割合(%)が基準範囲内でも，末梢血中の網赤血球の絶対数は減少している．

① **骨髄機能低下**：再生不良性貧血など

② **鉄欠乏など栄養素の不足**：鉄欠乏性貧血など

③ **全身的な疾患(腎疾患，肝疾患，感染症，膠原病)に合併する症候性貧血**

**❷ 網赤血球数が増加する場合(reticulocytosis)**

網赤血球割合(%)が高値であっても，その絶対数は増加している場合，変化のない場合，減少している場合がある．貧血がある場合は，補正のため網赤血球産生指数を計算する．

① **絶対的に網赤血球が増加する場合**

・**急性出血**：急激な貧血によりエリスロポエチンが上昇し，骨髄で赤血球産生が亢進する．Htが35%まで低下すると1週間以内に正常の2倍産生され，Ht値が25%では3倍産生される．需要に応じて4倍まで増産する．

・**溶血**：**急性出血**と同じ機序で増加する．

・**低酸素に伴う二次性多血症(赤血球増多症)**：エリスロポエチン上昇に伴い，骨髄で赤血球産生が亢進する．低酸素状態，呼吸器疾患，先天性心疾患など．

・**エリスロポエチン産生増加**：エリスロポエチンを産生する腫瘍により発生する．腎腫瘍，肝癌，褐色細胞腫，子宮筋腫など．

・**赤血球の腫瘍性増殖**：エリスロポエチンは高値にならないが，赤血球が腫瘍性に増殖する．真性多血症〔真性赤血球増多症(polycythemia vera)〕．

② **相対的に網赤血球が増加する場合**

骨髄の一部分しか反応できないため，網赤血球の絶対数の増加が認められない．

・**骨髄造血部位の減少**：悪性腫瘍，線維化病変に造血部位が置換され，残った部位で赤血球産生を代償している．

・**部分的骨髄機能低下**：薬剤，栄養障害，全身性疾患により，部分的に骨髄機能が低下し，残った部位で代償している．

## 3 有核赤血球の読み方

末梢血中に有核赤血球，正染性赤血球が少数認められることがあるが稀である．多数認められれば病的で，赤芽球症(erythroblastosis)と呼ばれ，図1-8の機序が考えられる．

① **赤芽球系の過形成**：原発性，続発性に赤芽球系の過形成があると幼若赤血球と一緒に赤芽球が流血中に放出される．種々の貧血，多血症など．

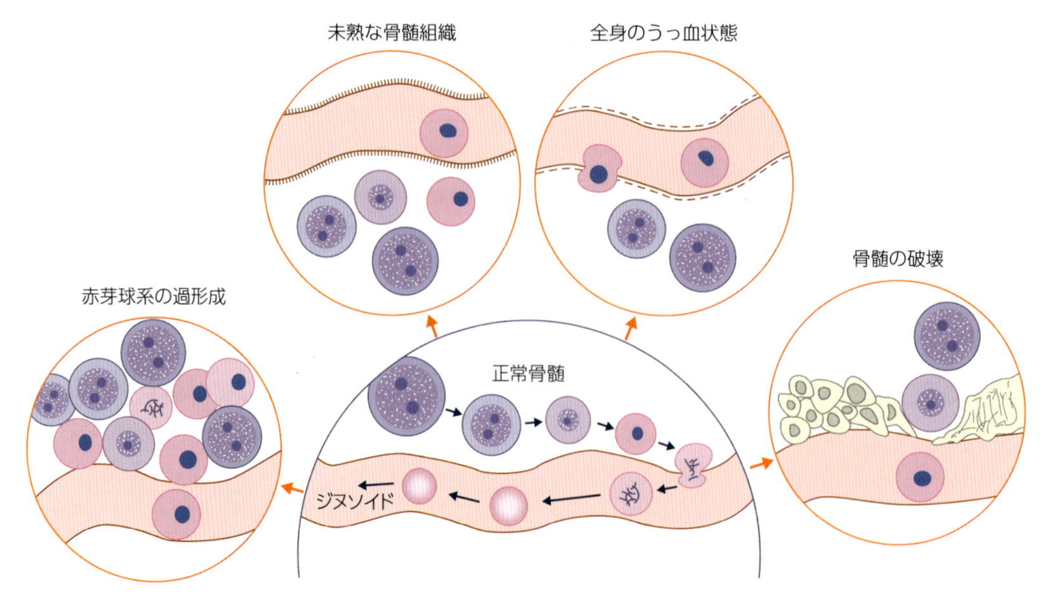


**図 1-8　赤血球系細胞の骨髄での動きと有核赤血球出現（赤芽球症）の機序**（原図・河合）

② **未熟な骨髄組織**：胎児期ではジヌソイド関門が未完成で，一部髄外造血が継続しているため，赤芽球が末梢血中に出やすい．胎児赤芽球症，髄外造血．

③ **うっ血状態**：うっ血性心不全では静脈圧が高くなり，ジヌソイド関門も拡張されて赤芽球が通過しやすい．

④ **骨髄の破壊**：悪性腫瘍などにより，骨髄のジヌソイド関門が破壊され，赤芽球が末梢血中に出現する．骨髄芽球，前骨髄球もしくは骨髄球（骨髄球は細菌感染症の左方移動でもよく認められる）の出現を伴っていれば，白赤芽球症（leukoerythroblastosis）と呼び，腫瘍の骨髄転移が疑われる．

## D　貧血のメカニズム

貧血は，末梢血中の Hb 濃度低下と定義される．Hb 濃度が低下すると，赤血球数，Ht 値も減少する．ただし血液希釈による貧血は，実際の貧血ではなく見かけ上の貧血であり，最初に除外する必要がある．血算，生化学検査の多くが低値であれば血液希釈を疑う．

鉄欠乏，出血，溶血に伴う貧血が多いので，まずこの 3 疾患の鑑別を念頭に置き，平均赤血球容積（MCV）を用いて分類する．小球性であれば鉄欠乏性貧血を疑い，正球性もしくは大球性であれば出血あるいは溶血を疑う．ただし，消化管などの慢性持続出血による鉄欠乏性貧血では小球性となり，出血もしくは溶血に伴い網赤血球が著しく増加すると平均の MCV が大きくなり，一見大球性を示す．

貧血が生じるメカニズムを十分に理解すれば，原因推定は困難ではない．

### 1　ヘモグロビン低下（赤血球数減少）のメカニズム

ヘモグロビンは，赤血球に含まれる酸素の輸送を担う物質であり，鉄がその構成成分の一つである．酸素運搬能はヘモグロビン量に依存するため，貧血の重症度を判断する指標として用いられる．

#### a　骨髄障害

化学療法（抗がん剤など），放射線療法，骨髄低形成（再生不良性貧血など），血液細胞の悪性腫瘍化などにより骨髄が障害されると赤血球産生は低下する．

悪性腫瘍の骨髄転移，リンパ腫，多発性骨髄腫（multiple myeloma；MM）などにより正常の赤芽

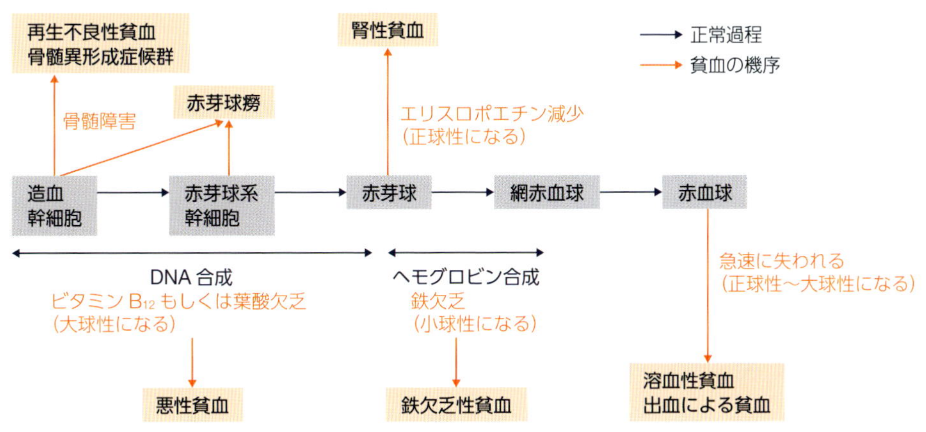


図 1-9　赤血球の大きさによる貧血のメカニズム

球が増殖できる骨髄が少なくなれば，赤血球産生は低下する．

### ⓑ 赤血球新生因子の欠乏

① **血清鉄**：栄養不良，消化管疾患に伴う鉄吸収障害があると，骨髄において必要な鉄が欠乏し，ヘモグロビン産生が低下する．また，慢性感染症，膠原病を含む慢性炎症性疾患によりフェリチン(マクロファージなどの網内系に多く存在)に鉄が移動すると，相対的に血清鉄が低下し骨髄において鉄欠乏状態になり，ヘモグロビン産生が低下する．

② **エリスロポエチン**：慢性腎炎などの腎疾患でエリスロポエチン産生が低下し，骨髄における赤血球産生が低下する．

③ **ビタミン $B_{12}$，葉酸**：ビタミン $B_{12}$ もしくは葉酸が欠乏すると，赤血球の DNA 合成が阻害され大球性になる．骨髄で赤芽球は増生しているが，血中に放出される前に赤血球が破壊される無効造血のため貧血になる．

④ **その他**：サラセミア，極度の蛋白摂取不足によるグロビン合成異常，鉄芽球性貧血，鉛中毒によるヘム合成異常．

### ⓒ 溶血

血管内で赤血球が破壊されると，赤血球は減少しヘモグロビンが低下し，正球性貧血になる．DIC，pre-DIC，敗血症，感染性心内膜炎，血栓塞栓症，血管炎などで血管内に異常(炎症など)が生じると，凝固が亢進し溶血が起こる．また，肝硬変などで脾機能が亢進すれば赤血球の破壊が亢進される．自己免疫性溶血性疾患では，間接もしくは直接 Coombs 試験が陽性となり溶血する．赤血球膜に異常がある遺伝性溶血性貧血(遺伝性球状赤血球症，サラセミアなど)でも溶血が起こる．子宮筋腫，血管腫，機械的赤血球破壊(行軍ヘモグロビン尿症など)が原因でも溶血が生じる．

### ⓓ 出血

急性出血は基本的に正球性貧血となるが，網赤血球の割合が高いと平均 MCV は大きくなる．長期間にわたる慢性出血(月経に伴う出血も含む)では，鉄欠乏性となり小球性貧血になる．

図 1-9 に貧血の成因をまとめた．

## 2 MCV による貧血の分類

貧血は，Wintrobe 赤血球指数の一つである平均赤血球容積(MCV)により，表 1-9，10 のように小球性，正球性，大球性貧血の 3 つに大別される．

### ⓐ 小球性貧血

ヘモグロビンに鉄が組み込まれるときに鉄欠乏状態になると小球性になり，鉄欠乏性貧血になる．

その他，サラセミアなどグロビン合成異常でも小球性になる．サラセミアでは MCV が 70 fL 以下になることも稀ではない．

**表 1-9　赤血球の形態による貧血の分類**

| 小球性貧血 (MCV≦80, MCHC≦30) | 正球性貧血 (MCV＝81〜100, MCHC＝31〜35) | 大球性貧血 (MCV≧101, MCHC＝31〜55) |
|---|---|---|
| 1. 鉄欠乏性貧血<br>2. サラセミアなどのグロビン合成異常<br>3. 鉄芽球性貧血<br>① 原発性(先天性，獲得性)<br>② 二次性<br>③ ピリドキシン反応性<br>4. 無トランスフェリン血症などの鉄代謝異常<br>5. 慢性炎症に伴う貧血 | 1. 急性出血<br>2. 溶血性貧血<br>① 赤血球外の異常<br>(免疫性，血管障害性など)<br>② 赤血球自体の異常<br>(赤血球膜，酵素，ヘモグロビンなど)<br>3. 赤血球産生低下<br>① 骨髄の低形成(再生不良性貧血など)，赤芽球癆<br>② 急性白血病ほか骨髄占拠性悪性疾患<br>③ 骨髄異形成症候群(大球性になることも多い)<br>④ 二次性骨髄機能低下<br>4. 腎性貧血 | 1. ビタミン $B_{12}$ 欠乏<br>(悪性貧血など)<br>2. 葉酸欠乏および代謝異常<br>3. DNA 合成の先天的または薬剤による異常<br>4. その他の巨赤芽球症<br>5. 肝障害に伴う貧血 |

**表 1-10　スクリーニング検査による貧血の鑑別**

① 小球性貧血

| 検査項目 | | | 病態と原因 |
|---|---|---|---|
| Fe | UIBC | フェリチン | |
| ↓ | ↑ | ↓ | 鉄欠乏性貧血，慢性出血，慢性体内溶血 |
| ↓ | ↓ | ↑ | 慢性感染症，慢性炎症 |
| ↑ | ↓ | ↑ | 鉄芽球性貧血(一部)，サラセミア(稀) |

② 正球性貧血

| 検査項目 | | | 病態と原因 |
|---|---|---|---|
| Ret | WBC | Plt | |
| ↓ | ↓ | ↓ | 再生不良性貧血 |
| ↑ | ↓ | ↓ | 脾機能亢進症 |
| ↓ | ↓ or ↑ | ↓ | 急性白血病 |
| ↓ | ↑ | ↑ | 慢性白血病 |
| ↓ or→ | → | → | 腎性貧血 |
| ＊ | ↑ or ＊ | ↑ or ＊ | 種々の続発性貧血，骨髄線維症 |

③ 正球性または偽大球性貧血(網赤血球増加)

| 検査項目 | | 病態と原因 |
|---|---|---|
| Ret | Coombs | |
| ↑ | ＋ | 自己免疫性溶血性貧血，薬剤性溶血性貧血(時に) |
| ↑ | − | 遺伝性溶血性貧血，微小血管性溶血性貧血 |
| ↑ | − | 発作性夜間ヘモグロビン尿症(発作時) |

④ 大球性貧血

| 検査項目 | | | 病態と原因 |
|---|---|---|---|
| 巨赤芽球 | $VB_{12}$ | 葉酸 | |
| ＋ | ↓ | → | 悪性貧血 |
| ＋ | ↓ | → | 胃全摘後，または回腸切除後巨赤芽球性貧血 |
| ＋ | → | ↓ | 葉酸欠乏性巨赤芽球性貧血 |
| ＋ | ＊ | ＊ | 赤白血病 |
| − | ＊ | ＊ | 肝硬変，甲状腺機能低下症，寒冷凝集や連銭形成 |

↑：増加または高値，↓：減少または低値，→：不変，＊：不定

## ⓑ 正球性貧血

骨髄で赤血球が産生された後，赤血球が失われることにより生じることが多い．出血，溶血が主な原因である．ただ，慢性腎不全などに伴うエリスロポエチン産生低下でも，赤血球の構造異常ではなく産生自体が低下するので正球性になる．骨髄の低形成，骨髄への悪性腫瘍の転移，抗がん剤もしくは放射線治療による骨髄障害など，骨髄の物理的減少，機能低下でも正球性になる．

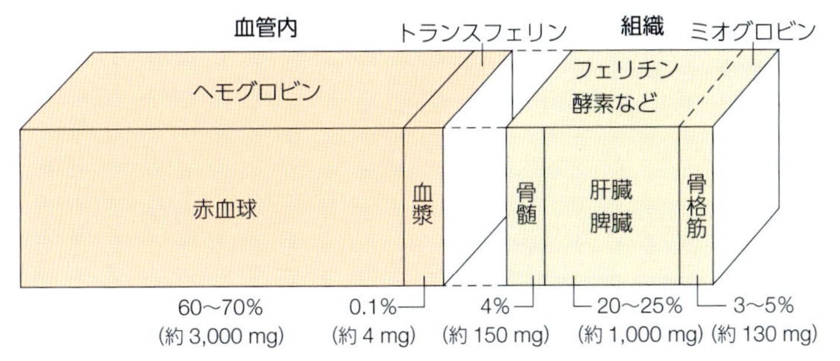


図 1-10　鉄の体内分布

### c 大球性貧血

赤血球は分化・成熟するにつれ小型化するので，赤血球成熟過程に異常があると大球性になる．ビタミン $B_{12}$，葉酸などの造血ビタミン欠乏症で赤血球は大型となり，巨赤芽球性貧血(悪性貧血)になる．MCV は 130 fL 以上になることが多い．

慢性肝炎などの持続的な肝細胞障害が生じると肝細胞は再生される．細胞増生に葉酸が使用されるため，骨髄では相対的に葉酸が欠乏し大球性になる．しかし，MCV が 120 fL 以上になることは稀である．

一方，出血や溶血に対して，骨髄が代償性に赤血球産生を亢進し，末梢血中の網赤血球の割合が高くなっても平均 MCV は大きくなる．網赤血球が 30% を超えると MCV が 130 fL 以上になることもある．

## 3 鉄とその他の鉄代謝マーカー

鉄(iron；Fe)は体内で合成できないので，食物などから摂取しなければならない．鉄はヘモグロビン，ミオグロビン，チトクローム，カタラーゼ，ペルオキシダーゼの構成成分で，主に細胞呼吸に関連する．図 1-10 に鉄の体内分布を示す．体内の鉄の総量は 3〜5 g で，60〜70% がヘモグロビンに結合し，20〜30% は肝臓，脾臓，骨格筋，骨髄などの組織にフェリチン(ferritin)またはヘモジデリンとして貯蔵されている．健常男性では肝臓に 700 mg の鉄が貯蔵されている．組織内のフェリチンが鉄で飽和されると，余分な鉄はヘモジデリンとして組織に沈着する．

### a 鉄の摂取と吸収

鉄は，食物(卵，レバー，ホウレン草など)から 1 日 10〜15 mg 摂取され，その 10% が胃，十二指腸，空腸から吸収される．食物中には 3 価の鉄イオン($Fe^{3+}$)の化合物として存在し，胃酸の作用により $Fe^{3+}$ として遊離する．胃腸粘膜細胞内のアポフェリチンと $Fe^{3+}$ が結合してフェリチンとなり，$Fe^{3+}$ を血中に送り込んでいる．これ以外の鉄吸収経路も明らかになっている．

消化管からの鉄吸収量は，体内貯蔵鉄量により左右され，鉄欠乏状態になれば通常より多くの鉄が吸収される．鉄需要の増す小児，妊婦では鉄吸収量は増加する．

### b 鉄の血中での運搬〔トランスフェリン(Tf)〕

$Fe^{3+}$ は，血中に吸収されるとすぐにトランスフェリン(Tf)と結合する．遊離鉄イオンは人体に有害で，血中にはごく微量の鉄イオンしか存在しない．

Tf は 679 個のアミノ酸からなる分子量 76,500 の糖蛋白で，血清蛋白 β グロブリン分画の主成分である．Tf 1 分子は $Fe^{3+}$2 原子と結合するので，Tf 1 mg は鉄 1.3 $\mu$g と結合できる．通常 Tf の 1/3 が鉄と結合しているが，2/3 は結合していない．したがって，Tf はさらに血清鉄の 2 倍の鉄と結合でき，不飽和鉄結合能(unsaturated iron binding capacity；UIBC)として示される(図 1-11)．総鉄結合能(total iron binding capacity；TIBC)は基本的に血清 Tf 濃度に依存するが，他の血清蛋白にもわずかな鉄が結合しており完全には Tf 濃度に一致しない．

血清鉄は，エリスロポエチンなどの体液性制御

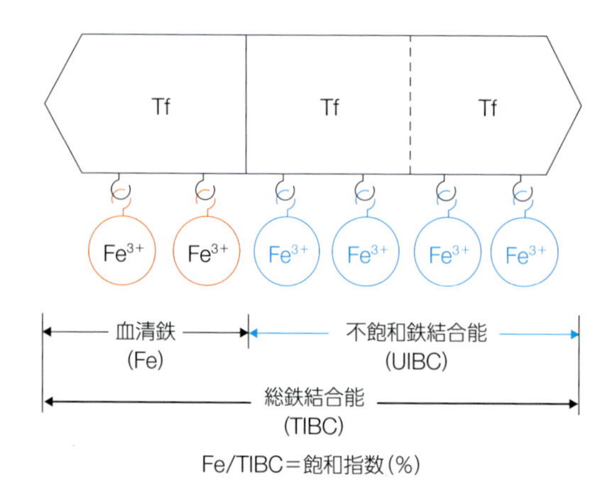


**図 1-11　鉄と鉄結合能の関係**

トランスフェリン(Tf)1分子に2原子の $Fe^{3+}$ が結合し，通常では1/3が飽和されているにすぎない．

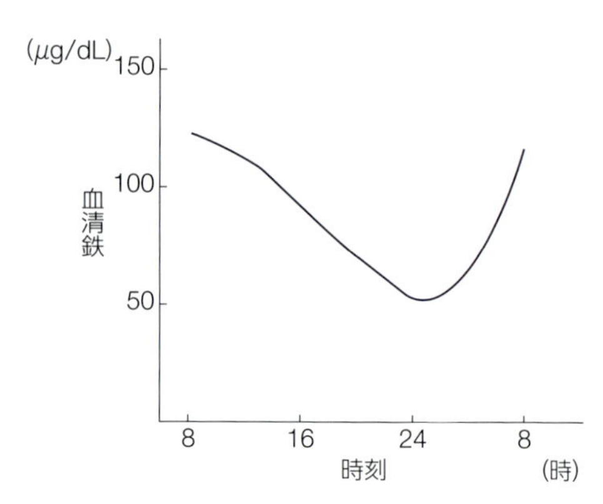


**図 1-12　血清鉄測定値の日内変動**

機構により調整されており，組織中の有機鉄に影響を受ける．

血清鉄の共用基準範囲(JCCLS)では男女共に40～188 μg/dL，学生用基準範囲(日本臨床検査医学会)では，男性60～200 μg/dL，女性40～180 μg/dLである．血清鉄には40～80 μg/dLの日内変動(図 1-12)があり，早朝に高く夜間就寝中に低くなる．血清鉄を比較する場合，採血時刻を考慮しなければならない．

## c 鉄の貯蔵(フェリチン)

血清鉄は，トランスフェリン受容体(transferrin receptor；TfR)を介して，組織内のフェリチンとして貯蔵される．病的に多量に貯蔵されるときはヘモジデリンとして，組織・細胞内に種々の形で蓄積される．

フェリチンは分子量45万で，HとLの2つのサブユニット24個からなり，その内腔にFe原子を結合する．肝臓，脾臓，胎盤などで合成される．血清中には微量のフェリチンが放出され，基本的に組織内貯蔵鉄量を反映している．フェリチンは体内の鉄欠乏状態で低値，鉄過剰状態で高値になる．血清フェリチン濃度は性差と個人差が大きく，基準範囲は測定法により異なるが成人男性30～300 ng/mL，女性は10～120 ng/mLである．閉経後，女性の基準範囲は男性に近づく．また，フェリチンは成長期に低下し加齢により増加する．

Tfの血中半減期は約8日とされている．炎症あるいはネフローゼ症候群などによりTfが減少すると，肝臓は代償性に合成量を増加させる．

## d 鉄の代謝

鉄は1日27 mg必要で，その75%が赤血球新生に使われる．1日に20 mgはヘモグロビン-ハプトグロビン(Hp)複合体の分解により供給されるが，0.5～1.5 mgの鉄が失われる．月経のある女性ではさらに月に16～32 mgの鉄を失う．

### ❶ 血清鉄が上昇する場合

① **多量の輸血**：輸血された赤血球が破壊され，鉄が遊離する．鉄は排泄経路がないので，多量の輸血を行うと血清鉄が上昇する．フェリチンが鉄で飽和されると，余分な鉄はヘモジデリンを形成し組織に沈着し，ヘモジデリン沈着症(hemosiderosis)になる．この場合UIBCは著しく低下し，鉄飽和指数は90%に及ぶこともある．

② **腸管からの過剰鉄吸収**：血清フェリチン高値，鉄飽和指数高値．原因不明(時に遺伝性)で腸管からの鉄吸収が過剰になり，組織にヘモジデリンが沈着する．特発性ヘモクロマトーシスは，肝硬変，糖尿病，性機能障害などを伴うことがある．

③ **溶血**：UIBCは著しく低下する．溶血性貧血，悪性貧血において，持続的に赤血球破壊があれば血清鉄は上昇する．

④ **肝細胞傷害**：肝臓にはフェリチン，ヘモジデリン，チトクロームなどの形態で鉄が蓄えられており，肝細胞傷害により鉄が血中に放出される．

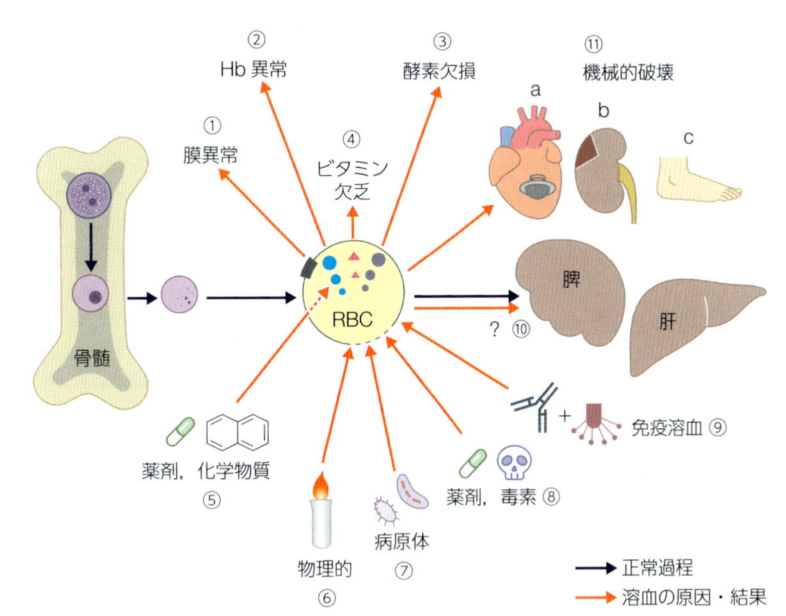


**図 1-13　溶血の原因**(原図・河合)

① 赤血球膜の内因的異常
② ヘモグロビン異常
③ 赤血球酵素欠損
④ 造血性ビタミン欠乏
⑤ 薬剤・化学物質に対する感受性亢進
⑥ 物理的破壊(熱傷など)
⑦ 病原体感染(マラリアなど)
⑧ 薬剤・毒素による破壊
⑨ 免疫学的破壊
⑩ 網内系の機能亢進(多くは他の要因で脆弱性が増している場合)
⑪ 機械的破壊(a. 人工心臓弁，b. 細血管障害性，c. 行軍など)

### ❷ 血清鉄が低下する場合

① **栄養不良および腸管の吸収障害**：体内への鉄吸収量が減少すれば，血清鉄は低くなる．成人男性では，鉄の体内貯蔵量が十分あれば，2 年程度は鉄を摂取しなくても貧血にならない．

② **慢性失血**：消化器癌，消化管潰瘍からの出血により慢性的に失血が起こると，鉄欠乏状態になる．Tf が上昇するので，TIBC，UIBC の上昇と，飽和指数の著しい低下が特徴である．組織および血清中のフェリチンは低下する．

③ **感染症，悪性腫瘍，膠原病**：網内系の活性化によりフェリチン産生が亢進し，より多くの鉄がフェリチンに所蔵される．血清鉄は組織に移動するので低値になる．

④ **トランスフェリンの低下**：ネフローゼ症候群などでは，アルブミン同様に Tf が尿中に排泄され低下する．

## E　溶血のメカニズム

溶血は，血管内で赤血球が破壊される病態として図 1-13 のようにまとめられ，また溶血性疾患(hemolytic disease, hemolytic anemia)は表 1-11 のように分類される．

急激なヘモグロビン低下(貧血)があれば，溶血

**表 1-11　溶血性疾患の病因的分類**

赤血球自体の異常による(内因性)
1. 赤血球膜の異常(図 1-13 の①)
　① 遺伝性球状赤血球症(HS)，楕円赤血球症，遺伝性有口赤血球症
　② 無 β リポ蛋白血症，無 α リポ蛋白血症(Tangier 病)，LCAT 欠乏症，Zieve 症候群
　③ 発作性夜間ヘモグロビン尿症(PNH)
　④ 高赤血球ホスファチジルコリン溶血性貧血
2. ヘモグロビン異常(図 1-13 の②)
　① 異常ヘモグロビン症
　② サラセミア
3. 赤血球酵素欠損：約 16 種の酵素欠損症がある(図 1-13 の③，21 頁参照)

赤血球以外の要因による(外因性)
1. 自己免疫性溶血性貧血(免疫学的)(図 1-13 の⑨)
2. 同種免疫性溶血性貧血(免疫学的)(図 1-13 の⑨)
3. 発作性寒冷ヘモグロビン尿症(PCH)
4. 薬剤・化学的物質による感受性亢進(非免疫学的)(図 1-13 の⑤)
　① 感受性の高い個体
　② 服用量依存性
5. ビタミン $B_{12}$，葉酸欠乏(図 1-13 の④)
6. 病原体の感染：マラリア原虫，など(図 1-13 の⑦)
7. 血管内での機械的障害(赤血球破砕症候群)(図 1-13 の⑪)
　① 行軍ヘモグロビン尿症
　② 大動脈狭窄症，人工心臓弁
　③ DIC
　④ 細血管障害性溶血性貧血
8. 物理的因子：熱傷，紫外線照射(図 1-13 の⑥)
9. その他：脾機能亢進症(図 1-13 の⑩)

もしくは出血を疑う．厚生労働省による溶血性貧血の診断基準(2004年)では，①ヘモグロビン濃度低下，②網赤血球増加，③血清間接ビリルビン上昇，④尿ウロビリノゲン上昇，⑤血清ハプトグロビン低下，⑥骨髄赤芽球増加，の検査所見が含まれる．

## 1 溶血の診断

溶血される場所により血管内溶血と血管外溶血に分類される．血管内溶血は赤血球が寿命を迎える前に補体やリンパ球により破壊され，発作性夜間血色素尿症，赤血球破砕症候群，ABO型不適合輸血などが含まれる．一方，血管外溶血では，マクロファージにより網内系(脾臓，肝臓，骨髄など)で赤血球が破壊され，遺伝性球状赤血球症，自己免疫性溶血性貧血が含まれる．

### a 赤血球の形態

末梢血塗抹標本において，破砕赤血球(赤血球断片)が特徴的である．また，球状赤血球も溶血を示唆する所見で，小型になるのでMCHCが上昇する．老化した赤血球および輸血された保存赤血球は球状，ウニ状を呈し溶血しやすい．

楕円赤血球もしくは鎌状赤血球も遺伝性を含めて溶血しやすい形態であり，破砕赤血球があれば溶血を強く疑う．

### b 赤血球の産生増加

赤血球の平均寿命は約120日であり，毎日200億個の赤血球が破壊され，同じ数だけ骨髄で新生されている．このような平衡状態を維持するためにフィードバック機構が機能し，血中ヘモグロビンが低下すると，骨髄は赤血球を増産する．増産所見として，網赤血球増加(絶対数で10万/μL以上)および骨髄での赤芽球増生があげられる．

### c 赤血球の寿命短縮

赤血球寿命が短縮していれば，溶血もしくは出血を疑う．$^{51}$Cr法では赤血球半減期の基準範囲は28〜38日で，それより短縮していれば溶血もしくは出血が疑われる．出血の可能性が低いと判断できれば，溶血が最も疑われる．

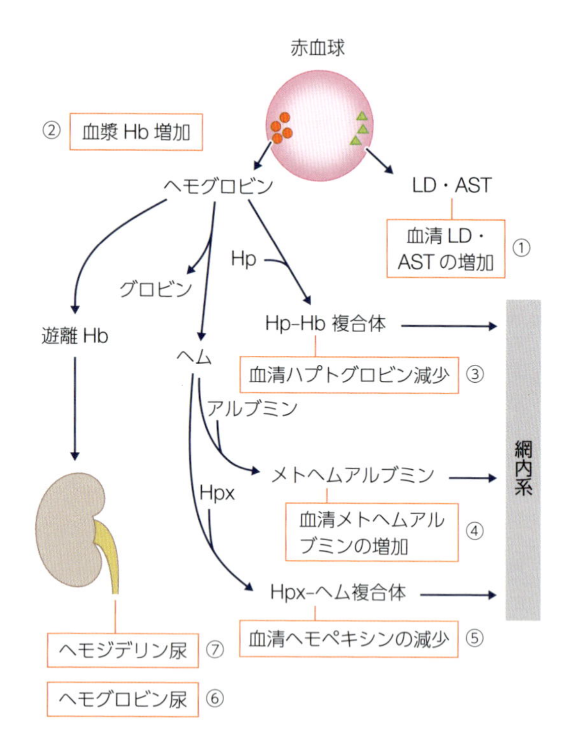


**図1-14　赤血球破壊過程での異常検査成績**
(原図・河合)
赤色枠内が異常を示す．丸中数字は本文参照．

### d 赤血球の破壊

赤血球は，ヘモグロビンの他に種々の酵素を含んでいる．したがって赤血球が生体内で破壊されると内容物が血中に放出される．ヘモグロビンは図1-14のように体内で処理される．また，赤血球の代謝産物に関連した検査を行えば，間接的に溶血を疑える．

**① 血清LD，ASTの上昇**(図1-14の①)：赤血球内のLDおよびASTは，血漿内と比べて数百倍になる．溶血が生じると，理論的には血清LDおよびASTは上昇する．しかし，溶血の程度により基準範囲内にとどまることもあり，全例異常値を呈するわけではない．

**② 血漿Hbの上昇**(図1-14の②)：健常成人では血漿Hb濃度は5 mg/dL以下である．血管内で溶血が生じた場合，ヘモグロビンが放出され血漿Hb濃度は上昇する．

**③ 血清ハプトグロビンの低下**(図1-14の③)：ハプトグロビン(Hp)とはヘモグロビン結合蛋白で，遊離ヘモグロビンと結合してHp-Hb複合体を形

成する．この複合体は網内系で，鉄，ヘム，間接ビリルビンに分解され，鉄は再利用される．ハプトグロビンは，遊離ヘモグロビンと結合すれば，血中のハプトグロビン自体は低下する．100～130 mg/dL 以上の遊離ヘモグロビンがあると，ハプトグロビンが複合体を形成するため，血中からほぼ消失する．保存血中には遊離ヘモグロビンがあり，輸血後にハプトグロビンが低下することがある．

④ **血清メトヘムアルブミンの上昇**(図 1-14 の④)：血漿ヘモグロビンが 100～130 mg/dL を超えると，ハプトグロビンに結合できない遊離ヘモグロビンが残る．その一部は，ヘムとグロビンに分解される．ヘムはアルブミン，ヘモペキシンと結合し，メトヘムアルブミン，ヘモペキシン-ヘム複合体になる．Schumm 試験はメトヘムアルブミンを検出する．

⑤ **血清ヘモペキシンの低下**(図 1-14 の⑤)：溶血にてヘモペキシン-ヘム複合体が生じ，血清ヘモペキシンは消費されるので低下する．

⑥ **ヘモグロビン尿**(図 1-14 の⑥)：血漿ヘモグロビンが 100～130 mg/dL を超えると，遊離ヘモグロビンが血中に出現する．血中の遊離ヘモグロビンが上昇すると血漿は赤くなる．遊離ヘモグロビンは腎糸球体基底膜を通過して尿中に排出されるので，尿は赤色になる．

血尿を放置すると，尿中の赤血球が溶血しヘモグロビンを遊離するので，ヘモグロビン尿との鑑別が必要になる．

⑦ **尿中ヘモジデリンの検出**(図 1-14 の⑦)：糸球体基底膜を通過した遊離ヘモグロビンは，腎尿細管で再吸収されたのち分解され，鉄はヘモジデリン(hemosiderin)として尿中に排泄される．尿沈渣を鉄染色すると，剥離した上皮細胞内に，もしくは遊離した小塊としてヘモジデリンが検出される．

⑧ **一酸化炭素産生増加**(図 1-15 の⑧)：ヘモグロビンの分解で生じたヘムは，網内系で分解されてビリルビンになる．その過程でポルフィリン環はⅠとⅡのピロール核の間で切断され，$\alpha$ メチレン炭素を一酸化炭素(CO)として遊離する(図 1-15)．この反応は定量的で，生体内で唯一の合成経路であるので，CO 産生率でヘモグロビン崩壊(溶血)を推定できる．

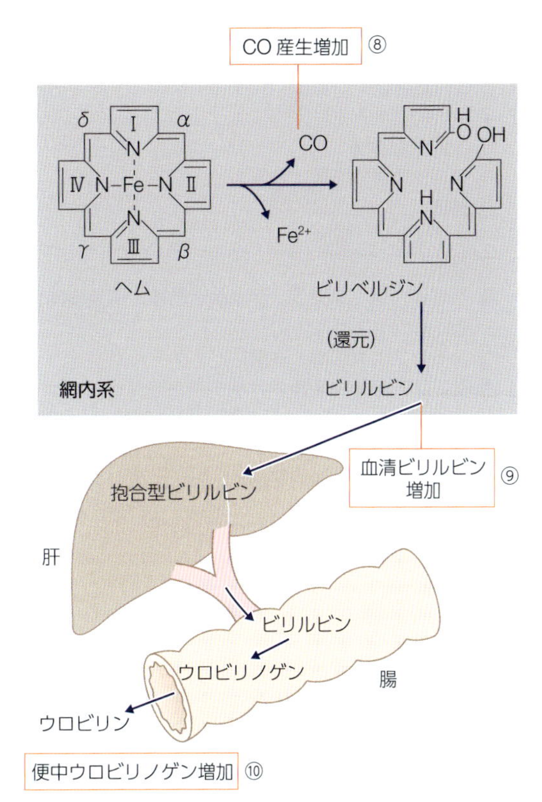


**図 1-15　ヘモグロビン分解過程での異常**

赤色枠内が異常を示す．丸中数字は本文参照.

⑨ **血清ビリルビンの上昇**(図 1-15 の⑨)：ヘムの最終分解産物がビリルビンであり，溶血では主として間接ビリルビンが血中に上昇する．

⑩ **便中ウロビリノゲンの増加**(図 1-15 の⑩)：肝から胆管を通して排泄された直接ビリルビンは，腸内細菌叢でウロビリノゲンになる．溶血が起こると間接ビリルビンは上昇するので直接ビリルビン排泄量も増加する．腸管内への直接ビリルビン排泄が増え，便中ウロビリノゲンは上昇する．

抗菌薬投与により腸内細菌叢が抑制されれば，ウロビリノゲン産生は低下する．

⑪ **尿中ウロビリノゲンの上昇**：腸管内のウロビリノゲンが増加すると，血中へのウロビリノゲン吸収量も多くなり，尿中ウロビリノゲンも増加する．ただ，溶血の検査としては鋭敏ではない．

**表 1-12　赤沈値の亢進を来す代表的な病態**

1. 技術的間違い
2. 赤血球数の減少
   ① 血液希釈状態
   ② 循環血漿量の増加：妊娠
   ③ 貧血
3. フィブリノゲン増加
   ① 妊娠
   ② 炎症性疾患：感染症，膠原病活動期，悪性腫瘍など
   ③ ストレス：大手術，外傷など
4. 免疫グロブリンの増加
   ① 多クローン性増加：肝疾患，慢性感染症，膠原病，悪性腫瘍，その他
   ② 単一クローン性増加(Bence Jones 蛋白を除く)：骨髄腫，マクログロブリン血症，良性 M 蛋白血症など

**表 1-13　赤沈値の遅延を来す代表的な病態**

1. 赤血球数の増加
   ① 血液濃縮状態：脱水症
   ② 多血症
2. フィブリノゲンの減少
   ① 無フィブリノゲン血症
   ② 線溶亢進
   ③ DIC
3. 免疫グロブリンの減少
   ① 無 γ-グロブリン血症(先天性および後天性)

# 4 赤血球沈降速度(赤沈)

赤血球沈降速度(赤沈)は炎症マーカーとして使用されていたが，最近は測定されることが少ない．理由として赤沈は単一でなく多くの要因により変化するため，原因を詳細に解明できないこと，さらに必要な血液量に比して情報量が少ないことが指摘されている．現在の検査体制において，赤沈はその役割を終えていると考えてよい．

DIC の診断には有用とされる．赤沈の著しい遅延(1 時間値が 0 mm に近い)があれば DIC を疑う．しかし，他の検査でも DIC は疑えるので，検査設備の整っていない施設でない限り必要とされない．

## 1 赤沈の測定方法

血液に抗凝固剤を加えて凝固しないように放置すると，赤血球が試験管底に沈み，血漿が上方に分離される．一定の条件下でこの現象を計測した検査が，赤血球沈降速度(erythrocyte sedimentation rate；ESR)である．

International Council for Standardization in Haematology(ICSH)により，Westergren 法が国際標準測定法として推奨されている．3.28% クエン酸ナトリウム液と血液を 1：4 の割合に混合し，内径 2.55±0.15 mm，全長 300±1.5 mm(メモリ部分は 200±0.35 mm)の Westergren 管に吸い上げ，これを垂直(90±1°)に立てて 18〜25℃ に静置し，1 時間後に分離した上方の血漿部分の長さを測り，血沈値とする．

## 2 亢進する場合

赤沈値は，アルブミン低下，γ-グロブリン上昇，フィブリノゲン上昇，貧血など多くの因子で亢進する(表 1-12)．

## 3 遅延する場合

成人において 1 時間値が 2 mm 以下であれば遅延と考えてよい．遅延する病態を表 1-13 に示す．

# 5 赤血球酵素検査

溶血性疾患のうち，赤血球自体に原因がある内因性溶血性疾患を表 1-11(17 頁参照)に示した．赤血球膜異常，ヘモグロビン異常，赤血球酵素異常の 3 群に分けられ，多くが遺伝性疾患である．

内因性溶血性疾患のうち，臨床的に診断が難しいのは，遺伝性非球状赤血球性溶血性貧血(hereditary non-spherocytic hemolytic anemia)で，血球形態で診断しにくいヘモグロビン異常症と赤血球酵素異常が含まれる．赤血球酵素活性検査は，他の検査で溶血性貧血と診断できない場合に有用である．赤血球酵素は赤血球膜構造を維持するエネルギー産生に関与している．

**表 1-14　G6PD 欠損症において臨床的に急性溶血発作を誘発する薬剤**

1. 抗マラリア薬：プリマキン，パマキン，ペンタキン
2. サルファ薬：スルファニルアミド，スルファセタミド，スルファピリジン
3. 抗菌薬：ニトロフラン，フラダンチン
4. 鎮痛・解熱薬：アセトアニリド

## A 遺伝性赤血球酵素異常と溶血のメカニズム

現在，約 16 種類の赤血球酵素が遺伝性溶血性貧血の原因として知られている．多くが構造遺伝子のミスセンス変異により変異酵素が産生されるため，酵素活性が十分に保てない．赤血球は正常の変形性を失うため，脾臓のジヌソイド通過が困難となり，赤血球の破壊，溶血が生じる．

赤血球酵素異常症は極めて稀であるが，その中でも頻度が高いのは，グルコース 6 リン酸脱水素酵素(G6PD)欠損症・異常症(表 1-14)と，ピルビン酸キナーゼ(PK)欠損症である．

# 6 赤血球浸透圧抵抗試験

溶血の原因となる赤血球膜の破壊は種々の要因で起こる(表 1-11)．赤血球自体に原因がある内因性と，赤血球以外の要因で生じる外因性に分けられる．溶血性貧血を鑑別するために表 1-15 のような検査が用いられ，最も頻繁に行われているのが Coombs 試験と赤血球浸透圧抵抗試験(または赤血球浸透圧脆弱性試験)である．

## A 赤血球浸透圧抵抗試験 (erythrocyte osmotic resistance test)

0.85% 塩化ナトリウム水溶液は赤血球と等張のため，円盤状形態を保持できる．塩化ナトリウムの濃度を低下させ低張にすると，赤血球内に水が入り球状となる．さらに低張にすると，赤血球膜の孔が大きくなり，ヘモグロビンが細胞外に溶出する．しかし赤血球が破裂するわけではない．赤血球浸透圧抵抗試験には，①Sanford 法，②Parpart 法，③CPC(coil planet centrifuge)法がある．

**表 1-15　溶血性疾患の鑑別に必要な主な検査**

1. 浸透圧抵抗試験
   ① Sanford 法
   ② Parpart 法
   ③ coil planet centrifuge(CPC)による方法
2. 自己溶血試験
3. PNH の検査
   ① Ham 試験(acidified-serum test)
   ② Crosby 試験(modified acid-serum test)
   ③ sugar water test
   ④ CD55 と CD59 の検査

このほかに，免疫学的検査，赤血球酵素の検査，異常ヘモグロビンの検査，Heinz 小体検査などが必要である．

## B 意義

赤血球浸透圧抵抗性は，赤血球がどの程度球状に近い形をとれるかを検討している．物体の表面積/容積比が最も小さくなるのは球状で，赤血球は低浸透圧で球状になり，カリウムおよびヘモグロビンを放出する．

赤血球が円盤状形態を保持するためには，赤血球の正常な構造とエネルギー補給が必要である．赤血球が球状に近づく場合，下記のどちらかの異常が関与している．

① **エネルギー補給が低下または停止する場合**：赤血球を生体外で保存する場合，エネルギー補給が低下し溶血しやすくなる．生体内では脾臓を通過する時にうっ滞するため，グルコース供給低下が生じ，溶血しやすくなる．

② **赤血球膜の破壊が起こる場合**：免疫学的，物理学的，化学的，生物学的機序により生じる．

また，赤血球膜構成成分の異常またはヘモグロビンの構造異常により赤血球形態が著しく不規則なため，球状に達するまで水分流入量が増加し，浸透圧抵抗が増す．標的赤血球(target cell, codo-

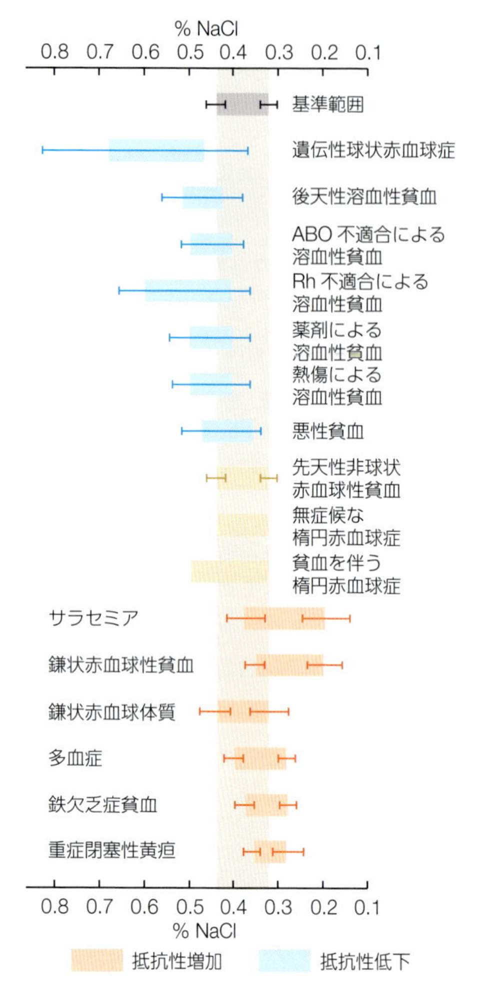


**図 1-16　種々の溶血性疾患における赤血球浸透圧抵抗性（Sanford 法）の変動**

cyte），鎌状赤血球（sickle cell, drepanocyte）が例として挙げられる．

図 1-16 に，主な溶血性疾患の赤血球浸透圧抵抗性を示した．赤血球浸透圧抵抗性の低下は，生体内の赤血球寿命短縮および溶血傾向を必ずしも意味しない．生体内では浸透圧性破壊が起こらないので，赤血球の内因的異常，外因的異常，網内系（特に脾臓，肝臓）の病態が複雑に関連して溶血が進行する．

# 7 白血球

白血球のスクリーニング検査は，主に自動血球計数器を用いて行われ，結果は白血球数および白血球分画の割合で表示される．実際は，白血球を 5 分類（好中球，リンパ球，好酸球，好塩基球，単球）し，同時に積算するので，白血球 5 分類の実数（/μL）から算出している．

このスクリーニング検査で異常を認めた場合，白血球分類の基準である鏡検目視法を行う．自動血球計測器による 5 分類に加え，分葉核好中球（分葉核球）と桿状核好中球（桿状核球）の分別，後骨髄球，骨髄球，前骨髄球，骨髄芽球，赤芽球に加えて，異型リンパ球，腫瘍細胞などの異常細胞も確認できる．

白血球数は，主に骨髄から血管内に移行する数（産生量），および，血管内で破壊されるか血管外へ移行する量（消費量）のバランスで定まる．産生量もしくは消費量がどのようなメカニズムで変動したかを探ることが病態を解明する．

白血球は，その種類により役割が異なるので，各々の絶対数の変動を検討しなければならない．白血球に異常が認めた場合，白血球分画の割合だけでなく，実数での検討も必要である．

## A 白血球の一般検査

### 1 白血球数算定と基準範囲

血中の白血球数は，自動血球計数器でほぼ測定される．自動血球計数器でも 1.5〜2.0% 程度の変動は生じる．

#### a 採血による変動

静脈血は毛細血管血よりも白血球数が 15〜20% 少ない．また，立位は仰臥位よりも多くなる．

#### b 成人基準範囲

日本臨床検査標準協議会（JCCLS）は，白血球数の共用基準範囲（2019 年修正）として，男女ともに 3,300〜8,600/μL を推奨している．

日本臨床検査医学会は，2011 年に学生が使いやすいように設定した学生用共通基準範囲において，白血球数の基準範囲として男女ともに 3,500〜8,500/μL を推奨している．

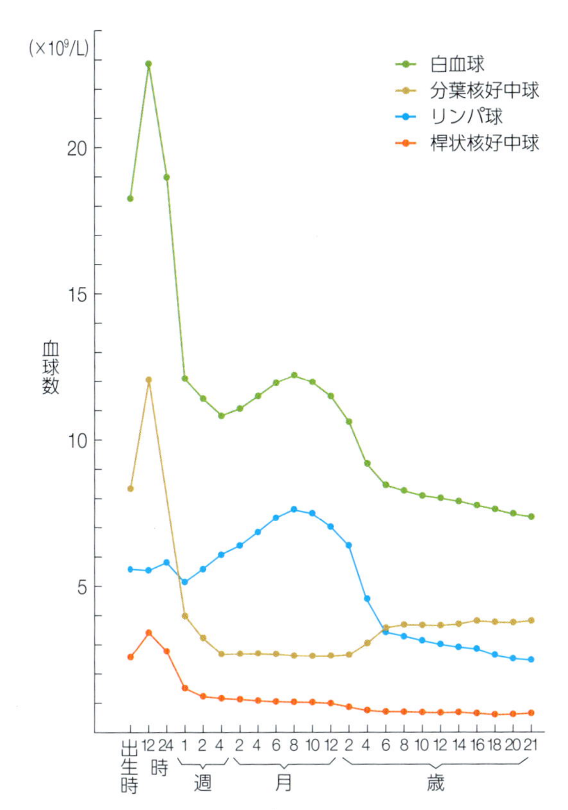


**図 1-17　白血球数およびその分画の年齢別推移**

〔Albritton EC：Standard Values in Blood. W. B. Saunders, Philadelphia, 1952 より〕

### c 生理的変動

白血球数は年齢で変動する(図 1-17)．新生児期，幼児期に高く，20 歳ごろまで徐々に減少し成人値に達し，高齢者ではあまり変化しない．肉体的，精神的ストレスにより 3,000/μL 程度の増加は認められる(表 1-16)．午前中に低く，午後から夕方にかけて高くなる．

## 2 白血球分画検査

鏡検による目視法と，自動血球計数器による分類法の 2 つの方法がある．

鏡検目視法は測定者間の誤差も大きいうえ，検査コストに比し得られる情報が少ないので，必要性が乏しい検査という報告がある．しかし，細菌感染症における有用性が理解できれば不可欠な検査である．

### a 鏡検目視法

末梢血塗抹標本を Wright-Giemsa 染色法などで染色した後，光学顕微鏡下で観察する．

通常，白血球 100 個を分類する．200 個の場合もあるが，白血球数減少時には 50 個の場合もある．各分画の実数を総白血球数で除した割合(%)で表示するのが一般的である．

血液塗抹標本の白血球形態を自動分類する機器も開発されている．しかし，2023 年 7 月現在，人の目を介した補正なしに，自動機器の分類結果をそのまま報告するには至っていない．

- **長所**：測定装置を必要としない．白血球形態を詳しく判定でき，赤血球，血小板，その他の病的細胞についても検討できる．
- **短所**：人が行う検査であり，コスト，時間を要し，測定者間の誤差が大きい．また，塗抹標本の観察部位により割合が変動する．

**表 1-16　生理的白血球増加の原因**

| | |
|---|---|
| 1. 新生児および幼児 | 6. 麻酔 |
| 2. 運動 | 7. 陣痛 |
| 3. 精神的興奮<br>(発熱，興奮，疼痛など) | 8. 発作性頻脈<br>9. 直射日光 |
| 4. 月経時 | 10. 紫外線照射 |
| 5. 寒冷曝露 | 11. 痙攣 |

### b 自動血球計算器による方法

レーザーフローサイトメトリー法が最も多く採用されている．細胞の大きさ，光透過性，光散乱性などを用いて，白血球を認識し，5 種類(好中球，リンパ球，単球，好酸球，好塩基球)に分類する．その他，組織化学的染色を組み合わせる方法，電気抵抗検出方式なども用いられる．

- **長所**：人件費および時間がかからない．大量の細胞を検査でき，測定誤差が少なく再現性がよい．
- **短所**：5 種類の白血球しか分類できない．桿状核球と分葉核球の鑑別ができず左方移動が判断できない．悪性細胞を含めて異常細胞の検出もできない．

## 3 白血球分画の基準範囲

白血球分画の基準範囲は報告により異なる．好中球 42〜74%，リンパ球 18〜50%，単球 1〜8%，好酸球 0〜10%，好塩基球 0〜2% が目安になる．

**表 1-17　白血球数と白血球分画の成人基準範囲**

| | 男性(/μL) | 女性(/μL) |
|---|---|---|
| 総白血球数 | 3,487～9,206* | 3,839～10,135* |
| 総好中球数 | 1,539～5,641* | 1,816～6,821* |
| リンパ球数 | 1,168～3,262 | 1,149～3,664 |
| 単球数 | 217～849 | 225～836 |
| 好酸球数 | 30～592 | 20～582 |
| 好塩基球数 | 0～131* | 0～138* |

*午前中の測定値；午後になると総白血球数と総好中球数がやや増加する．
〔Bain BJ, et al：Normal haematological values. Br Med J 1：306-309, 1975 より〕

また，絶対数の報告例を表 1-17 に示す．

各々の分画で変動が認められても，基準範囲の概念からは臨床的な意味づけが難しい．しかし，基準範囲内であっても実数で前回値と比較できれば，リアルタイムな病態の推定が可能になる．白血球分画も実数の時系列データとして認識する必要がある．

## 4 白血球分画の有用性

### ⓐ スクリーニング検査としての有用性は低い

白血球数に異常がなければ，白血球分画が異常を呈することは稀である．したがって白血球分画検査は，外来初診時のスクリーニング検査としての有用性は低いとされている．白血球数異常を確認してから，白血球分画検査を行えばよいという考え方である．同様に入院時スクリーニング検査としての有用性も低いとされている．

### ⓑ 白血球分画が有用な疾患

原発性血液，造血器疾患が疑われた場合，白血球分画は不可欠である．自動血球計数器よりは鏡検目視法による白血球分画のほうが診断上有力な情報を多く提供する．

細菌感染症にも有用である．細菌感染症での左方移動，ウイルス感染症での異型リンパ球などは診断にも寄与し，鏡検目視法が必要になる．

# B 好中球

好中球は，細菌および真菌感染から身を守る防御能を有している．したがって，抗がん剤治療などで好中球が著しく減少すると，細菌もしくは真菌感染のリスクが増し，容易に重症化する．好中球は生体の感染防御に不可欠である．臨床検査で細菌感染症の好中球動態を詳細に把握できれば，その診断および経過観察の検査になりうる．

1970 年代以前は，血中の幼若好中球が増加する左方移動が細菌感染症診断に使用されていた．しかし，1980 年代に自動血球計数器が普及するにつれて，細菌感染症に対する白血球検査は「白血球数＋好中球分画の割合(%)」で十分であり，左方移動を加えても有用な情報は得られないという報告が多く発表された．その後，「白血球数＋好中球分画の割合(%)」も，細菌感染症診断において感度および特異度が低いと評価されている．現在では，白血球(好中球)，C 反応性蛋白(CRP)に惑わされない細菌感染症の診断・治療を行ったほうが効果的であると主張する感染症専門家も現れ，好中球は細菌感染症にとってそのような見方もある．

左方移動が有用でないという研究の多くは，入院時一時点の検査だけで細菌感染症の有無を判断している．詳しくは後述するが，好中球数およびその分画(分葉核球，桿状核球，後骨髄球，骨髄球)は，細菌感染の発症から治癒するまでの期間に劇的に変化する．好中球数(白血球数も同じ)も著しく変動する．つまり，細菌感染症が発症してから治癒するまでの期間には，左方移動がある時期もない時期もあり，白血球数が基準範囲を超える時期もあれば下回る時期もある．したがって，細菌感染症は，一時点の白血球検査では定義できない疾患である．

しかし「細菌感染症は好中球を消費する疾患である」と定義し，好中球数とその分画を時系列で読んでいけば，好中球数(白血球数)および左方移動で，患者の悪化，改善の判断も含めて，細菌感染症の経過(初期，中期，回復期，治癒期)が判断できる．

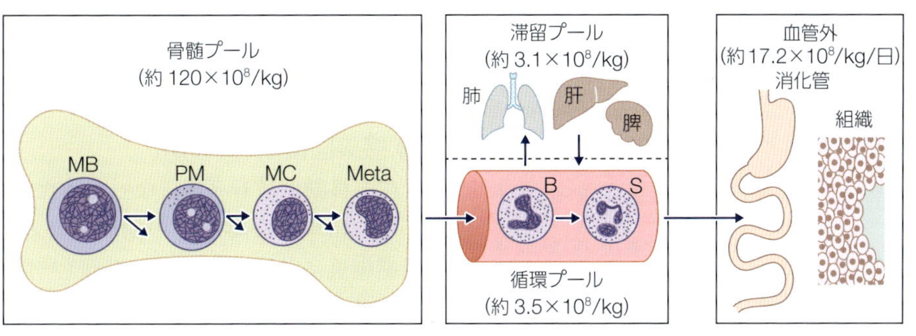


**図 1-18 顆粒球(主として好中球)の体内動態**(原図・河合)

循環プール(CGP)と滞留プール(MGP)が血管内プールを構成している．血管外への滲出の大部分は消化器・呼吸器などの粘膜で起こる．MB：骨髄芽球，PM：前骨髄球，MC：骨髄球，Meta：後骨髄球，B：桿状核球，S：分葉核球

## 1 体内動態

### a 骨髄での好中球産生

骨髄では，血液幹細胞から，骨髄芽球(myeloblast)，前骨髄球(promyelocyte)，骨髄球(myelocyte)，後骨髄球(metamyelocyte)，桿状核好中球(桿状核球，band neutrophil)，分葉核好中球(分葉核球，segmented neutrophil)へと分化成熟する．骨髄芽球が分葉核球に分化し血中に移行するまで約 8〜14 日を要する．骨髄に含まれる骨髄プールの好中球数は 1 kg 当たり約 $120 \times 10^8$ 個と推定され，循環プール(流血中)にある好中球の約 30〜35 倍相当量が蓄えられている(図 1-18)．

細菌感染症にて好中球が消費されると，骨髄プールから血中に好中球が移行し感染巣への好中球供給を増加させる．同時に，骨髄は好中球の増産を開始する．細菌感染初期，分葉核球は骨髄プールから血中に供給されるが，骨髄プールに分葉核球が枯渇してくると，生体における好中球の機能保持のため桿状核球，後骨髄球および骨髄球(幼若好中球)を血中に供給せざるを得なくなる．しかし，どんなに好中球が欠乏しても，骨髄芽球もしくは前骨髄球は，血中に出現しない．骨髄芽球あるいは前骨髄球が血中で認められたら，骨髄の破壊性病変(血液の悪性腫瘍，骨髄への悪性腫瘍の転移など)を考慮しなければならない．

### b 血管内での好中球

骨髄プールから血中に移行した好中球は，循環プール(流血中)もしくは滞留プール(脾臓，肝臓，肺などの毛細血管上)にほぼ同数分布するので，理論的には，血中で測定される 2 倍の好中球が血管内に存在している．好中球の消費が亢進すると，最初に滞留プールの好中球が循環プールへ移行し，好中球不足を補う．

好中球消費が亢進しなくても，副腎皮質ホルモン，アドレナリン刺激の他，種々の要因で好中球は滞留プールから循環プールに移動する(図 1-18)．この場合，分葉核球が増えるだけで幼若好中球は増加しないので，左方移動は認められない．

好中球の血管内滞留時間ははっきりしないが，数時間と推定されている．したがって，循環および滞留プール内の好中球は 1 日に 3〜4 回入れ替わる．好中球は，骨髄から血中を経て組織へすさまじいスピードで流れているが，通常，流血中の好中球数は厳格にコントロールされている．そして，何か異常が起こると，流血中の好中球およびその分画はリアルタイムに変動する．

### c 好中球の血管外への移行

好中球は毛細血管内皮細胞の間隙を通って，アメーバ様運動により血管外へ移行し，各組織において機能を発揮する．好中球は，網内系のほかに消化管，呼吸器，口腔，泌尿器などの粘膜面で感染防御の役割を果たす．

## 2 細菌感染症における動態

細菌感染症の経過は，白血球数(≒好中球数)と左方移動により感染初期，感染中期，感染回復期，感染治癒期の 4 期に分けられる．正しく治療されれば，細菌感染症はこの順序で経過する．期を逆戻りした場合は，不適切な抗菌薬治療であると判断できる．つまり白血球数と左方移動所見を時系列で検討するだけで，細菌感染症の重症度，抗菌薬効果を判断できる．

### ⓐ 感染初期（第 1 期）

感染初期には，好中球（主に分葉核球）が血中から細菌感染巣に移行するが，骨髄プールから血中への供給は増加しない．したがって，血中の白血球数（≒好中球数）は減少し基準範囲以下になることが多いが，左方移動は呈さない．

細菌感染が発症し骨髄プールからの好中球供給が増加するまで 12〜24 時間要し，この間に重症細菌感染症であれば白血球数が 1,000/μL 以下になることも稀ではない．しかし，この感染早期に受診する患者は少なく，細菌感染症にこの感染初期（第 1 期）があることはあまり知られていない．

### ⓑ 感染中期（第 2 期）

骨髄プールから血中への好中球供給が増加し，骨髄が好中球を増産する時期である．骨髄プールにおいて好中球が成熟するまでには 8〜14 日間を要するので，骨髄プールの分葉核球が乏しくなると幼若好中球が供給されるため，左方移動が生じる．好中球が大量に消費されれば，より多くの幼若好中球が供給されるため左方移動は高度になる．左方移動の程度は，細菌感染症の重症度と関連し，細菌感染巣の好中球消費量（≒好中球産生量）にて細菌感染症重症度を推定できる．

一方，血中への好中球供給量が細菌感染巣における消費量を上回れば，白血球数（≒好中球数）は上昇し，生体が細菌感染巣に十分対処していると判断できる．一方，白血球数が基準範囲以下であれば，必要な好中球数が供給できておらず，生体は細菌感染症を抑え込めていない．血中の白血球数は，細菌感染巣における好中球需給状態を反映し，細菌感染症の重症度を判定する最も重要な指標である（図 1-2，3 頁参照）．

白血球数と左方移動の組み合わせで，細菌感染症の重症度および生体の対処について判断できる．ただし，この理論が成立するには，細菌感染症が好中球を消費する疾患であると定義する必要があり，好中球を消費しない重症細菌感染症も存在するので，注意を要する（後述）．

### ⓒ 感染回復期（第 3 期）

左方移動が最も高度になった時点から徐々に低下し，15% になるまでの期間である．つまり細菌感染巣における好中球消費量（≒骨髄の好中球産生量）が最大になってから徐々に減少し，血中への好中球供給量を増加する必要がなくなるまでの期間である．左方移動がより軽度になることは，細菌感染巣において必要な好中球量が低下したことを意味し，対処すべき細菌量が減った，すなわち患者は回復していると考えてよい．しかし，血中の白血球数は高値を維持しており，血中から細菌感染巣に好中球を効率的に供給する体制を維持している．

### ⓓ 感染治癒期（第 4 期）

桿状核球が 15% 以下になり左方移動を認めなくなると，高値であった白血球数が基準範囲内に戻る．好中球消費が亢進しなくなる，すなわち好中球が対処すべき細菌がいなくなったことを意味し，細菌感染症は治癒したと考えてよい．したがって，桿状核球が 15% 以下の所見（左方移動なし）は，細菌感染症治癒を判断する有用な所見である．

左方移動がなくなっても，白血球数および CRP は高値を持続することが多い．これは細菌感染症は治癒したが炎症（器質化，線維化など）が続いていることを意味し，炎症性サイトカインの IL-6 などの産生は続いている．理論上，この時期には抗菌薬投与は必要ないと考えられる．

## 3 必ずしも左方移動を呈さない重症細菌感染症

好中球数（白血球数）と左方移動を細菌感染症診断に用いるためには，「細菌感染症は好中球を消費する疾患である」と定義する必要がある．好中球を消費しない細菌感染症も存在するので注意を要するが，下記の 3 つの病態が主であり，これらを十分に理解しておけば問題ない．

好中球が消費される病態がなければ，桿状核球が 15% 以上になる左方移動を呈することは稀だ

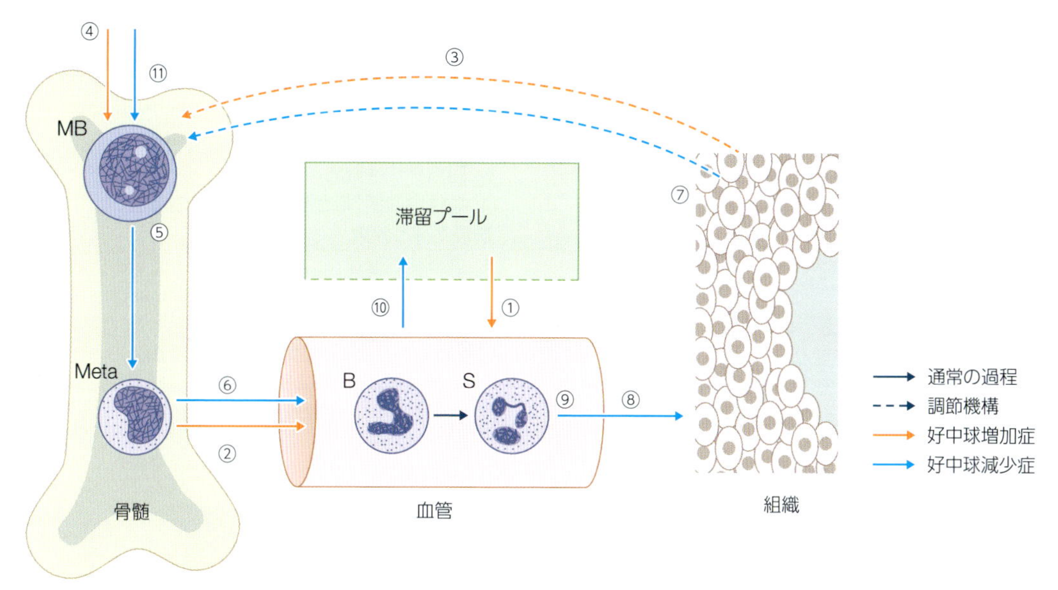


図 1-19　**好中球数の変動を来す病態**(原図・河合)

**好中球増加症**：① 生理的増多，② 原発性増殖，③ 続発性増殖，④ 原因不明のもの
**好中球減少症**：⑤ 造血器疾患，⑥ 種々の原因による造血抑制，⑦ 細胞内寄生性病原体による感染症，⑧ 劇症感染症，⑨ 免疫性破壊，⑩ アナフィラキシー，⑪ 原因不明のもの

が，これらの病態では，重症細菌感染症であるにもかかわらず，血中の好中球消費が著しくなく，左方移動を示さない場合がある．

### a 感染性心内膜炎

感染性心内膜炎は，心臓弁に細菌が感染し疣贅(ゆうぜい)を形成する．弁膜症や血栓を生じるので重症細菌感染症である．しかし，疣贅の細菌感染巣は小さく，血中に放出される細菌量も少なく，循環プール(流血中)内の好中球のみで対処できる感染期間が長く続く．この期間には，循環プールの好中球消費量は変化しないので，左方移動および好中球数の増減が認められない．感染性心内膜炎が重篤になり，細菌量が増加し好中球の需給関係に影響を及ぼすようになると，左方移動を呈する．

### b 細菌性髄膜炎

細菌性髄膜炎は髄膜および髄膜腔に細菌感染を起こすが，好中球は体循環から髄腔に移行しにくいので血中の好中球が消費されない．循環プールの好中球消費がなく，好中球需給に変化がないので，左方移動および好中球数増減が認められないことが多い．

### c 膿瘍(膿胸など)

膿瘍は厚い線維性の壁に囲まれた細菌感染巣であり，血流が十分ではない．循環プールから膿瘍へ好中球が移行しにくく，血中の好中球は消費されない．循環プールの好中球消費がなく，好中球の需給に変化がないので，左方移動および好中球数増減が認められないことが多い．

## 4 好中球数の変動

好中球数の増減は，血管内に入ってくる好中球数(供給量)と，血管内で消費されるか血管外へ移行する数(消費量)のバランスで決まる．血中好中球数は骨髄プールもしくは滞留プールから循環プールへの供給量が増えると増加する．一方，循環プールから血管外に出ていく量(細菌感染症，一部のウイルス感染など)が多ければ，血中の好中球数は減少する．

血中の好中球増減を判断するには，割合(%)だけでなく，絶対数も考慮しなければならない．

### a 好中球増加症(neutrophilia)

好中球供給量が増加するか消費量が減少すれば，血中の好中球数は増加する．供給量＞消費量

**表 1-18　好中球増加を来す代表的な病態**

**原発性の好中球増加**(図 1-19 の②)
1. 骨髄性白血病*
2. 骨髄増殖性腫瘍(骨髄増殖性疾患)

**種々の刺激に続発する好中球増加**(図 1-19 の③)
1. 急性細菌感染症
   ① 局所性感染症
   ② 全身性感染症
2. 中毒性疾患
   ① 代謝性のもの：尿毒症，アシドーシス，子癇，痛風，Cushing 症候群など
   ② 化学物質によるもの：アドレナリン，ACTH，鉛，ジギタリス，水銀，蒼鉛，ケロシンなど
   ③ 昆虫毒によるもの
   ④ 異種蛋白の非経口的投与
   ⑤ 細菌性ワクチンの投与
   ⑥ 電気ショック
3. 組織壊死を伴う疾患
   ① 心筋梗塞
   ② 壊疽
   ③ 広範な熱傷
   ④ 細菌感染
   ⑤ 悪性腫瘍(急速に増大しているもの)
   ⑥ 良性腫瘍(変性壊死を伴うもの)
4. 急性溶血性疾患
5. 急性出血

**原因不明の好中球増加症**(図 1-19 の④)
慢性，特発性，家族性，周期性などの病型がある．

*急性骨髄性白血病では成熟好中球は減少する．

の関係が成り立つ．

① **骨髄プールからの供給増加**：細菌感染症で好中球が増加するメカニズムは，**2 細菌感染症における動態**(25 頁参照)で説明した．続発性増殖の一つである(図 1-19)．感染症以外でも，インターロイキン 1(IL-1)，腫瘍壊死因子 $\alpha$(tumor necrotic factor-$\alpha$；TNF-$\alpha$)などを産生する炎症では，顆粒球コロニー刺激因子(granulocyte colony-stimulating factor；G-CSF)を介して好中球が増加する．また骨髄において腫瘍性増殖(原発性増殖)が起こっても好中球供給が増加する．

② **滞留プールからの供給増加**：副腎皮質ホルモン，交感神経ホルモン，各種サイトカイン(IL-6 など)は，滞留プールから循環プールへの好中球移行を促す．左方移動は認められない．好中球の消費亢進がなければ，好中球数は増加する．

③ **消費量減少**：好中球は，血管内での破壊もしくは血管外への移行により減少する．副腎皮質ホルモンは，好中球の寿命もしくは血管内滞在期間を延長し，血中の好中球数を増加させる．

**表 1-19　好中球減少を来す代表的な病態**

**造血臓器疾患に伴う場合**(図 1-19 の⑤)
1. 再生不良性貧血
2. 骨髄異形成症候群
3. 巨赤芽球性貧血
4. 急性白血病*ほか骨髄占拠性悪性疾患

**脾腫を伴う疾患**
1. 脾機能亢進症
2. 特発性門脈圧亢進症(Banti 病)，Gaucher 病，Felty 症候群など

**二次的な好中球産生の低下**(図 1-19 の⑥)
1. 栄養低下状態(悪液質など)
2. 化学薬剤による場合
   ① サルファ剤
   ② 抗菌薬
   ③ 抗ヒスタミン薬
   ④ 鎮痛薬
   ⑤ 抗痙攣薬
   ⑥ 抗甲状腺薬
   ⑦ 造血阻止薬
   ⑧ 有機ヒ素薬
   ⑨ その他の薬剤
3. 物理的要因による場合
   ① 放射線照射

**感染症に伴う場合**
1. 細胞内寄生性病原体による感染症(図 1-19 の⑦)
   ① ウイルス，クラミジア，リケッチアの感染症
   ② 原虫の感染症(マラリアなど)
   ③ サルモネラ，ブルセラ，抗酸菌などの感染症
2. 細菌感染症(図 1-19 の⑧)
   ① 粟粒結核
   ② 敗血症
   ③ 細菌性感染症の感染初期
   ④ 重症細菌感染症

**免疫学的好中球減少症**(図 1-19 の⑨)
   ① 同種免疫性
   ② 自己免疫性

**アナフィラキシーショック**(図 1-19 の⑩)

**血球貪食症候群(HPS)**

**原因不明の好中球減少症**(図 1-19 の⑪)
慢性，周期性，家族性などの病型がある．

*急性骨髄性白血病では成熟好中球は減少する．

好中球増加を伴う病態を図 1-19，表 1-18 に示した．白血球数が 5 万/$\mu$L 以上あれば白血病を疑う．類白血病反応では 5 万/$\mu$L 未満にとどまることが多い．

表 1-20　顆粒球系細胞の形態異常

| 細胞の変化 | 主要な形態所見 | 主な病態と疾患 | 備考 |
|---|---|---|---|
| 類白血病反応<br>(leukemoid reaction) | WBC 5 万/μL, 末梢血中幼若細胞の増加 | 重症感染症，中毒，溶血，癌の転移，など | 白血病裂孔なし |
| Döhle 小体<br>(Döhle body) | 好中球細胞質に塩基好性の大型小体 | 重症感染症などの重症炎症<br>May-Hegglin 異常* | 電顕的に粗面小胞体集合体 |
| 中毒性顆粒<br>(toxic granule) | 好中球細胞質に大小不同のアズール顆粒(一次顆粒)が多数残留 | 重症感染症などの重症炎症<br>Alder-Reilly 異常 | 好中球回転の短縮<br>アズール顆粒の異常 |
| 大型顆粒(封入体)<br>(inclusion body) | 顆粒球の顆粒成熟異常，細胞質封入体 | Chédiak-Higashi 症候群 | 他に全身症状を伴う |
| 顆粒消失<br>(degranulation) | 好中球細胞質は淡く，無色透明の感じ | 白血病，MDS など | 細胞質の二次顆粒の成熟障害 |
| Auer 小体<br>(Auer body) | 骨髄芽球の細胞質に赤色の桿状構造 | 急性骨髄性白血病 | アズール顆粒の変性 |
| 核過分葉<br>(hypersegmentation) | 好中球の多分葉化した細胞核 | 巨赤芽球性貧血，遺伝性，抗凝固剤添加，MDS | |
| 核の成熟異常<br>(nuclear dysmaturity) | 核の楕円形の 2 分葉 | Pelger-Hüet 異常,<br>偽 Pelger 異常(MDS，抗がん剤投与など) | |
| 赤血球貪食<br>(erythrocyte phagocytosis) | 好中球，単球の細胞質に一部変性した赤血球が取り込まれる | 溶血性貧血 | |
| 核貪食<br>(nuclear phagocytosis) | 好中球，単球の細胞質に一部変性した細胞核が取り込まれる | 偽 LE 細胞，タルト細胞の生成 | LE 細胞との鑑別必要 |

*顆粒球系細胞と巨核球系細胞に異常を認める病態として，この他に Fechtner 症候群，Sebastian 症候群がある.

### ⓑ 好中球減少症(neutropenia)

好中球の供給量が減少するか消費量が増大すれば，血中の好中球は減少し，供給量＜消費量の関係が成立する．好中球数が成人で 1,800/μL 以下，小児で 1,500/μL 以下であれば，好中球減少と考えてよい．好中球減少を伴う病態を図 1-19，表 1-19 に示した．

① **骨髄プールからの供給低下**：骨髄の好中球産生が低下すれば，血中の好中球数は減少する．悪性腫瘍を含む造血器疾患に伴うことが多い．抗がん剤を含む種々の薬剤，放射線照射でも，好中球産生が低下する．

② **滞留プールへの移行**：循環プールから滞留プールへ好中球が移行すると，血中の好中球数は減少する．重症のウイルス感染症などで血管内皮が障害されると，流血中の好中球が血管内皮に接着し好中球数が減少する．アナフィラキシーでも滞留プールに好中球が移行すると考えられている．

③ **消費量の増大**：細菌感染症以外で著しい好中球消費の亢進をきたす病態は少ない．肝硬変に伴う脾機能亢進もしくは血球貪食症候群(HPS)では，血球破壊に伴い好中球数が減少する．免疫学的好中球減少などでも好中球破壊が亢進し減少する．表 1-20 に好中球の主な形態異常を示す．

## 5 好中球の機能

好中球は細菌や真菌を細胞内に取り込み殺菌する食作用により，感染防御機構に重要な役割を果たしている．食作用には，付着能，走化能，貪食能，細胞内殺菌能などの殺菌機能をあり，これらの機能のいずれに障害が生じれば，易感染性を示す(図 1-20，表 1-21)．

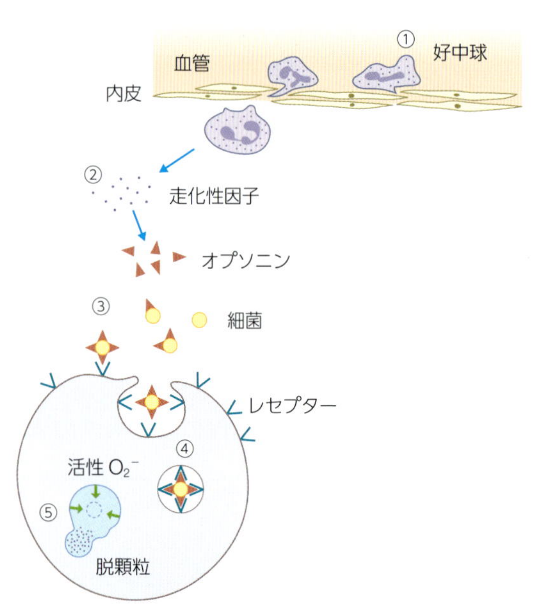


**図 1-20　好中球の食作用**(原図・河合)

①好中球の血管内皮への付着，②走化性因子により好中球の遊走，③細菌のオプソニン化，④好中球のレセプターと結合して，細胞内へ取り込まれ，貪食空胞を形成，⑤活性酸素・酵素による殺菌

**表 1-21　好中球機能異常症とその障害部位**

| 障害部位 | 疾患名 |
|---|---|
| 1. 付着能 | 白血球膜蛋白欠損症<br>新生児(生理的) |
| 2. 走化能 | 白血球膜蛋白欠損症<br>Chédiak-Higashi 症候群<br>高 IgE 症候群<br>糖尿病<br>Shwachman 症候群<br>Wiskott-Aldrich 症候群<br>新生児(生理的) |
| 3. 貪食能 | 白血球膜蛋白欠損症<br>補体欠損症<br>無ないし低 γ-グロブリン血症 |
| 4. 細胞内殺菌能<br>①活性酸素の異常 | <br>慢性肉芽腫症<br>グルコース-6-リン酸脱水素酵素欠損症 |
| ②顆粒の異常 | Chédiak-Higashi 症候群<br>ミエロペルオキシダーゼ欠損症<br>特殊顆粒欠損症(核分葉異常を伴う) |

## C　好酸球

好酸球は，細胞質にピンク色の顆粒(好酸性顆粒)を充満させ，細胞辺縁に偏在し 2 分葉する核を有する細胞として認識される．白血球数の 0～10% を占めるが，気管支喘息，好酸球性血管浮腫，Churg-Strauss 症候群，好酸球性肺炎，アトピー性皮膚炎などの疾患では著しく上昇する．

好酸性顆粒には，major basic protein(MBP)，eosinophilic cationic protein(ECP)などの蛋白および，ロイコトリエン $C_4$($LTC_4$)，$LTB_4$，血小板活性化因子(platelet activating factor；PAF)などの脂質メディエーターも含まれており，気道収縮や血管透過性亢進などのアレルギー反応を呈する．

## D　好塩基球

好塩基球は，細胞質に Giemsa 染色にて暗紫色に染まる大型の好塩基性顆粒を有し，健常人では血中白血球の 0～2% を占めている．細胞表面には IgE のレセプターを有し，顆粒にはヒスタミン，セロトニン，ヘパリンなどが含まれ，アレルギー反応および寄生虫感染に関与している．

## E　単球

単球は，核が楕円形でそら豆もしくは腎臓のような形を呈し，細胞質にアズール顆粒を有している．単球の半数は脾臓に蓄えられ，血中では白血球の 1～8% を占めている．組織内に移行すると，組織に適合したマクロファージもしくは樹状細胞に分化し，食作用，抗原提示，サイトカイン産生など免疫機能の一端を担っている．

## F　リンパ球

自動血球計数器の血算ではリンパ球数しか得られないが，鏡検目視法による白血球分画を加えれば，異型リンパ球の有無と数が得られる．リンパ

**表 1-22 リンパ球系細胞の形態異常**

| 細胞の変化 | 主要な形態所見 | 主な病態と疾患 | 備考 |
|---|---|---|---|
| リンパ球数の増加 (lymphocytosis) | ほとんどが成熟リンパ球 | 慢性リンパ性白血病，百日咳など | 形態異常の細胞もみられる |
| 異型リンパ球 (atypical lymphocyte) | Downey I～III型リンパ球の混在 | 伝染性単核(球)症ほか各種ウイルス感染症 | 正常では1%以下 |
| 顆粒リンパ球 (granular lymphocyte) | リンパ球細胞質にアズール顆粒，一部形態異常 | 各種白血病，リンパ腫，顆粒リンパ球増加症*1 | NK細胞*4<br>NKT細胞 |
| 細胞核の形態異常 | 花弁状(flower cell)，脳回状，くるみ状の細胞核が特徴 | 成人T細胞性白血病/リンパ腫(ATL)，菌状息肉腫*2，Sézary症候群 | HTLV-1感染による |
| リンパ球様形質細胞 | リンパ球と形質細胞の特徴を兼ねた細胞が混在 | Waldenströmのマクログロブリン血症 | IgM型M蛋白を伴うこと多い |
| 形質細胞の増加 | さまざまな形態異常をもった形質細胞(末血，骨髄，髄外組織) | 多発性骨髄腫<br>形質細胞性白血病<br>MGUS*3 | |

*1 GLPD(granular lymphocyte proliferating disease)，EBウイルスによる？
*2 mycosis fungoides
*3 monoclonal gammopathy of undetermined significance(良性，本態性M蛋白血症とも呼ばれる)
*4 健常者(正常者)のNK細胞，T細胞にも認められる.

球が3,500/μL以上であればウイルス感染症を疑い，異型リンパ球の出現を伴えばその可能性が高くなる．また，異型リンパ球が10%以上あれば，EBウイルス(Epstein-Barr virus；EBV)もしくはサイトメガロウイルス(CMV)感染を強く疑う．

リンパ球は，異物抗原の認識，記憶を行い，単独あるいは他の免疫機構と共同し異物を排除する．生体の免疫応答の中心的役割を果たす．リンパ球異常を呈する疾患が疑われたら，CD(cluster of differentiation)分類による細胞膜抗原の検索を行い，リンパ球分類を詳細に検討する必要がある．

## 1 形態，機能，分化

リンパ球は，直径7～20μmの球形を呈し，核は球形，細胞質は好塩基性，核/細胞質比が大きいのが特徴である．表1-22にリンパ球の主な形態異常を示す．

図1-21のようにリンパ球は，骨髄のリンパ系幹細胞(lymphocytic stem cell)から，胸腺を経由するもの(T細胞)と，経由しないもの(B細胞)2つの経路を経て分化，成熟し，リンパ節，扁桃，粘膜固有層リンパ組織(主として消化管，呼吸器)など，体内の末梢リンパ組織に分布する．血中のリンパ球は体内にある総リンパ球の2～3%にすぎないが，一つのリンパ組織から他のリンパ組織，炎症病巣へ移動するリンパ球にて再循環が活発に行われている．特に消化管と呼吸器の粘膜固有層に分布するリンパ組織には，体内リンパ球総数の約50%があり，粘膜表面を通して外界からの異物抗原を排除している．

① **T細胞**：胸腺にて，CD4抗原陽性のヘルパーT(Th)細胞とCD8抗原陽性の細胞傷害性T(Tc)細胞，免疫性反応を抑制する抑制T(Ts)細胞に分化する．Th細胞は，サイトカイン分泌能からTh1細胞とTh2細胞に分かれる．Th1細胞は，インターロイキン(IL)-2，インターフェロンγ，腫瘍壊死因子(tumor necrosis factor；TNF)などを分泌し，マクロファージの活性化により抗原処理能，抗原提示能を促進し，T細胞活性化により抗体を産生する．Th2細胞は，IL-4，IL-5，IL-6などを分泌し，B細胞の抗体産生細胞への分化を誘導する．Tc細胞は，細胞内寄生性病原微生物，例えばウイルス，結核菌などの除去に働く．

② **B細胞**：胸腺を経由せずに成熟し，循環し，全身の末梢リンパ組織に分布する．特異的抗原に

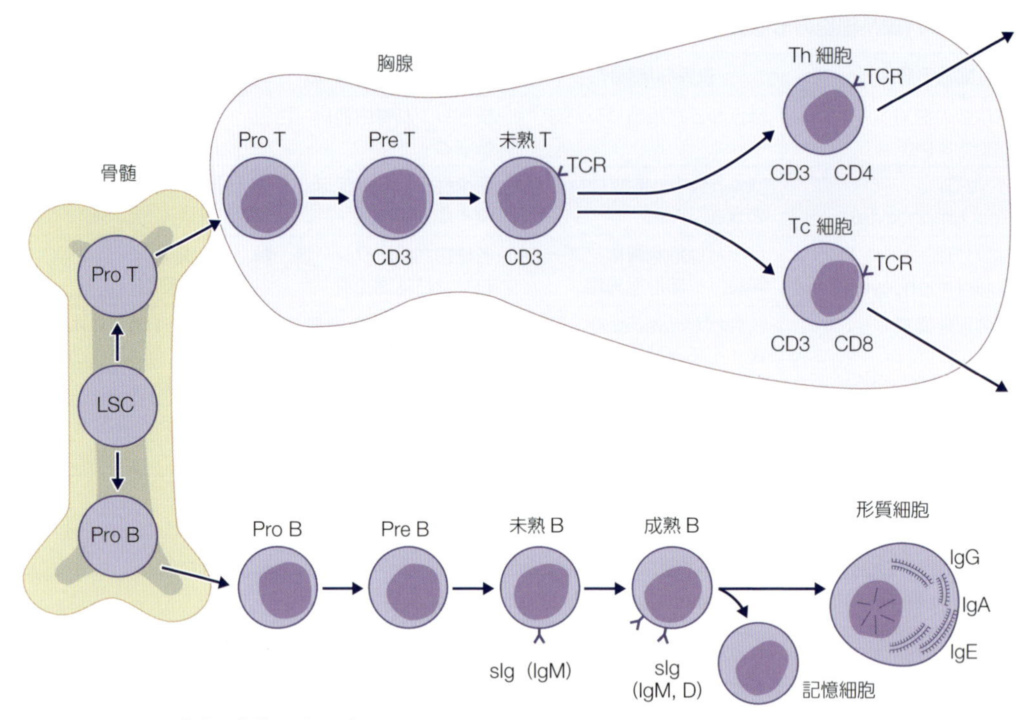


**図 1-21　リンパ球の分化と主な表面マーカー**（原図・伊藤）

LSC：リンパ系幹細胞，Pro T：プロ T 細胞，Pro B：プロ B 細胞，Pre T：T 前駆細胞，Pre B：B 前駆細胞，Th 細胞：ヘルパー T 細胞，Tc 細胞：細胞傷害性 T 細胞，TCR：T 細胞（抗原）レセプター，sIg：表面免疫グロブリン

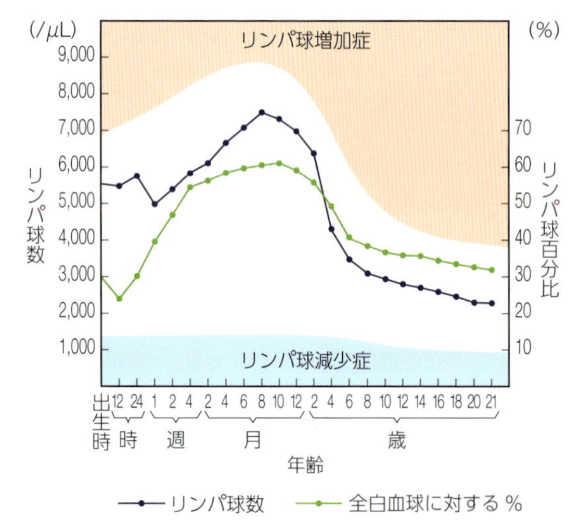


**図 1-22　リンパ球数の年齢別推移**

遭遇すると，マクロファージ，Th 細胞の作用により，B 細胞は特異抗体を産生する形質細胞に分化，成熟する．その過程で，図 1-21 に示すように細胞表面免疫グロブリンを産生し，一部は免疫記憶に関与する記憶細胞に分化する．

③ **NK（natural killer）細胞**：粗大なアズール顆粒を胞体にもつ大型細胞（large granular lymphocyte）で，血中の約 10% を占める．突然変異などで出現する腫瘍細胞を認識し，その破壊除去に関与し，免疫機構の最前線で機能している．

## 2 基準範囲

健常成人の末梢血リンパ球数は，1,500〜3,000/μL で，全白血球数の 30〜38% を占める．年齢別の推移を図 1-22 に示す．出生直後は成人の 2 倍で，生後 4〜8 か月で成人の約 3 倍になり，その後徐々に減少する．学童期には成人と同じ値になる．リンパ球数は午前よりも午後に高値で，運動負荷でも増加傾向を示す．

## 3 異型リンパ球（反応性リンパ球）

異型リンパ球とは，反応性に活性化され幼若化したリンパ球のことで反応性リンパ球とも呼ばれる．健常成人では 3% 未満と少ないが健常乳幼児では白血球数の 10% 程度に認められる．

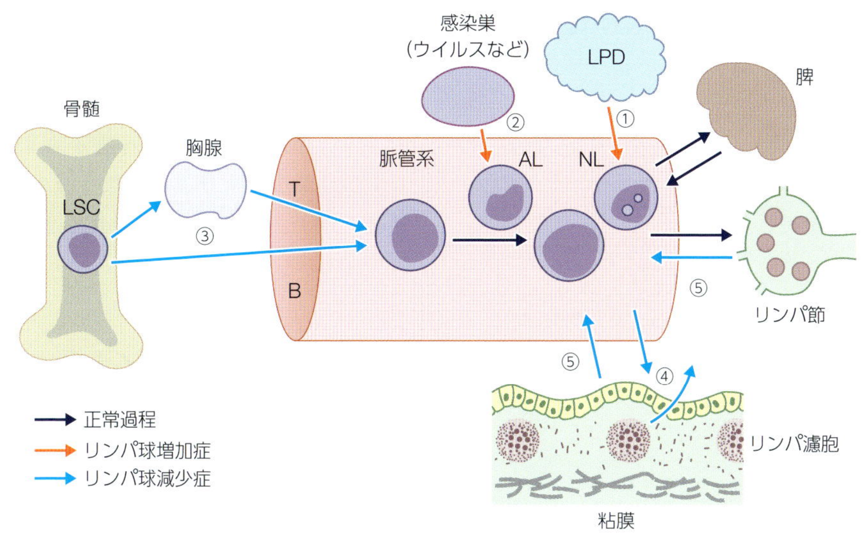


**図 1-23 リンパ球の体内動態と病態**(原図・伊藤)

LSC:リンパ系幹細胞, LPD:リンパ増殖性疾患, T:T 細胞, B:B 細胞, AL:異型リンパ球, NL:腫瘍性リンパ球
**リンパ球増多症**:① 腫瘍性増殖, ② 反応性増殖
**リンパ球減少症**:③ 原発性免疫不全症, ④ 体外への喪失, ⑤ 続発性免疫不全症(抗がん剤, 放射線照射など)

### ⓐ 形態学的特徴

異型リンパ球は形態学的には多様性を呈し, 大きさは不均一であるが正常リンパ球より大型で, 細胞形態も円形から不整円形を呈する. 核も円形から不整円形で, 分葉もしくは切れ込みを有していることがある. 細胞質は好塩基性で空胞を認めることがある.

### ⓑ 異型リンパ球を認める場合

EB ウイルス感染症およびサイトメガロウイルス感染症では 10% 以上になることも多い. ヘルペスウイルス感染症, 肝炎ウイルス感染症など他のウイルス感染症でも数 % の異型リンパ球が認められ, 診断の手がかりになる.

その他, 薬剤アレルギー, 自己免疫疾患, 結核などでも血中に認められる.

## 4 リンパ球数の増加する病態(リンパ球増多症)

リンパ球増多症(lymphocytosis)には, 絶対的リンパ球増多症と相対的リンパ球増多症がある. 絶対的リンパ球増多症では, 成人で 4,000/μL 以上, 乳幼児で 7,000/μL 以上, 生後 6 か月で 9,000/μL 以上が目安になる. 相対的リンパ球増多症は, リンパ球比率が基準値より高くなるが, リンパ球の絶対数が基準範囲かそれよりも減少している場合で, 臨床的意義は少ない.

① **リンパ組織の腫瘍性増殖**(図 1-23 の①):リンパ性白血病, 悪性リンパ腫のようなリンパ組織の悪性増殖では, 腫瘍組織から末梢血中に移行して, リンパ球増多症になる. 形態的に異型性を呈し, 診断に役立つ場合もあるが, 現在ではフローサイトメトリーによる CD 抗原検査により正確に細分類されている.

② **反応性リンパ球増多症**(図 1-23 の②):細胞内寄生性病原微生物による感染症, 反応性リンパ節腫大など, 末梢リンパ組織の反応性増殖を来す病態で認められ, しばしば異型リンパ球(atypical lymphocyte)を伴う.

リンパ球増加症を来す病態を表 1-23 に示す.

## 5 リンパ球数の減少する病態(リンパ球減少症)

リンパ球減少症(lymphocytopenia, lymphopenia)には, 絶対的リンパ球減少症と相対的リンパ球減少症がある. 絶対的リンパ球減少症では, 成

**表 1-23 リンパ球増多症を来す代表的な病態**

1. 急性ウイルス感染症
   ① 伝染性単核球症
   ② 伝染性リンパ球症
   ③ ムンプス
   ④ 風疹，水痘など
   ⑤ ウイルス性肝炎
   ⑥ その他のウイルス感染症
2. 慢性感染症
   ① 梅毒(第2期)
   ② 先天梅毒
   ③ 結核
   ④ ブルセラ症
   ⑤ 腸チフス
   ⑥ 百日咳
3. 造血器疾患
   ① リンパ性白血病
   ② リンパ肉腫
   ③ その他のリンパ増殖性疾患
4. その他の疾患
   ① 癌腫(一部)：乳癌など
   ② 内分泌病：甲状腺機能亢進，副腎皮質機能不全

人で 1,000/$\mu$L 以下，乳幼児で 1,400/$\mu$L 以下が目安になる．相対的リンパ球減少症は，リンパ球比率は低いが，リンパ球の絶対数が基準範囲かそれよりも増加しており，臨床的意義は少ない．

① **原発性免疫不全症**(図 1-23 の③)：末梢血中のリンパ球の 75% が T 細胞であるので，絶対的リンパ球減少症では，T 細胞の明らかな減少があると考えてよい．重症複合免疫不全症(severe combined immunodeficiency；SCID)，胸腺低形成を伴う免疫不全症(Di George 症候群)などが含まれる．純粋な B 細胞免疫不全症(Bruton 型無$\gamma$グロブリン血症など)では，B 細胞の減少があっても明らかなリンパ球減少症と認識できない場合もある．

② **粘膜病変からのリンパ球喪失**(図 1-23 の④)：胸管瘻，粘膜のリンパ管拡張とリンパ管腫，Whipple 病などで，リンパ液が多量に失われた場合に認められる．

③ **リンパ球の破壊亢進**(図 1-23 の⑤)：放射線照射，抗がん剤投与，副腎皮質ホルモン投与または分泌増加(ACTH，ストレス，うっ血性心不全，Cushing 症候群など)で，主に T 細胞の減少が認められる．

④ **後天性免疫不全症候群(AIDS)**：human immunodeficiency virus(HIV)感染による後天性免疫不全症候群(acquired immune deficiency syndrome；AIDS)では，発病前から末梢血中の T 細胞数が減少し，リンパ球数も減少する．CD4 陽性細胞が減少し，CD4/CD8 比が低くなるのが特徴である．

## 8 フローサイトメトリー(表面マーカー検査)

細胞表面には抗原レセプター，細胞接着因子など種々の抗原分子が存在する．フローサイトメトリー(flow cytometry；FCM)では，これらの抗原性をもとに，大量の細胞を短時間に一つずつ同定し，細胞群の割合を比較することができる．また，胞体内抗原に対しても，膜透過処理を行い，特異抗体を細胞内に入りやすくして検出する．

### 1 原理

フローサイトメトリーは図 1-24 に示すように，毛細管中の水流に沿って 1 個ずつ通過する血液浮遊細胞にレーザーを照射し，前方散乱光(細胞の大きさ)と 90° 散乱光(細胞の内部構造)を 2 次元に展開する．さらに，CD 抗原(表 1-24)に対する複数の蛍光標識抗体と反応させた後にレーザーを照射し，細胞表面の蛍光強度を検出して抗原性を分析し，目的とする細胞の同定を行う．

## 9 骨髄像

多くの血液疾患は，問診，診察，末梢血検査で疑うか，確定診断できる．しかし，表 1-25 に示すような場合には血球が産生される骨髄の検査が必要になり，骨髄穿刺(bone marrow aspiration)，骨髄生検(bone marrow biopsy)が行われる．最近では，上前腸骨棘もしくは後腸骨稜で検査されることが多いが，胸骨上部でも行われる．

骨髄穿刺液が採取されると，通常，塗抹標本または圧挫伸展標本の作製，染色，鏡検が行われ

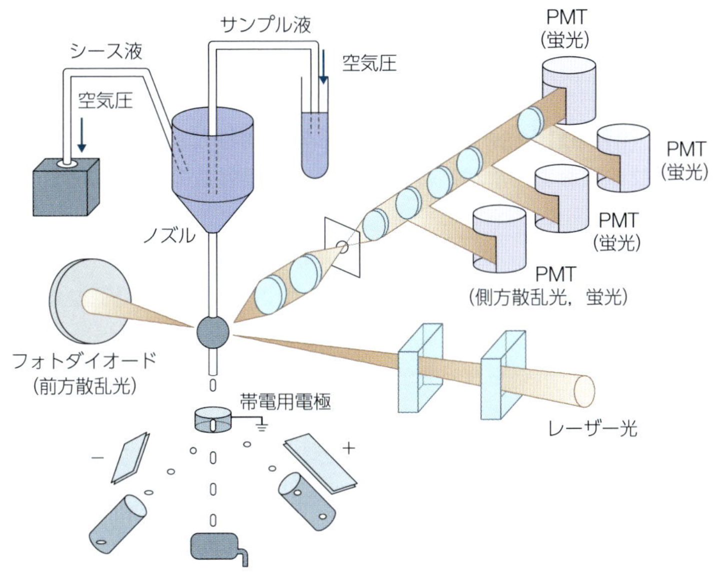


**図 1-24　フローサイトメトリーの測定原理**

〔中原一彦：フローサイトメトリー—さらなる展開を期待して．臨床検査 41：1103，1997 より引用〕

**表 1-24　リンパ系関連 CD 抗原**

| CD | 抗原の主な分布・細胞の種類 |
|---|---|
| CD1a | 胸腺皮質細胞，Langerhans 細胞 |
| CD2 | T 細胞，NK 細胞の一部 |
| CD3 | T 細胞(未熟な T 細胞は細胞質内に発現) |
| CD4 | helper/inducer T 細胞，単球 |
| CD5 | T 細胞，B 細胞の一部 |
| CD7 | T 細胞，NK 細胞 |
| CD8 | cytotoxic T，NK 細胞の一部 |
| CD10 | リンパ球系前駆細胞，顆粒球 |
| CD13 | 骨髄・単球系の細胞のほとんど |
| CD16 | NK 細胞，単球，マクロファージ |
| CD19 | B 細胞 |
| CD20 | B 細胞 |
| CD22 | B 細胞，B 前駆細胞の細胞質内 |
| CD33 | 骨髄・単球系の細胞のほとんど |
| CD34 | 骨髄・単球系・リンパ球系・赤芽球系の幹細胞，前駆細胞 |
| CD38 | 形質細胞(強陽性)，リンパ前駆細胞，活性化リンパ球，単球 |
| CD40 | B 細胞，単球 |
| CD41 | 巨核球系 |
| CD56 | NK 細胞，T 細胞の一部 |
| CD57 | NK 細胞の一部，T/B 細胞の一部 |
| CD61 | 巨核球系 |
| CD79a | B 細胞全般(細胞質内に発現) |
| CD235a | 赤芽球系 |

**表 1-25　骨髄検査の適応**

1. 骨髄穿刺の適応
   ① 血球成分に異常が認められる場合
   ② 染色体異常が認められる場合
   ③ 骨髄に変化を伴う疾患で，治療効果を判定する場合
2. 骨髄生検の適応
   ① 汎血球減少症
   ② 骨髄線維症が疑われる場合
   ③ 結核など肉芽腫が疑われる場合
   ④ 悪性腫瘍が疑われる場合
   ⑤ 骨髄液が吸引できない場合

る．可能な限り，有核細胞数算定，巨核球数算定，ミエロクリットも実施される．

病理組織学的検査のために，一部をホルマリンで固定し，パラフィン包埋，切片作製，染色，鏡検を行う．必要に応じて，細胞表面マーカー検査(フローサイトメトリー)，電子顕微鏡検査，染色体検査，核酸/遺伝子検査を行う．

正常の骨髄では，多種類の細胞(表 1-1，4 頁参照)が，ほぼ一定の割合で観察され，M(myeloid：骨髄系細胞)/E(erythroid：赤芽球系細胞)比は 2～4 である．それぞれの成熟段階にある正常細胞は，細胞核と細胞質の成熟度が一致し，同程度に成熟しているのが特徴である．

骨髄検査で用いられる代表的な特殊染色を下記に示す.

## 1 ペルオキシダーゼ(peroxidase)染色

ペルオキシダーゼは顆粒球系および単球系細胞の細胞質に認められる酵素である. ペルオキシダーゼ染色は骨髄系(好中球, 好酸球, 単球)では陽性になり, リンパ球系, 赤芽球系, 巨核球・血小板系では陰性になる. したがって, 骨髄系細胞とリンパ系細胞を区別するために用いられ, 急性骨髄性白血病と急性リンパ性白血病の鑑別には欠かせない. いくつかの染色法があるが, DAB溶液に過酸化水素を加えて染色すると, 細胞質の顆粒が黄褐色に染色される.

## 2 エステラーゼ(esterase)染色

エステラーゼ染色は単球系細胞を鑑別し, 急性骨髄単球性白血病(AMMoL, FAB分類におけるAML-M4)および急性単球性白血病(AMoL, FAB分類におけるAML-M5)の診断に重要である. 非特異的エステラーゼ染色は単球系細胞(単球, 前単球, 単芽球)と巨核球で陽性となるが, 顆粒球系細胞およびリンパ球系細胞では陰性もしくは弱陽性になる. また, この非特異的エステラーゼ陽性反応は, 反応液にフッ化ナトリウム(NaF)を加えることにより抑制される. 一方, 特異的エステラーゼ染色では, 顆粒球系細胞は強陽性を示すが, 単球系細胞はほぼ陰性となる.

## 3 鉄(Fe)染色

血球内の非ヘモグロビン鉄を染色し, ヘモグロビン鉄は染色されない. 赤血球系の担鉄赤血球(siderocyte)および担鉄赤芽球(鉄芽球, sideroblast)の細胞質が顆粒状に青く染まる. 赤芽球の核の周囲に大きい強陽性顆粒が5個以上観察される, または核周の1/3以上を取り囲むものとして同定される環状鉄芽球(ringed sideroblast)は, 鉄芽球性貧血, 鉛中毒, 骨髄異形成症候群の鉄芽球性不応性貧血(refractory anemia with ringed sideroblast；RARS)の補助診断に用いられる.

# 2章 血栓止血検査

##  総論

凝固線溶検査は，以前は出血傾向を中心にスクリーニング検査が組み立てられたが，近年では血栓傾向がより重要な意味をもってきている．

止血機構(hemostasis)として，①血管，②血小板，③血液凝固系，④フィブリン溶解(線溶系)の4つの機能が複雑に絡み合っている(図 2-1)．これらのうち単独もしくは複数因子が先天的，後天的に欠損または異常を示すと，臨床的に出血傾向あるいは血栓傾向を示す．

播種性血管内凝固(disseminated intravascular coagulation；DIC)，DIC 前段階(DIC 準備状態，pre-DIC，切迫 DIC)，敗血症，溶血性尿毒症症候群に限らず，診断されにくい疾患でも，その影響が血管内に及べば凝固は亢進する．わずかの凝固亢進であっても，重症化の前兆であることがあり，重要な所見である．凝固が亢進すると，血小板数は減少し，フィブリノゲンは低下する．逆に，凝固亢進状態を脱すると，血小板数は増加し，フィブリノゲンは速やかに上昇する．凝固亢進を来すような重症患者の全身状態を評価する指標としても有用である．

凝固線溶検査も，凝固因子などの血管内物質を定量する検査である．したがって，血管内への供給量と消費量に左右される．供給量に関しては，凝固因子は肝臓で産生されるので肝合成能が重要となる．

### A 止血機構

血小板，血液凝固・線溶における酵素分解，分解産物，放出物質の関連を図 2-2 に示す．

① **血管**：血管の内外を分離し，血液の血管外への流失を防ぎ，血管外からの組織成分の流入を防いでいる．毛細血管は，機械的刺激により収縮し血流を減少させ出血を防ぐ．血管内壁を覆う血管内皮細胞は，機械的防壁としての役割の他に，血小板，血液凝固系，線溶系を調節するさまざまな因子を産生する．また，内皮細胞の障害により内皮下膠原線維が露出すると，血小板や凝固第Ⅻ因子を活性化し，血栓形成傾向を示す．

② **血小板**：血管内皮細胞が傷害され，血管内皮下膠原線維が露出すると活性化される．血小板は，粘着，凝集し，さらにさまざまな因子を放出し，血栓形成を促進する．

③ **血液凝固系**：3つの群に分かれる．カリクレイン，血小板因子(リン脂質)を加えた内因系凝固因子(第Ⅻ，Ⅺ，Ⅸ，Ⅷ因子，$Ca^{2+}$)，外因系凝固因子(第Ⅲ，Ⅶ因子，$Ca^{2+}$)，共通系凝固因子(第Ⅹ，Ⅴ，Ⅱ，Ⅰ，ⅩⅢ因子，$Ca^{2+}$)である．最終的には，可溶性フィブリノゲン(第Ⅰ因子)から不溶性のフィブリンになり，フィブリン塊を形成する．

④ **線溶系**：凝固因子の活性化によって生じたフィブリンを溶解し，生理的に血栓症を予防する．

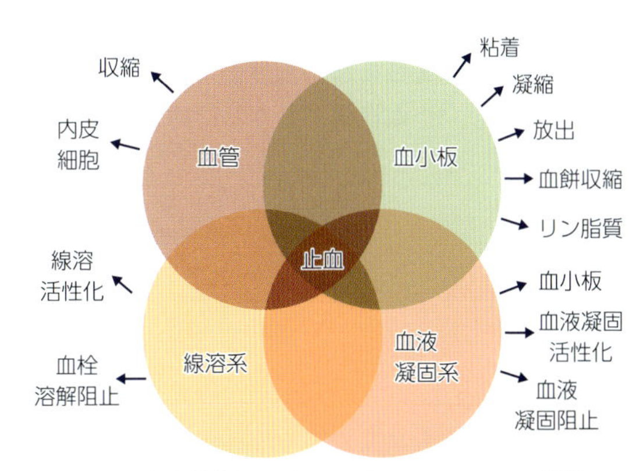


図 2-1 止血機構に関与する因子とそれらの機能

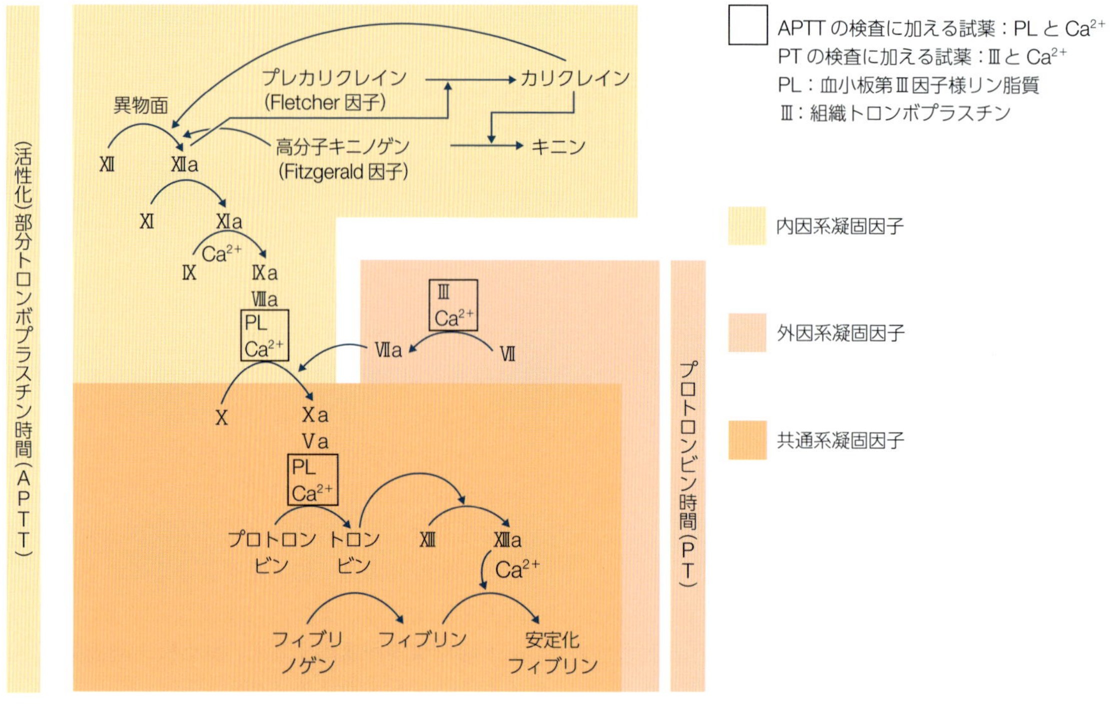


図 2-2　**APTT と PT に関与する因子群**

## B　止血機構のスクリーニング検査

止血機構の一次スクリーニング検査と損傷部位を表 2-1 に，それらの異常値を示す病態を表 2-2 に示す．これにより止血機構異常が血管(毛細血管)，血小板，血液凝固系，線溶系のどこに関与するか推定できる．また凝固異常であれば，内因系凝固機序，外因系凝固機序，フィブリン形成段階，トロンボプラスチン生成段階など，大まかな判別が可能である．

最近では，さまざまな微量分子マーカーを免疫学的に定量し，止血機構，とりわけ血液凝固亢進の診断に用いる．

## C　血小板

### 1　体内動態

血小板は核をもたない細胞で，止血機構に重要な役割を果たしている．末梢血塗抹標本では，直径 2〜4 μm で，5〜10 fL の容積を有する．巨核球の細胞突起がちぎれるようにして作られ，その産生はトロンボポエチン(thrombopoietin)によって制御されている．トロンボポエチンは炎症性サイトカインである IL-6 により主に肝臓で産生される．IL-6 はその他に CRP や血清アミロイド A 蛋白(SAA)などの急性期蛋白の合成を促す．そのため CRP 上昇に連動して血小板は増加する．寿命は 1 週間程度で，大部分の血小板は脾臓で破壊される(図 2-3)．

末梢血血小板数は，骨髄からの供給量と血管内外での消費量のバランスで決まる．臨床では主に血小板数減少が問題になるので，供給量低下と消費亢進が重要になる．血小板検査は血算の一つであるが，前述のとおり消費亢進が病態に関与することが多く，凝固線溶のスクリーニング検査と考えてよい．血小板数が基準範囲以下であれば，まず凝固亢進を疑う．

血小板数の変動で大雑把に重症患者の全身状態が捉えられる．重症患者では病態が血管内まで影響し，凝固亢進状態になることが稀ではない．血小板数が基準範囲以下へ減少すれば患者は悪化し

表 2-1 止血機構の検査

| 損傷部位 | 一次検査 | 二次検査 | 精密検査 |
|---|---|---|---|
| 血管 | 毛細血管抵抗試験<br>出血時間(BT) | | 血漿トロンボモジュリン |
| 血小板 | 出血時間<br>血小板(数, 大きさ) | 血餅収縮<br>血小板停滞率 | 血小板凝集能<br>血小板膜蛋白分析<br>血小板関連 IgG(PAIgG)<br>$\beta$-トリグリセライド($\beta$TG), 血小板第Ⅳ因子(PF4) |
| 血液凝固系 | 活性化部分トロンボプラスチン時間〔APTT(PTT)〕<br>プロトロンビン時間(PT)<br>フィブリノゲン量 | トロンビン時間<br>第ⅩⅢ因子量<br>von Willebrand因子活性(Rcof) | 凝固因子活性定量<br>凝固因子抗原定量<br>ビタミン K 欠乏により生じる異常プロトロンビン(PIVKA) Ⅱ<br>循環抗凝血素<br>von Willebrand 因子マルチマー分析<br>アンチトロンビン(AT), プロテイン C(PC), プロテイン S(PS)<br>ヘパリンコファクターⅡ<br>フィブリノペプチド A(FPA), トロンビン・アンチトロンビン複合体(TAT)<br>フィブリンモノマー |
| 線溶系 | フィブリン/フィブリノゲン分解産物(FDP) | 血餅溶解 | プラスミノゲン<br>$\alpha_2$-プラスミンインヒビター($\alpha_2$PI)<br>プラスミン・$\alpha_2$-プラスミンインヒビター複合体(PIC)<br>組織プラスミノゲンアクチベータ(tPA), プラスミノゲンアクチベータインヒビターⅠ(PAI-Ⅰ) |

表 2-2 出血性疾患のスクリーニング検査とその意義

| 検査 | 異常値を示す場合 |
|---|---|
| 毛細血管抵抗試験 | 毛細血管の異常, 血小板の異常 |
| 血小板数算定 | 血小板増加症, 血小板減少症 |
| 出血時間(BT) | 毛細血管の異常, 血小板の異常, von Willebrand 因子の欠乏 |
| 活性化部分トロンボプラスチン時間(APTT) | 内因系凝固因子の欠乏, 循環性抗凝血素の存在 |
| プロトロンビン時間(PT) | 第Ⅰ, Ⅱ, Ⅴ, Ⅶ, Ⅹ因子の欠乏, 抗トロンビンの存在 |
| 血餅収縮試験 | 血小板の異常 |
| フィブリン/フィブリノゲン分解産物(または血餅溶解試験) | 線溶の亢進 |

ており, 基準範囲以下から上昇すれば患者は回復していると判断できる場合が多い.

血小板数も時系列での検討が重要である. 血小板数が基準範囲を超えていても, 急激な減少は凝固亢進を考慮する. 細菌感染症患者において, 血小板減少が認められれば, 最初に敗血症合併の有無を検討しなければならない.

## 2 血小板機能(図 2-4)

① **血管内壁の保護**：血小板は, 血管内皮細胞の間隙を埋め, 血管内壁を保護し, 赤血球が血管外へ出るのを防いでいる. この機能に, 3万/μL/日の血小板が消費される.

② **血小板粘着**：血管内皮が損傷されると膠原線維が露出し, 血小板が膠原線維に粘着する(図 2-4). このとき, 血小板膜糖蛋白(GP) Ⅰb/Ⅸ/Ⅴ複合体は血漿中の von Willebrand 因子(VWF)を介して膠原線維に結合する.

③ **血小板凝集**：粘着した血小板は ADP を放出し, 他の血小板との凝集を促進する(可逆的凝

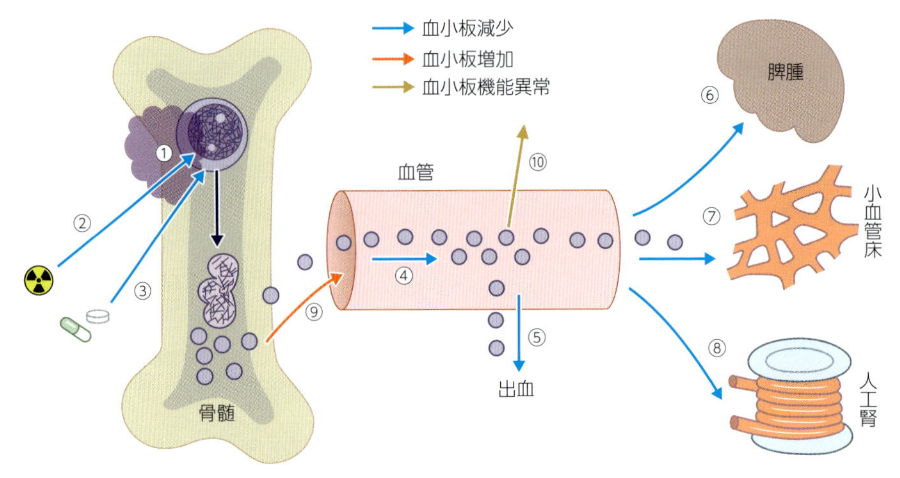


**図 2-3　血小板の体内動態と異常**（原図・河合）

**血小板減少を示す場合**：① 急性白血病などの骨髄占拠性病変，再生不良性貧血などの造血不全，骨髄異形成症候群・巨赤芽球性貧血などの成熟障害，② 放射線照射など，③ 薬剤投与，④ 免疫学的破壊亢進（特発性血小板減少性紫斑病など），⑤ 大量出血，⑥ 脾腫，⑦ 血管腫，DIC，血栓性血小板減少性紫斑病，⑧ 機械的破壊亢進

⑨ **血小板増加を示す場合**

⑩ **血小板機能異常の場合**

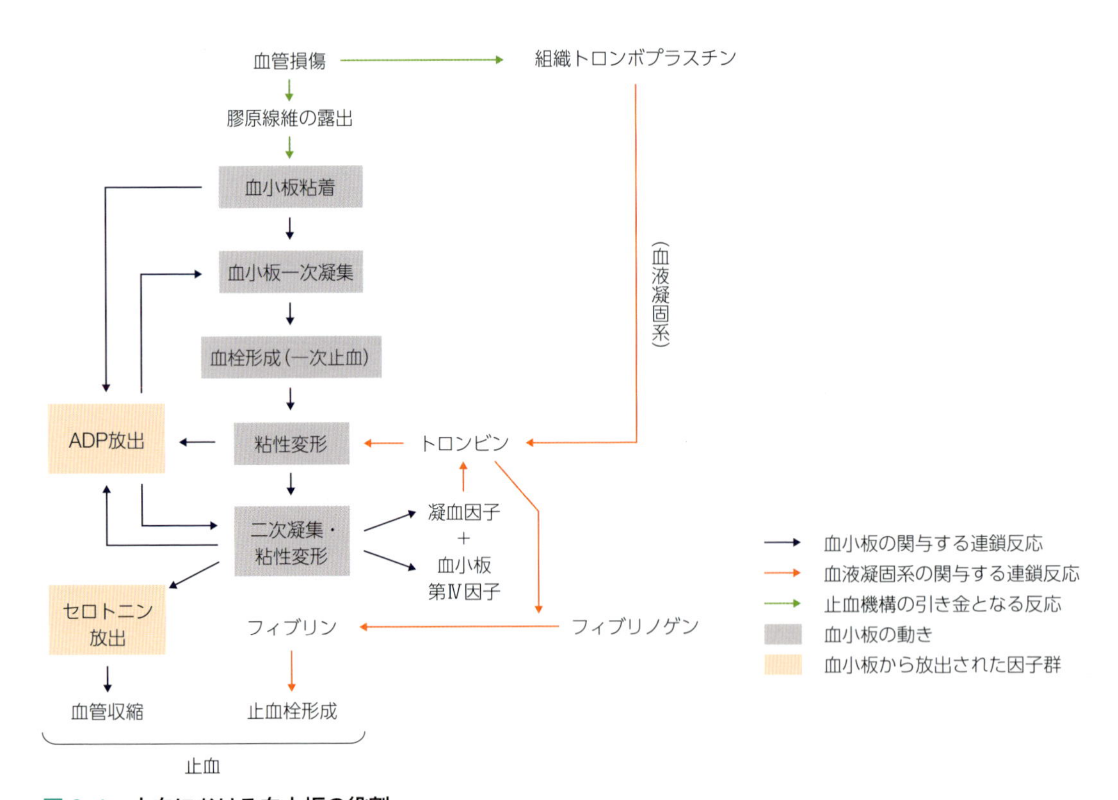


**図 2-4　止血における血小板の役割**

集）．この凝集には，血小板膜糖蛋白に加え，フィブリノゲン，フィブリノネクチンなどの結合が関与する．これを一次止血という．

④ **血小板の粘性変形**：損傷部位では，組織トロンボプラスチンにより外因性凝固機序が開始し，トロンビンが血小板に働き粘性変形を生じる．す

なわち，トロンビンにより血小板は膨化し，顆粒は凝集し，血小板膜は消失し，互いに融合して無構造な塊となり(不可逆凝集)，血小板血栓(白色血栓)を形成する．

⑤ **血小板物質の放出**：血小板は粘着から粘性変形への一連の過程で $K^+$，$Ca^{2+}$ などのイオンのほか，各種酵素，セロトニン，ADP，ATP，血小板第Ⅲ因子，血小板第Ⅳ因子，β-トロンボグロブリンなどを放出しさまざまな活性を呈する．

⑥ **血餅収縮**：凝血後，時間の経過とともにフィブリン網から血清が絞り出されて血餅が収縮する．血小板中のアクトミオシン様蛋白であるトロンボステニンが，血小板の解糖系で作られるATPの作用で収縮する．

# 2 血小板検査

## A 血小板数

毛細管血は血小板数測定には適さないため，血小板数は，静脈血を用いて，自動血球計数機で赤血球数，白血球数と同時に測定することが多い．血小板数のほか，血小板粒度分布，血小板容積などの情報も得られる．健常者の基準範囲は158～348×$10^3$/μLである．

また，検体採取や検査特性によって以下の偽高値または偽低値が生じることがあるので，注意が必要である．

① 採血，輸送，保存により血液凝固が生じると血小板は減少する．

② 巨大血小板は算定されないことがある．

③ 抗凝固剤にEDTAを使用すると，0.2%の頻度で，凝集傾向または好中球周囲に血小板が付着する(衛星現象)．これにより偽性血小板減少症(EDTA-dependent pseudothrombocytopenia)を示すことがある．

④ 小赤血球，溶血に伴う赤血球破片，赤血球封入体，破壊細胞(白血球など)は血小板として算定され，実際より高く計測されることがある．

### 1 増加する場合

血小板数が50万/μL以上あれば，血小板増加症(thrombocytosis)とし，骨髄で血小板産生が亢進していると考える．

血小板増加自体が問題となることは少ないが，血液悪性腫瘍を伴っていることがある．

① **炎症反応性増加**：炎症性サイトカイン(IL-6)が肝臓に作用しCRPが高値になるのと同様に，IL-6の作用で肝臓でのトロンボポエチン産生が増加する．したがって血小板数はCRPに連動して上下するように見える．急性・慢性炎症，膠原病，悪性腫瘍では増加する．ただし，血管内の炎症が伴うような病態では血小板の消費が亢進するため，産生増加と消費亢進の兼ね合いで血小板数は決まってくる．

② **その他の反応性増加**：反応性に骨髄が血小板産生を増加させる．鉄欠乏性貧血(赤血球産生増加に伴い)，アドレナリン，サイトカインなどの薬剤刺激，脾摘後．

③ **腫瘍性増殖**：血小板が腫瘍性に増殖され，慢性に血小板数増加を認める．本態性血小板血症，慢性骨髄性白血病，骨髄線維症，骨髄異形成症候群，真性赤血球増加症．

### 2 減少する場合

血小板数が10万/μL以下を血小板減少症(thrombocytopenia)とする．2万/μL以下を重症，2万～6万/μLを中等症，6万～10万/μLを軽症に分ける．臨床的に出血を伴うのは6万/μL以下のときである．

#### a 骨髄における血小板産生低下

骨髄の巨核球が減少する．

① **骨髄占拠性病変**(図2-3の①)：原発性骨髄疾患，悪性腫瘍の骨髄転移，骨髄線維症，粟粒結核，リンパ腫．

② **骨髄での造血幹細胞の減少**(図2-3の①)：再生不良性貧血では先天性または後天性に造血幹細胞が減少するため，巨核球および血小板が減少する．

③ **骨髄での巨核球産生の障害**(図2-3の①)：骨髄異形成症候群，巨赤芽球性貧血．

④ **物理的障害**(図2-3の②)：放射線照射．

表 2-3　血小板機能検査による主な疾患の鑑別

| 主な疾患名 | 粘着能 | 血小板凝集能 | | | |
|---|---|---|---|---|---|
| | | ADP | | コラーゲン | リストセチン |
| | | 一次 | 二次 | | |
| 血小板無力症 I 型 | 正常 | 異常 | 異常 | 異常 | 正常 |
| ストレージプール病 | 正常 | 正常 | 異常 | 異常 | 正常 |
| Bernard-Soulier 症候群 | 低下 | 正常 | 正常 | 正常 | 異常 |
| von Willebrand 病 | 低下 | 正常 | 正常 | 正常 | 異常 |

⑤ **骨髄障害性薬剤**(図 2-3 の③)：抗がん剤，有機物質，抗菌薬など．

⑥ **その他**：先天性血小板減少症(Wiskott-Aldrich 症候群，May-Heglin 異常など)．

### ⓑ 血小板破壊亢進，消費亢進

① **凝固亢進に伴う破壊亢進**(図 2-3 の⑦)：血管内で凝固亢進する病態では消費が亢進し血小板は減少する．DIC，DIC 前段階(DIC 準備状態，pre-DIC，切迫 DIC)，敗血症，溶血性尿毒症症候群．

② **免疫学的機序に伴う破壊亢進**(図 2-3 の④)：特発性血小板減少性紫斑病(idiopathic thrombocytopenic purpura；ITP)，後天性および新生児性血小板減少性紫斑病．

③ **脾腫に伴う破壊亢進**(図 2-3 の⑥)：脾機能亢進により減少する．慢性肝炎から肝硬変への進展を鋭敏に反映する．

④ **小血管床での破壊亢進**(図 2-3 の⑦)：血管腫，血栓性血小板減少性紫斑病(thrombotic thrombocytopenic purpura；TTP)．

⑤ **血管内デバイスや体外循環による物理的な破壊亢進**(図 2-3 の⑧)：人工弁置換術後，人工心肺，血液透析など．

⑥ **出血**(図 2-3 の⑤)：止血のために血小板は消費される．熱傷部位では出血と凝固亢進が重なるので著しい血小板減少が認められることがある．

## B　出血時間

出血時間(bleeding time；BT)とは，血小板による一次止血異常と VWF の異常や血管壁の脆弱性を調べる検査である．皮膚に切創を作り，創から湧出する血液が自然に止血するまでの時間を測定する．Duke 法では消毒をした耳たぶに切創を作り，湧出する血液を 30 秒ごとに濾紙に吸い取る．出血斑の大きさが直径 1 mm 以下になるまでの時間を測定する．そのほかに血圧計で 40 mmHg の一定圧を加えた状態で前腕に切創を作り測定をする Ivy 法がある．

・**基準範囲**：1～5 分(Duke 法)

### 1 延長する場合

① **血小板減少**：ITP，DIC，急性白血病など．

② **先天性血小板機能異常症**：血小板無力症，Bernard-Soulier 症候群など．

③ **後天性血小板機能異常症**：尿毒症，肝疾患，多発性骨髄腫，マクログロブリン血症，骨髄増殖性疾患，アスピリン投与など．

④ **VWF 異常**：von Willebrand 病，後天性 von Willebrand 症候群．

## C　血小板機能検査

血小板数が基準範囲内であっても，機能的に異常がある場合，出血時間は延長し，出血傾向が認められる(図 2-3 の⑩)．血小板機能異常は大きく血小板無力症(thrombasthenia)と血小板障害症(thrombocytopathy)に分けられる．血小板機能検査の結果から血小板機能異常症の分類ができる(表 2-3)．

### 1 血小板粘着能検査

血管内皮の損傷により露出した膠原線維に血小板が粘着し，その後活性化された血小板から生理活性物質が放出されるとともに血小板凝集が起こり，血小板血栓が形成される．血小板粘着能検査は，止血機構の最初に起こる血小板の異物に対する粘着能を評価する検査である．

血小板粘着能測定検査はコラーゲンビーズを詰めたカラムに血小板を含む血液が通過する前後の血小板数を算定し，コラーゲンビーズに粘着した血小板の割合(血小板停滞率)を求める．

・**基準範囲**：30～80%

### 2 血小板凝集能検査

血管内皮の損傷により血小板粘着が起こったのちに，血小板凝集が起こる．この生体内で起こる血小板の凝集程度を検査することで，血小板機能異常症の診断につながる．

血小板凝集能検査は血小板凝集の程度を吸光度の変化として記録する吸光度法が一般的である．患者血液をクエン酸ナトリウムで抗凝固したのちに遠心を行い，多血血小板血漿(platelet rich plasma；PRP)を作成する．それぞれのPRPに種々の凝集惹起物質(ADP，コラーゲン，リストセチン)を添加し，血小板凝集による吸光度の経時的変化を記録し，その曲線から凝集の状態を解析する．明確な基準はないため，健常者の検体をコントロールとして比較をする．

## D von Willebrand 因子

VWFは血管内皮細胞と骨髄巨核球で産生され，血液中，血管内皮，骨髄巨核球および血小板中に存在する高分子糖蛋白である．血管内皮細胞が障害され，血管内皮下膠原線維が露出すると，血小板はVWFを介して血小板粘着を起こす．また，VWFは第Ⅷ因子と結合して安定化させる役割も果たす．したがってVWFの異常は一次止血の障害と第Ⅷ因子の低下の原因となる．VWFの検査では抗原量と活性をそれぞれ測定する．

・**測定方法**

抗原量：酵素免疫測定法(ELISA)，ラテックス凝集法など

活性：リストセチンコファクター活性

・**基準範囲**：抗原量 50～150%，活性 50～150%

### 1 上昇する場合

肝炎，肝硬変，ネフローゼ症候群，川崎病の急性期，心筋梗塞，脳梗塞，DIC.

### 2 低下する場合

von Willebrand病，後天性von Willebrand症候群．血液型がO型の人では抗原量，活性ともに約30%低値となることが知られている．

## E ADAMTS13 活性

ADAMTS13(a disintegrin-like and metalloprotease with thrombospondin type 1 motifs)は，VWFを切断する酵素として発見された．VWFは分子量約50万～2000万のマルチマー構造をとっており，高分子量のマルチマーほど血小板との結合性が高い．ADAMTS13活性が著減することで全身の微小血管に血小板血栓が形成され，血栓性血小板減少性紫斑病(TTP)が発症する．先天性TTP(Upshaw- Schulman症候群；USS)は*ADAMTS13*遺伝子に異常を認め，後天性TTPでは主にIgG型の自己抗体が産生されることでADAMTS13の活性が阻害される．その結果，高分子のVWFマルチマーが血液中に存在することで，血栓形成が促進される．

・**基準範囲**：ADAMTS13活性＜10%でTTPと診断される．

## F HIT 抗体

ヘパリンは抗血栓薬として使用されるが，その副作用としてヘパリン起因性血小板減少症(heparin-induced thrombocytopenia；HIT)がある．HITではヘパリン投与に伴い血小板第Ⅳ因子(PF4)とヘパリンの複合体が形成される．この複合体(抗原)に対する自己抗体(HIT抗体)が産生され，さらに抗原とHIT抗体が免疫複合体を形

成する．この免疫複合体が血小板を活性化し，血小板減少とトロンビン産生を促進する．

HIT の臨床的診断には 4T's スコアを用いる．4T's スコアから HIT を疑った場合には血清学的診断のための検査が行われる．血清学的診断には免疫学的測定法と機能的測定法があるが，より特異度が高い機能的測定法は日本国内では限られた施設でのみ実施可能である．免疫学的測定法では化学発光免疫測定法（CLIA）とラテックス凝集免疫比濁法が保険適用となっている．

・**基準範囲**：化学発光免疫測定法 1.0 U/mL 以下，ラテックス凝集免疫比濁法 1.0 U/mL 以下

## 3 プロトロンビン時間（PT）

外因系凝固因子のⅦ，共通系のⅩ，Ⅴ，プロトロンビン（Ⅱ）およびフィブリノゲン（Ⅰ）因子が関与し，PT-INR で判断する．$Ca^{2+}$ と組織トロンボプラスチンが加えられる検査であるので，これらの因子は除外して検討する．血管内の半減期は，Ⅹ因子 2〜3 日，Ⅶ因子 4〜6 時間，Ⅴ因子 12 時間，Ⅱ因子 3〜4 日，Ⅰ因子 2 日である．

### 1 測定法と結果表示

プロトロンビン時間（prothrombin time；PT，Quick 一段法）または血漿プロトロンビン時間は，外因系血液凝固機序に関与する因子のうち，$Ca^{2+}$，組織トロンボプラスチン以外のⅦ，Ⅹ，Ⅴ，プロトロンビン（Ⅱ），フィブリノゲン（Ⅰ）の各因子に影響される（図 2-2）．

PT は，血漿に $Ca^{2+}$ と組織トロンボプラスチンを添加してからフィブリン塊が形成されるまでの凝固時間である．自動測定装置が使用され同時再現性は改善しているが，施設間差が大きな問題である．

施設間差が生じる因子として，組織トロンボプラスチン製剤があがる．同一会社の製剤でもロットごとに活性が異なり，凝固時間が一定にならない．したがって検査ごとに正常対照血漿を同時測定し，その凝固時間と比較しなければならない．この補正を実施するために以下の指標が用いられる．

#### a 測定時間（秒）

正常血漿と検査血漿の測定値を併記する．正常血漿では 12 秒前後を示すことが多く，その 10% 以上または 2 秒以上の延長で凝固異常と判断する．

#### b プロトロンビン活性（prothrombin activity，%）

正常血漿を 100% として，生理食塩水による希釈系列検量線を作成し活性を求める．基準範囲は 80〜100%．

#### c プロトロンビン比（prothrombin ratio；PR）

正常血漿と検査血漿の測定値から，以下の計算式で求める．

PR＝検査血漿凝固時間/正常血漿凝固時間
基準範囲：1.0 ± 0.1

#### d プロトロンビン時間国際比（international normalized ratio；INR）

世界保健機関（WHO）と国際血栓止血学会（ISTH）が推奨している表示方法で，国際的に普及している．日本でもほとんどの検査室が使用している．WHO の標準血漿パネルに合わせて，各メーカーが自社の組織トロンボプラスチン製剤のロットごとに相対活性を求め，international sensitivity index（ISI）として表示している．その製剤を用いて得られた正常血漿と検査血漿の凝固時間（秒）からプロトロンビン比を求め，さらに ISI を累乗の指数とし以下の計算式により求める．

$$\mathrm{INR} = (\text{検査血漿凝固時間}/\text{正常血漿凝固時間})^{\mathrm{ISI}}$$

基準範囲：1.0 ± 0.1

ISI が大きい製剤は測定値のバラツキも大きく，WHO は ISI が 1.7 以下の製剤を推奨している．

### 2 短縮する場合

採血時に皮下組織の組織トロンボプラスチンが混入する人為的要因が多い．

### 3 延長する場合（表 2-4）

① **血液凝固亢進**：血液凝固が亢進し，外因系凝固因子を含む血液凝固因子が消費され低下すると

延長する．DIC，DIC 前段階，敗血症，溶血性尿毒症症候群(HUS)などで延長する．

② **肝合成能障害**：PT に関与する血液凝固因子の多くは，肝臓でビタミン K 依存性に合成される．したがって栄養状態不良，肝硬変症などでは肝合成能が障害され延長する．

③ **ビタミン K 欠乏症**：血液凝固に関するプロトロンビン，第Ⅶ，Ⅸ，Ⅹ因子およびプロテイン C はビタミン K 依存性に肝臓で合成される．ビタミン K 欠乏状態では，カルボキシル化されない異常構造を有した血液凝固因子が合成され，正常の凝固活性を有さない．この活性のない因子を protein induced by vitamin K absence or antagonist(PIVKA)という．

④ **先天性血液凝固因子異常**：先天的に外因系血液凝固因子が欠乏しているか，それらが活性異常を示すものを表 2-5 に示す．APTT 延長がなく PT 延長のみが認められるものは第Ⅶ因子欠乏症のみである．

⑤ **抗凝固剤使用**：ワルファリンのような抗凝固剤を投与すると，PT は延長する．

⑥ **抗菌薬使用**：抗菌薬により腸内細菌が減少すると，ビタミン K 産生が低下する．

**表 2-4 PT 延長を示す疾患と病態**

**先天性疾患**
1. プロトロンビン欠乏症・異常症
2. 第Ⅴ因子欠乏症
3. 第Ⅶ因子欠乏症・異常症
4. 第Ⅹ因子欠乏症・異常症
5. 無フィブリノゲン血症，フィブリノゲン異常症

**後天性疾患**
1. 肝合成能障害
2. ビタミン K 欠乏症
3. DIC・著明な線溶亢進状態
4. 循環性抗凝血素の存在
5. 異常蛋白血症(骨髄腫など)

**治療薬の投与**
1. 経口抗凝固薬(ワルファリンなど)
2. ヘパリン
3. 抗菌薬(メチルテトラゾールチオメチル基を有するもの)

**表 2-5 主な凝固因子の先天異常の所見**

| 凝固因子 | 慣用名 | 先天性疾患名 | PT | APTT | 遺伝[*1] | 出血 |
|---|---|---|---|---|---|---|
| 第Ⅰ因子 | フィブリノゲン | フィブリノゲン欠乏症<br>フィブリノゲン異常症 | 延長<br>延長 | 延長<br>延長 | 常潜<br>常潜 | あり<br>あり |
| 第Ⅱ因子 | プロトロンビン | プロトロンビン欠乏症<br>プロトロンビン異常症 | 延長<br>延長 | 延長<br>延長 | 常潜<br>常潜 | あり<br>あり |
| 第Ⅴ因子 | Ac グロブリン(不安定因子) | 第Ⅴ因子欠乏症 | 延長 | 延長 | 常潜 | あり |
| 第Ⅶ因子 | プロコンバーチン | 第Ⅶ因子欠乏症・異常症 | 延長 | 正常 | 常潜 | あり |
| 第Ⅷ因子 | 抗血友病因子(AHG) | 第Ⅷ因子欠乏症(血友病 A) | 正常 | 延長 | 伴潜 | あり |
| VWF | von Willebrand 因子 | von Willebrand 病[*2] | 正常 | 正常<br>延長 | 常顕<br>常潜 | あり |
| 第Ⅸ因子 | Christmas 因子 | 第Ⅸ因子欠乏症(血友病 B) | 正常 | 延長 | 伴潜 | あり |
| 第Ⅹ因子 | Stuart-Prower 因子 | 第Ⅹ因子欠乏症・異常症 | 延長 | 延長 | 常潜 | あり |
| 第Ⅺ因子 | plasma thromboplastin antecedent(PTA) | 第Ⅺ因子欠乏症・異常症 | 正常 | 延長 | 常潜 | あり |
| 第Ⅻ因子 | Hageman 因子 | 第Ⅻ因子欠乏症・異常症 | 正常 | 延長 | 常潜 | なし |
| プレカリクレイン | Fletcher 因子 | Fletcher 因子欠乏症 | 正常 | 延長 | 常潜 | なし |
| HMW キニノゲン | Fitzgerald 因子 | Fitzgerald 因子欠乏症 | 正常 | 延長 | 常潜 | なし |
| 第XIII因子 | フィブリン安定化因子 | 第XIII因子欠乏症・異常症 | 正常 | 正常 | 常潜 | あり |

[*1] 常潜：常染色体潜性遺伝，伴潜：伴性潜性遺伝，常顕：常染色体顕性遺伝
[*2]APTT の延長や遺伝形式は病型や個々の患者により異なる．

## 4 活性化部分トロンボプラスチン時間(APTT)

活性化部分トロンボプラスチン時間(activated partial thromboplastin time；APTT)は，内因系凝固因子の働きの異常を検出する検査である．以前は，部分トロンボプラスチン時間(PTT)として，検査血漿に $CaCl_2$ と部分トロンボプラスチンを添加して，フィブリン形成までの時間を測定していたが，検査結果にバラツキが認められ本法が使用されるようになった．

### 1 測定法

3.8％クエン酸ナトリウム液1容と採血された血液9容を混合し，遠心分離された血漿を測定する．採血は速やかに行い，穿刺後最初に流入する血液には凝固を促進する組織因子を含んでいるので，採血管使用の順序を工夫する必要がある．流入血漿に活性化剤(多くはエラジン酸)を加えてプレインキュベートし種々の因子を活性化した後，部分トロンボプラスチンを添加しフィブリン形成までの時間を測定する．

基準範囲は30〜40秒である．ただし，試薬，測定系によって異なるため，施設内基準値を採用したほうがよい．基準対照からの5秒以内の差は有意ではなく，10秒以上を有意とする．5〜10秒の差はAPTT延長の疑いとなる．

### 2 延長する場合

① **フィブリノゲン，プロトロンビン，第Ⅴ，Ⅸ〜ⅩⅡ因子欠乏**：共通系もしくは内因系凝固因子の欠乏により延長する．

② **循環抗凝血素**：第Ⅷまたは Ⅸ因子抗体，ループスアンチコアグラント(LA)，抗カルジオリピン抗体など，凝固因子の活性化反応を阻害する因子が存在する．

③ **抗凝固剤使用**：ヘパリンなどの抗凝固薬を投与する．

④ **肝合成能障害**：肝合成能が低下すると，肝臓での凝固因子産生が低下する．

⑤ **ビタミンK欠乏症**：ビタミンK依存性に産生される凝固因子が低下する．

⑥ **抗菌薬使用**：抗菌薬使用により腸内細菌が減少し，細菌によるビタミンK産生が低下する．

## 5 フィブリノゲン

フィブリノゲン(fibrinogen)は，血液凝固第Ⅰ因子で，トロンビンの作用によりフィブリン塊となり，さらに第ⅩⅢ因子により安定化フィブリンになる．したがって，フィブリノゲン減少は基本的に凝固亢進にて生じる．

フィブリノゲンは急性期蛋白の一つで，CRPが上昇する病態(マクロファージが活性化されIL-6が産生される)では，肝臓でフィブリノゲンの産生が亢進し高値になる．したがって，CRP高値にもかかわらずフィブリノゲン上昇がなければ，フィブリノゲンの消費亢進が疑われる．凝固亢進のない症例で，CRP 20 mg/dL以上の場合フィブリノゲン600 mg/dL以上になることもある．

基準範囲より低いフィブリノゲンが上昇すると，フィブリノゲンの消費亢進が抑制されたと解釈できる．血管内に及んでいた影響が改善し，凝固亢進の要因が減弱したことを示す．この際，フィブリノゲンは血小板増加よりも早く上昇する．凝固亢進が認められる重症患者で基準範囲以下のフィブリノゲン(もしくは血小板数)が上昇すれば，患者は改善していると判断できる．

赤血球沈降速度(赤沈)には，フィブリノゲン量が最も関与している．DICではフィブリノゲン減少により赤沈が著しく遅延する．

### 1 測定法

日本では，フィブリノゲンの定量法として血液凝固学的方法(トロンビン時間を用いる)が多く用いられており，免疫学的方法(抗フィブリノゲン抗体を用いる)を用いる場合は少ない．

トロンビン時間は，検査血漿にトロンビン試薬を加えたときの凝固時間で，検量線を用いてフィブリノゲン濃度に換算する．フィブリノゲン量を直接定量するのと異なり，フィブリノゲン量以外の因子(異常フィブリノゲン，抗トロンビン作用)も関与する．

試薬および測定機器により凝固時間が異なり，フィブリノゲン量での施設間変動係数は6～9%程度である．

## 2 基準範囲

フィブリノゲンの成人基準範囲は，200～400 mg/dL である．

PT や APTT のような凝固検査では，結果を判定する最終段階としてフィブリノゲンからフィブリンへの転化を利用しているので，検査血漿のフィブリノゲンが，著しく低値である場合には正確に検査できないことがある．

## 3 上昇する場合

CRP が上昇する場合，フィブリノゲンは急性期蛋白であるので，IL-6 の作用にて肝臓で産生が増加する．細菌感染症，膠原病，進行した悪性腫瘍などで上昇する．

## 4 低下する場合

① **血液凝固亢進**：血液の凝固亢進に伴い，血液凝固因子は消費され減少する．DIC，DIC 前段階，敗血症，溶血性尿毒症症候群などで低下する．
② **血液線溶亢進**：線溶が亢進すれば，フィブリノゲンの分解が進み血漿フィブリノゲンは低下する．
③ **肝合成能障害**：フィブリノゲンは肝臓で合成される．栄養状態不良，肝硬変症などで肝合成能障害により低下する．
④ **先天性低下**：低フィブリノゲン血症，無フィブリノゲン血症が稀に認められる．フィブリノゲン分子構造異常を有する異常フィブリノゲン症では，トロンビン時間が延長するか，フィブリノゲン塊の形成が認められない．

# 6 フィブリン/フィブリノゲン分解産物(FDP)

血液凝固の最終段階として，フィブリノゲンからフィブリン塊が形成され，第XIII因子により安定化したフィブリンが形成される．しかし，この作用で損傷血管が線維化し瘢痕になる．損傷血管を修復し，血流を再開させるにはフィブリン塊を溶かす必要がある．その反応が，線維素溶解現象(線溶，fibrinolysis)である．プラスミンによりフィブリン塊を溶かす線溶作用により D ダイマー(D dimer)が形成される．したがって，D ダイマー上昇は線溶亢進を示す．

多くの入院患者に，D ダイマーの軽度上昇(5 μg/mL 以下が多く，10 μg/mL を超えることは稀)を認めるが，変動がなければ臨床的に問題になることは少ない．しかし，D ダイマーが上昇した場合，凝固亢進および線溶亢進の可能性を考慮しなければならない．

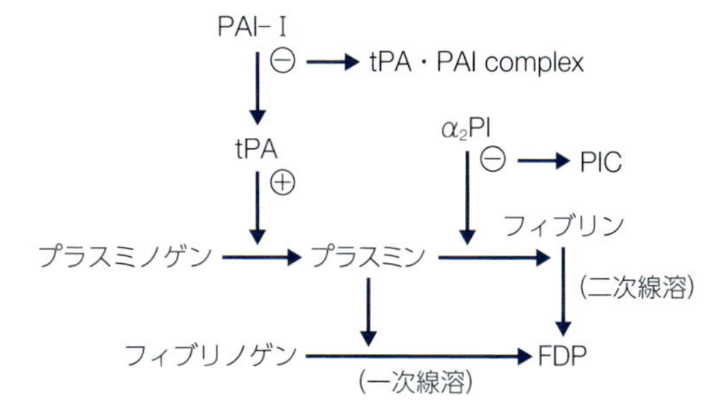


**図 2-5 線溶系とその制御機構**
tPA：組織プラスミノゲンアクチベータ
PAI-I：プラスミノゲンアクチベータインヒビターI
$\alpha_2$PI：$\alpha_2$-プラスミンインヒビター
PIC：プラスミン・$\alpha_2$PI 複合体
FDP：フィブリン/フィブリノゲン分解産物(一次線溶の場合はフィブリノゲン分解産物)

## 1 線維素溶解現象(線溶)のしくみ

線溶系とその制御機構を図 2-5 に示す．線溶に関与する因子として，血管内皮細胞で産生される組織プラスミノゲンアクチベータ(tPA)と，肝臓で合成されるプラスミノゲンが血中に存在する．フィブリンが形成されないと tPA はプラスミノゲンを活性化しない．一方，フィブリンが形成されると，フィブリン上の tPA の働きで，プラスミノゲンがプラスミンに活性化され，フィブリンおよびフィブリノゲンを分解する．この過程で作られた物質をフィブリン/フィブリノゲン分解産物(fibrin/fibrinogen degradation product；FDP)と総称している．線溶現象は，$\alpha_2$-プラスミンインヒビター($\alpha_2$PI)とプラスミノゲンアクチベータインヒビター-I(plasminogen activator inhibitor-I；PAI-I)により制御されている．また，その

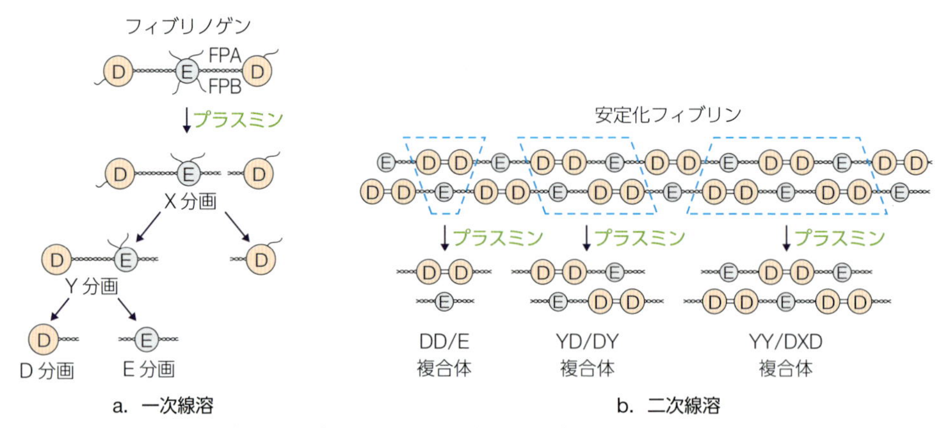


**図 2-6　フィブリノゲンならびに安定化フィブリンのプラスミン分解**

a：一次線溶での分解過程を示す．FPA，FPB はトロンビンにより離脱するフィブリノペプチドで，凝固亢進のマーカーとして使われている．この状態ではまだ結合したままである．
b：二次線溶での分解過程を示す．

他の多くの分子マーカーが凝固線溶に関与していることが解明されつつある．

## 2 FDP の構造と種類

フィブリノゲン溶解（一次線溶）では，フィブリノゲン分子は図 2-6 の a に示すようにプラスミンの作用によって，X，Y 分画という中間産物を経て，最終的には 2 分子の D 分画（D monomer）と 1 分子の E 分画（E fragment）になる．

一方，フィブリン溶解（二次線溶）では，安定化フィブリンがプラスミンによって分解されると，図 2-6 の b に示すように，種々の高分子中間産物を経て，最終的には D ダイマー（D dimer）と E 分画となる．したがって，D ダイマーの存在は，二次線溶の結果と考えられる．

## 3 FDP，D ダイマーの測定法と基準範囲

FDP は，フィブリンおよびフィブリノゲンの分解産物である．プラスミンにより分解された産物をフィブリノゲンに反応しないモノクローナル抗体を用い，血漿で測定している．血清でも測定できるが，残存したフィブリノゲンやフィブリン塊の一部を計測する問題が残る．基準範囲は 5～10 μg/mL である．DIC 診断基準もこの基準値が使われている（表 2-6）．なお，2017 年に日本血栓止血学会 DIC 診断基準が発表されており，基本型，造血障害型，感染症型に分けて判断する（表 2-7）．

一方，D ダイマー測定試薬は，フィブリノゲンには反応しない．同時に検査される項目のため，クエン酸加血漿が検体として用いられるが，血清，血漿どちらでも計測できる．ラテックス凝集測光免疫測定法の基準範囲は 1.0 μg/mL 以下であり，D ダイマーに対するモノクローナル抗体を用いた高感度なサンドイッチ EIA では，基準範囲は 500 ng/mL 以下になる．

## 4 FDP，D ダイマーが高値を示す場合

FDP，D ダイマーが高値であれば，血栓が形成され線溶が働いていると判断する．二次線溶の検出が目的であれば，D ダイマーのほうが FDP よりも合理的な検査といえる．上昇傾向が認められたときに血栓形成を疑うが，D ダイマーが上昇するのは血栓形成後 1～2 日後であり，リアルタイムな検査ではない．

① **広汎な血栓症**：広汎な血栓症が形成される場合に線溶機序が働き，FDP，D ダイマーは上昇する．DIC，DIC 前段階，敗血症，溶血性尿毒症症候群などで上昇する．

② **局所の血栓症**：一部の臓器，部位にて血栓が生じる．深部静脈血栓症，肺動脈血栓症，肺塞栓症（エコノミークラス症候群など）などで上昇する．

表 2-6　DIC 診断基準

| 診断基準 | 急性期診断基準 | 旧厚生省診断基準 | overt DIC 診断基準 |
|---|---|---|---|
| 推奨組織 | 日本救急医学会 | 旧厚生省 | ISTH |
| 設定年 | 2005 年 | 1979 年，1998 年改定 | 2001 年 |
| 血小板(/μL) | 12 万未満　1 点<br>8 万未満　3 点<br>30% 以上減少　1 点<br>50% 以上減少　3 点 | 12 万以下　1 点<br>8 万以下　2 点<br>5 万以下　3 点 | 10 万以下　1 点<br>5 万以下　2 点 |
| フィブリノゲン(mg/dL) | | 150 以下　1 点<br>100 以下　2 点 | 100 以下　1 点 |
| FDP(μg/mL) | 10 以上　1 点<br>25 以上　3 点 | 10 以上　1 点<br>20 以上　2 点<br>40 以上　3 点 | 10 以上　2 点<br>25 以上　3 点 |
| PT 比 | 1.2 以上　1 点 | 1.25 以上　1 点<br>1.67 以上　2 点 | |
| PT(秒) | | | 3 秒以上　1 点<br>6 秒以上　2 点 |
| SIRS | 3 以上　1 点 | | |
| 基礎疾患，症状 | | あれば 1 点 | 必須 |
| 診断点数 | 4 点以上 | 7 点以上 | 5 点以上 |

ISTH：International Society on Thrombosis and Haemostasis

# 凝固系検査

## A アンチトロンビン

アンチトロンビン(antithrombin；AT，旧 AT-Ⅲ)は肝臓で産生されるセリンプロテアーゼインヒビターである．トロンビン，活性化第Ⅸ～Ⅻ因子を不活化し，凝固反応を抑制する．DIC や血栓症ではトロンビンと結合してトロンビン-アンチトロンビン複合体(thrombin-antithrombin complex；TAT)を形成し，この際の消費により低下する．このトロンビンへの抗凝固作用は，ヘパリン存在下で 1,000 倍加速される．したがって，ヘパリンを使用する場合，AT が十分にあることを確認する必要がある．

- **測定法**：活性測定法が多く用いられる．その他，抗原量測定法も使用される．
- **基準範囲**：80～120%(活性測定法)，15～31 mg/dL(抗原量測定法)

### 1 低下する場合

① **肝臓における産生低下**：新生児(未発達な肝臓)，肝硬変などの著しい肝障害．

② **消費亢進**：DIC，DIC 前段階，敗血症，溶血性尿毒症症候群などで低下する．ただし，急性前骨髄球性白血病に伴う DIC では低下しないという報告がある．

その他，尿中への喪失(ネフローゼ症候群など)，薬剤(エストロゲン剤，L-アスパラギナーゼ)により低下する場合がある．

## B トロンビン-アンチトロンビン複合体(TAT)

トロンビンとその阻止因子であるアンチトロンビン(AT)が 1：1 で結合したもので，TAT という．トロンビンの生成量が凝固系亢進状態を反映するが，トロンビンは生成されるとすぐに活性を

### 表 2-7　日本血栓止血学会 DIC 診断基準 2017 年版

| 項目 | | 基本型 | 造血障害型 | 感染症型 |
|---|---|---|---|---|
| 一般止血検査 | 血小板数<br>(×10⁴/μL) | 12<　0点<br>8<　≦12　1点<br>5<　≦8　2点<br>≦5　3点<br>24時間以内に30%以上の減少*1　+1点 | | 12<　0点<br>8<　≦12　1点<br>5<　≦8　2点<br>≦5　3点<br>24時間以内に30%以上の減少*1　+1点 |
| | FDP(μg/mL) | <10　0点<br>10≦　<20　1点<br>20≦　<40　2点<br>40≦　3点 | <10　0点<br>10≦　<20　1点<br>20≦　<40　2点<br>40≦　3点 | <10　0点<br>10≦　<20　1点<br>20≦　<40　2点<br>40≦　3点 |
| | フィブリノゲン<br>(mg/dL) | 150<　0点<br>100<　≦150　1点<br>≦100　2点 | 150<　0点<br>100<　≦150　1点<br>≦100　2点 | |
| | プロトロンビン時間比 | <1.25　0点<br>1.25≦　<1.67　1点<br>1.67≦　2点 | <1.25　0点<br>1.25≦　<1.67　1点<br>1.67≦　2点 | <1.25　0点<br>1.25≦　<1.67　1点<br>1.67≦　2点 |
| 分子マーカー | アンチトロンビン<br>(%) | 70<　0点<br>≦70　1点 | 70<　0点<br>≦70　1点 | 70<　0点<br>≦70　1点 |
| | TAT，SF または F1+2 | 基準範囲上限の<br>2倍未満　0点<br>2倍以上　1点 | 基準範囲上限の<br>2倍未満　0点<br>2倍以上　1点 | 基準範囲上限の<br>2倍未満　0点<br>2倍以上　1点 |
| | 肝不全*2 | なし　0点<br>あり　−3点 | なし　0点<br>あり　−3点 | なし　0点<br>あり　−3点 |
| | DIC 診断 | 6点以上 | 4点以上 | 6点以上 |

- *1 血小板数>5万/μL では経時的低下条件を満たせば加点する(血小板数≦5万では加点しない)．血小板数の最高スコアは3点までとする．
- FDP を測定していない施設(D-ダイマーのみ測定の施設)では，D-ダイマー基準値上限2倍以上への上昇があれば1点を加える．ただし，FDP も測定して結果到着後に再評価することを原則とする．
- FDP または D-ダイマーが正常であれば，上記基準を満たした場合であっても DIC の可能性は低いと考えられる．
- プロトロンビン時間比：ISI が 1.0 に近ければ，INR でもよい(ただし DIC の診断に PT-INR の使用が推奨されるというエビデンスはない)．
- プロトロンビン時間比の上昇が，ビタミン K 欠乏症によると考えられる場合には，上記基準を満たした場合であっても DIC とは限らない．
- トロンビン-アンチトロンビン複合体(TAT)，可溶性フィブリン(SF)，プロトロンビンフラグメント 1+2(F1+2)：採血困難例やルート採血などでは偽高値で上昇することがあるため，FDP や D ダイマーの上昇度に比較して，TAT や SF が著増している場合は再検する．即日の結果が間に合わない場合でも確認する．
- 手術直後は DIC の有無とは関係なく，TAT，SF，FDP，D ダイマーの上昇，AT の低下など DIC 類似のマーカー変動がみられるため，慎重に判断する．
- *2 ウイルス性，自己免疫性，薬物性，循環障害などが原因となり「正常肝ないし肝機能が正常と考えられる肝に肝障害が生じ，初発症状出現から8週以内に，高度の肝機能障害に基づいてプロトロンビン時間活性が 40%以下ないしは INR 値 1.5 以上を示すもの」(急性肝不全)および慢性肝不全「肝硬変の Child-Pugh 分類 B または C(7点以上)」が相当する．
- DIC が強く疑われるが本診断基準を満たさない症例であっても，医師の判断による抗凝固療法を妨げるものではないが，繰り返しての評価を必要とする．

〔DIC 診断基準作成委員会：日本血栓止血学会 DIC 診断基準　2017 年版．血栓止血誌 28：369-391, 2017 より〕

失うので，直接その産生量を測定できない．したがって，血液中で比較的安定である TAT を測定し，凝固活性化を定量的に把握する．

・**測定法**：サンドイッチ EIA 法，EIA 法，CLIA 法
・**基準範囲**：3 ng/mL 以下

### 1 上昇する場合

① **凝固亢進**：DIC，DIC 前段階，敗血症，溶血性尿毒症症候群など．

## C 循環抗凝血素

APTT 延長を認めた場合，凝固因子の量的問題だけでなく，凝固因子を直接阻害するか，凝固因子の活性化反応を阻害する因子の存在を考慮する必要がある．これを循環抗凝血素，もしくは，(後天性)インヒビターと呼ぶ．多くは抗体成分で，全身性エリテマトーデス患者で認められるリン脂質や凝固因子に反応する自己抗体，血友病患者に第Ⅷ因子が投与され惹起された抗第Ⅷ因子抗体の医原性抗体がある．

### 1 循環抗凝血素を検出するクロスミキシング法

検査血漿と正常血漿を，0：10，1：9，2：8，5：5，0：10 の割合で混合して APTT を測定する．即時反応は混合直後に測定し，遅延反応は混合血漿を 2 時間 37℃で培養した後に測定する．縦軸に APTT 値，横軸に被検血漿の割合(%)としてグラフを作成し判定する．

① **ループスアンチコアグラント(lupus anticoagulant；LA)**：即時反応と遅延反応で，上に凸になるか 0% と 100% を結ぶ直線になる．

### 2 ループスアンチコアグラント(LA)

抗リン脂質抗体症候群や全身性エリテマトーデスでは，リン脂質に対する自己抗体が産生され，凝固系の多くの反応で触媒的役割を果たすリン脂質に結合して凝固時間を延長させる．これを抗リン脂質抗体と呼ぶ．理論上，PT，APTT の両者が延長するが，実際には APTT のみ延長することが多い．抗リン脂質抗体を過剰リン脂質添加試験で認めた後，上記のクロスミキシング法で確認するのが LA である．一方，リン脂質への結合を単に確認するのが抗カルジオリピン抗体検査(10 章 ⑦ M 1 ⓐ 抗カルジオリピン抗体，184 頁参照)である．

LA は凝固を阻害するにもかかわらず，LA を有する患者においては血栓症を示す．これはプロテイン C など凝固抑制因子の反応にもリン脂質が関与すること，血管内皮障害により過凝固になっていることなどが考えられる．

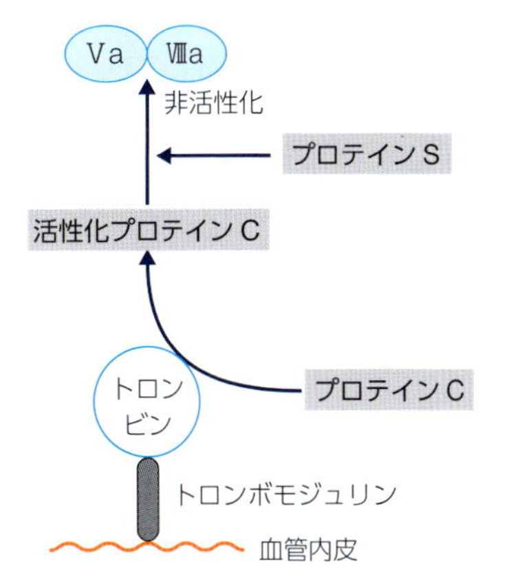


**図 2-7　プロテイン C，プロテイン S による凝固抑制機序**
Va：活性化第Ⅴ因子，Ⅷa：活性化第Ⅷ因子

## D プロテイン C，プロテイン S

プロテイン C(protein C；PC)，プロテイン S (protein S；PS)はビタミン K 依存性に肝臓で産生される抗凝固因子である．図 2-7 に示すようにトロンビンは内皮細胞上のトロンボモジュリンに結合するとプロテイン C を活性化し，活性化プロテイン C はプロテイン S とともに活性化第Ⅴ，Ⅷ因子を分解し強力な抗凝固作用を示す．

・**基準範囲**：
　プロテイン C：70～130%(活性測定法)，3.0～5.5 μg/mL(抗原量測定法)
　プロテイン S：60～140%(活性測定法)，20～35 μg/mL(抗原量測定法)

### E 血液凝固系の分子マーカー

外因系，内因系の共通因子である第X因子が活性化され活性化第X因子が生成されると，プロトロンビンに作用し，プロトロンビンフラグメント1＋2(prothrombin fragment 1＋2；F1＋2)を遊離し，トロンビンが作られる．

トロンビンがフィブリノゲンに作用すると，フィブリノペプチドA(fibrinopeptide A；FPA)とフィブリノペプチドB(fibrinopeptide B；FPB)を遊離し，フィブリンモノマー(fibrin monomer；FM)が作られる．

FM 1分子とフィブリノゲン2分子が結合し，可溶性フィブリン(soluble fibrin；SF)となり，血中に存在する．SFはトロンビンが直接フィブリンに反応したことを示し，凝固亢進を反映するマーカーになる．

FMは重合してフィブリンポリマー(fibrin polymer；FBP)になり，活性化第XIII因子により安定化フィブリンになる．FMはフィブリン/フィブリノゲン分解産物(FDP)，フィブロネクチン(FN)などとも複合体を形成し，可溶性フィブリンモノマー複合体(soluble fibrin monomer complex；SFMC)となる．

これらの血液凝固系の分子マーカーは，血液中にトロンビンが生成されたことを示し，凝固亢進状態を反映している．

### F トロンボモジュリン

トロンボモジュリン(thrombomodulin；TM)は血管内皮に存在する膜蛋白であり，抗血栓作用を示す．凝固カスケードの最終酵素であるトロンビンはTMと結合すると凝固促進活性作用や血小板活性化作用を失う．またトロンビン-TM複合体はプロテインCを活性化する(図2-7)．

#### 1 上昇する場合

① 血管炎を合併した膠原病，急性呼吸促迫症候群(ARDS)など血管内皮障害をきたした病態．
② DIC，多臓器不全．
③ 腎機能低下(腎で代謝されるため)．

## 8 線溶系検査

### A $\alpha_2$-プラスミン・プラスミンインヒビター複合体

FDP，FDP-Dダイマーは，線溶亢進を示す．線溶を起こすのはプラスミンであり，プラスミンの定量測定ができればよいが，血中半減期が短く困難である．しかし，$\alpha_2$-プラスミンインヒビター($\alpha_2$PI)とプラスミンが1：1で結合した$\alpha_2$-プラスミン・プラスミンインヒビター複合体($\alpha_2$-plasmin/plasmin inhibitor complex；PIC)は，比較的安定であるので，線溶亢進の検査として測定される．PICはDICの補助検査項目である．

・**基準範囲**：0.8 μg/mL未満

# 3章 含窒素成分，生体色素の検査

## 1 総論

### A 蛋白質の代謝

体内の窒素を含む化合物は，大きく蛋白質と非蛋白性窒素化合物に分類される．蛋白質（体蛋白）は，体重の約15%を占め，細胞や組織を構成する構造蛋白と，体液中に含まれるヘモグロビン，血漿蛋白に分けられる．ヘモグロビンのほとんどは赤血球に存在して血液の約16%を占め，血漿蛋白は血漿の約8%を占めている．それぞれの蛋白質成分は，該当する遺伝子情報に基づいて，アミノ酸が一定の順序に結合してペプチド鎖が合成され，複合蛋白ではさらに糖，脂質，金属などが結合して一定の構造を維持している．体蛋白はそれぞれ固有の動態（turnover）を有し，一定の半減期で崩壊し，さらに新しく合成された蛋白質分子により補充されている．例えば，栄養のパラメーターとして知られているトランスサイレチンの半減期は1.9日前後と短い．

蛋白質は単純な貯蔵を目的とした蛋白質同化は行われないため，食事からの摂取と内因性蛋白質の再利用によって維持されている．毎日体蛋白の3%程度が入れ替わり，その量は数百gになる．一方で食事から摂取される蛋白質は体重1kgあたり1.0～1.5g程度なので，大部分は体内蛋白の異化によって供給されるアミノ酸を再利用する．すなわち，図3-1に示すように，食餌性蛋白質として1日約60g摂取され，そのうちの約50gが消化管で消化され，アミノ酸として吸収され，血中アミノ酸プール（おおよそ70～100g）に入る．アミノ酸プールは構造蛋白や血漿蛋白合成用にアミノ酸（1日約200g）を供給し，それらの分解物はアミノ酸プールに同量供給されるという平衡状態にある．ただ，アミノ酸プールも一定量を超えるとエネルギー基質として利用される．まずアミノ酸は肝で脱アミノ化されてアンモニアとケト酸に分解される．ケト酸はケトン体（ケト性アミノ酸）あるいはブドウ糖（糖原性アミノ酸）に変換され脂質代謝あるいは糖質代謝に入り，終局的には二酸化炭素と水に分解され，アデノシン三リン酸（ATP）の形でエネルギー源となる．アンモニアは肝細胞で解毒され尿素となって体外に排泄される．

アミノ酸プールから出てきたアミノ酸のほとんどが蛋白質の同化とエネルギー基質となる．手術などの侵襲が加わると組織修復のため，副腎皮質ホルモンなどの分泌が亢進し，骨格筋の異化が亢進する．動員されたアミノ酸（遊離アミノ酸）は，糖新生によって肝臓でグルコースに変換され，損傷した組織蛋白合成の基質として利用される．つまり，侵襲や飢餓時（食事摂取不足）には骨格筋が

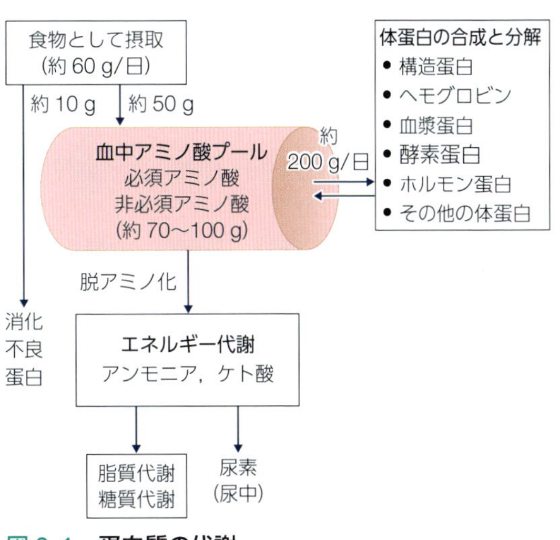


図3-1 蛋白質の代謝

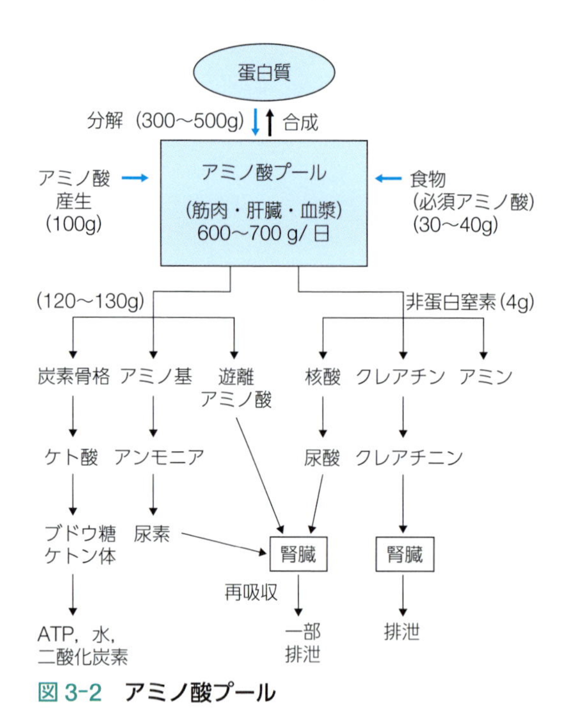


図 3-2　アミノ酸プール

あたかも貯蔵器官のように使用され，骨格筋量は減少する．

## B　アミノ酸代謝

アミノ酸(amino acid；AA)はペプチド，蛋白質の基本構造物質である．生体には20種類存在し，生体内で合成されず食物摂取により補充されるものを，必須アミノ酸と呼ぶ．フェノール環を有するものが芳香族アミノ酸(aromatic amino acid；AAA)でフェニルアラニン，チロシン，トリプトファンからなる．枝分かれ構造をもつ分枝鎖アミノ酸(branched-chain amino acid；BCAA)には，バリン，ロイシン，イソロイシンがある．

食物として摂取された蛋白質は，胃，小腸に存在する消化酵素により分解され，アミノ酸となり，小腸で吸収され，肝臓，筋肉などに供給される(図 3-2)．BCAAは肝臓には取り込まれず主に筋肉へ直接供給される．1日に約600～700 gのアミノ酸の入れ替えが起こっており(アミノ酸プール)，そのほとんどが蛋白質の合成，分解過程による出入りである．残り120～130 gが分解され，4 gが非蛋白窒素合成に転換利用される．アミノ酸プールは生体内での蛋白産生，分布量を反映しており，筋肉(約80%)，肝臓(15%)，血漿(5%)に存在し，遊離アミノ酸はせいぜい0.5%程度ほどしか存在しない．血中のアミノ酸は99%以上が腎糸球体基底膜を通過し，近位尿細管で99%以上が再吸収される．

表 3-1　非蛋白性窒素化合物とその各成分血清濃度

| 化合物 | 物質量(mg/dL) | 含有窒素量(mg/dL) |
|---|---|---|
| 尿素 | 18～42 | 8～18 |
| 尿酸 | 2～7 | 0.8～2.3 |
| クレアチン | 0.2～0.6 | 0.06～0.2 |
| クレアチニン | 0.5～1.2 | 0.2～0.5 |
| アミノ酸 | 32～55 | 3.5～5.0 |
| アンモニア | 0.012～0.036 | 0.01～0.03 |

アミノ酸の補給は，蛋白分解の再利用(300～500 g)，食物による補充(30～40 g)，新たな生成による補充(100 g，非必須アミノ酸)などによる．なお非必須アミノ酸は，肝臓，筋肉，腎臓などで産生される．一方，アミノ酸の分解は主に肝臓による．その分解経路は，主要構造である炭素骨格とアミノ基に大別される．炭素骨格は通常アミノ転移酵素(AST，ALTなどの作用)により生じたケト酸が，各成分に特有な経路により，ピルビン酸，アセチルCoA，あるいはTCAサイクルの構成成分となり，最終的に糖質，脂質，ケトン体などのエネルギー源となる(副経路)．一方，アミノ基はアンモニアとなり，尿素回路で尿素として無毒化され腎から排泄される(❻ **アンモニア**，67頁参照)．AAA(トリプトファン以外)の分解は肝臓で，BCAAは筋肉で行われる．

アミノ酸は，体内蛋白の合成に関与するだけではなく，クレアチン，核酸，アミン，コリン，グルタチオンなどのような生命現象を維持するのに必要な非蛋白性窒素化合物の合成にも関与している．主な化合物を表 3-1に示した．血清にはアミノ酸のほかに蛋白質の最終代謝産物である尿素窒素，核酸(プリン体)の最終産物である尿酸やクレアチンとその最終産物であるクレアチニンなどが存在する．これら窒素代謝の最終代謝産物の排泄は腎臓の基本的機能であり，腎機能が低下すればこれらの検査値が上昇してくる．

# 2 含窒素成分の検査

## A アミノ酸

### 1 代謝（BCAA）

BCAA（バリン，ロイシン，イソロイシン）は必須アミノ酸であり，主に骨格筋で利用される．食後，骨格筋に取り込まれ蛋白質合成に使用されるだけではなく，BCAA の中で特にロイシンは筋蛋白質合成を強力に刺激する．BCAA は主にミトコンドリアで分解され，最初にミトコンドリア型分枝鎖アミノ酸アミノ基転移酵素（BCATm）により，分枝鎖 α ケト酸とグルタミン酸が生成される．肝臓では BCATm の発現量が少なく，BCAA を分解できない．BCAA は主に筋肉で分解され，運動時にはエネルギー源（分枝鎖 α ケト酸）として，飢餓や重症病態などブドウ糖の需要が高まると糖新生の原料となるグルタミンやアラニンを産生する（グルタミン酸からの変換）ために利用される．運動不足や加齢によりインスリンなどの増殖因子に対する感受性が低下し，筋蛋白質合成能が低下する，つまり BCAA の利用が低下すると考えられている．

### 2 試料採取と測定法

ヘパリン加血漿を用い，凍結保存する．分析は高速液体クロマトグラフィ（HPLC）法またはマススペクトロメトリで行われる．分析法の進歩により，短時間で多数の血漿アミノ酸測定が可能となり，多変量解析法を用いて（アミノグラム），生活習慣病の早期発見にも応用されている．

### 3 アミノ酸代謝異常

#### a 先天性異常

アミノ酸異化過程にかかわる酵素欠損があると，代謝されなかったアミノ酸や副産物が血中，尿中で検出される（図 3-3 の①，表 3-2）．フェニルケトン尿症，メープルシロップ尿症，ホモシスチン尿症は，新生児を対象に濾紙にしみこませた血液を用いて診断する．先天性アミノ酸尿症（図 3-3 の②）では，尿細管における，アミノ酸の取り込み，再吸収にかかわるトランスポーターの異常により，尿中にアミノ酸が増加する．シスチン尿症では，シスチン，塩基性アミノ酸が増加し腎臓結石となりやすい．Fanconi 症候群では，アミノ酸以外に，尿糖，低分子蛋白が増加し，先天性だけではなく後天性にも生じる．

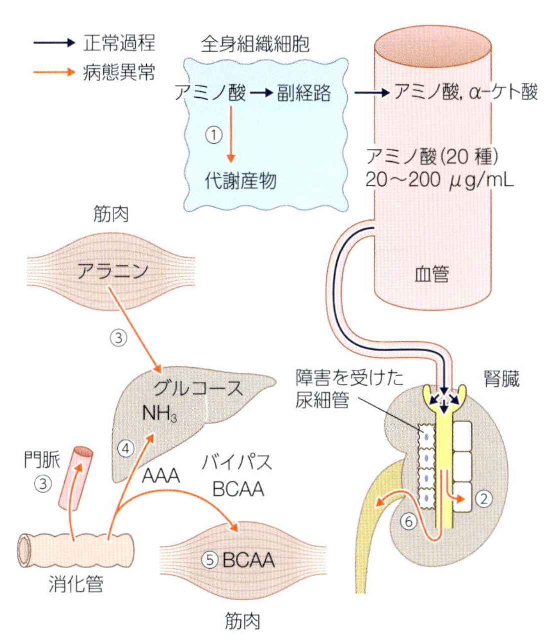


図 3-3　**アミノ酸の病態**（原図・河合）

① アミノ酸代謝異常，特定のアミノ酸，代謝産物の上昇，② アミノ酸の先天性再吸収異常，③ 栄養障害による吸収低下と筋肉によるアミノ酸放出，④ 肝不全における BCAA/AAA の低下，⑤ インスリン抵抗性による利用障害，⑥ 尿細管障害によるアミノ酸尿

#### b 後天性異常

低栄養状態では，摂取量の低下，体内保持の低下により減少する．この中でアラニンは上述のように，エネルギー源として筋肉から肝臓に運ばれ糖新生の原料となるため，上昇する（図 3-3 の③）．肝性昏睡も含め肝機能が高度に低下すると，AAA は肝臓での取り込みの低下により血中濃度が上昇する．一方，BCAA は筋肉で主に利用されており，低下を示す（図 3-3 の④）．この結果 BCAA/AAA（Fischer 比），BCAA/tyrosine molar ratio（BTR）は低下し，これらの病態の治療のモニターとして利用される．BTR は Fischer 比を簡便に測定でき，AAA の代わりにチロシンを

**表 3-2　アミノ酸代謝異常症**

| | 関連酵素，経路異常 | 症状 | 血中，尿中，動態 |
|---|---|---|---|
| フェニルケトン尿症 | フェニルアラニンヒドロキシラーゼ | 精神発達低下 | 血中増加，フェニルケトン尿 |
| アルカプトン尿症 | ホモゲンチジン酸酸化酵素 | 組織黒変症 | 尿中ホモゲンチジン酸増加 |
| ヒスチジン尿症 | ヒスチジン-アンモニア脱炭酸酵素 | 聴力欠損 | 血中，尿中ヒスチジン増加 |
| ホモシスチン尿症 | シスタチオナーゼ合成酵素 | 精神発達低下，血栓症 | 血中，尿中ホモシスチン，メチオニン増加 |
| メープルシロップ尿症 | 分枝鎖 α-ケト酸脱水素酵素 | けいれん，発達障害，ケトアシドーシス，低血糖 | 血中ロイシン，イソロイシン，バリン増加，アラニン低下 |
| Fanconi 症候群 | 近位尿細管機能異常 | アシドーシス<br>くる病 | アミノ酸尿，糖尿，低分子蛋白尿，リン酸尿など |
| シスチン尿症 | 尿細管機能異常（トランスポーター） | 結石 | シスチン，塩基性アミノ酸増加 |

使用しても臨床的意義は Fischer 比と同等である．インスリン抵抗性の状態では血中 BCAA 濃度が上昇し（図 3-3 の⑤），インスリン抵抗性の早期診断および将来の 2 型糖尿病を予測する可能性がある．

腎尿細管障害を起こすカドミウム（Cd）中毒症，抗菌薬投与などでは，再吸収障害により低分子蛋白，ブドウ糖などに伴って尿中に多種類のアミノ酸が排泄される（図 3-3 の⑥）．

## 3 尿素窒素（尿素）

### A 代謝

蛋白が代謝されるとアンモニア（$NH_3$）が生成されるが，アンモニアは有害物質であり，尿素回路（オルニチンサイクル；OC）により，尿素の合成に使われる．図 3-4 に示すように，2 分子の $NH_3$ と 1 分子の $CO_2$ から生成されるカルバモイルリン酸がこの回路に入り，1 分子の尿素が合成される．この回路はほとんどすべて肝に存在し，腎および赤血球にもごくわずかにある．尿素は，体外に排泄される窒素量の 80～90% を占め，ヒトでは窒素排泄経路の主役を演じている．

合成された尿素は体液中に放出され，細胞内外に容易に拡散する．尿素は体内で再び代謝に用いられることはなく，腎から尿中に排泄される．腎における尿素クリアランスは約 75 mL/分で，糸球体濾過量（glomerular filtration rate；GFR）よりも小さい．濾液された尿素の一部は尿細管から再吸収されることを示しているが，尿素の再吸収よりも水分の再吸収のほうが優勢であるため結果的には 1 日に 20～35 g 程度の尿素が尿中に排泄されることになる．尿細管から再吸収された尿素は腎髄質の高浸透圧形成の 50% を占めており，尿濃縮機構にも必須の構成要素となっている．

### B 測定法と基準範囲

尿素の測定は窒素量として定量するが，体の中では尿素として存在することから，60/28＝2.14 を窒素量にかけて尿素量として表すのが一般的になっている（図 3-5）．定量はウレアーゼを利用した特異的な方法が使用されており，約 65% の施設がアンモニアに由来する窒素を測りこまないよう工夫された方法（ウレアーゼ・GLDH UV アンモニア消去法）を採用している．アンモニア消去法では，高アンモニア血症で高値傾向を示すので

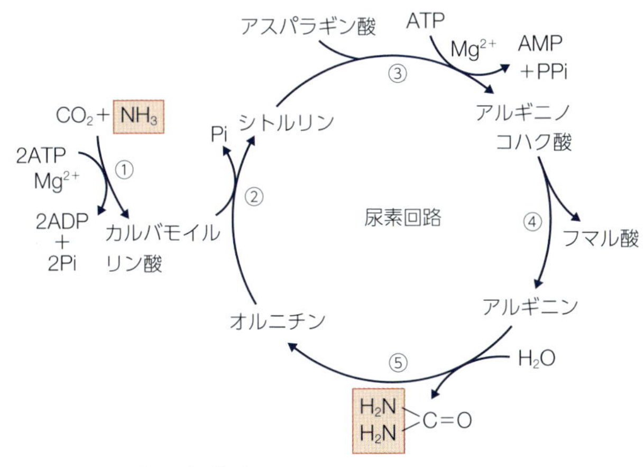


**図 3-4 尿素の合成系**

尿素合成に関与する酵素は以下の5つである.
① カルバモイルリン酸合成酵素, ② オルニチントランスカルバモイラーゼ, ③ アルギニノコハク酸合成酵素, ④ アルギニノサクシナーゼ, ⑤ アルギナーゼ

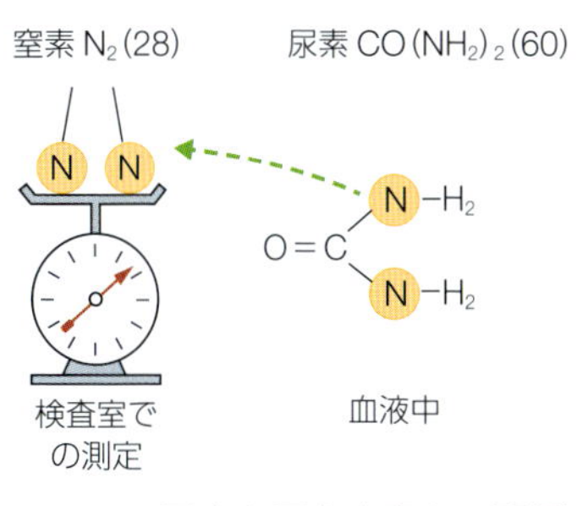


**図 3-5 尿素と尿素窒素との関係**

注意を要する. 施設間の変動係数は1〜2%である. 尿素窒素の測定は, かつて全血を用い行われていたので血液尿素窒素(blood urea nitrogen; BUN)と呼ばれていた. 現在はほぼ血清試料について測定されており, UN と呼ばれることが多い. 基準範囲は8〜20 mg/dL である.

## C 尿素代謝異常

### 1 増加する場合

尿素増加の背景には, 産生増加(腎外性)と排泄障害(腎性)がある.

① **組織蛋白の異化亢進**(図 3-6 の①): 蛋白が過剰に負荷, 吸収され, アンモニアの生成が増加し, 尿素合成量が増加する. 例えば1 kg の筋肉が崩壊したとすれば, 約1,400 mmol/L の尿素(尿素窒素として約40 g に相当)が生成されることになる. 具体的には, 体内での出血, 外科的大手術, 異型輸血, 飢餓時, 高熱, 高度熱傷, 悪性腫瘍, Addison 病のクリーゼ, 糖尿病性アシドーシス, 甲状腺機能亢進症, 膵臓壊死, 重症感染症, 薬剤性障害や副腎皮質ホルモン投与などがあげられる.

② **蛋白摂取量の増加**(図 3-6 の②): 通常, 成人では最低30 g/日程度の蛋白摂取が必要で, それ以上の蛋白を摂取すると尿素窒素の上昇をもたらす. 普通食でも約60 g/日程度は蛋白を摂取し, 高蛋白食ではさらに多量に摂取するので, 健常人でも3〜5 mg/dL 程度の差は起こりうる. 腎機能低下のある患者では影響がより明らかとなる.

③ **消化管出血**(図 3-6 の③): 赤血球ヘモグロビン・血漿蛋白が腸管内で多量に分解してできるアンモニアが吸収され, 尿素合成が亢進する. さらに乏血性ショックが合併する(下記④)と一層著明となる. ただし, 腎障害のない患者では80 mL の出血があっても尿素の明らかな上昇はないとされるので, 尿素の上昇がなくても小規模の出血は否定できない. 同様な機序で尿素が増加する場合として腸閉塞がある.

④ **腎前性要因による腎血流量の減少**(図 3-6 の④): 尿素を含有した血液(血漿)が十分に腎糸球体に送り込まれて初めて腎の尿素排泄機能が発揮されるため, 腎血流量の減少する重症心不全, 乏血性ショック, 脱水などでは尿素排泄量が減少し, 血中にうっ滞する.

⑤ **腎性の GFR の減少**(図 3-6 の⑤): 種々の腎疾患, 薬剤性障害により, 腎での尿素排泄機能が障害される.

⑥ **腎後性障害による尿路の閉塞**(図 3-6 の⑥): 腎後性に, 結石, 癌, 前立腺肥大などで尿路が閉塞されると尿素排泄量が減少する.

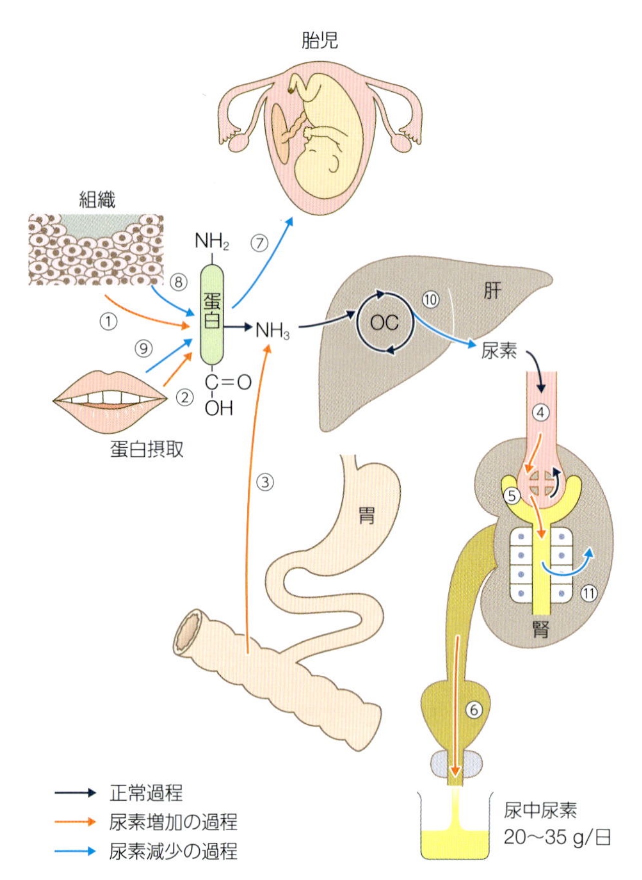


**図 3-6　尿素の代謝と病態**(原図・河合)

OC：尿素回路
① 蛋白異化亢進，② 高蛋白食，③ 消化管出血，④ 腎血流量低下，⑤ 腎障害，⑥ 尿路閉塞，⑦ 妊娠，⑧ 蛋白異化減退，⑨ 低蛋白食，⑩ 尿素サイクルの障害，⑪ 尿細管再吸収低下

## 2 減少する場合

尿素窒素が 8 mg/dL 以下に低下することは少ないが，臨床的に特に注意したいのは下記④の場合である．

① **妊娠**(図 3-6 の⑦)：胎児の成長に蛋白が消費されるため，母体としては負の窒素バランスとなる．かつ，循環血漿量が増すことも一因となる．妊娠 6 か月ごろから 5 mg/dL まで下がり，10 か月に入るとやや増加して 7～9 mg/dL 程度となる．

② **組織蛋白の異化減少**(図 3-6 の⑧)：悪液質のほか，蛋白同化作用を亢進させる成長ホルモンなどの投与において尿素合成が減少する可能性がある．

③ **蛋白摂取量の減少**(図 3-6 の⑨)：上記 1 ②と逆の機序である．

④ **重症肝障害**(図 3-6 の⑩)：尿素回路の障害により，アンモニアがうっ滞し，尿素の生成が減少する．肝の機能障害の進行において，尿素回路とグルクロン酸抱合能は重症化するまで保持されるとされる．したがって，尿素窒素の低下と間接ビリルビンの増加は重症肝機能障害(肝不全)でみられる．

⑤ **強制多尿**(図 3-6 の⑪)：利尿薬，尿崩症などのように強制多尿があると，尿素の尿細管での再吸収が減少して尿素排泄量が増加する．

⑥ **その他**：稀であるが，図 3-4 の 5 つの酵素のそれぞれの欠損症が報告されている．これらの場合は，先天性アミノ酸代謝異常症(例えば，シトルリン血症，アルギニノコハク酸尿症，高アルギニン血症など)およびアンモニア中毒症状として問題となる．

## 3 尿素窒素/クレアチニン比(UN/Cr)による評価

ほぼ腎機能に影響されるクレアチニンと腎外性因子の影響を受ける尿素窒素の相対的関係を両者の比として評価することが行われている．生理的にはこの比は 10 である．

10 以下であるときは腎性の病態を疑う．UN，Cr 両者とも上昇するが，相対的に尿素窒素の上昇程度が高くならない．10 以上であるときは，腎外性の病態を疑う．前述 1 ①～④(57 頁参照)の病態を考慮するが，特に脱水を示唆する指標として用いられることが多い．脱水では腎における水分の再吸収が亢進し，尿素が再吸収により血中で相対的高値になるためである．また，消化管出血を疑うきっかけになることもある．ただし，実症例では多様な要因が絡み合っていること，尿素窒素，クレアチニンが基準範囲近辺にあるときと大幅に上昇しているときを同列に評価するのは適切でなく，この比の評価には慎重でありたい．

### 4 血中の尿素と浸透圧

尿素は，細胞内外を自由に拡散し全身に分布している．分子量が 60 と小さく，しかも病的に多量に体内に蓄積されるため，体内の浸透圧に著しい影響を及ぼす．尿素窒素として 2.8 mg/dL 増加するごとに 1 mOsm/L の浸透圧増加を招く(以下の式を参照)．すなわち，100 mg/dL の尿素窒素であれば約 35 mOsm/L の浸透圧増加となり，これは正常浸透圧の約 10% にも相当する．ただし，細胞内外を自由に拡散するため，細胞内外の浸透圧較差とは無関係である．つまり，細胞内外の水(自由水)の移動は Na とグルコース濃度により形成される浸透圧較差により決定され，有効浸透圧と呼ばれる．

$$\text{血漿(清)浸透圧(mOsm/L)} = 2 \times \text{Na(mmol/L)} + \frac{\text{グルコース(mg/dL)}}{18} + \frac{\text{UN(mg/dL)}}{2.8}$$

$$\text{有効浸透圧(mOsm/L)} = 2 \times \text{Na(mmol/L)} + \frac{\text{グルコース(mg/dL)}}{18}$$

### 5 蛋白質摂取量の推定

尿中尿素窒素排泄量が蛋白質摂取量を直接反映しているため，蛋白質摂取量の推定には古くから尿中尿素窒素排泄量が利用されている．摂取した蛋白質は体蛋白合成に利用される以外はほとんどすべて尿素窒素となる．その他，尿酸やクレアチンなどに含まれる窒素(非蛋白窒素)の排泄は，平均 0.031 g 窒素/kg/日にほぼ固定している．24 時間蓄尿から尿素窒素排泄量(g/日)を計算し，非蛋白窒素を加えた和が全窒素摂取量である．蛋白質の平均窒素含有量は 16% であり，6.25(1/0.16)倍することで 1 日蛋白質摂取量を推定できる．

［Maroni-Mitch の式］

$$\left[ \frac{\text{尿中尿素窒素(mg/dL)} \times 24\ \text{時間尿量(l/日)}}{100\text{(g/日)}} + 0.031 \times \text{体重(kg)} \right] \times 6.25$$

## 4 クレアチニン

### A 代謝

クレアチニンはクレアチンが環状構造に変化した生成物であるため，まずクレアチンの代謝について理解する必要がある．クレアチンは，主として腎においてアルギニンとグリシンからアミジン基転移酵素の働きでグリコシルアミンが生成され，次に肝において，メチル基転移酵素の働きによりメチオニンからのメチル基によってメチル化されてクレアチンが合成される．クレアチンは筋肉に取り込まれ，クレアチンキナーゼ(CK)によりリン酸化されてクレアチンリン酸として，筋活動のエネルギー源となる．クレアチンの 98% は筋肉に存在しており，筋傷害の指標となりうるが，CK など筋疾患に特異性が高い指標があるため，測定されることは少ない．

クレアチンの 2% 程度は不可逆的にクレアチニンとなる(図 3-7)．したがって，クレアチニンの生成量はクレアチンの量(筋量)と比例する．筋細胞から放出されたクレアチニンは腎に達し，尿中へ排泄される(図 3-8)．クレアチニンは尿細管では再吸収されず，むしろ尿細管から分泌される(15～20%)．尿細管からの分泌以外は糸球体濾過量を正確に測定する条件(表 3-3)を満たしており，腎機能評価に使われている．

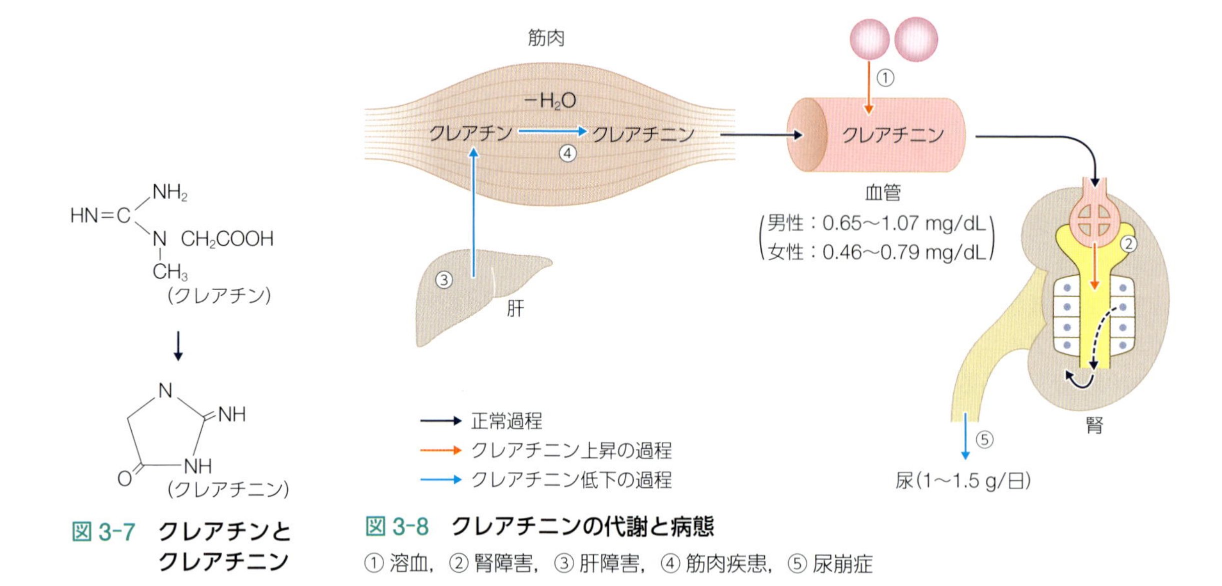


**図 3-7　クレアチンとクレアチニン**

**図 3-8　クレアチニンの代謝と病態**
①溶血，②腎障害，③肝障害，④筋肉疾患，⑤尿崩症

**表 3-3　糸球体濾過量を測定するための必要な条件**

| |
|---|
| 1. 血漿中に一定の割合で流入しすぐに拡散する |
| 2. 血漿蛋白と結合しない |
| 3. 糸球体で自由に濾過できる |
| 4. 尿細管で分泌・再吸収がない |
| 5. 腎外排泄を認めない |
| 6. 生物学的活性がない(安全性が高い) |
| 7. 体内で代謝や分解されない物質 |

## B　測定法と基準範囲

血清クレアチニンの測定には，ほぼすべての施設が酵素法を採用しており，施設間の変動係数は3% 未満と安定した成績が得られる．ごく稀に比色法(Jaffé 法)が使われている場合があるが，この方法はクレアチニン以外の還元物質も測り込むことが知られており，酵素法に比べやや高値になることに注意したい．

血清クレアチニンは筋量の影響を受けるため，男女差があり，基準範囲は男性で 0.65〜1.07 mg/dL，女性で 0.46〜0.79 mg/dL である．小児では低値となる．高齢になると筋量減少とともに小児同様に低下するはずであるが，老化により腎機能が低下するため，それほど変化しない．肉にはクレアチニンやクレアチンが多く含まれるので，肉を食べた後，一過性に血清クレアチニン濃度が上昇する．尿への標準クレアチニン総排泄量は，標準体重(kg)×クレアチニン係数(男＝23 mg/kg，女＝18 mg/kg)で求められる．クレアチニン総排泄量が平均的なクレアチニン排泄量と比べることで，多ければ骨格筋量が多いと推定され，少なければ骨格筋量も少ないと推定できる．

## C　クレアチニン代謝異常

### 1 上昇する場合

①**溶血**(図 3-8 の①)：Jaffé 法の場合は，赤血球内の物質に反応して高値になる場合がある．

②**腎障害**(図 3-8 の②)：腎からの排泄が障害されるためにクレアチニンが血中にうっ滞する．排泄障害には，腎前性因子としての腎への血流障害，腎糸球体障害による尿生成障害，腎間質障害による尿細管からの分泌障害がある．血清クレアチニン濃度は腎障害に対しては鋭敏ではなく，糸球体濾過量(GFR)が 50% に低下しても基準範囲内であることが多く，2/3 以上の低下で上昇が明らかとなる．後述するクレアチニンクリアランスでの評価が望まれるが，血清クレアチニン濃度に加えて性別，年齢から推算 GFR が計算可能であり，推算 GFR の使用が推奨されている．慢性

腎臓病のステージ分類は推算 GFR によりなされる．推算 GFR はある時点での評価だけでなく，経過(変動)で評価することで，腎機能(GFR)が低下する病態かどうか，またその低下速度も推測できる．急性腎障害(acute kidney injury；AKI)では，血清クレアチニンが障害から遅れて徐々に上昇するため推算 GFR は使用できない．そのため，血清クレアチニンが 48 時間以内に 0.3 mg/dL 以上上昇すること，または 7 日以内に予想される基礎レベルの 1.5 倍以上に上昇することとしている．

## 2 低下する場合

腎の病態は改善していなくても，下記②や③によるクレアチニンの減少で，あたかも腎機能が改善したようにみえることがあるので注意したい．

① **肝障害**(図 3-8 の③)：肝におけるクレアチン生成が減少するため，クレアチニンも低下傾向を示す．

② **筋疾患**(図 3-8 の④)：筋ジストロフィー，長期臥床者などのように，筋萎縮を伴う疾患ではクレアチニンが低下する．

③ **尿崩症**(図 3-8 の⑤)：多尿による排泄増加でクレアチニンが低下する．

## 3 内因性クレアチニンクリアランスと推算 GFR

内因性クレアチニンクリアランスは，血清と尿のクレアチニンを測定し，以下の式により計算する．

$$Ccr = \frac{Ucr \times V}{Pcr}$$

Ccr：クレアチニンクリアランス(mL/分)
Ucr：尿中クレアチニン濃度(mg/dL)
V：単位時間当たり尿量(mL/分)
Pcr：血清クレアチニン(mg/dL)

なお，発達段階の小児や，体格・筋量の異なる個人や集団を比較するときには，体表面積で補正する．従来，日本人平均体表面積として 1.48 $m^2$ が用いられてきた．しかし，近年日本人の体格も欧米人に近づいたことから，国際的に使われている 1.73 $m^2$ が用いられるようになった．

**表 3-4 慢性腎臓病(CKD)のステージ分類**

| | | | |
|---|---|---|---|
| GFR 区分 (mL/分/1.73 $m^2$) | G1 | 正常または高値 | ≧90 |
| | G2 | 正常または軽度低下 | 60～89 |
| | G3a | 軽度～中等度低下 | 45～59 |
| | G3b | 中等度～高度低下 | 30～44 |
| | G4 | 高度低下 | 15～29 |
| | G5 | 末期腎不全 (ESKD) | ＜15 |

$$Ccr = \frac{Ucr \times V}{Pcr} \times \frac{1.73}{A}$$

A：体表面積(近似値)＝ $\sqrt{\text{身長(cm)} \times \text{体重(kg)}/3600}$

こうして求めた Ccr の基準範囲は 91～130 mL/分である．

GFR を求める基準法は尿細管で再吸収も分泌もないイヌリンを使う方法(イヌリンクリアランス)であるが，実施に現実的でない部分があり，Ccr が代用されている．しかし，尿中クレアチニンの 10～15% は尿細管から分泌されることから，イヌリンクリアランスよりもやや大きな測定値が得られる．

一方，Ccr も実施は簡単ではないため，日常診療において血清クレアチニンと年齢だけから GFR を推算する式が提唱され，18 歳以上で使用されている．

$$eGFRcreat(mL/分/1.73\,m^2)$$
$$= 194 \times Cr^{-1.094} \times 年齢(歳)^{-0.287}\ (男性)$$
$$= 194 \times Cr^{-1.094} \times 年齢(歳)^{-0.287} \times 0.739\ (女性)$$

推算 GFR に基づき，慢性腎臓病(CKD)は表 3-4 のようにステージ分類される．

歴史の古いクレアチニンクリアランス推算式である Cockcroft-Gault の式は，現在でも経口抗凝固剤を服用している患者の腎機能評価に使用されている(次頁)．

$$Ccr = \{(140 - 年齢) \times 体重\} \div (72 \times Cr)\ (男性)$$
$$= \{(140 - 年齢) \times 体重\} \div (72 \times Cr) \times 0.85\ (女性)$$

## D 推算GFRに使用されるもう一つの因子：シスタチンC

### 1 代謝

シスタチンC(cystatin C；Cys-C)は，分子量13,000の低分子蛋白質である．血中のCys-Cは$\beta_2$-ミクログロブリンなどの低分子蛋白質と同様に腎糸球体を通過し，近位尿細管で再吸収され処理される．低分子蛋白質に共通の性質として，腎後性急性腎不全では腎血流量は保たれ，腎での低分子蛋白質代謝・分解が持続するため，血清クレアチニンと比べわずかしか上昇しない．抗蛋白分解酵素活性を有し，全身臓器，細胞から一定の割合で分泌されている．$\beta_2$-ミクログロブリンは悪性腫瘍や炎症などの影響を受けやすいが，Cys-Cは影響する因子が少ない．ただし，甲状腺ホルモンや糖質コルチコイドの影響を受けるため注意が必要である．腎外排泄を認め，近位尿細管ですべて再吸収される以外は，糸球体濾過量を正確に測定する条件(表3-3)を満たしておりGFRの評価に使用されている．腎外クリアランスは8 ml/分/1.73 $m^2$程度と推測されており，どんなに腎機能が低下しても血清Cys-Cの増加は5 mg/L程度で頭打ちとなるため，透析導入の指標としては使用しづらい．また，近位尿細管ですべて再吸収されるため，クリアランス検査は行えない．

### 2 測定法と基準範囲

抗原抗体反応の原理に基づく自動測定法で測定され，血清濃度の基準範囲は約0.5～1 mg/Lである．

### 3 上昇する場合

腎機能低下で血清濃度が上昇する．血清Cys-C濃度とGFRは図3-9に示すように反比例の関係にある．クレアチニンと比べて，Cys-Cは分子量が大きい分，GFRの低下をより高感度に反映してGFRでおおよそ60～70 mL/分くらいから増加する．これに対してクレアチニンはGFRで30～40 mL/分で増加し，かなり進行した状態でしか捉えられない．また，Cys-Cは筋肉量の影響が少なく，小児のGFR評価にも使用できる利点がある．妊娠時に，血清クレアチニンは低下するが，血清Cys-Cは妊娠後期で増加する．

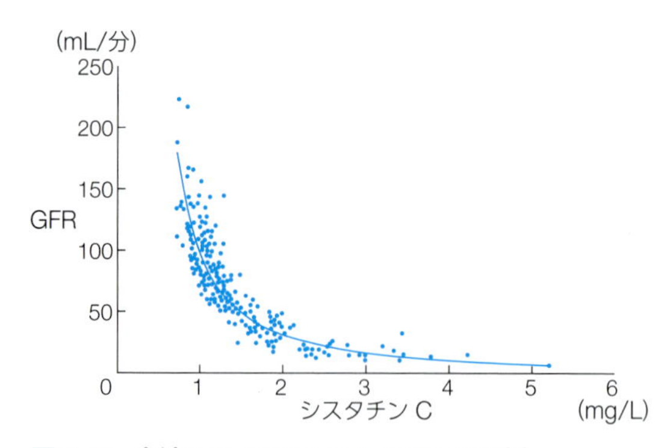


図3-9　血清シスタチンCとGFRの関係

日本人においては，Cys-Cから糸球体濾過量(GFR)が以下のように推算される．

$$eGFRcys\text{-}C\,(mL/分/1.73\,m^2)$$
$$= (104 \times Cys\text{-}C^{-1.019} \times 0.996^{年齢(歳)}) - 8\ (男性)$$
$$= (104 \times Cys\text{-}C^{-1.019} \times 0.996^{年齢(歳)} \times 0.929) - 8\ (女性)$$

# 5 尿酸

## A 代謝

### 1 尿酸の合成

尿酸はプリン体の終末代謝産物として合成される．図3-10のように酵素が作用して最終的にはキサンチンからキサンチン酸化酵素の働きによって作られる．キサンチンはプリンヌクレオチドの分解によって作られるので，ヌクレオチド合成経路を理解する必要がある．それには2つの経路が知られている．

① ***de novo* 合成経路**：プリン環を構成する炭素原子および窒素原子は，図3-11に示すように，

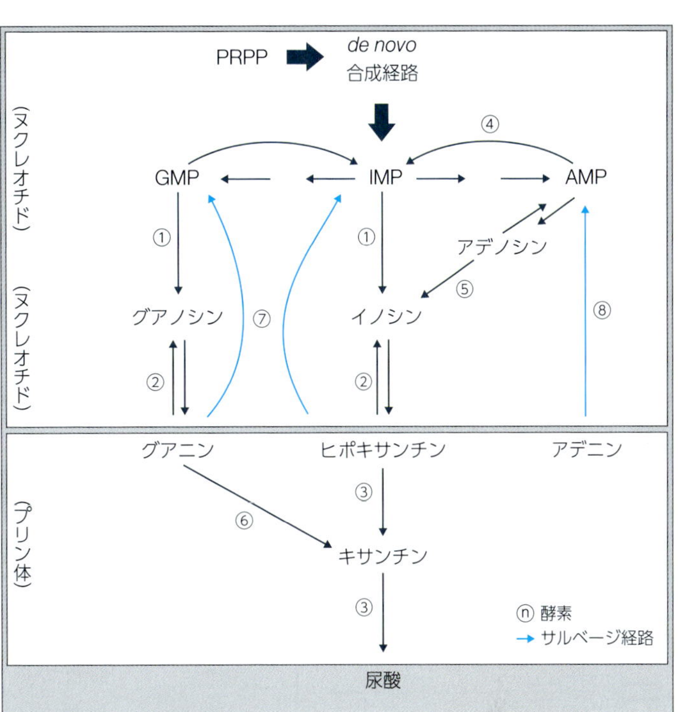


**図 3-10 プリンヌクレオチド分解系とサルベージ("回収")経路**

PRPP：phosphoribosyl pyrophosphate
GMP：guanosine 5′-monophosphate
IMP：inosine 5′-monophosphate
AMP：adenosine 5′-monophosphate
① サイトソール 5′ ヌクレオチダーゼ
② プリンヌクレオチドホスホリラーゼ
③ キサンチン酸化酵素
④ AMP デアミナーゼ
⑤ アデノシンデアミナーゼ
⑥ グアニンデアミナーゼ
⑦ ヒポキサンチングアニンホスホリボシルトランスフェラーゼ(HGPRT)
⑧ アデニンホスホリボシルトランスフェラーゼ(APRT)



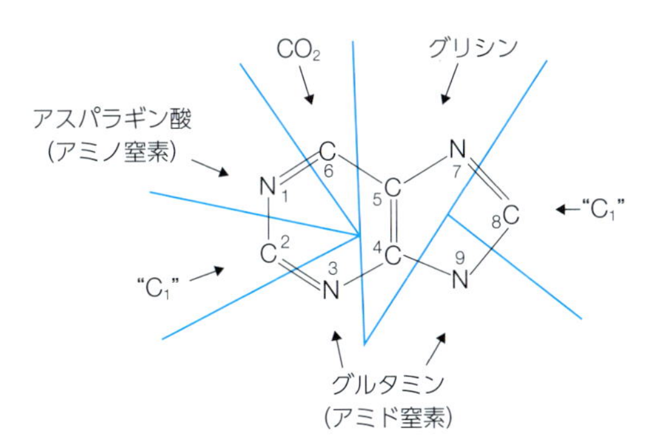


**図 3-11 プリン環を構成する炭素・窒素原子の由来**

$CO_2$：体内呼吸に由来する二酸化炭素
"$C_1$"：炭素原子 1 個の化合物(蟻酸，セリンの $\beta$ 炭素原子，グリシンの $\alpha$ 炭素原子)

組織呼吸によって生じる $CO_2$，"$C_1$"化合物，およびアミノ酸(グリシン，アスパラギン酸，グルタミン)に由来している．この経路の最初の段階はホスホリボシルピロリン酸(PRPP)にグルタミンのアミド基が転移される反応であるが，PRPP は肝においてリボース 5-リン酸と ATP から作られる．PRPP を出発材料として，10 段階の反応を経て 5′-イノシン酸(IMP)が合成される．この *de novo* 合成経路には，食物由来の遊離塩基や細胞核破壊によって生じる遊離塩基は利用されない．

**② サルベージ経路(回収経路)**：この経路では，HGPRT(図 3-10 の⑦)と APRT(図 3-10 の⑧)が作用して，遊離のヒポキサンチン，グアニン，アデニンからそれぞれ IMP，グアノシン 5′-一リン酸(GMP)，アデノシン 5′-一リン酸(AMP)が合成される．この経路では，食物に由来する遊離塩基の利用，ならびに細胞核破壊によって生ずる遊離塩基の再利用がある．

このようにして，尿酸は 1 日 500〜800 mg 合成されて，体液中に放出される．正常の体内プールとしては約 1,130 mg 程度である．

## 2 尿酸の排泄・異化

血液・体液中の尿酸は，主として尿酸 Na 塩として存在しているが，血液中では一部血清アルブミンにも結合している．尿酸 Na の溶解度は，中性 pH では 7.0 mg/dL といわれ，それ以上では過飽和状態になって，組織への沈着が起こりやすくなる．

尿酸の体内プールの約 70% は尿中に排泄される．腎糸球体から濾過された尿酸は大部分が近位尿細管上皮から再吸収されるが，尿酸トランス

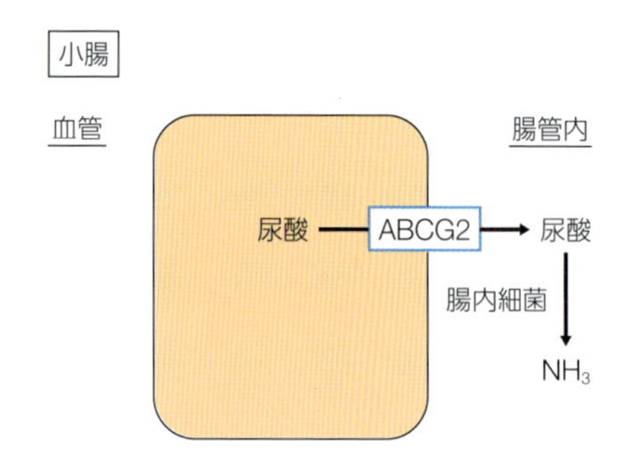


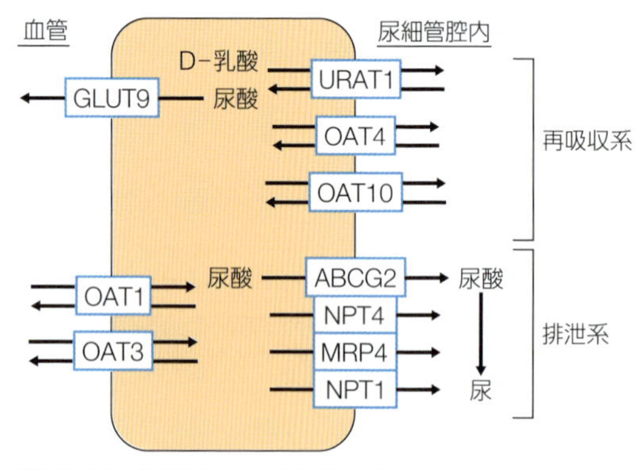


**図 3-12　尿酸トランスポーター**

ポーター 1(urate transporter 1；URAT1)と糖トランスポーター 9(glucose transporter 9；GLUT9)の働きが重要である(図 3-12)．URAT1 は尿細管細胞の管腔側に存在し，尿酸と乳酸を交換し，再吸収された尿酸は基底膜側にある，GLUT9 によって血液に送られる．また，近位尿細管からの分泌は管腔側に存在する ATP 結合カセットサブファミリー G2(ATP-binding cassette, sub-family G, member 2；ABCG2)が中心的な役割を担っている．以上の働きが総合されて，最終的には 1 日に 300〜750 mg の尿酸が尿に排泄される．尿の pH が 6.5 以下と酸性側に傾くと尿酸塩から尿酸となり，その溶解度が著しく低くなるため，しばしば低温で尿中に淡紅色の沈殿を生じる．

腸管に排泄された尿酸は腸内の細菌により分解されて生じた $NH_3$ は吸収されて尿素へと合成される．つまり，便中尿酸量から腸管からの尿酸排泄を直接測定できないため，なかなか研究が進展していなかったが，近年の研究で残りの 30% のほとんどは小腸に発現している ABCG2 から便中に排泄されることが明らかとなった．ABCG2 の尿酸排泄機能が低下すると，腸管からの尿酸排泄が低下し，血清尿酸値が上昇するため，腎臓からの尿酸排泄が増加する．一方で，腎臓での ABCG2 の機能が低下しても，他の尿酸トランスポーター(図 3-12)が代償して尿への尿酸排泄量を保つことができる．尿排泄がなくなった末期腎不全(透析症例)では 1 日に産生される尿酸の約 6 割を腸管の ABCG2 から代償して排泄できる．

尿酸以外のプリン代謝産物は，正常でも 30 mg/日程度尿中に排泄されている．

## B　測定法と基準範囲

ウリカーゼ・ペルオキシダーゼ法が 94% の施設で使われており，この測定法を使用している施設群での変動係数は 1〜2% である．基準範囲は男性で 3.7〜7.8 mg/dL，女性で 2.6〜5.5 mg/dL である．男女差は 20 歳代で最も大きい．幼児は低値で，10 歳代で男女とも成人値に達する．女性では閉経期以後上昇し，50 歳頃では性差がほとんどなくなる．この性差の原因として性ホルモンが尿酸トランスポーター発現に影響しているという説がある．

日本痛風・核酸代謝学会は，成人については男女を問わず血清尿酸値が 7 mg/dL を超える場合を高尿酸血症，2 mg/dL 以下を低尿酸血症としている．

## C　尿酸代謝異常

### 1 上昇する場合(高尿酸血症)

尿酸値の上昇の原因は，尿酸産生過剰型(下記①〜⑤)，尿酸排泄減少型(下記⑥，⑦)，混合型に分類される．その評価には夜間尿または 24 時間尿での尿中尿酸測定が必要で，0.51 mg/kg/時以上の排泄がみられたら尿酸産生過剰型，尿酸クリアランス 7.3 mL/分未満であったら尿酸排泄減少型とされている．

① **痛風(原発性代謝性痛風)**(図 3-13 の①)：原因のはっきりしない高尿酸血症による病態である．一応，食物に由来するグリシンの尿酸への移行が

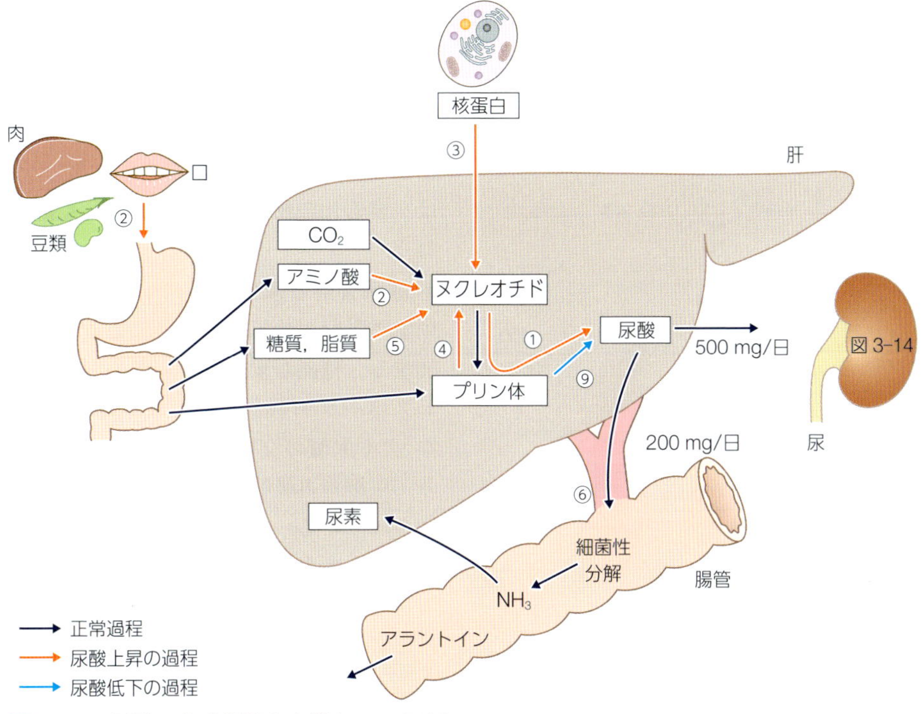


**図 3-13 尿酸の合成経路と病態**(原図・河合)

**高尿酸血症**：① 痛風，② 蛋白摂取，③ 細胞破壊，④ Lesch-Nyhan 症候群，⑤ von Gierke 病，代謝異常，⑥ 腎外(腸)排泄低下型

**低尿酸血症**：⑨ 尿酸産生低下型：キサンチン尿症，アロプリノール投与，重症肝障害など



病的に促進されていることから，プリンヌクレオチドの合成経路に異常があると考えられている．体内の総尿酸プールが著しく増加し，尿中への排泄量も増加する．しばしば関節に尿酸が沈着して痛風結節(tophus)を形成し，関節炎を起こす．多くの患者において，血漿の尿酸塩結合能が正常よりも低下しているとの報告があり，このことが痛風結節の形成を促進するのかもしれない．また，痛風結節と体内尿酸プールとの間は自由に交流している(図 3-14)．したがって，治療薬により尿酸の尿中排泄が増加しても，初期には痛風結節から尿酸が移動するため血清濃度が低下しないことがある．

**② 食餌性**(図 3-13 の②)：プリン体を多量に含むものとしては，肉，魚，茸類，豆類，ホウレン草，アスパラガスなどがある．しかし，食物中のプリン体そのものによるのではなく，蛋白質摂取量が増加するとグリシンのヌクレオチドへの取り込みが増加し，尿酸生成量が増加すると考えたほうがよい．また，体内の尿酸プールは急に変化しないため，採血の直前にプリン体摂取を控えても効果はない．

**③ 細胞破壊亢進(続発性代謝性痛風)**(図 3-13 の③)：細胞破壊が亢進すれば，核の分解によって生じる最終代謝産物である尿酸の血中濃度が上昇する．横紋筋融解症などの組織傷害の他，悪性腫瘍の場合は，腫瘍細胞の回転が速いか，治療によって破壊されやすいものとして，急性リンパ性白血病，悪性リンパ腫などで比較的よくみられる．腫瘍の治療後に著しい尿酸とカリウム上昇を来す病態を腫瘍壊死症候群という．

**④ Lesch-Nyhan 症候群**(図 3-13 の④)：臨床的には舞踏アテトーゼ運動，痙性麻痺，知的能力障害，自咬症などの神経症状を伴い，X 連鎖の遺伝型式をとる．サルベージ経路に関与する HGPRT の欠損がある．すなわち，HGPRT 欠損によりヌクレオチドの減少がある．ところが，*de novo* 合成経路のフィードバック機構に働くのはプリン体ではなく，ヌクレオチド誘導体であるから，サルベージ経路の欠損によって *de novo* 合成経路が亢

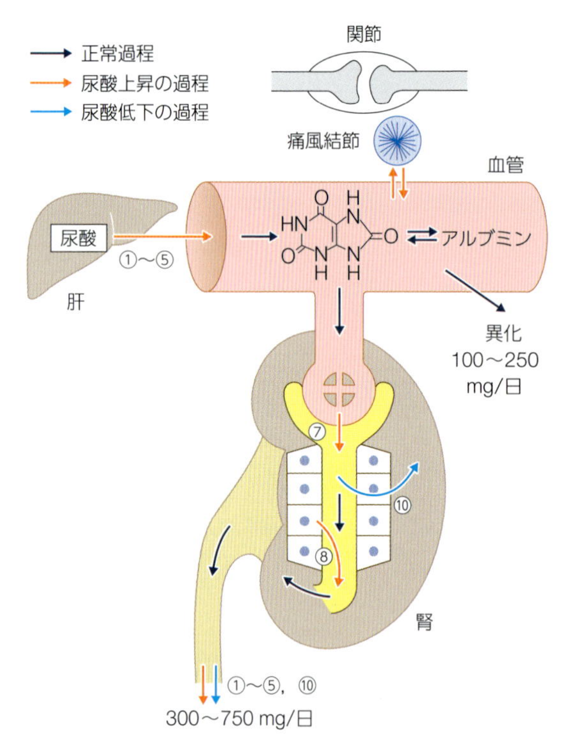


**図 3-14　尿酸の排泄と病態**(原図・河合)

**高尿酸血症**：腎排泄低下型(⑦ 糸球体濾過量低下，⑧ 尿細管排泄減少)
**低尿酸血症**：⑩ 尿酸排泄増加型：腎性低尿酸血症，Wilson 病，治療薬の投与
① 〜⑥，⑨は図 3-13 参照.

進し，結果的に尿酸合成が増加することになる．このほかにも，プリンヌクレオチド代謝関連酵素異常症のさまざまな病型が報告されている．

**⑤ 糖・脂質代謝異常**(図 3-13 の⑤)：*de novo* 合成経路は，細胞内の PRPP の量によって最も大きく規定される．したがって，PRPP の重要な成分であるリボースの産生が増加するような病態ではプリン体の合成が亢進し，尿酸産生も増加する．その代表的な病態として von Gierke 病(糖原病 I 型)がある．しかし近年は，糖代謝異常による乳酸増加が URAT1 による尿酸再吸収の亢進をもたらすという説が有力となってきている．

**⑥ 腎外(腸)排泄低下**(図 3-13 の⑥)：腸管からの尿酸排泄が減少することにより，腎臓への尿酸負荷が加わり発症する高尿酸血症である．これには，ABCG2 の機能低下を来す一塩基多型によるものが多くを占めており，機能が半分になる Q141K(rs2231142)のアレル頻度は，日本人において約 32% と高頻度である．

**⑦ 糸球体濾過量低下**(図 3-14 の⑦)：糸球体濾液中の尿酸の大部分は尿細管で再吸収されるため，糸球体血流量の減少および腎障害の場合，ごく早期から血中濃度の上昇を来す．腎不全の場合には，窒素化合物のうちで比較的早く排泄遅延をまねく．

**⑧ 尿細管排泄減少**(図 3-14 の⑧)：尿細管からの尿酸再吸収・分泌が障害されて血液中に尿酸が増加する．機能が変わる①塩基多型などの尿酸トランスポーター異常(GLUT9，ABCG2 の塩基多型など)や尿酸の交換基質の増加(D-乳酸など)により，尿細管再吸収亢進または分泌低下を来すと考えられている．

近年，食生活や運動不足などに起因する生活習慣病としても，高尿酸血症が注目されている．特に肥満，糖尿病，脂質異常症，高血圧などが合併するメタボリックシンドローム(内臓脂肪症候群)において，高尿酸血症が高頻度に合併する．その原因は，食習慣や運動不足などの環境因子に加えて，内臓脂肪蓄積に伴う尿酸産生亢進，インスリン抵抗性や高インスリン血症による腎臓での尿酸排泄の減少などが考えられている．

このほかにも，薬物誘起性(ピラジナミド，チアミド系利尿薬，サリチル酸剤)のものにも注意したい．

## 2 低下する場合(低尿酸血症)

低尿酸血症は，尿酸産生減少(図 3-13 の⑨)または尿酸排泄増加(図 3-14 の⑩)による．産生減少のうち先天性のものとしてはキサンチンオキシダーゼ欠損症(キサンチン尿症など)，プリンヌクレオチドホスホリラーゼ欠損症および PRPP 合成酵素活性低下症があり，後天性のものとしては重症肝障害，薬剤(アロプリノールなど)がある．尿酸排泄増加は，遺伝性(前出の URAT1 または GLUT9 の遺伝子異常による)または特発性腎性低尿酸血症の他，先天性に尿細管機能不全に伴う場合があり，後天性には妊娠，薬剤(プロベネシドなど)，時に肝障害(黄疸の強い症例)，糖尿病，悪性腫瘍などに見られることがある．なお，腫瘍崩壊症候群の尿酸値を低下させるための薬剤，ラスブリカーゼの投与中は，採取血液や分離血清を

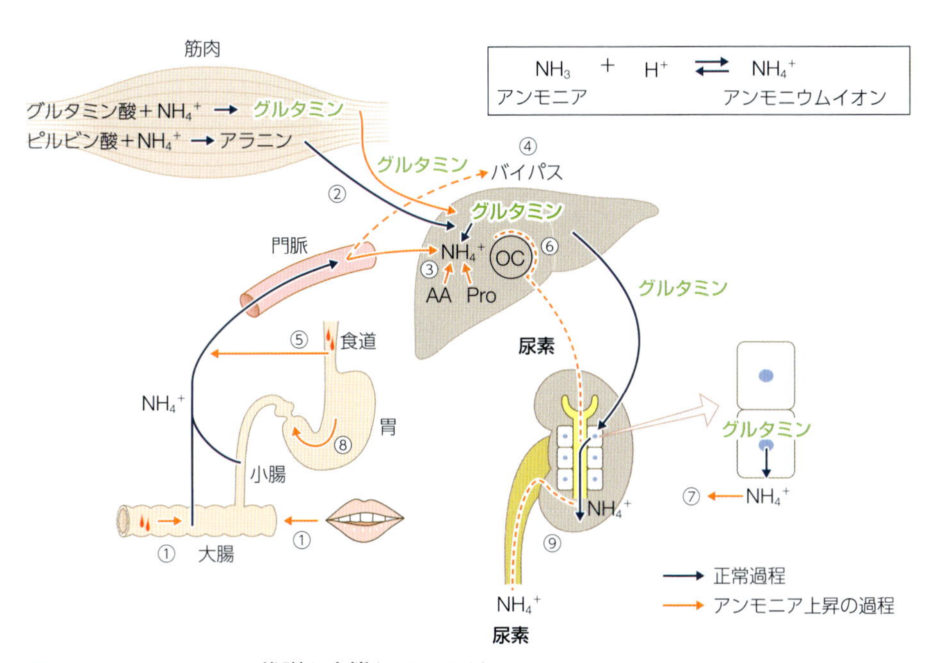


**図 3-15 アンモニアの代謝と病態**(原図・河合)

AA：アミノ酸，Pro：蛋白質，OC：尿素回路
① 蛋白質の過剰摂取，腸管出血，② 激しい運動，③ 肝硬変症，肝不全，④ バイパス，⑤ 食道静脈瘤破裂，⑥ 先天異常，⑦ 腎からの排泄，⑧ *Helicobacter pylori*，⑨ 尿路感染症(ウレアーゼ産生菌)

放置すると試験管内で尿酸が低下する．

# 6 アンモニア

## A 代謝(図 3-15)

アンモニア($NH_3$)は気体であり，溶解してアンモニウムイオン($NH_4^+$)となる．これらを総合してアンモニアと呼んでいる．生理的状態(pH 7.4)では 90% がイオン化状態にある．アルカリに傾けば $NH_3$ の増加が，逆に酸性に傾けばアンモニウムイオンが増加する．

アンモニアは，主として大腸，小腸において食物由来の蛋白質，アミノ酸が腸内細菌により分解されて生成する．この他尿素分解酵素により尿素からもアンモニアが産生されている．いずれも，門脈により肝臓へと運ばれる．肝臓においても蛋白分解が行われており，アミノ酸からアンモニアが産生される．生体にとって毒物であるアンモニアは，肝の尿素回路(図 3-4)により無毒化され，主に腎臓から尿素として体外排泄される．

尿素回路以外では，肝臓も含む全身組織細胞において，グルタミン酸とアンモニアからグルタミンが産生され除かれる．例えば，筋細胞で生じたアンモニアはグルタミン酸と結合してグルタミンとして肝臓に運ばれ，アンモニア，尿素に至る．腎臓では，近位尿細管に血流で運ばれ，あるいは尿細管腔から吸収されたグルタミンを原料に，細胞内で同様にアンモニアが産生され，ここから分泌され尿中に排泄される．また，筋細胞でアンモニアは，ピルビン酸に渡されアラニンとなり，肝臓へと運ばれ，糖新生の原料ともなる．

## B 測定法

測定原理の異なる以下の 3 種類の測定法がある．

①pH 指示薬法〔ドライケミストリー法，アンモニア透過膜とブロムクレゾールグリーン(BCG)を

使用〕．多くの施設で，簡便迅速な方法として用いられている．基準範囲は30～80 μg/dLである．②ウレアーゼ・インドフェノール法（Berthelot法），③酵素法〔（i）グルタミン酸デヒドロゲナーゼ・紫外部測定法，（ii）ニコチンアミドアデニンジヌクレオチドシンセターゼ（NADS）・グルコースデヒドロゲナーゼ・ジアフォラーゼを用いる酵素サイクル法〕．

検体採取後，室温では，赤血球（血漿の約3倍）からの溶出と血漿蛋白に由来する $NH_3$ が急激に増加するため，採血後測定まで氷冷する．

## C 上昇する場合（高アンモニア血症）

食物中の蛋白質の過剰摂取，あるいは消化管での出血による蛋白質の増加などにより，腸内細菌の作用により消化管でのアンモニアの産生が増加し，血中濃度が上昇する（図3-15の①）．激しい運動でも，蛋白質の分解が進み，上昇する（図3-15の②）．これらはいわば肝前性上昇であるが，肝の処理機能が保たれていれば尿素窒素の上昇として捉えられ，高アンモニア血症として臨床的に問題となることはない．臨床的に重要度の高いのが肝臓機能の高度に低下する病態，劇症肝炎，非代償性肝硬変症で，アンモニアが処理できずに著明に上昇する（図3-15の③）．また肝硬変症では，副血行路（門脈-大循環シャント）が形成され肝臓を通過せず直接大循環系に流入することも，上昇の原因となる（図3-15の④）．しばしば，食道静脈瘤の破裂などの出血もアンモニア産生因子として加わる（図3-15の⑤）．まれではあるが，尿素回路を構成する種々の酵素（アルギナーゼなど5種類）の先天性欠損症により，アンモニアが処理できず上昇する（図3-15の⑥）．

アシドーシスに傾くと，$NH_4^+$ の産生が増加する．尿素回路の入り口で重炭酸イオンの減少，体内保持に働き，尿素の産生は減少する．余剰のアンモニアはグルタミン経路を介して，腎臓尿細管細胞で排泄され尿中 $H^+$ と結合し酸を体外に排泄している（図3-15の⑦）．

胃における *Helicobacter pylori* の感染状態の持続は，局所でのウレアーゼ作用によるアンモニアの産生により，胃液酸度の低下をもたらす（図3-15の⑧）．また，尿路感染症では同様にウレアーゼ産生細菌の存在によりアンモニアが産生され，尿はアルカリ化する（図3-15の⑨）．

# 7 血清ビリルビン

## A 胆汁色素の代謝（図3-16）

### 1 ビリルビン分画と用語の定義

ビリルビンは高速液体クロマトグラフィ法（HPLC）で4分画され，溶出順にα分画（非抱合型），β分画（グルクロン酸1分子抱合型，モノグルクロニド），γ分画（グルクロン酸2分子抱合型，ジグルクロニド），δ分画（アルブミン共有結合型）となる（表3-5）．非抱合型ビリルビン（α分画）は水に不溶性であり，血中ではアルブミンと結合して溶解しているがδビリルビン（δ分画）はアルブミンと強く共有結合しているのに対して，α分画は弱く可逆的である．δビリルビンの抱合型ビリルビンとアルブミンの共有結合は不可逆的であり，その半減期はアルブミンと同じとなり，他のビリルビンよりも長い．

ジアゾ化法では水に溶けやすい抱合型ビリルビン（β，γ分画）やδ分画のほとんどは反応促進剤なしに試薬と直接反応するため直接ビリルビン（direct bilirubin；D-Bil）と呼ばれる（表3-5）．水に溶けにくいα分画は，反応促進剤が必要となるため，間接ビリルビン（indirect bilirubin；I-Bil）と呼ばれる．

近年，抱合型ビリルビン（β，γ分画）を選択的に測定する酵素試薬が登場し，その測定値を従来法（ジアゾ法など）と同様に直接ビリルビン値として報告しているため，臨床現場で混乱が生じている．そのため，総ビリルビンは，「非抱合型ビリルビン（α分画）＋抱合型ビリルビン（β，γ分画）＋δビリルビン（δ分画）」，あるいは「間接ビリルビン＋直接ビリルビン」と定義し，抱合型ビリルビン（β，γ分画）はδビリルビンを含まない画分

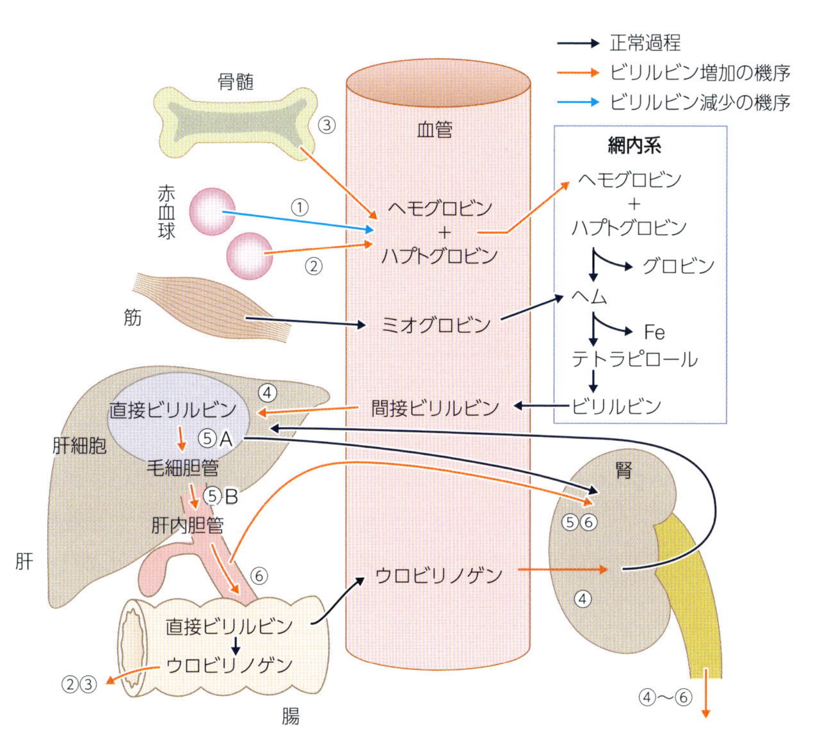


**図 3-16　胆汁色素の代謝と異常**(原図・河合)

① 高度の貧血，② 溶血性疾患，③ シャント高ビリルビン血症，④ 肝細胞性黄疸，⑤ 肝内胆汁うっ滞，⑥ 閉塞性黄疸

**表 3-5　ビリルビン分画とその性状**

| ビリルビン分画 | α | β | γ | δ |
|---|---|---|---|---|
| 名称 | 非抱合型<br>間接ビリルビン | 抱合型 | 抱合型<br>直接ビリルビン | アルブミン共有結合型 |
| グルクロン酸抱合 | − | +(1 分子) | +(2 分子) | + |
| ジアゾ反応 | 間接反応性 | 直接反応性 | 直接反応性 | 直接反応性 |
| 水溶液への溶解性 | − | + | + | + |
| 血漿アルブミンとの結合 | + | ± | ± | +++ |
| 尿への出現 | − | + | + | − |
| 胆汁中への出現 | − | + | + | − |
| 各試薬の測定範囲 | | | | |
| ジアゾ法 | | | | |
| 酵素法 A | | | | |
| 酵素法 B | | | | |
| 化学酸化法 | | | | |

とし，直接ビリルビンはδビリルビンを含む画分として定義することが提言されている．

## 2 ビリルビン，ウロビリノゲンの代謝

赤血球の寿命は 120 日で，恒常的に赤血球の産生と破壊が行われている．1 秒あたり 200～300 万個もの赤血球が壊されており，赤血球が破壊されると，遊離したヘモグロビンは血中のハプトグロビンと結合して網内系組織に運ばれる．そこでヘモグロビンはグロビンと鉄を含むヘムに分解され，鉄がとれてテトラピロールとなり，環状構造が壊れてビリルビンとなる．つまりビリルビンは

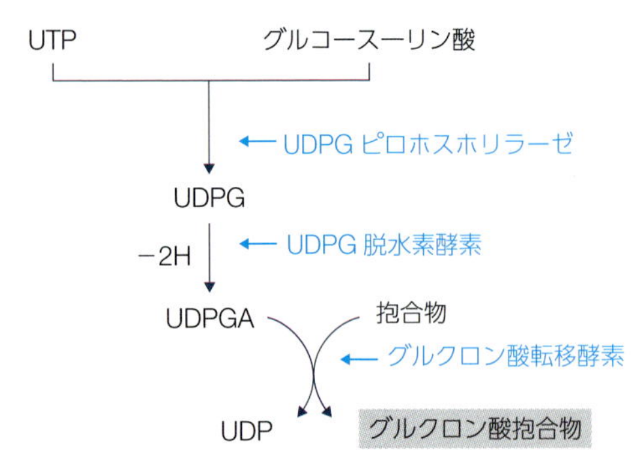


**図 3-17 グルクロン酸抱合の起こり方**

UTP：uridine triphosphate
UDP：uridine diphosphate
UDPG：uridine diphosphate glucose
UDPGA：uridine diphosphate glucuronic acid

生体内で赤血球が壊れてできるものである．体内のビリルビンの約 75% はヘモグロビン，約 15% は筋のミオグロビン，約 10% はカタラーゼ，チトクロームなどに由来する．

非抱合型ビリルビンは血中ではアルブミンと結合し溶解しているため尿中に排泄されず，肝細胞に運ばれてそこでグルクロン酸抱合を受けて抱合型ビリルビンとなる(後述)．抱合型ビリルビンのごく少量は血中に漏れ出すが，大部分は胆道系を経て胆汁中に排泄される．血中の抱合型ビリルビンは水に可溶性で，そのまま尿中へ移行する．

腸内に排泄された抱合型ビリルビンは腸内細菌に分解されてウロビリノゲンになり，その大部分は便中へ排泄されて便の固有色を呈する．少量のウロビリノゲンは腸から吸収されて血中に移行し，その少量は尿中に排泄されるが，大部分は肝細胞で再び処理(腸肝循環)される．

### 3 肝細胞におけるビリルビンの処理

肝細胞は，血流中のビリルビン(非抱合型)を細胞内に摂取し，細胞内でグルクロン酸抱合により，抱合型ビリルビンを生成し，毛細胆管へ排泄する．グルクロン酸抱合は図 3-17 に示すように，3 つの酵素の働きで行われる．ヌクレオチドの代謝産物の他に糖代謝が密接な関連を有し，グルコースおよび高エネルギーを有する酸素供給が必要である．グルクロン酸受容体としてのビリルビンは 2 価で，モノグルクロニドを経てジグルクロニドを形成する．ビリルビンの抱合に関与するのはグルクロン酸のみではなく，約 15% は硫酸抱合により，さらに約 10% は他の抱合系によって処理されるといわれている．血中に流入した抱合型ビリルビンの一部はアルブミンと共有結合して δ-ビリルビンとなる．

## B 測定法と基準範囲

古くから血清ビリルビンの総量を知る目的で，血清の黄色着色度を示す黄疸指数(Meulengracht 値)が用いられてきた．しかし現在では，より精密な検査およびビリルビン分画定量法が広く用いられている．

総ビリルビン(total bilirubin；T-Bil)には 2 つの定量法が普及している．20% の施設で δ ビリルビンに反応する酵素法，22% の施設で δ ビリルビンに反応しない酵素法，57% の施設で化学酸化法(バナシン酸酸化法)が使われている．

ビリルビン分画としては，条件を変えて測定することで D-Bil を分別定量し，T-Bil との差で I-Bil を算出するのが一般的である．例えば，酵素法の場合は酸性条件下で測定されるものを D-Bil としている．酵素法では，本来は直接型である δ-ビリルビンを測り込む試薬(A)とそうでない試薬(B)がある．A では，総ビリルビン($\alpha+\beta+\gamma+\delta$)－直接ビリルビン($\beta+\gamma+\delta$)＝間接ビリルビン($\alpha$)と非抱合型ビリルビンが計算できるが，B では総ビリルビン($\alpha+\beta+\gamma+\delta$)－抱合型ビリルビン($\beta+\gamma$)＝非抱合型ビリルビン($\alpha$)＋アルブミン共有結合型ビリルビン($\delta$)となり，非抱合型(間接)ビリルビンは計算できなくなる．

ビリルビン，とりわけ非抱合型ビリルビンは光線により容易に分解するので，採血後速やかに測定する．血清を保存する場合には遮光冷凍する．

基準範囲は，T-Bil 濃度が 0.4～1.5 mg/dL，D-Bil 濃度が 0.3 mg/dL 以下である．新生児期では生理的黄疸のために 10 mg/dL まで上昇することがある．

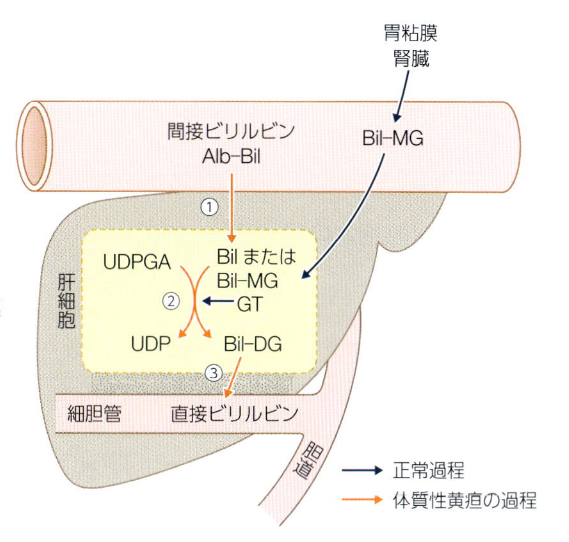


**図 3-18 グルクロン酸抱合の過程とそれに関連した異常**(原図・河合)

Bil-MG：bilirubin-monoglucuronide
Bil-DG：bilirubin-diglucuronide
GT：glucuronyl transferase
① Gilbert 症候群の一部
② 新生児黄疸，Gilbert 症候群，Crigler-Najjar 症候群
③ Dubin-Johnson 症候群，Rotor 症候群



## C 低下する場合

溶血性貧血以外の高度な貧血(図 3-16 の①)により，ビリルビンの源のヘモグロビンが低下し，T-Bil 濃度が 0.2 mg/dL 以下になることもある．

## D 上昇する場合(黄疸)

### 1 後天性黄疸

ビリルビンが高値の場合は D-Bil と I-Bil のバランスを評価する．I-Bil 優位は，ビリルビンの供給が多い状態(溶血性疾患)，または I-Bil から D-Bil への転換障害(肝不全など)でみられる．D-Bil 優位は，さまざまなレベルでの胆汁排泄障害でみられる．δ-ビリルビンは正常ではほとんど検出されないが，直接ビリルビンの上昇する病態で増加する．

#### a 肝前性黄疸

肝細胞の処理能力以上に大量のビリルビンが産生される場合であって，血中の I-Bil が上昇する．この場合，尿中および便中のウロビリノゲンも上昇する．溶血性疾患(図 3-16 の②)でみられるが，肝細胞機能が正常である限り，かなり激しい溶血があっても T-Bil が 5 mg/dL を超えることは稀である．また，軽度の溶血では I-Bil が処理されるためビリルビン高値が目立たない．

新生児溶血性疾患では肝機能が未成熟に加えて，大量の溶血が起こるので著明な黄疸を示し，核黄疸を来すこともある．

シャント高ビリルビン血症(shunt hyperbilirubinemia，赤血球造血異常性黄疸，図 3-16 の③)とは，巨赤芽球性貧血や骨髄異形成症候群などで，骨髄赤芽球系の過形成と無効造血により I-Bil が供給されるものである．

#### b 肝性黄疸

グルクロン酸抱合に障害(図 3-16 の④)があると I-Bil 優位の黄疸となる．この機能はアンモニア処理能とともに肝障害が重症になるまで保たれているので I-Bil 比率の高値は予後不良の指標となる．一方，急性ウイルス性肝炎では，D-Bil 優位であり，これは抱合されたビリルビンの毛細胆管への排出(図 3-16 の⑤A)の障害によるとされている．肝内胆管に胆汁がうっ滞(図 3-16 の⑤B)する慢性肝炎，肝硬変(特に原発性胆汁性肝硬変)では D-Bil 優位の黄疸となる．

#### c 肝後性黄疸

総胆管が十二指腸に開口するまでに閉塞機転があると，D-Bil 優位の黄疸となる(図 3-16 の⑥)．閉塞が不完全の場合は，ウロビリノゲンが産生され，尿中で検出されるが，完全閉塞では尿で欠如する．

## 2 体質性黄疸

### a ビリルビンの肝細胞への摂取障害（図 3-18 の①）

Gilbert 症候群の一部でみられる．

### b グルクロン酸抱合の障害（図 3-18 の②）

グルコニルトランスフェラーゼ(glucuronyl transferase；GT)の欠損または機能低下によって起こり，次の3つの病型が知られている．I-Bil が上昇する．

① **Crigler-Najjar 症候群Ⅰ型**：最も重症で GT を欠損し，常染色体潜性遺伝形式をとり，生後1～3日で発症，高度の黄疸(20 mg/dL 以上)と核黄疸を伴う．

② **Crigler-Najjar 症候群Ⅱ型**：GT 活性の著明な低下があり，大部分は常染色体潜性遺伝形式をとり，生後1年以内または若年に発症，中等度の黄疸(6～20 mg/dL)を伴う．

③ **Gilbert 症候群**：この病型が3つのなかでは大部分を占める．GT 活性の低下(正常の 25～30%)があり，Bil からビリルビン-モノグルクロニド(Bil-MG)までは進むが，ビリルビン-ジグルクロニド(Bil-DG)への抱合が完結しにくい．常染色体顕性/潜性遺伝形式(混在)をとり，若年者に発症が多く，軽度黄疸(1～6 mg/dL)で予後はよい．

生理的には新生児期に GT 活性が低いために，生理的新生児黄疸が起こり，生後7～10日で自然に黄疸は消失する．

### c 抱合型ビリルビンの排泄障害（図 3-18 の③）

Dubin-Johnson 症候群と Rotor 症候群がこの種の病態により発症すると考えられる．血清ビリルビンは 2～20 mg/dL 程度で，D-Bil 優位となる．両症候群の鑑別は肝生検により，Dubin-Johnson 症候群では褐色色素顆粒があり，Rotor 症候群では認められない．

# 4章 血漿蛋白の検査



##  総論(図 4-1)

血漿中にはさまざまな蛋白が存在し，広い意味ではアルブミンのように多量に存在するものから，ホルモンやサイトカインのように微量に存在するものまで広義の血漿蛋白であるが，一般的には，数 mg/dL〜数 g/dL の濃度で存在するものが血漿蛋白と呼ばれる．なお，臨床検査では通常血清で測定されるため血清蛋白とされるが，生体内での代謝を論じる場合は血漿蛋白と呼ぶのが正しい．

### A 代謝

蛋白質はアミノ酸から合成される．アミノ酸の代謝については，3 章を参照してもらいたい(53 頁)．血漿蛋白の血中濃度を左右する因子は，①生合成，②体内分布，③崩壊，および④体外への喪失，であるが，血液という場を視点にすると，①による供給と，②〜④による血中からの喪失のバランスによって左右される．喪失はそれぞれの蛋白の半減期として表現される．

#### 1 血漿蛋白の産生

血漿蛋白の多くは，肝細胞で合成される．肝産生とされている蛋白は，厳密には肝細胞以外にも発現しているが，血中濃度のほとんどは肝由来であると考えてよい．肝産生量を決めるのは，①肝細胞自体の合成能力(図 4-1 の①)，②原料となるアミノ酸量(図 4-1 の②)，③炎症性サイトカインなどの肝細胞に対する調節因子(図 4-1 の③)である．

図 4-1 の①：肝細胞は蛋白だけでなく，脂質の合成工場でもあり，この機能低下は肝疾患の比較的早いうちから見られ，アルブミンやコレステロールが低下する．肝障害が慢性化し，肝硬変にまで至り，合成機能低下がさらに進むと，凝固因子など生命維持に不可欠な蛋白の不足が問題となる．

図 4-1 の②：主に食事性のアミノ酸供給の低下により蛋白の合成量が低下する．したがって血漿蛋白濃度は栄養状態の評価に使われる．

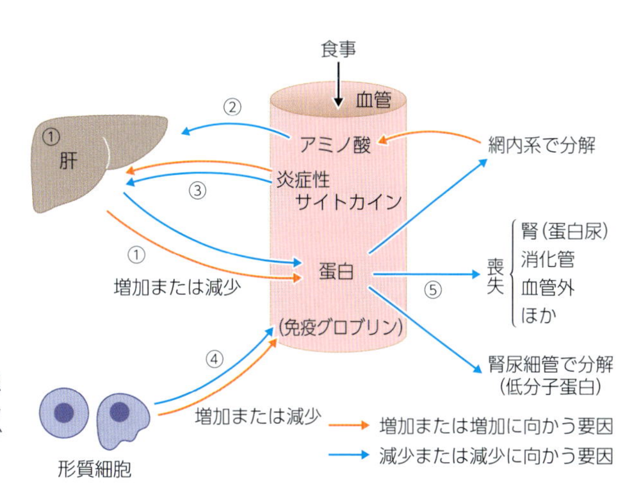


図 4-1 血漿蛋白の代謝と病態

①(増加)低蛋白に反応した合成亢進，(減少)肝疾患による合成低下，②(減少)低栄養状態，③(減少)アルブミンなど，(増加)急性期蛋白，④(増加)免疫グロブリン産生亢進，(減少)免疫不全，⑤病的喪失

図 4-1 の③：炎症(❺ **C 反応性蛋白と炎症マーカー**，80 頁参照)で産生されるサイトカインが，肝細胞に対し，アルブミンやトランスフェリンの合成を抑制し，急性期蛋白と呼ばれる蛋白の合成を促進する．

また，ネフローゼなどで血中蛋白が減少すると肝での蛋白合成が亢進する．

肝以外で産生される蛋白としては，形質細胞から産生される免疫グロブリンがある(図 4-1 ④)．血清総蛋白量においてアルブミンに続いて多くを占めることから，総蛋白とアルブミンが乖離するときはこの免疫グロブリンの変化による場合がほとんどである．つまり多発性骨髄腫などの形質細胞の腫瘍性増殖や，自己免疫疾患などでの産生亢進により血中濃度上昇に働く．一方，液性免疫不全では減少に働く．

$\beta_2$-ミクログロブリンやシスタチン C は，肝産生が主ではなく，すべての有核細胞に由来する．前者はリンパ系細胞の増殖を反映するため，多発性骨髄腫や感染症で血中濃度が増加する．

### 2 血漿蛋白の異化

多くの血漿蛋白は網内系の貪食細胞に取り込まれ，分解を受け，アミノ酸が再利用される．どのように血中から組織へ移行して，貪食細胞に処理されるかは，個々の蛋白で異なっており，そのためそれぞれ固有の半減期を有している．血中での存在様式や他の物質との相互関係なども影響する．例えば，ハプトグロビンは遊離したヘモグロビンと結合して網内系に取り込まれるので，溶血性疾患で半減期が短くなる．

$\beta_2$-ミクログロブリンに代表される分子量の小さな蛋白(およそ 4 万～5 万以下)は，アルブミンなどそれ以上に大きな蛋白と異なる代謝経路をたどる．低分子蛋白は腎糸球体を通過し，尿細管で再吸収されて分解される．このため，低分子蛋白の血中濃度は腎糸球体濾過量の影響を受ける．また，これらの蛋白の尿中濃度は腎尿細管の再吸収能に影響される(13 章 ❼ **D 尿中低分子蛋白**，249 頁参照)．

病的な血漿蛋白喪失(図 4-1 ⑤)には，血管の基底膜を通過して漏れ出るいわゆる漏出性の喪失と，出血や細胞成分などとともに血管外で出る滲出性の喪失があり，後者は全身どこでも起こりうるが，急性の経過が多いためか血漿蛋白濃度の低下は顕著ではない．前者は，腎からの蛋白尿としての漏出，消化管からの漏出，胸水や腹水への漏出，外傷や全身性炎症における血管外への漏出などがあり，低蛋白血症の原因となる．腎からの漏出では，蛋白の分子量が影響し，当然分子量が小さな蛋白が濃度低下を来しやすい(13 章 ❻ **C 発生機序からみた蛋白尿の分類**，244 頁参照)．例えば，ネフローゼ症候群においては IgG の濃度は大きく低下するが，分子量の大きい IgM の濃度低下は軽度にとどまる．

## 2 血清総蛋白

### A 血清総蛋白とは

血液を凝固させて遠心分離した上澄みが血清で，その蛋白濃度が血清総蛋白(total protein；TP)である．血清には，フィブリノゲンなどの凝固因子は含まれない．TP は数多くの蛋白の濃度の総和であるが，当然量的に多い血漿蛋白が影響する(表 4-1)．最も影響するのはアルブミンと免疫グロブリンである．

### B 測定法と基準範囲

蛋白質はアミノ酸がペプチド結合した鎖状のものであるが，このペプチド結合に銅イオンが結合して発色することを利用したビウレット法で TP が測定される．アミノ酸，ジペプチドは反応しない．成人の基準範囲は 6.6～8.1 g/dL である．生後すぐは成人の 2/3 程度であるが，徐々に増加して成人レベルに達する．50～60 歳を超えると加齢とともに低下する．採血時の体位による影響があり，立位では循環血漿量の減少による相対的血液濃縮で，15% 程度臥位に比べて高値となる．

**表 4-1　主な血漿蛋白とその特徴**

| 分画 | 蛋白 | 基準範囲(mg/dL) | 血清濃度が変動する病態 |
|---|---|---|---|
| Alb | トランスサイレチン(TTR) | 20～40 | 低下：低栄養，炎症性疾患，肝機能低下 |
| | アルブミン(Alb) | 4,100～5,100 | 低下：低栄養，炎症性疾患，肝機能低下，蛋白尿，蛋白漏出性胃腸症<br>上昇：脱水症 |
| $\alpha_1$ | $\alpha_1$-アンチトリプシン($\alpha_1$AT) | 100～150 | 低下：肺気腫(遺伝性)，$\alpha_1$AT 欠損症<br>上昇：炎症性疾患 |
| | $\alpha_1$ 酸性糖蛋白($\alpha_1$AGP) | 55～140 | 上昇：炎症性疾患 |
| $\alpha_2$ | ハプトグロビン(Hp) | 100～300(遺伝型で異なる) | 低下：溶血性疾患，肝機能低下<br>上昇：炎症性疾患 |
| | セルロプラスミン(Cp) | 15～60 | 低下：低栄養状態，肝機能低下，Wilson 病<br>上昇：炎症性疾患 |
| | $\alpha_2$-マクログロブリン($\alpha_2$M) | 100～250 | 上昇：ネフローゼ症候群 |
| $\beta$ | トランスフェリン(Tf) | 200～320 | 低下：低栄養，炎症性疾患，肝機能低下，蛋白尿，蛋白漏出性胃腸症<br>上昇：鉄欠乏性貧血 |
| | ヘモペキシン(Hpx) | 50～115 | 低下：溶血性疾患 |
| | 補体 C3 | 73～138 | 低下：免疫複合体病<br>上昇：炎症性疾患 |
| $\gamma$ | 免疫グロブリン(Ig)A<br>免疫グロブリン(Ig)M<br><br>免疫グロブリン(Ig)G | 93～393<br>男 33～183<br>女 50～269<br>861～1,747 | 低下：各種免疫不全症<br>上昇：慢性炎症性疾患，慢性肝疾患，B リンパ球・形質細胞性腫瘍 |

## C 上昇する場合

脱水症では濃縮効果により TP が高めとなる．脱水症以外で TP が高値になるのは，アルブミンは脱水症以外で上昇することはないため，免疫グロブリンが増加する場合にほぼ限られる(図 4-1 の④)．TP とアルブミンの差(後述するグロブリン)が，3.5 g/dL を超えたら免疫グロブリンの増加が疑われる．特に，多発性骨髄腫でみられる免疫グロブリンのモノクローナルな増加はこの差の拡大で気づくことがあり，このような場合は後述する蛋白分画の検査に進むべきである．免疫グロブリンがポリクローナルに増加する，慢性肝疾患・肝硬変，慢性炎症でも TP が上昇することが多い(肝硬変で 8～10 g/dL になることがある)が，アルブミンの低下を伴うことが多いので TP への影響はアルブミンの低下程度と免疫グロブリンの上昇程度のバランスによる．

## D 低下する場合

アミノ酸供給が減少する低栄養状態(図 4-1 の②)，蛋白の喪失が亢進する糸球体腎炎のような病態(図 4-1 の⑤)では TP が低下する．アルブミンやトランスフェリンなど肝産生の蛋白は，肝疾患(図 4-1 の①)や炎症性疾患(図 4-1 の③)で TP が低下する．以上のようにアルブミンの変化によるものが多く，アルブミンで評価すれば TP での評価は不要といえる．TP をアルブミンとともに評価する必要があるのは免疫グロブリンの変化が見られる場合で，液性免疫不全症では，免疫グロブリンの低下により TP が低下する．非常に稀であるが，アルブミンやトランスフェリンを生来欠損する異常がある場合も TP が低下する．

# 3 アルブミン

## A 代謝

アルブミン(Alb)は分子量約66,000の蛋白で主に肝細胞で合成される．Albは最大濃度をもつ血漿蛋白として血漿浸透圧の維持に働くほか，血中で脂肪酸，非抱合型ビリルビン，カルシウムイオン，ある種の薬剤を結合し，運搬する役割を有する．血中Albの半減期は20日前後と他の血漿蛋白に比べ長く，最終的には網内系の貪食細胞に取り込まれて分解される．

## B 測定法と基準範囲

Albの測定はAlbに親和性のある色素を結合させて比色定量する．現在2つの色素を使った方法が普及しており，若干説明を要する．一つは比較的新しいBCP(bromocresol purple)法(正確には改良BCP法と呼ぶ)で，Albに対し高い特異性を有する．もう一つは歴史の長いBCG(bromocresol green)法で，Alb以外の血漿蛋白にも若干反応する．

健常者では大きな差異にならないが，例えばネフローゼ症候群では血清蛋白の$\alpha_2$分画にある成分が増加し，BCG法がこれを測り込んでしまう一方，BCPは低下したAlbのみに反応するので，0.3 g/dL程度，BCG法が高めになる．病院施設の多くはBCP法を採用しているが，外注検査やPOCT機器ではBCG法を採用している場合があるので結果の解釈時に注意を要する．

蛋白分画(図4-2)では，Albが単独のピークを形成するので，総蛋白に分画比を乗じてAlb濃度を求めることが可能であるが，蛋白分画の算出法により，必ずしも上記法で定量された値と一致はしないことに留意したい．成人の基準範囲は4.1～5.1 g/dLである．採血時の体位による影響があり，坐位・立位では循環血漿量の減少による相対的血液濃縮で，15%程度臥位に比べて高値となる．

## C 上昇する場合

脱水症，血液濃縮で高めとなる．

## D 低下する場合

肝疾患(図4-1の①)による合成低下，アミノ酸供給が減少する低栄養状態(図4-1の②)，炎症性疾患(図4-1の③)による合成低下で血清濃度が低下する．蛋白の喪失が亢進する糸球体腎炎のような病態(図4-1の⑤)で低下する．熱傷や，外科手術では血管外への喪失が起こり急激に低下する．全身性炎症疾患では，合成低下も起こるが初期の反応としては血管透過性亢進による血管外への喪失も伴う．経過をみる場合は，Albは半減期が長いので，変化が急には現れにくいことに留意し，急激(数g/dLに及ぶ)な低下の場合は，体外喪失や脱水からの復帰などを考える．また，先天性にAlbを欠損する家系があるが非常に稀である．

## E A/G比

総蛋白のうち，Alb以外の部分をグロブリン(G)分画とし，AlbとGの比を評価することが従前から行われていた．肝疾患でみられるAlb低下とG上昇をキレよく評価できるが，情報としては次に述べる蛋白分画のほうが質的にも量的にも優れている．基準範囲は1.6～2.7である．また，❷C(前頁)で述べたようにG量そのものも適宜評価したい．

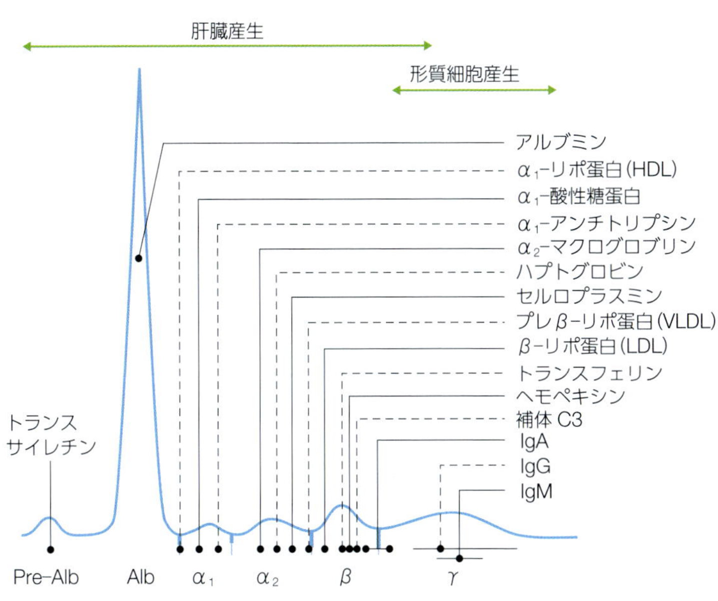


図 4-2 血清蛋白分画パターンと主な構成蛋白

表 4-2 血清蛋白分画の基準範囲

| | 比率(%) | 濃度(g/dL) |
|---|---|---|
| Alb | 66.3±5.7 | 5.0±1.00 |
| $\alpha_1$ | 2.5±0.7 | 0.2±0.06 |
| $\alpha_2$ | 8.0±2.2 | 0.6±0.02 |
| $\beta$ | 8.0±1.9 | 0.6±0.02 |
| $\gamma$ | 15.1±5.0 | 1.2±0.05 |

# 4 血清蛋白分画

## A 血清蛋白分画の考え方(図 4-2)

血清蛋白分画とは，電気泳動の技術により血清中の蛋白を Alb とそれ以外のグループ(4 または 5 グループ)に分離し，それぞれの量を評価する検査である．一般的な方法では，支持体としてセルロースアセテート膜を用い，血清を塗布して電場をかけると蛋白は固有の荷電に従い分離される．蛋白は色素による染色で Alb，$\alpha_1$，$\alpha_2$，$\beta$，$\gamma$ の 5 つのグループとして可視化され，その分画の濃さを比率としてみる．それぞれの分画比率は当然，その分画に高い濃度で存在する蛋白(表 4-2)の濃度変化に左右される．例えば，$\alpha_1$ 分画は $\alpha_1$-アンチトリプシンの影響を受けるので，同蛋白が上昇する炎症性疾患でこの分画が上昇することになる．一方，C 反応性蛋白(C-reactive protein；CRP)のように増加しても濃度の低い蛋白は，蛋白分画比率に影響することはない．本検査は後述するように，血清蛋白の変化を総合的に評価することができ，さまざまな病態で特徴的なパターンを呈するが，臨床的にこの検査が必須となるのはモノクローナルに増加した免疫グロブリン(M 蛋白)の検出である．

また，本検査は Alb 以外はグループ化した評価であるため，個々の蛋白の異常(欠損症など)を疑う場合は個々の蛋白の検査が必要となる．

## B 検査法と基準範囲

セルロースアセテート膜(セア膜)を支持体とした電気泳動の原理は上述した．半自動化されているが，検査時間は 1 時間以上必要である．各分画の比率の基準範囲を表 4-2 に示すが，総蛋白(TP)が異常値となる場合には TP に比率を乗じた蛋白濃度で評価すべきである．

なお，今後はキャピラリ電気泳動という，液を満たした細いシリカ管を支持体として電気泳動し，染色することなくそのまま光学的に検出する方法が，高感度で迅速な検査として普及していくと予想される．キャピラリ電気泳動のパターンならびに，各分画の基準範囲を図 4-3 に示す．セア膜法と比較した本法の特徴を列挙すると，① $\beta$ 分画は $\beta_1$ と $\beta_2$ の 2 ピークに分離され，$\beta_1$ 分画にはトランスフェリンとヘモペキシンが，$\beta_2$ 分画

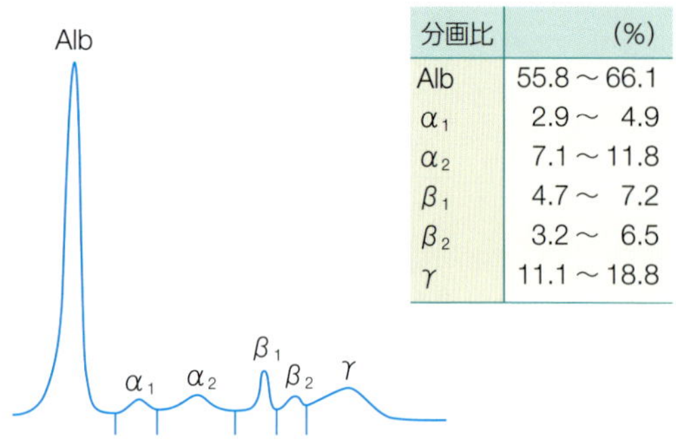


| 分画比 | (%) |
|---|---|
| Alb | 55.8～66.1 |
| $\alpha_1$ | 2.9～ 4.9 |
| $\alpha_2$ | 7.1～11.8 |
| $\beta_1$ | 4.7～ 7.2 |
| $\beta_2$ | 3.2～ 6.5 |
| $\gamma$ | 11.1～18.8 |

図 4-3　キャピラリ電気泳動パターンと基準範囲

には C3，C4(補体蛋白)が泳動される．② $\alpha_1$-酸性糖蛋白はセア膜にはほぼ反映されないが，本法では検出される．そのため $\alpha_1$ 分画の基準範囲はセア膜のそれより若干高めとなる．③リポ蛋白は本法では Alb 分画に包括される(システムによる)．

## C　病態による特徴的な分画パターン

### 1 モノクローナル(M)蛋白血症(図 4-4，◆ M 蛋白関連検査，86 頁も参照)

多発性骨髄腫，原発性マクログロブリン血症などでは，腫瘍性に増殖した単クローン性の免疫グロブリン(M 蛋白)が増加する．均一な成分の増加なので，アルブミンと類似した，左右対称でシャープなピーク(M ピーク)として検出される．M 蛋白量が多い(3 g/dL 以上)といわゆる悪性の疾患(多発性骨髄腫，原発性マクログロブリン血症など)が示唆されるが，M 蛋白量が少ない場合で，症状(骨症状など)がなく骨髄検査で悪性のものが否定された病態を，意義不明の単クローン性 $\gamma$-グロブリン血症(monoclonal gammopathy of undetermined significance；MGUS)と呼び良性として扱う．鑑別にあたり蛋白分画で注意したいのは M 蛋白の量に加え，悪性では正常免疫グロブリンが抑制され，平低化してみえること(図 4-4 の矢印)である．

IgG，IgA，IgM の M 蛋白は量的に多いため M ピークとして観察されるが，IgD，IgE，免疫グロブリンの基本構造である H 鎖と L 鎖($\kappa$ または $\lambda$)のうち L 鎖のみ(Bence Jones 蛋白と同義)，H 鎖のみ，その他異常分子の M 蛋白は元来発現量が少ない，または急速に代謝されるなどの理由で，明らかな M ピークとして検出できないことが多い．このとき正常免疫グロブリンが低下していれば，$\gamma$ 分画が著減したパターンになる．この場合は，血清蛋白分画だけでは M 蛋白を見逃してしまうので，免疫電気泳動・免疫固定法，尿中 Bence Jones 蛋白の検索を行う．

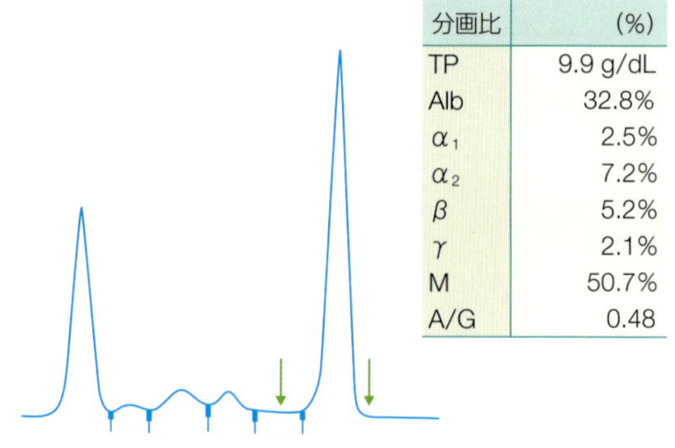

| 分画比 | (%) |
|---|---|
| TP | 9.9 g/dL |
| Alb | 32.8% |
| $\alpha_1$ | 2.5% |
| $\alpha_2$ | 7.2% |
| $\beta$ | 5.2% |
| $\gamma$ | 2.1% |
| M | 50.7% |
| A/G | 0.48 |

図 4-4　IgG 型多発性骨髄腫パターン
矢印は正常免疫グロブリンの著明な低下を示す．

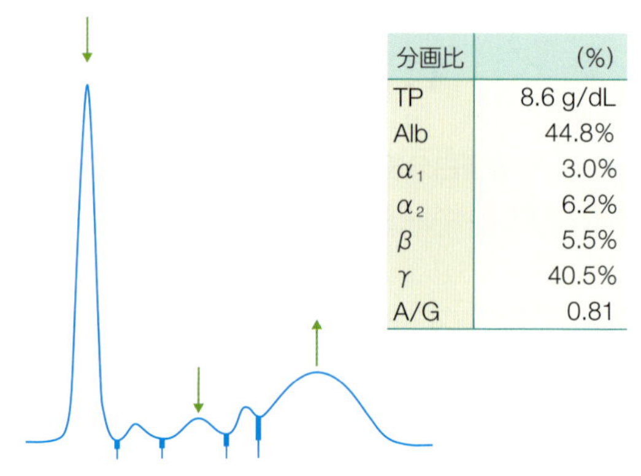

| 分画比 | (%) |
|---|---|
| TP | 8.6 g/dL |
| Alb | 44.8% |
| $\alpha_1$ | 3.0% |
| $\alpha_2$ | 6.2% |
| $\beta$ | 5.5% |
| $\gamma$ | 40.5% |
| A/G | 0.81 |

図 4-5　肝障害型パターン
矢印は分画の増減を示す．

### 2 ポリクローナル $\gamma$-グロブリン増加

免疫グロブリンの N 末端構造は，抗原の多様性に応じて多岐にわたるため荷電が不均一となり，電気泳動法では $\gamma$ 分画を中心に幅広い裾野をもつ山のパターンとなる．このパターンで増加する代表的な病態が，慢性肝障害，肝硬変(図 4-5)であり，肝線維化に伴って顕著になる．この場合はアルブミンと肝産生で半減期の短いハプトグロ

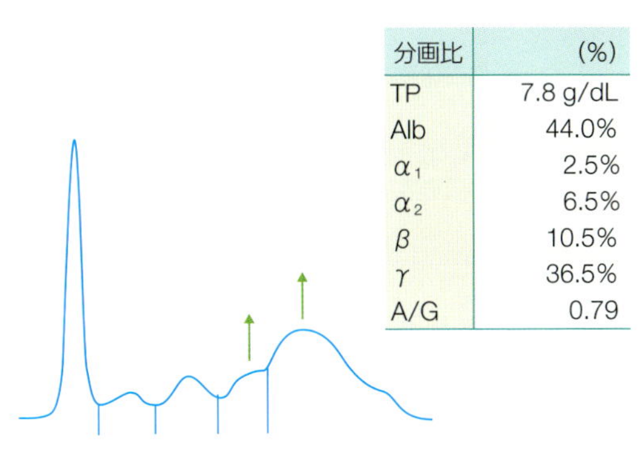

| 分画比 | (%) |
|---|---|
| TP | 7.8 g/dL |
| Alb | 44.0% |
| $\alpha_1$ | 2.5% |
| $\alpha_2$ | 6.5% |
| $\beta$ | 10.5% |
| $\gamma$ | 36.5% |
| A/G | 0.79 |

**図 4-6　IgG4 増加パターン**
矢印は分画の増減を示す．

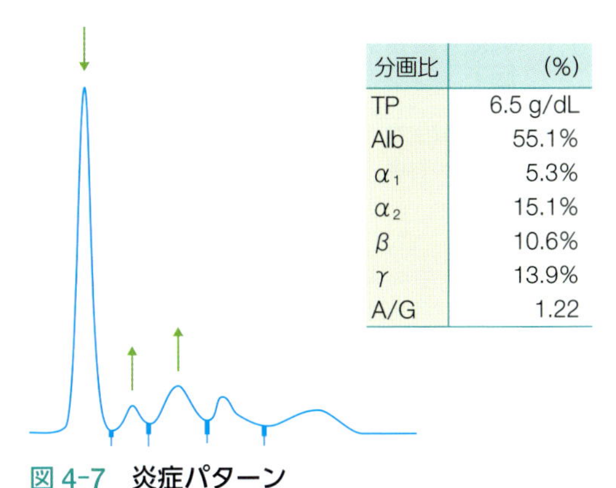

| 分画比 | (%) |
|---|---|
| TP | 6.5 g/dL |
| Alb | 55.1% |
| $\alpha_1$ | 5.3% |
| $\alpha_2$ | 15.1% |
| $\beta$ | 10.6% |
| $\gamma$ | 13.9% |
| A/G | 1.22 |

**図 4-7　炎症パターン**
矢印は分画の増減を示す．



ビンの低下による Alb 分画と $\alpha_2$ 分画の低下，$\gamma$-グロブリンの幅広い上昇という特徴的なパターンを示す．$\gamma$-グロブリンの上昇(特に $\beta$ 分画よりに泳動される IgA の増加で)が著明になると，$\beta$ 分画と $\gamma$ 分画の境界が不明瞭になる $\beta$-$\gamma$ bridging が見られる．

自己免疫疾患，特に全身性エリテマトーデス(SLE)と Sjögren 症候群では，$\gamma$ 分画のみが幅広く増加するというパターン($\gamma$ 広域増加型)を示す．IgG4 の増加が特徴的な IgG4 関連疾患では，IgG4 が $\beta$ 分画に近いのでその部分が盛り上がったようなパターンになる(図 4-6)．感染症などの炎症性疾患では，次に述べる炎症パターンに加え，その病期，病態によりしばしば $\gamma$ 分画の幅広い上昇が見られる．

## 3 炎症性疾患(図 4-7)

表 4-1 に示したように，炎症で上昇する蛋白のいくつかは $\alpha_1$，$\alpha_2$ 分画に存在し，一方，アルブミンとトランスフェリンは炎症で低下するため，$\alpha_1$，$\alpha_2$ 分画の増加と Alb，$\beta$ 分画の低下という特徴的なパターンを示す．ただし炎症時には，CRP のような特化した炎症マーカーに比べるとかなり緩慢に動くため，炎症活動性の指標として用いられることはない．

## 4 ネフローゼ症候群(図 4-8)

この病態では，多くの蛋白は尿に失われるが，それを補うように肝では蛋白合成が亢進する．それでも尿への漏出が勝り，Alb，$\beta$，$\gamma$ 分画が減少

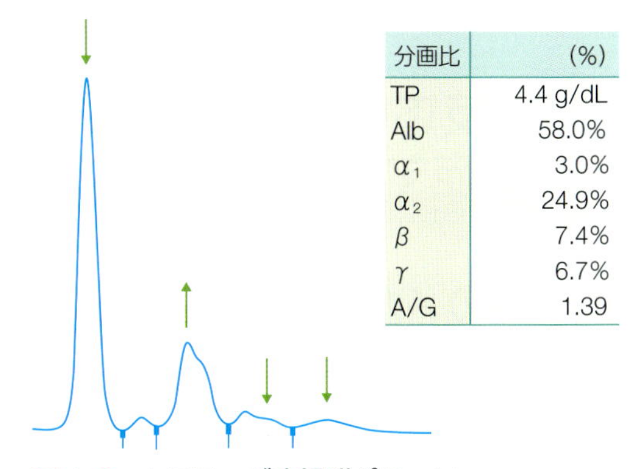

| 分画比 | (%) |
|---|---|
| TP | 4.4 g/dL |
| Alb | 58.0% |
| $\alpha_1$ | 3.0% |
| $\alpha_2$ | 24.9% |
| $\beta$ | 7.4% |
| $\gamma$ | 6.7% |
| A/G | 1.39 |

**図 4-8　ネフローゼ症候群パターン**
矢印は分画の増減を示す．

する．$\alpha_2$ 分画には高分子蛋白の $\alpha_2$-マクログロブリンがあり，尿へ排出されがたいため血中濃度が増加し，$\alpha_2$ 分画の単独増加という特徴的なパターンを呈する．

## 5 その他の病態

鉄欠乏性貧血ではトランスフェリンの増加により，$\beta$ 分画が増加する．低栄養状態では，各分画の比率は健常状態と大差なく総蛋白が低下する．まれに分画を構成する主要成分の先天性の産生低下により，ピークの減少を認める．先天性無アルブミン血症，$\alpha_1$ 分画では先天性 $\alpha_1$-アンチトリプシン欠損症，$\gamma$ 分画では IgG を中心に先天性の欠損症(原発性免疫不全症)で顕著な低下を示す．$\gamma$ 分画は後天性の免疫不全症における低下にも注意したい．

**表 4-3　炎症を誘発する組織障害因子**

1. 各種の病原微生物
2. 物理的因子：外傷，熱，寒冷，放射線など
3. 化学的因子：強アルカリ，強酸など
4. 循環障害による壊死：悪性腫瘍，梗塞など
5. 免疫反応による障害

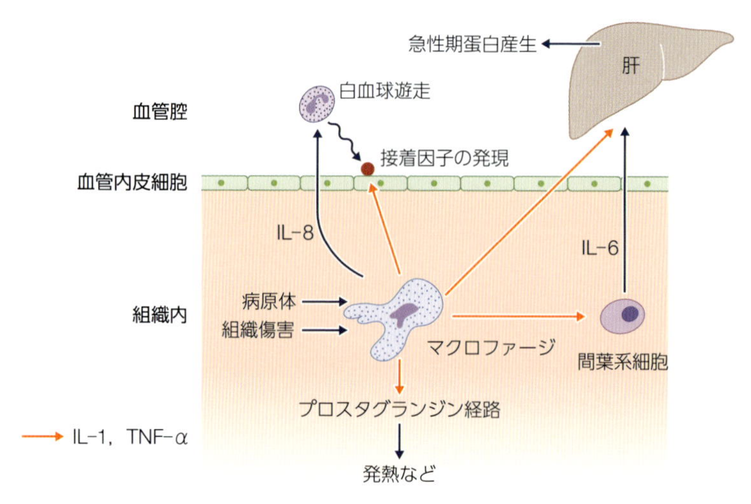


**図 4-9　炎症の分子メカニズム**

# C 反応性蛋白(CRP)と炎症マーカー

## A 炎症のメカニズムと炎症マーカー

炎症は臨床的にしばしば遭遇する病態で，生体の細胞や組織の傷害・壊死に対する一連の生体防御反応である．炎症を誘発する因子を表 4-3 にあげる．炎症は形態学的には細胞の変性・壊死，血管反応，炎症細胞の浸潤などがみられ，生化学的にも複雑な変化が生ずる．その大まかな分子レベルのメカニズムを図 4-9 に示す．

生体にとっての炎症への対応の始まりは，病原体成分や，組織の傷害・壊死に反応して局所のマクロファージ(貪食細胞)や肥満細胞が活性化されることである．マクロファージは腫瘍壊死因子 $\alpha$ (tumor necrosis factor-$\alpha$；TNF-$\alpha$)とインターロイキン-1(interleukin-1；IL-1)を，肥満細胞は TNF-$\alpha$ を産生する．この2つの一次性の炎症性サイトカインが，直接または間接的に下位のサイトカインや炎症に関連する代謝経路を介して種々の炎症反応を起こす．例えば IL-1 はプロスタグランジン経路に働きかけ，発熱，腫脹，疼痛を引き起こす．このような炎症の分子メカニズムを知ると，現在，関節リウマチなどの炎症性疾患に抗 TNF-$\alpha$ 療法などの分子標的療法が普及していることが理解できる．

白血球遊走は，炎症性サイトカインが血管の内皮細胞に白血球に対する接着因子を発現させることと，サイトカイン IL-8 の直接遊走刺激によって起こる．ただ実際に観察される白血球増加は炎症というストレスで副腎皮質ホルモンが増加し，これが辺縁プールから白血球を急速に動員させる反応が最初とされている(1章 ❼ B 1 **体内動態**，25頁参照)．したがって臨床検査として観察される白血球増加は最も早い炎症の指標となる．

TNF-$\alpha$ と IL-1 は，マクロファージ自身または周囲の間葉系細胞に働きかけ，IL-6 を産生させる．IL-6 は肝細胞に作用し，蛋白合成を劇的に変化させる．すなわちアルブミン，トランスフェリンなどの通常血中濃度の高い蛋白の合成を抑制し，CRP に代表される一連の蛋白(急性期蛋白，後述)の合成を増加させる．炎症状態にあると栄養状態が悪化し，アルブミンの濃度が低下し，ひいては血清総蛋白濃度の低下を来すと説明されてきたこともあるが，主たる背景は炎症性サイトカインによる肝細胞の蛋白合成パターンの変化である．

代表的な炎症指標につき，有用性を比較して表 4-4 に示した．以下は急性期蛋白について述べることとする〔1章 ❸ **赤血球**(6頁)，1章 ❼ **白血球**(22頁)，4章 ❹ **血清蛋白分画**(77頁)も参照〕．

**表 4-4　各炎症指標の特徴**

| | 赤血球沈降速度 | 白血球数 | 血清蛋白分画 | CRP(SAA も同じ) |
|---|---|---|---|---|
| 測定原理 | 血球沈降 | 粒子算定 | 電気泳動 | 免疫化学的 |
| 検査時間 | 1～2 時間 | 数分 | 30 分～2 時間 | 定量は数分 |
| 自動化 | △(自動判定, 自動分析もある) | ○ | △ (自動分析もある) | ○ |
| 炎症に対する偽反応 | 多い | 多い | 少ない | ほとんどない |
| 感度(陽性率) | 高い | 高い | やや低い | 高い |

CRP：C 反応性蛋白, SAA：血清アミロイド A 蛋白



**表 4-5　炎症で血中濃度の変化を来す蛋白**

**上昇の明らかなもの**
1. $\alpha_1$-アンチトリプシン($\alpha_1$AT)
2. $\alpha_1$-アンチキモトリプシン($\alpha_1$ACT)
3. $\alpha_1$-酸性糖蛋白($\alpha_1$AGP)
4. ハプトグロビン(Hp)
5. セルロプラスミン(Cp；Cer)
6. 血清アミロイド A 蛋白(SAA)
7. C 反応性蛋白(CRP)

**上昇するが消費する病態もあるため一定しないもの**
1. 補体成分(C3, C4, B, C1 INH, C9)
2. 血液凝固因子(フィブリノゲン, V, Ⅷ)

**低下(負の上昇)を示すもの**
1. アルブミン(Alb)
2. トランスサイレチン(プレアルブミン)
3. トランスフェリン(Tf)
4. アポリポ蛋白 A I (HDL)

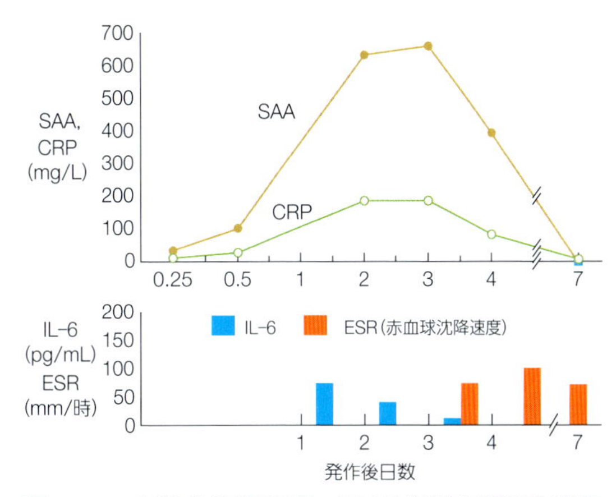


**図 4-10　急性心筋梗塞例における各炎症指標の推移**

## B　急性期蛋白の種類

急性炎症の場合には, 血清蛋白分画でアルブミンの低下, $\alpha_1$-グロブリンと $\alpha_2$-グロブリンの増加が認められ, 古くから「急性炎症型血清蛋白分画像」として特徴づけられている. $\alpha_1$-グロブリンと $\alpha_2$-グロブリンの増加は急性期蛋白(acute phase proteins；APP, 別名, 急性相反応物質 acute phase reactants；APR)に属する糖蛋白質成分の増加による. 一方で, アルブミンのように低下するものは, 負の急性期蛋白と呼ばれる. 主なものを表 4-5 に示した.

このうち CRP と血清アミロイド A 蛋白(serum amyloid A；SAA)は, 急性炎症での上昇の速さや, 濃度変化の程度から他と明確に区別される. すなわち, これらは炎症刺激の起こった 6 時間後くらいから血中濃度上昇が明らかになり 2～3 日目にピークとなる(図 4-10). フィブリノゲンはこれらに半日遅れて変動するため, これを反映する赤血球沈降速度の変動も遅れることになる. CRP と SAA の血中濃度は生理的には測定感度以下か, 感度ぎりぎりのレベルであるが, 炎症時には最高 1,000 倍にまで増加する(他は 2～3 倍の上昇にとどまる). このキレのよさが急性期蛋白として単独に測定されている所以である. CRP と SAA は同様の意義をもつが, わが国では CRP が広く普及しており, 測定頻度も圧倒的に高い.

## C　急性炎症における各炎症指標の変動と意義

各炎症指標はその変動に少なからずズレがあ

表 4-6　C 反応性蛋白(CRP)と血清アミロイド A 蛋白(SAA)の特徴

| | CRP | SAA |
|---|---|---|
| 分子量 | サブユニットは 21,000，5 量体で 105,000 | 11,500 |
| 糖鎖 | あり | なし |
| 電気泳動易動度 | $\beta$ | HDL として $\alpha$ |
| 存在形態 | 5 量体構造 | ほぼ HDL に結合，わずかに他のリポ蛋白に結合 |
| 一次構造多型 | 知られていない | 3 種のアイソタイプ(SAA1，SAA2，SAA4)があり，対立遺伝子多型もある |
| 産生部位 | 肝が主で他組織の可能性も指摘されている | |
| 産生刺激 | IL-1，IL-6，TNF-$\alpha$ | |
| 生理的血中濃度 | 0.01～0.1 mg/dL | 3 mg/L 以下 |
| 代謝 | 半減期は数時間，網内系で異化 | |
| 結合性 | $Ca^{2+}$，核酸 | 脂質 |
| 想定されている機能 | 補体古典経路活性化，死細胞核酸処理，リンパ球機能阻害，血小板凝集抑制，単核球遊走，オプソニン作用，ほか | アミロイド線維形成，コレステロール逆転送系補完，リンパ球機能阻害，血小板凝集抑制，単核球遊走，オプソニン作用，ほか |

る．急性心筋梗塞を例にした各マーカーの変動を図 4-10 に示す．異常となる順(正常化も同じ)は，白血球数増加，炎症性サイトカイン(IL-1，IL-6，TNF-$\alpha$ など)上昇→CRP，SAA 上昇→赤血球沈降速度亢進となる．白血球数の増加は最も早いが，特異性に欠ける場合がある．すなわち骨髄に疾患のある場合，例えば慢性骨髄性白血病の場合は炎症に関係なく，白血球数増加がみられる．重症感染症，免疫学的異常を来す場合はかえって白血球の減少がみられることがある．IL-6 などの炎症性サイトカインの上昇も早く，比較的濃度の高い IL-6 は実際に測定されることがあるが，変化が速すぎてサンプリングの時期によってはすでに低下した後である可能性があること，微量のため測定方法が特殊であること，などの理由で日常的な臨床検査への応用は一部に限られている．サイトカインの変化の速さの利点を活かすには集中管理下でのモニターが適している．CRP は炎症刺激後，6 時間くらいから血中での上昇が明確になるが，より明らかになるのは 12 時間くらいで，2～3 日でピークとなり，1 週間～10 日で正常化する．CRP は炎症のごく初期に明らかな増加をみないのが唯一の欠点であるが，炎症以外の要因にほとんど影響されないこと，炎症性サイトカインの変化を総合的に，増幅して表現している利点がある．

## D　C 反応性蛋白(CRP)

CRP は広く臨床的に利用されている代表的な急性期蛋白である．肺炎球菌の菌体である C 多糖体と沈降反応を起こすことから命名された．表 4-6 に CRP の物理化学的および生物学的性状を SAA と比較してまとめた．CRP の機能は明確ではないが，Ca イオンを介した結合活性を示し，補体の活性化と核酸の処理が重要とされている．

血清 CRP は抗体を感作したラテックス粒子の凝集を利用して迅速に測定され，基準範囲は 0.14 mg/dL 以下である．実際の日本人健常者の CRP 値は 0.02 mg/dL くらいに中央値があり，90% は 0.05 mg/dL 以下を示すことがわかっている．CRP は臍帯血では極めて低い値を示し，生後 2～3 日は分娩ストレスにより増加し，その後成人値に近づく．したがって新生児での炎症の評価はこの変動を理解しておく必要がある．CRP はエストロゲンで誘導されるが，明らかな男女差はない．高齢者ではやや高めになる傾向がある．

一般的に CRP の上昇は体内に炎症または組織壊死がある病態で認められるが，明らかに上昇を

**表 4-7　CRP 上昇を来す疾患**

1. 感染症，細菌感染症
   ウイルス感染，真菌感染，寄生虫感染
2. 膠原病，活動期
   SLE，強皮症，皮膚筋炎，Sjögren 症候群
3. 悪性腫瘍，増殖の速い癌
   白血病
4. 梗塞，心筋梗塞
   脳梗塞
5. 外傷，骨折，外科手術

水色：CRP 上昇が軽度にとどまる疾患

示す病態を表 4-7 にまとめた．炎症が強い場合に必ず CRP の上昇を示すわけではなく，免疫異常を伴う病態，例えば SLE や白血病などでは，急性期蛋白の合成亢進をもたらす IL-1 などのサイトカイン分泌が変化すると考えられ，CRP の上昇は軽度にとどまる．また，感染症では細菌感染で著しい上昇を示し，ウイルス感染では軽度な上昇にとどまることが多い傾向にある．

### 1 low grade inflammation—高感度 CRP の測定

これまで述べてきた炎症は，感染症や組織傷害など抗菌療法や抗炎症療法が必要となる程度の活動性のもので，CRP の値にして 1 mg/dL 以上である．一方，前述したように，健康とされる集団の CRP を高感度に測定して評価すると，明確な炎症症状がなくても，0.1～0.4 mg/dL 程度を示す例があることがわかり，軽微な炎症状態(low grade inflammation)とされた．感度を高めた試薬(多くはラテックス凝集自動化法)による CRP の測定検査を，高感度 CRP と呼ぶことがある．

low grade inflammation が注目されたのは心血管系疾患，動脈硬化症との関連である．すなわち，この状態は将来の心筋梗塞や脳梗塞発症のリスクを示し，高コレステロール血症とは独立しているとされた．また喫煙習慣，肥満(メタボリック症候群)，脂質異常症など，心血管疾患を発症するリスク状態でも CRP の軽度上昇を示す．そのメカニズムの詳細は不明であるが，動脈硬化病変や脂肪蓄積組織から炎症性サイトカインが産生されるためと理解されている．CRP を高感度で測定するようになると，日常生活での疲労その他の種々のストレスが影響することが懸念されるが，個人内生理的変動は比較的小さいとされている．

# 免疫グロブリン(IgG，IgA，IgM)定量

## A　免疫グロブリンの基本構造

免疫グロブリン(immunoglobulin)は B 細胞/形質細胞により合成される抗体活性を有する糖蛋白質で，生体内，生体外の対応抗原と特異的に結合し，液性免疫で主役を果たし，他の免疫細胞，補体などとの共同作用により異物抗原の除去に働く．

免疫グロブリンの基本構造は，図 4-11 に示すように，分子量約 5 万の重(H)鎖(heavy chain)1 対と約 2 万の軽(L)鎖(light chain)1 対，合計 4 本のポリペプチド鎖が S-S 結合(一部例外あり)により結ばれている．H 鎖は $\gamma$，$\alpha$，$\mu$，$\delta$，$\varepsilon$ の 5 種類があり，それぞれ IgG，IgA，IgM，IgD，IgE の 5 つのクラスの免疫グロブリンを構成する(表 4-8)．それぞれのクラスの免疫グロブリンは 1 対の L 鎖を有し，$\kappa$ または $\lambda$ のどちらか一方からなり，それぞれ $\kappa$ 型，$\lambda$ 型免疫グロブリン分子を構成する．H 鎖と L 鎖の N 末端は可変部(variable region)と呼ばれ，抗原を結合する部位である．それ以外の部分を定常部(invariable region)と呼ばれ，3 または 4 つのドメイン(CH1～CH4)からなり，CH1 と CH2 の間にヒンジ部(hinge region，蝶番部)が存在する．ヒンジ部は立体的に可動性が大きいために複雑な形の抗原分子との結合に役立っている．

## B　免疫グロブリンの測定法と基準範囲

免疫グロブリンは抗原抗体反応(免疫比濁法またはネフェロメトリ法)を用いて迅速に定量される．

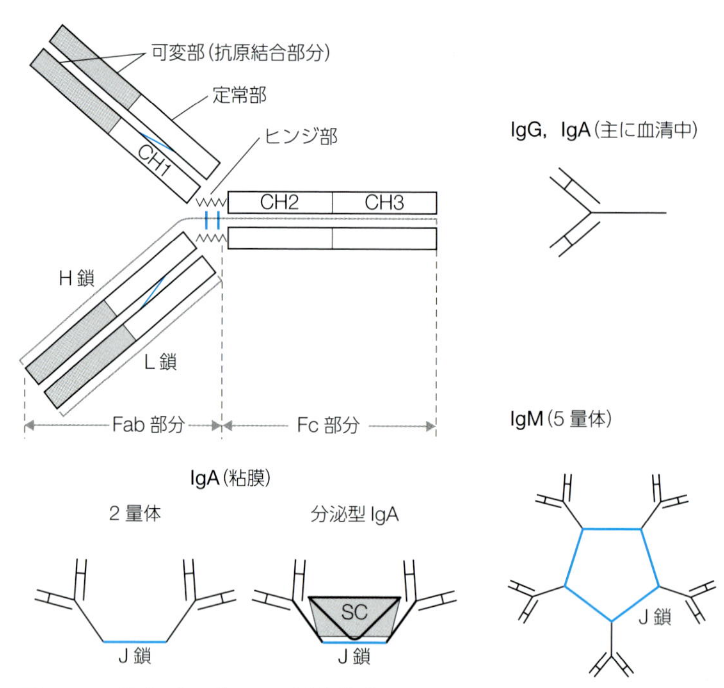


**図 4-11　免疫グロブリンの基本構造**

SC：secretory component, —：S-S 結合

**表 4-8　免疫グロブリンの種類と性状**

| | IgG | IgA | IgM | IgD | IgE |
|---|---|---|---|---|---|
| 分子量($\times 10^4$，約) | 15 | 17(2 量体は 40) | 90 | 18 | 20 |
| 沈降定数(S20 $\omega$) | 6.6〜7.2 | 7，10，13，15<br>(80%，7S) | 17〜20 | 7 | 8 |
| 移動度(pH 8.6) | $\gamma$ | $\beta_2$ | $\gamma$ | $\beta_2$ | $\beta_2$ |
| H 鎖(class)<br>(subclass) | $\gamma$<br>$\gamma_1$，$\gamma_2$，$\gamma_3$，$\gamma_4$ | $\alpha$<br>$\alpha_1$，$\alpha_2$ | $\mu$ | $\delta$ | $\varepsilon$ |
| L 鎖 | $\kappa$，$\lambda$ | $\kappa$，$\lambda$ | $\kappa$，$\lambda$ | $\kappa$，$\lambda$ | $\kappa$，$\lambda$ |
| 糖含有量(%) | 2.9 | 7.5 | 11.8 | 12 | 10.7 |
| 血清基準範囲値(mg/dL) | 861〜1,747 | 93〜393 | 33〜183(男性)，<br>50〜269(女性) | <0.3〜4.0 | 0.043 |
| Ig 総量に対する % | 70〜80 | 15(10〜20) | 7(3〜10) | <1 | <1 |
| 半減期(日) | 19〜24 | 6 | 5 | 3 | 3 |
| 異化率(%/日) | 7 | 24 | 18 | 37 | |
| 合成率(mg/kg/日) | 42 | 21 | 4 | 0.4 | |
| 分布 | 血管内外 | 血管内<br>粘膜，分泌液 | 血管内 | 血管内<br>B リンパ球表面 | マスト細胞<br>好塩基球表面 |
| 血管内分布(%) | 40 | 40 | 80 | | |
| 胎盤通過性 | ＋ | − | − | − | − |
| 補体活性化<br>古典経路<br>第 2 経路 | <br>＋＋<br>＋ | <br>−/＋<br>＋＋ | <br>＋＋＋<br>＋ | <br>−<br>＋ | <br>−/＋<br>−/＋ |
| 結合する細胞 | 好中球<br>マクロファージ<br>NK 細胞 | | | | マスト細胞<br>好塩基球 |

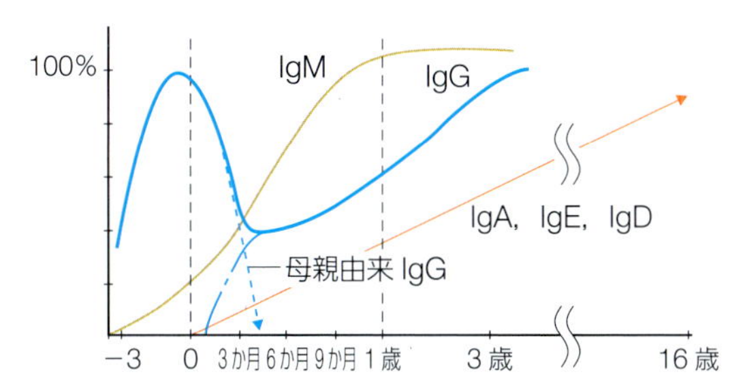


**図 4-12 IgG，IgA，IgM の年齢変動**

年齢，特に生下時から成人までの変化に注意したい(図 4-12)．IgG はヒト胎盤を通過する唯一の免疫グロブリンであり，臍帯血の IgG 濃度は母体とほぼ同じであるが，生後成長とともに特有な変化を示す．すなわち，生後 6 か月程度で母体由来の IgG は消失し，生後新生児自身が産生した IgG で置き換わる．IgM は 1 歳でほぼ成人値に達し，IgG は学童期，IgA は思春期までには成人値に達する．IgM は胎児期に産生されるため，例えば，新生児の風疹抗体の評価にあたっては，IgG 抗体は母体由来のもの，IgM 抗体があれば胎児由来のもので母体内感染を意味する．

IgG は血清総蛋白の 15% ほどを占め，半減期は約 19〜24 日と他の免疫グロブリンに比べ長い．その定常部のうち，ヒンジ部分以降は Fc 部分と呼ばれ，補体を活性化し，免疫担当細胞表面にある Fc レセプターを介して種々の免疫活性を発揮する．基準範囲は，861〜1,747 mg/dL である．H 鎖である $\gamma$ 鎖には，少なくとも 4 つのサブクラス($\gamma_1$，$\gamma_2$，$\gamma_3$，$\gamma_4$)が知られ，このうち IgG4 は IgG4 関連疾患で高値となる．

IgM は 5 量体の高分子であり，免疫応答において最も早期に出現する抗体である．基準範囲は，男性 33〜183 mg/dL，女性 50〜269 mg/dL と男女差がある．

IgA は粘膜に存在し，局所免疫による防御機構に重要な役割を担う．J 鎖と結合した 2 量体が主に粘膜固有層に分布し，粘膜上皮で産生される分泌性成分(secretary component；SC)と結合して分泌型 IgA となる．基準範囲は 93〜393 mg/dL である．

## C 上昇する場合

多クローン性高 $\gamma$-グロブリン血症(polyclonal hypergammaglobulinemia)と単クローン性 $\gamma$-グロブリン血症(monoclonal gammopathy)に分けられ，後者は **❼ E M 蛋白が陽性となる場合**(87 頁参照)で取り上げる．

多クローン性高 $\gamma$-グロブリン血症(**❹ 血清蛋白分画**，77 頁参照)では，電気泳動上幅広い $\gamma$-グロブリン分画の上昇を示し，IgG，IgA，IgM(単独または複数)が高値となる．肝疾患は最も多く，この病態の約 50% を占める．感染症では亜急性，慢性そして遷延化するにつれて免疫グロブリンの上昇が明らかとなる．急性では IgM が高値に，慢性では IgG が高値になる傾向がある．悪性腫瘍では，広範な組織破壊を伴う場合に高値を示す．特に，リンパ網内系の悪性腫瘍で増加が著しい．自己免疫疾患では SLE，Sjögren 症候群，慢性甲状腺炎などでよく見られる．特に SLE と Sjögren 症候群では，IgG の上昇が著しい．免疫グロブリンクラス別に特徴的なものとして，他には IgA 腎症における IgA の高値(半数ほど)，IgG4 関連疾患における IgG4 の高値，原発性胆汁性胆管炎における IgM の高値などがある．

## D 低下する場合

血清の IgG，IgA，IgM が低値の病態は，①無 $\gamma$-グロブリン血症(agammaglobulinemia)，②低 $\gamma$-グロブリン血症(hypogammaglobulinemia)，および，③異 $\gamma$-グロブリン血症(dysgammaglobulinemia)の 3 つに分類され，さらにその原因から，原発性(多くは先天性)と続発性に分けられる．原発性低免疫グロブリン血症(抗体欠乏症候群)は B 細胞系不全または複合免疫不全(T および B 細胞系不全)に伴って認められる．

無 $\gamma$-グロブリン血症を示す免疫グロブリン欠損症では，免疫グロブリン濃度は健常者の 1/10 以下となる．原発性では，Bruton 型無 $\gamma$-グロブリン血症，重症複合免疫不全症(severe combined immunodeficiency；SCID)などで認められる．

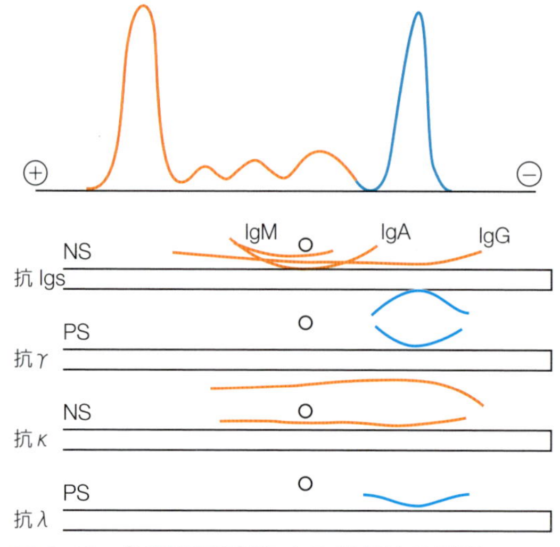


**図 4-13　免疫電気泳動による M 蛋白の同定**
(原図・伊藤)

NS：健常成人血清，PS：患者血清(IgG-κ 型多発性骨髄腫)，抗 Igs：免疫グロブリンに対する抗血清，抗 γ, κ, λ：それぞれのポリペプチド鎖に対する特異抗体.
上図はセルロースアセテート膜電気泳動分画像で，青線は単一クローン性 IgG-κ 型分子.
健常成人血清は IgG，IgA，IgM が長い線状の沈降線を形成し，抗 γ と抗 λ 抗体に対しても直線状の沈降線を示しているが，患者血清は抗 Igs に対して特徴的な M bow を形成し，抗 γ, λ に対しても M bow を形成し，抗 κ 抗体には反応していない.

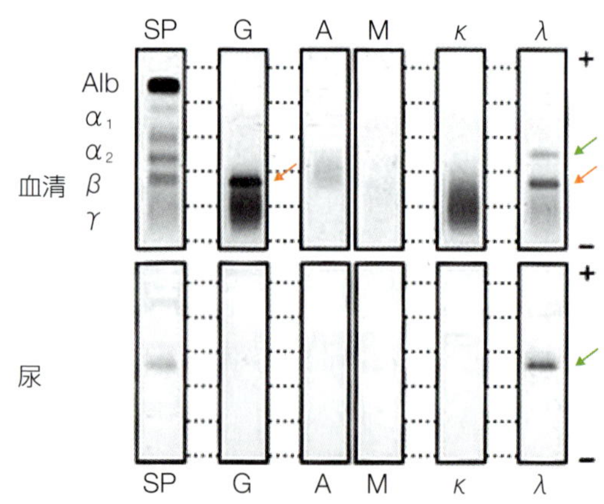


**図 4-14　免疫固定法による M 蛋白の同定**
(原図・伊藤)

血清を電気泳動後，抗 IgG (γ 鎖)，IgA (α 鎖)，IgM (μ 鎖) 抗体，抗 L 鎖 (κ, λ) 抗体で反応させる.
↙に指し示すように，β 分画に抗 IgG 抗体，抗 λ 抗体に同時に反応するシャープ(M蛋白バンド)なピークがあり，IgG-λ と判定される.
↙は抗 λ 抗体のみに反応し他の抗体には反応しないことから Bence Jones 蛋白と判定される(同じものが尿でも検出されている).

原発性低 γ-マグロブリン血症はさまざまな病型の原発性免疫不全症で認められる．続発性低 γ-グロブリン血症はさまざまな続発性免疫不全状態に合併し，ネフローゼ症候群・蛋白漏出性胃腸症などの蛋白喪失の増加に伴って認められる．また，多発性骨髄腫においては，M 蛋白以外の正常免疫グロブリンは低値となることが多い.

異 γ-グロブリン血症は，IgG，IgA，IgM のいずれか 1 つまたは 2 つのクラスが明らかに低下する病態で，さまざまな組み合わせの欠損が先天性に認められる．最も高頻度に認められるのが選択的 IgA 欠損症(selective IgA deficiency)で，典型例は反復感染罹患傾向，下痢を示す．毛細血管拡張性運動失調症(ataxia-telangiectasia)に伴う Louis Bar 症候群では，IgG と IgA の欠損があり，しばしば IgM 高値を伴う．特殊な病型として，血清 IgG，IgA，IgM の減少を伴わず，多糖体に対する抗体産生不全，反復する湿疹と血小板減少症を伴う Wiskott-Aldrich 症候群がある.

## 7　M 蛋白関連検査

### A　免疫電気泳動と免疫固定法

単クローン性免疫グロブリン(M 蛋白)は，蛋白電気泳動による蛋白分画検査で M ピークとして認められるが，その同定を含めた確定は免疫電気泳動または，免疫固定法で行う.

免疫電気泳動法は，寒天/アガロースゲルを支持体とした電気泳動法により血清蛋白成分をあらかじめ分離し，それに抗体を反応させ，透明ゲル内に生ずる沈降線を観察する(図 4-13)．免疫固定法では，電気泳動法で分離した後に，各クラス，タイプ別の特異抗体を反応させて未反応の抗体を洗浄除去して，結合した抗体を蛋白染色して M 蛋白バンドとその移動度から，クラス，タイプを判定する(図 4-14)．いずれにおいても判定に重要なのは H 鎖の反応に一致した L 鎖の均一性で，例えば図 4-14 上では，IgG の M 蛋白を示す強いラインに一致(移動度が)して λ 鎖の強いラインを認めることで，モノクローナルであることが確認され，そのタイプ(IgG-λ)を同定できる．

免疫電気泳動はわが国で広く行われてきた．利点の一つに抗ヒト全血清に対する反応から，主要な血清蛋白の増減を半定量的に評価できることがあるが，M蛋白の検出には免疫固定法のほうが感度が高く，多発性骨髄腫の診療ガイドラインでも免疫固定法でM蛋白を判定するよう推奨している．海外ではほとんど免疫固定法が使われており，わが国においても免疫固定法が主流になりつつある．

## B 免疫グロブリン定量

M蛋白となっている免疫グロブリンは多くの場合異常高値となっており，診断の補助にはなるが，ポリクローナルな増加との鑑別は定量値からはできない．いったん電気泳動法でM蛋白が確定すれば，経過観察に使用できる．

## C 遊離免疫グロブリン軽鎖定量

形質細胞は，免疫グロブリンのH鎖とL鎖を別々に合成し，全分子型の免疫グロブリンを形成させる．元来，L鎖のほうを多く産生しているが，悪性増殖する形質細胞はさらにL鎖を過剰産生するため，全分子型免疫グロブリンに組み込まれなかった遊離型L鎖が生じる．これを測定し，κ鎖とλ鎖の比を評価することで，形質細胞の悪性増殖を診断するものが遊離免疫グロブリン軽鎖定量である．例えばIgG-κを産生する多発性骨髄腫であるなら，遊離κ鎖が高値となり，遊離λ鎖は基準範囲内か抑制されて低値となるためκ/λが著明に高くなる(図4-15)．診断感度が高く，多発性骨髄腫診療ガイドラインで推奨されている．検査異常の少ないALアミロイドーシスにおいても有力な補助診断になる．ただし直接的なM蛋白の確認ではないため，電気泳動法での確認も望まれる．

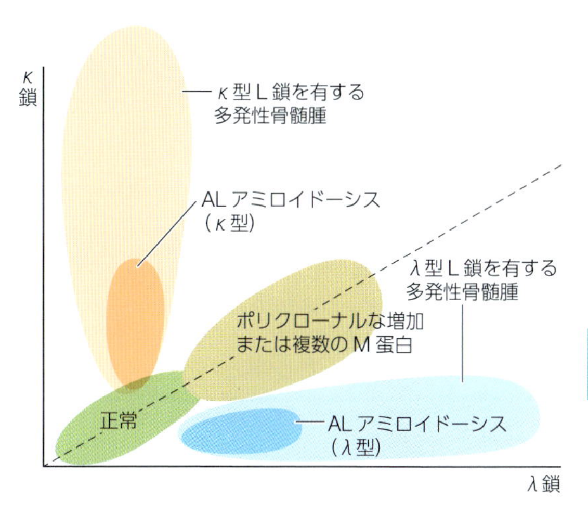


図4-15 遊離軽鎖定量による評価の概略

## D Bence Jones蛋白

前項で述べた過剰な単クローン性L鎖は低分子であるため，容易に尿中に排泄され，Bence Jones蛋白(BJP)として検出される(13章 7 B Bence Jones蛋白，247頁参照)．BJPの検出は多発性骨髄腫などの悪性疾患を疑う診断価値がある．またBJPは病原性が高く，腎障害やアミロイドーシスを起こす．特に多発性骨髄腫の先行のない原発性ALアミロイドーシスにおいては，BJPの検出は補助診断となりうる．同定には，尿を必要に応じ濃縮して免疫固定法(図4-14)を行う．

## E M蛋白が陽性となる場合

M蛋白は多発性骨髄腫のみで見られるわけでなく，実に多くの病態で陽性となる(表4-9)．このうち特徴的な病態で見られるもの，基礎疾患に伴って見られるものを除き，原因不明にM蛋白が陽性となる良性の状態をMGUS(意義不明のM蛋白血症または良性M蛋白血症)とも呼ぶ．表4-10に多発性骨髄腫の診断基準を示すが，MGUSはくすぶり型多発性骨髄腫の基準を満たさない．臨床検査値としてはM蛋白量が3 g/dL未満が目安となる．MGUSは高齢者に見られやすく(60歳以上の3%ほど)，多くは無症状で経

**表 4-9　M 蛋白がみられる疾患**

- **B 細胞/形質細胞の腫瘍性増殖が背景にあるもの**
  1. 多発性骨髄腫（MM）
  2. MM 以外の形質細胞性腫瘍（形質細胞性白血病，形質細胞腫など）
  3. 原発性マクログロブリン血症
  4. 悪性リンパ腫
  5. H 鎖病
  6. AL アミロイドーシス（ただし骨髄像では明確な増殖を認めない）
  7. POEMS 症候群（ただし骨髄像では明確な増殖を認めない）
- **MGUS**
- **神経疾患（運動ニューロン疾患，末梢神経炎）**
- **腎疾患でみられるもの（MGRS）**
- **二次性に M 蛋白がみられるもの**
  1. 感染症（結核，サイトメガロウイルス，HIV など）
  2. 自己免疫性疾患（SLE など）
  3. 免疫不全症
  4. 肝疾患（各種慢性肝炎，肝硬変）
  5. 造血器悪性腫瘍（急性白血病，悪性リンパ腫など）
  6. その他悪性腫瘍
  7. 非腫瘍性血液疾患（von Willebrand 病など）
  8. 化学療法，放射線療法，骨髄移植後

MM：multiple myeloma，AL：amyloid light-chain，MGUS：monoclonal gammopathy of undetermined significance，MGRS：monoclonal gammopathy of renal significance，HIV：human immunodeficiency virus，SLE：systemic lupus erythematosus

過するが，年 1% の割合で多発性骨髄腫，悪性リンパ腫などを発症することから，“前がん状態”と考え，M 蛋白の量的増加はないかを定期的に検査すべきである．

悪性の M 蛋白血症を表 4-11 に示す．

① **多発性骨髄腫（形質細胞腫；MM）**：形質細胞の腫瘍性増殖であって，多くは多発性に骨髄に発生して骨破壊を伴う．稀に単発性に，または軟部組織に発生することがある．骨髄腫の 2〜3% は M 蛋白が検出されない非分泌型骨髄腫（nonsecretory myeloma）である．

② **原発性マクログロブリン血症（Waldenström マクログロブリン血症）**：IgM 型 M 蛋白を産生する特有な形質細胞様リンパ球の増殖があり，骨破壊は伴わない．5 量体 IgM 型 M 蛋白のほかに単量体 IgM 分子を伴うことがあり，その他の免疫グロブリンの減少も明らかではない．

③ **H 鎖病**：H 鎖の Fc 部分が主に産生される病態である．L 鎖を伴っていないので単クローン性の証明は時に困難であり，しばしば電気泳動的にもやや幅広く泳動される．臨床的に形質細胞腫またはリンパ腫に類似し，極めて稀である．IgG の H 鎖が増加したものが $\gamma$ 鎖病で，H 鎖病では最も頻度が高い．$\alpha$ 鎖病は消化管を主病変として，地

**表 4-10　多発性骨髄腫とくすぶり型多発性骨髄腫の診断基準（IMWG 2014）**

**【多発性骨髄腫の定義*】**
1. 骨髄のクローナルな形質細胞≧10%，または骨もしくは髄外性形質細胞腫を認める．
2. 次に示す骨髄腫診断事象を 1 項目以上を満たす．

**【骨髄腫診断事象】**
1. 形質細胞腫に関連した臓器障害
・血清カルシウム>11 mg/dL または基準範囲上限より>1 mg/dL 高い．
・クレアチニンクリアランス<40 mL/分もしくは血清クレアチニン>2 mg/dL．
・ヘモグロビン<10 g/dL もしくは基準範囲下限より>2 g/dL 低い．
・全身骨単純 X 線写真，CT または PET-CT で溶骨性病変を 1 か所以上認める．
2. 進行するリスクが高いマーカー
・骨髄のクローナルな形質細胞≧60%．
・血清遊離軽鎖（FLC）比≧100．
・MRI で局所性の骨病変（径 5 mm 以上）>1 個．

**【くすぶり型多発性骨髄腫の定義】**
1. 血中 M 蛋白（IgG または IgA）≧3 g/dL もしくは尿中 M 蛋白≧500 mg/24 時間，または骨髄のクローナルな形質細胞 10〜60%．
2. 骨髄腫診断事象およびアミロイドーシスの合併がない．

*非分泌性の病態があるため M 蛋白の記載はない．

**表 4-11　悪性 M 蛋白血症を伴う疾患**

1. 多発性骨髄腫(形質細胞腫)
   ① IgG 型
   ② IgA 型
   ③ IgM 型*1
   ④ IgD 型
   ⑤ IgE 型
   ⑥ Bence Jones 型*2
   ⑦ 半分子 IgG 型*3
   ⑧ 半分子 IgA 型*3
   ⑨ 非定型(非産生型，非分泌型)*4
2. 原発性マクログロブリン血症
3. H 鎖病
   ① $\gamma$ 鎖病
   ② $\alpha$ 鎖病
   ③ $\mu$ 鎖病
4. 悪性リンパ腫*5

*1 形質細胞増殖と骨破壊があることでマクログロブリン血症と鑑別.
*2 Bence Jones 蛋白のみを検出.
*3 半分子型 M 蛋白を伴い，時にリンパ腫と鑑別困難.
*4 M 蛋白が検出されない.
*5 悪性 M 蛋白血症に出現する M 蛋白には構造異常を伴うものが多い.

中海沿岸地域に発症し，欧州，北アフリカで最も頻度が高い疾患である.

④ **悪性リンパ腫**：リンパ腫細胞の中には M 蛋白を産生するものが稀にある．原発性マクログロブリン血症や良性 M 蛋白血症との鑑別が困難なことがある.

## 8 クリオグロブリン

血清を 4℃に放置すると白色の不溶物や沈殿を生じることがある，その多くは構造変化により溶解性が減じた免疫グロブリンであり，構成から 3 つのタイプに分かれる(表 4-12)．原疾患のない本態性のものや，疾患との関連を示すものがある．C 型肝炎でよく見られる．血管炎の原因として重要である.

**表 4-12　クリオグロブリンの分類と陽性となる病態**

**タイプ I (単クローン性 M 蛋白型)**
リンパ系悪性腫瘍，原発性マクログロブリン血症など

**タイプ II (単クローン性と多クローン性混合型)**
C 型肝炎，Sjögren 症候群，関節リウマチ，リンパ系増殖疾患など

**タイプ III (多クローン性混合型)**
本態性クリオグロブリン血症，SLE，関節リウマチ，ウイルス，細菌感染など

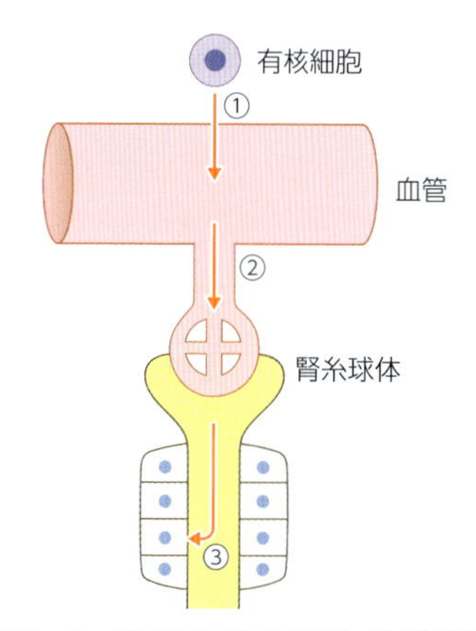


**図 4-16　$\beta_2$-ミクログロブリンの代謝と病態**
① 腫瘍，感染症，炎症
② 腎機能不全
③ 尿細管再吸収障害(尿中濃度増加)

## 9 $\beta_2$-ミクログロブリン

$\beta_2$-ミクログロブリン($\beta_2$M)は，HLA クラス I 抗原の L 鎖として全身の有核細胞の細胞膜に存在する．分子量約 12,000 と低分子のため血漿 $\beta_2$M は容易に腎糸球体を通過し，尿細管で再吸収，分解される(図 4-16)．他の低分子蛋白も腎で代謝されるが，網内系でも一部代謝されるのと対照的に，$\beta_2$M の異化はほぼ腎経路のみのため，腎糸球体濾過量(GFR)の影響を大きく受ける(図 4-16 の②)．すなわちクレアチニンやシスタチン C と同様に血中濃度は GFR と反比例する．特に人工透析により，$\beta_2$M 値は著明に上昇し，腱や滑膜にアミロイドとなって沈着することがある(透析アミロイドーシス)．細胞の回転が亢進する腫瘍性疾患や炎症性疾患でも血中濃度が上昇する(図 4-16 の①)．この特徴を利用し多発性骨髄腫では

疾患の病期分類に用いられている．ただし多発性骨髄腫ではGFRが低下することが多いため血中$\beta_2$Mの上昇を来しやすいが，腎機能が正常な場合は血中で多少増加しても尿に排泄される．尿中においては，尿細管の再吸収閾値を超えたものが血中からオーバーフローしてきた場合に高値に定量される．感染症の活動期などでみられることが多い．また，薬剤副作用や重金属中毒を含む尿細管障害で再吸収が阻害され尿中$\beta_2$Mは高値となる（図4-16の③，13章 ❼D 尿中低分子蛋白，249頁も参照）．血清$\beta_2$Mの基準範囲は，1.0〜1.9 mg/Lである．

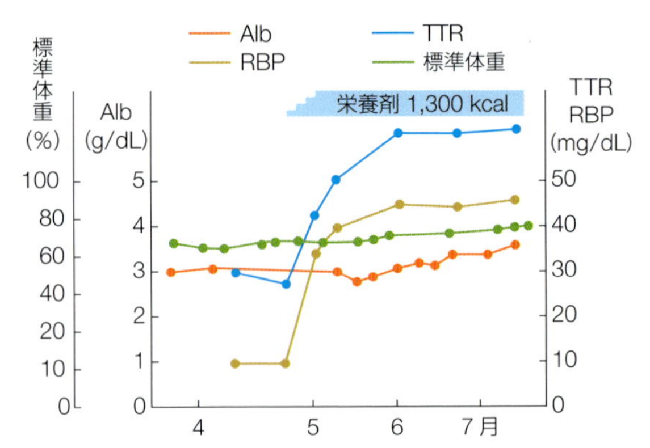


**図4-17 吸収不良症候群における経腸栄養投与後の栄養指標の変化（51歳男性）**

経口栄養に伴いRBP，TTRは速やかに血中濃度が増加している．
体重ならびに血清Albの増加は緩徐である．
〔武藤泰敏：内科領域における栄養アセスメント．臨床病理 35：368-372，1987を一部改変〕

## 10 栄養指標蛋白

栄養状態は，身体所見，身体計測，臨床検査成績などから総合的に評価される．臨床検査としては，末梢血算（リンパ球），CRP，電解質，尿素窒素，脂質，蛋白などが測定される．重要視されているのが蛋白で，アルブミンと，半減期の短いトランスサイレチン（transthyretin；TTR，旧名プレアルブミン），レチノール結合蛋白（retinol-binding protein；RBP）が用いられる（図4-17）．これら蛋白指標の評価で注意したいのは，いわゆるアミノ酸供給という狭義の栄養状態を反映するだけでなく，炎症，肝障害，ネフローゼ症候群などでも低下することである．例えば外科手術後の評価にあたっては，手術侵襲という炎症による変化も加味しなければならない．この場合はCRPの変動が参考になる．

### A アルブミン（Alb）

アルブミンは半減期が約20日間と長く，比較的長期間の栄養状態も含めた健康状態を反映した変動を示し，経過観察，治療効果の判定に適している．血清濃度3.0 g/dL以下で低栄養状態と判断される（❸ アルブミン，76頁参照）．

### B トランスサイレチン（TTR）

TTRは分子量55,000の4量体構造を示す蛋白で，肝細胞，網膜，脳の脈絡叢などで産生されている．食物摂取に依存する必須アミノ酸含量が高く，また肝産生に不可欠なトリプトファン含量が高く，加えて半減期は2〜3日と短いため栄養状態をより反映しやすい．基準範囲は22〜40 mg/dLである．なお，遺伝子変異による変異TTR蛋白は，家族性アミロイド多発神経症と呼ばれるアミロイドーシスを起こす．変異のないTTRも高齢者の心臓を中心としたアミロイドーシスを起こす．

### C レチノール結合蛋白（RBP）

RBPはビタミンAの担送蛋白である．分子量22,000の低分子蛋白で肝臓から産生され腎臓を通過して尿中に排泄される．半減期は16時間と極めて短いため，栄養指標として有利である．基準範囲は2.4〜7.0 mg/dLである．RBPのほとんどはTTRと複合体を形成して存在しており，両者の血中動態変化はほぼ一致する．ただし，腎機能が低下すると遊離型（非結合型）が増加するため評価が困難となる．

## 11 KL-6

シアル化糖鎖抗原 KL-6(sialylated carbohydrate antigen KL-6)はムチン(MUC1)上に存在する分子量 100 万以上の糖蛋白で．主にⅡ型肺上皮細胞から産生される．間質性肺炎，肺線維症で血中濃度が増加することから，これらの疾患，病態の補助診断，活動性の評価，生命予後の推定などに利用されている．基準範囲は 500 U/mL 以下である．

間質性肺炎は肺胞の持続的炎症であり，Ⅰ型肺胞上皮細胞，毛細血管は傷害されるが，Ⅱ型肺胞上皮細胞は過形成が惹起され，KL-6 の産生分泌が増加する．巨大分子であり本来は血中には移行しにくいが，局所炎症による組織破壊，血管基底膜の破壊や透過性の亢進により病変部から血中に移行し血中濃度は上昇する．

肺サーファクタントプロテイン D(SP-D)はⅡ型肺胞上皮細胞から分泌される蛋白で，KL-6 と同様に間質性肺炎のマーカーとなる．

## 12 可溶性 IL-2 レセプター

インターロイキン 2(IL-2)は活性化 T ヘルパー細胞(CD4 陽性)から産生されるサイトカインで，T 細胞，B 細胞，マクロファージなどの免疫担当細胞の活性化，増殖，成熟分化誘導に働く．IL-2 による活性化は，これらの細胞表面に存在する IL-2 レセプター(IL-2R)を介して作用する．IL-2R は，$\alpha$，$\beta$，$\gamma$ 鎖からなる重合体であるが，可溶性 IL-2 レセプター(sIL-2R)の $\alpha$ 鎖は $\alpha$ 鎖細胞外領域が体液中に shedding(こぼれ落ち)したもので，分子量 55,000 の低分子蛋白であるため比較的短時間で腎糸球体基底膜から濾過され，腎近位尿細管で異化される．IL-2R($\alpha$ 鎖)は静止状態にある免疫担当細胞にはほとんど存在しないが，悪性リンパ腫，白血病細胞，とりわけ成人 T 細胞白血病細胞，ヘアリー細胞白血病では表出が顕著となる．また自己免疫性疾患，ウイルス感染，結核などでも，免疫反応により活性化リンパ球，マクロファージから産生が増加する．基準範囲は 122～496 U/mL である．

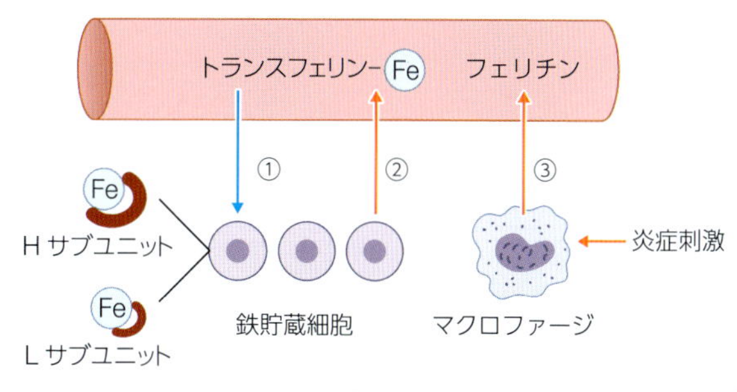


**図 4-18　フェリチンの代謝と病態**

① 鉄欠乏状態，② 通常は細胞からわずかに分泌，細胞破壊時に亢進，③ マクロファージによる合成亢進

## 13 フェリチン

フェリチンは分子量 21,000 の H 鎖サブユニットと分子量 19,000 の L 鎖サブユニットからなる 2 量体蛋白で，その構造内に 2 価鉄を内包して細胞内に存在する．組織分布としては肝や脾に多い．

フェリチン蛋白の合成は細胞内鉄濃度に刺激されるので，鉄欠乏状態では合成が低下する(図 4-18 の①)．血漿中で測定されるフェリチンは細胞から分泌されるもので，つまり組織中の鉄量を反映するため，その個体の鉄貯蔵量を評価するために検査される．鉄欠乏性貧血においては最も鋭敏で治療評価に重要な指標といえる．

鉄過剰となるヘモクロマトーシス，ヘモジデローシス・再生不良性貧血，無効造血では高値となる．鉄供給状態と関係なく，炎症性疾患で細胞が破壊されると血中への放出が増加し，血清フェリチンが高値となる(図 4-18 の②)．肝炎，膵炎，種々の悪性腫瘍でみられる．また，炎症刺激はフェリチン合成を亢進し，血球貪食症候群ではマクロファージにおける合成が特に亢進するため血清濃度は著明な高値となる(図 4-18 の③)．成人 Still 病でも著明な高値になるが，同様の機序と考えられる．基準範囲は男性 13～301 ng/mL，女性 5～178 ng/mL である(ただし試薬により異なる)．

# 5章 酵素検査

## 1 総論

### A 酵素の臨床検査への応用の考え方

酵素は酸化還元反応，転移反応，合成反応，加水分解反応，脱水反応などさまざまな化学反応を触媒する蛋白質であり，細胞内で合成され，細胞質，細胞内小器官，細胞膜上，または細胞外で機能する．生命現象の観点からは大変重要な分子であるが，臨床検査では，細胞や臓器の異常を反映して血中または体液中で増加する性質を病態診断に利用している．酵素をマーカーとする利点は，蛋白質量として測定するより，酵素活性として測定するほうが感度を高く捉えられることにある．

### B 酵素活性が血中で上昇するメカニズム

酵素は病態診断のために，主に血清で測定される．血中に遊離する酵素は概して機能を終えた物質にすぎず，存在自体に意義は少ないがその量が増加または減少する背景に意義がある．どの酵素も生理的に血中にある程度は遊離して存在するが，以下の病的状態でその存在量が多くなる．

#### 1 逸脱（図 5-1 の①）

細胞質や細胞内小器官に存在する酵素が細胞の壊死により細胞外に遊出し，結果的に血中濃度が上昇する．AST，ALT，LD，CK などが該当する．細胞が壊死に陥らなくても細胞膜の透過性亢進でも血中に逸脱するとされる．

#### 2 排出障害（図 5-1 の②）

細胞膜に存在する酵素や，分泌酵素は細胞から管腔に排出される．この排出路に閉塞があると（例えば胆管閉塞など）血管内に逆流して，血中濃度が上昇する．ALP，γ-GT，アミラーゼなどが該当する．

#### 3 誘導，合成の増加（図 5-1 の③）

γ-GT はアルコールやある種の薬剤により合成が亢進する．ALP と γ-GT は胆汁うっ滞で血中濃度が上昇するが，胆汁に含まれる成分による刺激で合成が高まり，血中濃度上昇をさらに引き起こすとされている．このような酵素の合成亢進は酵素誘導と呼ばれる．コリンエステラーゼは過栄養状態で合成が亢進し，低栄養や肝障害で合成が低下し，それぞれ血清活性が増減する．

#### 4 血中半減期，クリアランス（表 5-1）

個々の酵素で血中からの消退の時間が異なるこ

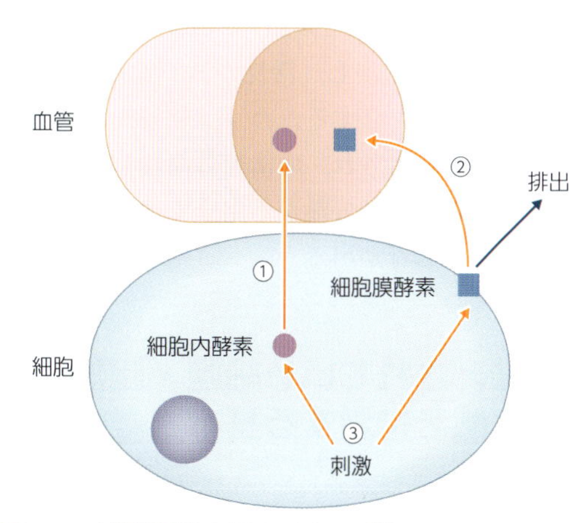


図 5-1　酵素活性上昇のメカニズム
① 逸脱，② 排出障害，③ 誘導

**表 5-1 主な酵素・アイソザイムの血中半減期**

| 酵素・アイソザイム | 半減期 |
|---|---|
| $LD_1$<br>$LD_5$ | 70〜80 時間<br>5〜10 時間 |
| CK-MM<br>CK-MB<br>CK-BB | 15 時間<br>12 時間<br>3 時間 |
| AST<br>m-AST<br>ALT | 20〜30 時間<br>5〜10 時間<br>45〜55 時間 |
| ALP 肝型<br>ALP 胎盤型<br>ALP 小腸型 | 6〜7 日<br>4〜5 日<br><1 日 |
| γ-GT | 7〜10 日 |
| ChE | 10 日 |
| AMY<br>リパーゼ | 3〜6 時間<br>3〜6 時間 |

m-AST：mitochondrial AST

**表 5-2 主な酵素の臓器・組織分布(ラット)**

| 酵素 | 肝 | 腎 | 心 | 筋 | 脳 | 膵 | 肺 | 小腸 |
|---|---|---|---|---|---|---|---|---|
| LD | 96 | 31 | 82 | 100 | 24 | | | |
| AST | 70 | 50 | 100 | 50 | 43 | | 9 | |
| ALT | 100 | 5 | 9 | 21 | 4 | 25 | 11 | |
| CK | | | 8 | 100 | 38 | | 1.2 | 0.5 |
| ChE | 10 | 1 | 81 | 0.5 | 30 | | 8 | 100 |
| ALP | 0.3 | 100 | | 0.2 | 0.2 | 0.2 | | |
| AMY | | | | | | 100 | | 0.7 |

最大含有量の組織を 100 とする.
〔Dixon M, et al: Enzymes. pp634-636, Academic Press, 1979 より〕

とが血中濃度に影響する. ALT が活動性肝炎で AST より高値となるのは ALT の半減期が AST より長いことによる. 膵型アミラーゼは尿中へ排出されやすいため, 腎機能低下で血中クリアランスが低下し血清活性が高めとなる. 酵素に免疫グロブリンが結合するアノマリーと呼ばれる病態では, 高分子化による血中クリアランスが低下し, 血清活性が高値となる.

### 5 採血時・採血後の変化

採血時の不手際や, 採血後の乱雑な検体扱いによって溶血が起こると, LD や AST などの血球内に多い成分が遊出し, 活性が高くなる. LD は血小板にも多く存在するため, 試験管内凝固過程で血小板から放出され, 血清値は血漿値より高めとなる, また, 血清分離が不完全で血小板が血清に残存しても影響が出る.

## C 障害されている細胞・臓器や病態を推測する基本

酵素の体内分布がわかっていると, 血清活性値から傷害された細胞や, 障害された臓器や病態を推測することができる(表 5-2). この場合, 臓器特異性の高い酵素(ALT, CK など)の異常はわかりやすい情報を提供する. 一方, LD や ALP のように関連する障害臓器や病態が多い場合は, 単独の異常だけでは絞り込めないので, 複数の酵素の組み合わせで評価することになる. 例えば LD と AST が上昇していて, 他に異常がなければ溶血を疑う, などと多くの場合は酵素の組み合わせや他の情報から障害臓器や病態を絞り込むことが可能であるが, さらなる情報が欲しい場合, またはその酵素の異常がうまく説明できない場合は, アイソザイム検査を行う. アイソザイムとは, 同じ酵素反応を起こすが, 由来臓器ごとにわずかに構造が異なる酵素群のことで, 多くは電気泳動によって分析される. LD, ALP, アミラーゼのアイソザイム検査がよく行われている.

## D 酵素活性の測定と定義

酵素の 1 国際単位(U)とは, 1 分間に 1 μmol/L の基質に作用する酵素量をいう. 濃度としての表記は U/L か mU/mL となる. かつて使われた IU (international unit)は, 現在は使わないこととしている. 多くの酵素は, 日本臨床化学会(JSCC)の勧告法に従って作製された試薬によって測定され, 標準化(どの施設でも近似した値が得られる)が達成されている.

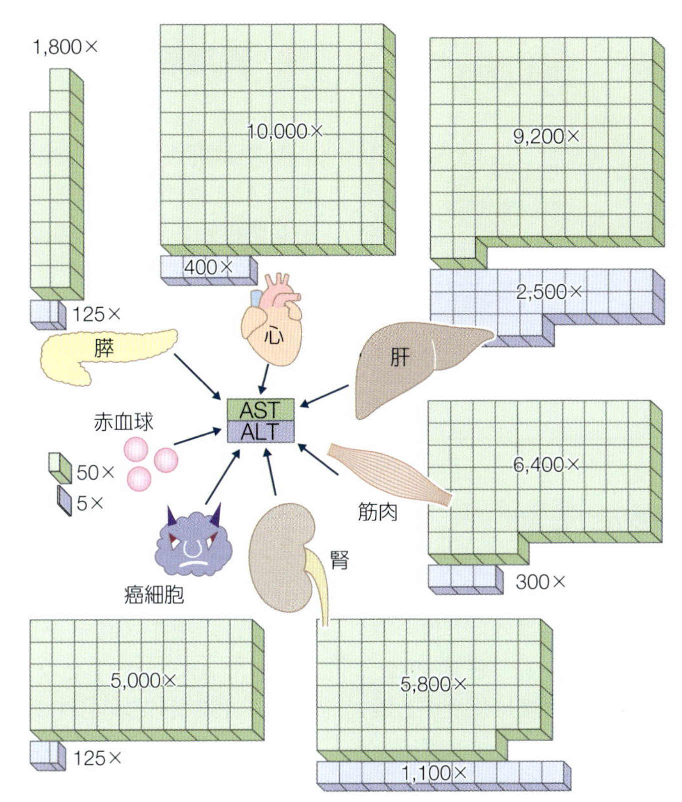


**図 5-2　AST および ALT の体内分布**(原図・河合)

健常人について，血清値の何倍程度含まれるかを示している．
中央は血清 AST(緑色)と血清 ALT(紫色)である．



## E 酵素活性が予想外に低値となる場合

酵素を質量でなく，活性で測定する利点は先に述べたが，活性測定だけに失活しやすいことに留意すべきである．すなわち，採取後速やかに測定すべきであり，保存する場合も保存条件に注意する(−80℃の超低温でも不安定なものがある)．2価金属イオンをキレートする抗凝固剤の混入は同イオンを必要とする酵素活性に影響を及ぼす(ALP など)．免疫グロブリンとの結合は活性値を高めにすることが多いが，失活に働くこともある．稀ではあるが，酵素蛋白の遺伝変異は活性値が低くなることがある．遺伝変異は活性が高くなることもあり，診断には家族調査や遺伝子解析が必要となる．

# 2 AST と ALT

## A 体内分布と代謝(図 5-2)

AST(aspartate aminotransferase：アスパラギン酸アミノトランスフェラーゼ，EC 2.6.1.1)と ALT(alanine aminotransferase：アラニンアミノトランスフェラーゼ，EC 2.6.1.2)は，アミノ基とケト基の転移反応を触媒する酵素で，まとめてトランスアミナーゼ(transaminase)とも呼ばれる．なお，以前はそれぞれ GOT(glutamic-oxaloacetic transaminase)，GPT(glutamic-pyruvic transaminase)と呼ばれてきたが最近は使用しないことになっている．

AST はいろいろな組織細胞に広く分布している．しかし ALT は肝に比較的特異的であって，

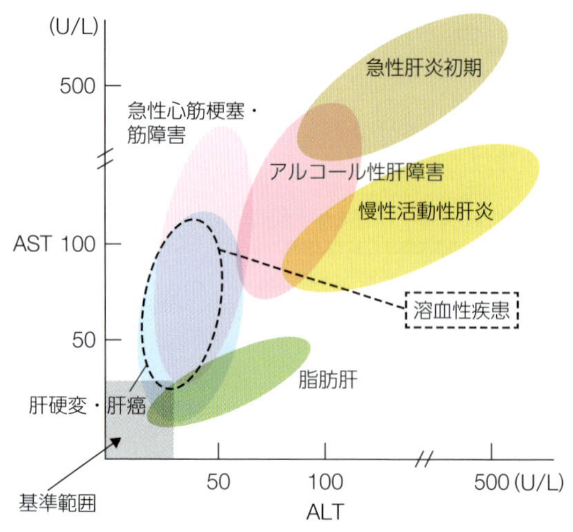


図 5-3　**各種病態における AST と ALT**

腎に肝の約 1/2 程度存在している以外は，他の臓器にはあまり存在しない(図 5-2)．肝内では，AST が中心静脈域に，ALT が門脈域に多いとされ，これは中心静脈域をより障害するアルコール性肝障害で AST＞ALT となる一因であると考えられている．代謝としては，AST の半減期が約 1 日，ALT が 2〜3 日と，ALT がより血中に残存しやすく，そのため進行中の肝細胞傷害では ALT＞AST となる．このように AST と ALT の個々の上昇を検討するだけでなく，AST と ALT の量的比較での評価も臨床的に極めて有用である．健常人では，AST/ALT 比は 1.0〜2.0 程度である．

## B　測定法と基準範囲

わが国ではほとんどの施設で JSCC 標準化対応法を採用している．同じ測定法を使用している施設群の技術的変動係数(CV)は，1.5〜3.0% である．

AST の成人基準範囲は 13〜30 U/L，ALT の成人基準範囲は男性 10〜42 U/L，女性 7〜23 U/L である．AST は運動負荷によって上昇するので，採血前 2 日間は激しい運動を避けるほうがよい．新生児期には AST，ALT ともに成人値の約 2〜3 倍高値を示し，3 歳ごろまでには成人値まで低下する．

## C　異常値を示す場合

ALT は肝疾患に特異性が高いことから，基本的に ALT の異常がある場合は AST と ALT の相互関係から肝疾患の病態を評価する(図 5-3)．ALT が基準範囲内または上昇が軽度で AST が異常値を示す場合は，肝以外の筋疾患や溶血性疾患の可能性があり，他の酵素，特に LD と AST の関係(❸ C 1，98 頁参照)で病態を評価する．

### 1 AST，ALT ともに 500 U/L 以上

AST，ALT ともに高度に上昇(500 U/L 以上)するのは活動性の肝細胞傷害の場合で，例えば急性肝炎が代表的な疾患である．肝細胞傷害のごく初期では，AST のほうが肝細胞あたりの含量が多いので AST＞ALT となる(傷害の強い例では，極期に AST が 5,000 U/L 以上に及ぶことがある)が，数日経過すると先に述べた ALT の長い半減期のために ALT＞AST となる．肝細胞傷害が重症化，劇症化すると肝細胞そのものが激減するため，AST と ALT の値が急激に低下することがある．このような場合においては，AST や ALT が低値であることが軽症であると評価してはならない．

### 2 AST，ALT ともに 100〜500 U/L

急性肝細胞傷害でも明らかな黄疸を伴わない軽症例や，また重症例であってもごく初期または回復期で認められる．一般に慢性肝障害例，例えば慢性活動性肝炎，肝硬変，肝癌，肝膿瘍，閉塞性黄疸，胆道系疾患などは AST，ALT ともに中等度の上昇が認められる．肝硬変，肝癌などでは肝細胞傷害が主ではなく，再生や残存肝細胞由来のものが測定され，AST＞ALT となる．ただし，活動性のある肝障害では ALT＞AST となる．アルコール性肝障害では，AST＞ALT の関係を示すが，これは先に述べた酵素分布の差による可能性や，障害が強く m-AST(後述)までをも遊離させるという説もある．胆石症の発作時では，500 U/L を超える場合もある．

### 3 AST 100〜500 U/L, ALT 100 U/L 以下

肝障害以外の疾患では，心筋梗塞や進行性筋ジストロフィーおよび広範な皮膚筋炎のような筋肉の広範な障害，または溶血性疾患で AST が主として増加する．

時にうっ血性心不全で上昇するが，これはうっ血肝によるためである．

### 4 AST，ALT ともに 100 U/L 以下

このような軽度上昇の場合であっても ALT>AST の関係であれば，何らかの肝細胞傷害を考える．最も多くみられるのは脂肪肝で，ALT が 100 U/L を超えることもある．AST には運動の影響ほか変動要因が多いが，ALT は肝特異的な指標として，例えば薬剤による肝障害などを把握するために，基準範囲上限付近の変化でもきめ細かく観察すべきである．

### 5 AST アイソザイムの評価

AST のアイソザイムには，細胞上清分画に局在する s-AST(soluble AST)と，ミトコンドリアに局在する m-AST(mitochondrial AST)がある．AST として測定されている血清総活性はほぼ s-AST に由来する．m-AST は血中に遊離しがたく半減期も短いことが検出しがたい理由であるが，検出される場合は肝細胞傷害が重篤であることを示す．ただし，測定は一般的ではない．極めて稀に AST と免疫グロブリンが結合したマクロ AST が認められ，AST の単独高値とアイソザイム分画異常を認める．

## 3 乳酸脱水素酵素(LD)

### A 体内分布と代謝

乳酸脱水素酵素(乳酸デヒドロゲナーゼ, lactate dehydrogenase；LD または LDH, EC 1.1.1.27)は生体細胞の細胞質に普遍的に存在し，嫌気的解糖系の最終段階に働く酵素として，次の反応を触媒する．生理的 pH では左行反応(lactate→pyruvate；LP)が優先している．

乳酸＋NAD$^+$⇆ピルビン酸＋NADH

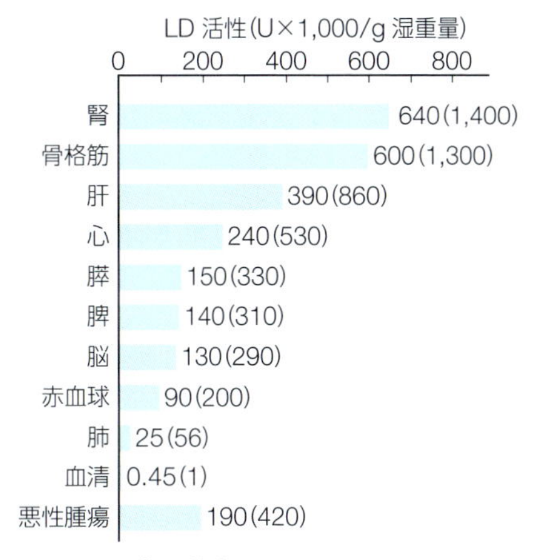


**図 5-4　LD の臓器分布**(Wróblewski らによる)
(　)内の数字は血清中活性を 1 としたときの相対活性を示す．

LD は分子量約 35,000 の 4 個のサブユニットからなり，通常は M サブユニットと H サブユニットの 2 種の組み合わせによる(⑩ B LD アイソザイム，108 頁参照)．したがって，5 つのアイソザイムが電気泳動上で分離される．特殊なものとしては，思春期以後の精巣中に見いだされる LD-X があり，他のサブユニットとのハイブリッド分子が流血中にみられることがある．また，絨毛由来の LD-Z の報告もある．LD は細胞質中に存在し，細胞の傷害により血中へ逸脱する．血中 LD の半減期はアイソザイムごとで異なり，LD1(H4)は 100 時間，LD5(M4)は 10 時間程度である．

LD はほとんどすべての組織に分布するが，特に心，肝，骨格筋，腎，癌組織に多い(図 5-4)．それぞれの臓器でアイソザイムの存在が異なる(⑩ B LD アイソザイム，108 頁参照)．

### B 測定法と基準範囲

前述の左行反応を利用した IFCC 法がほとんどの施設で採用されている．同じ測定法を使用している施設群の技術的変動係数(CV)は，1.5% 程度である．基準範囲は，124〜222 U/L である．

10℃前後の保存であれば数日間は安定であるが，LD5は比較的不安定で，特にアルカリ側で急速に失活する．できれば−80℃の凍結保存が望ましい．

性差はないが，出生直後は最も高く成人の約2倍で，14歳前後で成人値となる．過激な運動直後は軽度上昇し，溶血では明らかに上昇する．生体内溶血だけなく，採血のアクシデントや不適切な試料の扱いによる溶血，血小板の混入などで容易に高値を示すことに注意したい．

## C　異常値を示す場合

### 1 上昇する場合

LDはほとんどあらゆる組織に広く分布するので，LDの上昇だけでは傷害臓器を特定できず，アイソザイムの分析が必要となるが，臨床所見や他の検査所見と合わせた評価が傷害臓器の推定に役立つ．

特に，ASTとの相互関係での評価は有用な情報となる．ASTは肝，筋，赤血球の逸脱酵素であるが，LDに比べ肝ではASTの含量が多く，赤血球や筋ではASTの含量が少ないことが利用される．例えば肝細胞傷害では，LD/AST比が5以下，溶血性疾患では10以上，筋傷害は5〜10などの目安が成立する．もちろん病態の活動性や病期によって柔軟に考える必要がある．また，逸脱酵素のうちLDのみが高値のときは，悪性腫瘍を疑う必要がある．特に悪性リンパ腫をはじめとする造血器腫瘍でよくみられる．腫瘍以外では間質性肺炎，腎梗塞などでもLDが単独で高値となる．

### 2 低下する場合

健常人でも比較的幅広い動きを示すが，異常低値の場合には，極めて稀ではあるが，LD-HサブユニットまたはMサブユニットの欠損症を疑わねばならない．いずれにしても，血清LD活性値のみでは診断的意義が少ないので，LDアイソザイムの検査が必要である．

**サイドメモ　LDとALPの検査法変更**

LDとALPは長らくJSCC(日本臨床化学会)標準化対応法で測定されてきたが，2020年からIFCC(国際化学連合)標準化対応法への変更が開始され，現在ではほぼ移行が完結している．JSCC法には試薬の安定性などそれなりの長所があったが，国際治験などが盛んになる昨今，国際標準に合わせる必要性からの移行であった．なお「標準化対応法」とは，学会などで定めた統一した測定法で，それを使うことでどの施設でも近似した測定値が得られる．IFCC法への移行により，LDにおいては基準範囲の変更はなかったが，アイソザイムのLD5の測り込みが少なくなり，肝疾患においてはJSCC法より低めになる．ALPは移行により基準範囲が約1/3になった．小腸型アイソザイムの測り込みが低下し，血液型と食事の影響が少なくなった(本文も参照)．

# 4　アルカリホスファターゼ(ALP)

## A　体内分布と代謝

アルカリホスファターゼ(alkaline phosphatase；ALP, EC 3.1.3.1)は，アルカリ性の環境でリン酸モノエステルを加水分解する酵素である．ALPはほとんどすべての臓器組織に広く分布しているが，その中でも肝，骨(骨芽細胞)，小腸粘膜上皮，胎盤などに多く含まれている(図5-5)．それぞれの臓器に由来するアイソザイムは，電気泳動的易動度や抗原性に違いがみられる(⑩C ALPアイソザイム，109頁参照)．

肝では肝細胞膜の毛細胆管側に存在し，胆汁中に分泌され，腸内に排泄される．一部は血中に流入し，その半減期は約7日である．

骨においては，骨芽細胞の細胞膜に存在し，骨の石灰化にかかわる．すなわち成長ホルモンの分泌や体重負荷の増大が刺激となって骨芽細胞の増殖が進むと血中への放出も多くなる．半減期は2〜3日である．

小腸では，粘膜細胞膜に存在し，脂肪の吸収の際にリンパ管に入り，最終的に血中に出現する．血液型BまたはO型で分泌型のヒトに通常検出

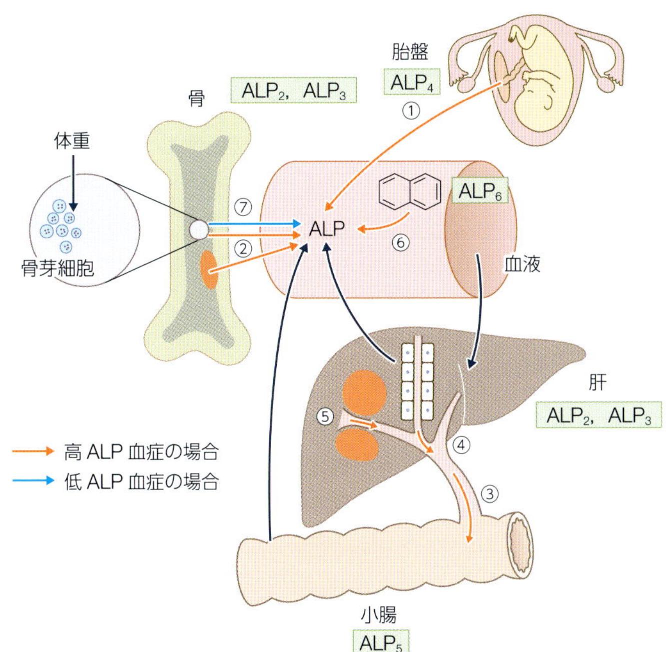


**図 5-5 ALP の体内動態と病態**
(原図・河合)

① 妊娠後期，② 骨芽細胞増殖性疾患，③ 肝外胆道閉塞，④ 肝内胆汁うっ滞症，⑤ 限局性肝障害，⑥ 免疫グロブリン結合性アルカリホスファターゼ，⑦ 家族性ホスファターゼ欠乏症

される．

胎盤では，抱合体栄養細胞膜に存在し，正常妊娠では後期になって成人基準値の 2〜3 倍まで増加し，分娩後 2〜3 週で妊娠前に戻る．

## B 測定法と基準範囲

*p*-ニトロフェニルリン酸を基質に用いる IFCC 標準化対応法がほとんどの施設で使われており，同じ測定法を使用している施設群の技術的変動係数(CV)は 1.5% 程度である．基準範囲は 38〜113 U/L である．IFCC 法の前に行われていた JSCC 標準化対応法では，血液型 B，O で食後に小腸型 ALP が増加されるため，50 U/L 程度高めになっていたが，小腸型 ALP を JSCC 法ほど測り込まない IFCC 法ではは目立たなくなった．

個人の健常値の変動幅は，集団基準範囲の変動幅の約 1/3〜1/2 であり，個人間にかなり違いがある．したがって，個人内変動を重視すべきである．発育期の小児では，成長ホルモンの分泌が盛んで骨増殖も大きいので，骨型 ALP の上昇により，血清 ALP が高値を示し，また，妊娠でも血清 ALP が上昇する．

## C 異常値を示す場合

### 1 上昇する場合

通常，血清総 ALP 活性のほとんどは肝由来と骨由来で占められるため，臨床所見や関連検査値(例えば胆汁うっ滞ならば γ-GT など)を参考にどちらのアイソザイムの上昇が主因か推定できる．しかし詳細な判定にはアイソザイム検査で評価すべきである．また，試験管内変化にも注意したい．数時間以上にわたって室温に血清を放置すると，ALP 活性値の増加がみられることがある．特に乳び血清でこの傾向が強く，これは VLDL と結合した ALP が，室温保存によって VLDL から離れるためと考えられている．

① **妊娠**(図 5-5 の①)：エストロゲン分泌亢進によって胎盤由来の ALP が多量に産生される．そのほかに，比較的稀であるが，卵巣癌や他の悪性腫瘍が胎盤由来 ALP に類似した性質をもつ ALP (Regan isozyme または Nagao isozyme)を産生することがある．

② **骨芽細胞増殖性疾患**(図 5-5 の②)：骨由来の ALP は骨芽細胞により産生されて血中に流入してくるので，骨芽細胞が増殖する疾患では血中

ALP 活性値は高くなる．骨芽細胞が原発性に腫瘍化する骨肉腫では，腫瘍細胞が ALP 産生機能をもっている場合には血中 ALP は著しく高値を示す．たとえ腫瘍細胞が ALP を産生しない場合でも，次に述べる転移癌と同じ理由で上昇することがある．

骨への転移癌または多発性骨髄腫で，局所の骨組織が破壊されると，周辺の骨に体重負荷が過剰にかかり，二次的に骨破壊病変の周辺の骨芽細胞が代償的に増殖し，ALP の上昇を来すことがあると考えられる．その他，骨芽細胞の増殖を来す疾患としては副甲状腺機能亢進症，骨軟化症，Paget 病，骨折，ビタミン D 欠乏症（くる病）などがある．

甲状腺機能亢進症においても，骨型 ALP の上昇がみられ，特にその傾向は若年者に強い．また，慢性腎不全においても，骨代謝に変化が認められるようになれば血清 ALP は上昇する．

**③ 肝外胆道閉塞**（図 5-5 の③）：この場合には，主として肝由来 ALP の胆汁中への排泄が障害されるために血中にうっ滞し高値を示す．閉塞機序以外に胆汁中の物質による ALP 合成の亢進（誘導）も一因とされている（④肝内胆汁うっ滞症でも同様）．胆管胆石症，胆管癌，膵頭部癌，肝癌，胆管炎などによる閉塞性黄疸がある．悪性腫瘍の場合は，ほとんどが約 800 U/L 以上であって，黄疸の強い症例ほど高値を示す傾向がある．

**④ 肝内胆汁うっ滞症**（図 5-5 の④）：肝外胆道閉塞の場合とほぼ同じ機序によるが，比較的広範に病巣が存在する原発性胆汁性肝硬変症，薬剤性肝障害，細胆管炎性肝炎などで著しい．

急性肝炎，慢性肝炎，肝硬変症においても軽度の ALP 上昇が時にみられ，特にこの傾向は急性肝炎においてしばしば認められる．この場合の機序については必ずしも明らかではないが，炎症病巣の浮腫によって，一部肝内胆汁うっ滞が起こるほか，なんらかの刺激による ALP の産生増加も関与していると考えられている．また機序が不明であるが原発性 AL アミロイドーシスにおいても ALP が上昇することが知られている．以上の胆汁うっ滞においては次項の $\gamma$-GT も明らかに上昇する．$\gamma$-GT 上昇をみない ALP 上昇は，骨疾患や妊娠，異常アイソザイムを疑いたい．

**⑤ 肝の占拠性病変（space-occupying lesions）**（図 5-5 の⑤）：明らかな胆道閉塞機転による黄疸がない場合であっても，肝実質内に大きな限局性病巣，例えば肝膿瘍，原発性および転移性肝癌，Hodgkin リンパ腫，サルコイドーシス，粟粒結核などがあると中等度の肝性 ALP の増加が認められる．もちろん，これらの病変が拡がり明らかな胆道閉塞性黄疸を伴うようになれば，さらに ALP 上昇は著明となる．

**⑥ 免疫グロブリン結合性 ALP**（図 5-5 の⑥）：比較的稀な現象であるが，血清 ALP の一部と免疫グロブリンが複合体を形成している場合があり，血中クリアランスの遅延により，高値となる．臨床的に特に特定の疾患と関連が認められているわけではないが，潰瘍性大腸炎に合併して認められることが多い．

**⑦ その他の病態**：小腸型 ALP の上昇と病態の関連は必ずしも定説はないが，肝硬変で上昇することが知られている．また，遺伝性に小腸型 ALP が高値となる家系があり，ALP が著明に上昇することがあるが，特別な症状を引き起こすわけではなく，不必要な精密検査を避けるようにしたい．

小児に多い現象で，感染を契機に一過性に ALP の上昇をみる一過性高 ALP 血症と呼ばれるものがあり，アイソザイム分析では $ALP_2$ と $ALP_3$ の中間に位置する異常バンドが一過性に出現する．

## 2 低下する場合（図 5-5 の⑦）

家族性低ホスファターゼ症（familial hypophosphatasia）でのみ稀に認められ，主として $ALP_2$，$ALP_3$ の欠損または著減がある．軽症では無症状であるが，重症例ではビタミン D 抵抗性くる病となり，新生児期までに死亡する症例もある．

# 5 γ-グルタミルトランスペプチダーゼ(γ-GT)

## A 体内分布と代謝

γ-グルタミルトランスペプチダーゼ(γ-glutamyl transpeptidase；γ-GT, EC 2.3.2.2)は，体内のγ-グルタミルペプチドのγ-グルタミル基を他のペプチド，あるいはアミノ酸に転移する酵素である．グルタミン酸がα位ではないγ位のカルボキシ基の反応であることからγ-GTと呼ばれる．γ-グルタミルトランスフェラーゼ(γ-glutamyl transferase)とも称する．分子量は約86,000である．γ-GTは細胞膜に結合して存在し，腎臓の近位尿細管に最も多く分布し，次いで膵臓，肝臓と続く(図5-6)．ただし血中濃度の増減に影響するのはほとんどが肝胆道系由来のものである．

## B 測定法と基準範囲

JSCC標準化対応法がほとんどの施設で採用されており，同じ測定法を使用している施設群の技術的変動係数(CV)は1.6%ほどである．基準範囲は血清γ-GTの基準値は男性13～64 U/L，女性9～32 U/Lである．男女差は体格，アルコールを含む食事習慣の影響と考えられる．

## C 異常値を示す場合

### 1 肝胆道系疾患

γ-GTは膜酵素であるため肝細胞なら胆汁へ，腎尿細管なら尿中へ排泄される．胆汁うっ滞がある場合には血流へ逆流して血中濃度が上昇する(図5-7)．この機序ではALPも同様の挙動を示す．また胆汁酸の界面活性作用により，既存の膜結合性γ-GTが可溶化し，それが血中に遊出していくためと考えられる．そのほか血清γ-GTが増加する理由は，毛胆管上皮細胞において，γ-GTの誘導(合成亢進)がある．胆汁成分も誘導刺激になるとされており，胆汁うっ滞における上昇に寄与している．

急性肝炎の際に血清γ-GTの上昇が他の肝関連酵素項目より低く抑えられるのは，肝細胞から遊出するASTやALTと，膜酵素のγ-GTは存在様式を異にしていることによる．また急性肝炎での血清γ-GTの活性値が他の肝疾患より比較的低いのは，急性肝炎ではγ-GTの誘導(生合成)の程度が低いことによると考えられる．慢性肝障害になると，その肝γ-GT活性は正常肝よりも約8倍高いという著明な誘導が認められている．

急性膵炎時に軽度の血清γ-GTの上昇が，発症1週間以内の多くの症例で認められ，2～6週間以内に正常化する．また頭～体～尾部膵癌のいずれの場合でも，血清γ-GTの上昇がある．この場合も肝において，胆汁うっ滞によるγ-GT誘導がその主因と考えられる．

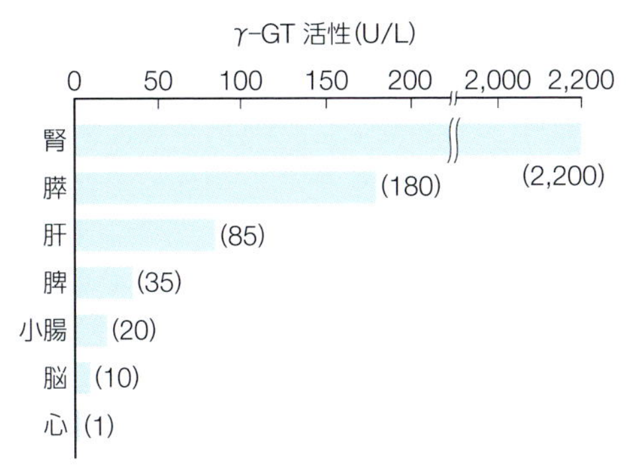


図5-6 γ-GTの臓器分布

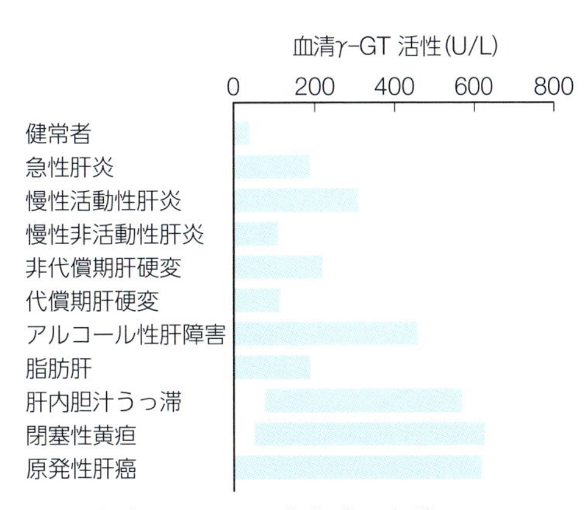


図5-7 血清γ-GTの肝疾患時の変動

5 酵素検査

### 2 アルコール性・薬剤性肝障害

血清 ALP やその他の肝機能検査が正常で，血清 γ-GT のみが異常という症例はかなりみられる．

実際にアルコール常飲者では血清 γ-GT のみ上昇をみることが多い．アルコールはミクロソームの障害をもたらす一方で，ミクロソーム中の種々の酵素の誘導をもたらすことが知られている．なおアルコール常飲者で，一度誘導されて高値になった血清 γ-GT は，断酒により速やかに低下する．

アルコール以外に，例えばフェニトインやフェノバルビタールのような抗てんかん薬でも，高率に血清 γ-GT の上昇が認められる．薬剤により肝細胞が明らかに傷害されたならば ALT が上昇するはずであるが，ALT の上昇がない場合は酵素誘導によるものと考えられる．

### 3 過栄養性・非アルコール性脂肪肝

飲酒習慣のない過栄養性脂肪肝や進行性の非アルコール性脂肪肝でも軽度～中程度に γ-GT が上昇する．

# 6 クレアチンキナーゼ(CK)

## A 体内分布と代謝

クレアチンキナーゼ(creatine kinase；CK, EC 2.7.3.2)はクレアチンリン酸の合成・分解を触媒し，次の反応に関与している．

$$\text{ATP}+\text{creatine} \underset{\text{pH 7.4}}{\overset{\text{pH 9.0}}{\rightleftarrows}} \text{creatine phosphate}+\text{ADP}$$

高エネルギーのクレアチンリン酸は筋肉収縮に必要なエネルギー源となる．CK は分子量約 81,000 で，M(筋型)と B(脳型)の 2 種のサブユニットからなり，BB, MB, MM の 3 つのアイソザイムがあり，いろいろな臓器細胞の細胞質に由来する．そのほかにミトコンドリアに含まれる m-CK もあるが，強度の細胞破壊がなければ血流中には逸脱しない．

主要な臓器内の CK 比活性(図 5-8)は，骨格筋で約 5,000 U/g 湿重量に及び，ほとんどすべて CK-MM である．心筋での比活性は骨格筋のほぼ 1/5 であるが，MM 型が約 80% を占め，MB 型は約 20% である．大脳では骨格筋の約 1/20 で，ほとんどすべて BB 型である．その他の臓器にも含まれるが，その比活性は低く，BB 型が主体をなす一方，MM 型，MB 型も含まれている．血液内への逸脱の主体は骨格筋であって，健常人では MM 型が約 95% を占め，心筋に由来する MB 型が約 5% を占めている．

## B 測定法と基準範囲

JSCC 標準化対応法がほとんどの施設で使われており，同じ測定法を使用している施設群の技術的変動係数(CV)は約 2% である．基準範囲は男性で 59～248 U/L，女性で 41～153 U/L である．運動後には CK 値が上昇し，数日間はその影響が残る．運動負荷の程度により明らかに異なり，マラソンなどの激しい運動では正常の 100 倍以上に達することもある．筋肉内注射でも正常の 10 倍程度までの上昇が 1～2 日間みられる．

## C 異常値を示す場合(図 5-8，9)

**① 急性心筋梗塞**(図 5-8 の①)：発症後数時間で上昇し，1 日でピークに達し，3～4 日で急速に正常化する．AST，LD よりもより早く，より著しい上昇を示すが，急速に正常化する．上昇の程度は梗塞の面積に比例し，2,000 U/L 程度までの上昇がみられる．

急性心筋梗塞以外でも，心筋の障害を伴う場合，例えば心原性ショック，心臓手術，心マッサージ，心筋炎，心房細動などでも CK の上昇は起こる．

**② 骨格筋疾患**(図 5-8 の②)：前述のように，骨格筋の CK 比活性が大きいため，さまざまな筋傷害で血清 CK 活性の上昇を示し，しかも骨格筋の総量も大きいので，全身の筋疾患では，6,000～7,000 U/L 以上にも及ぶ著しい高値を示すことがある(図 5-9)．病態としては，(1)骨格筋の直接傷害(激しい運動，筋肉注射，針灸，強い全身

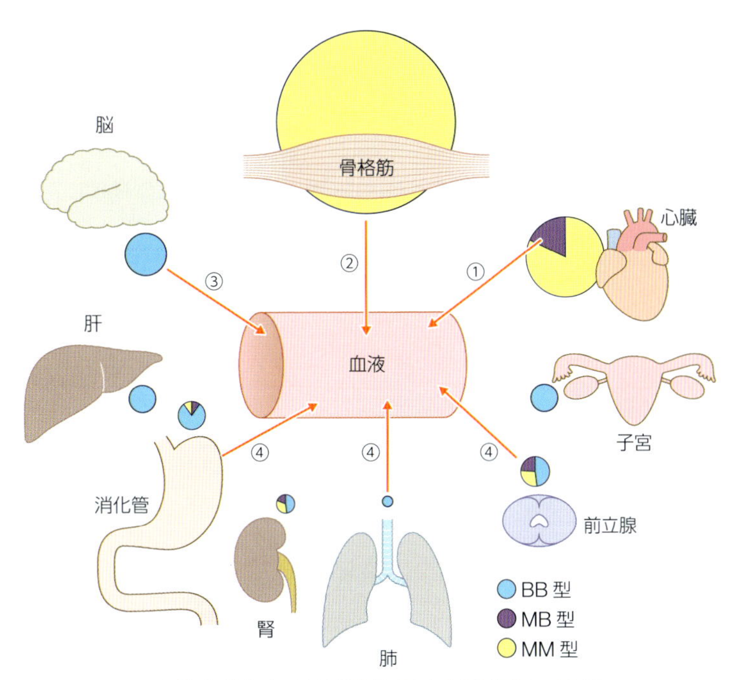


**図 5-8 CK の体内分布と CK 高値を示す病態**(原図・河合)
① 急性心筋梗塞, ② 骨格筋疾患, ③ 中枢神経疾患, ④ 悪性腫瘍

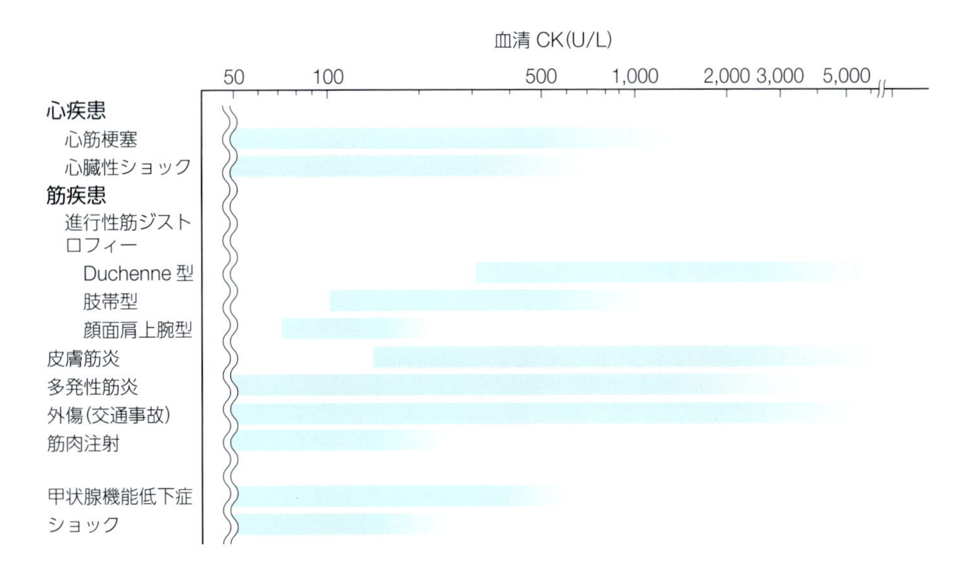


**図 5-9 血清 CK の各種疾患時の変動**(原図・玄番を改変)

マッサージ, 手術, 外傷, など), (2)進行性筋ジストロフィー(特に Duchenne 型), (3)甲状腺機能低下症, (4)その他の筋疾患, 例えば皮膚筋炎, 多発性筋炎, などがある.

③ **中枢神経疾患**(図 5-8 の③):大脳には多量の CK-BB が含まれているが, 脳疾患で血清 CK 活性の明らかな上昇を示すことは少ない.

④ **悪性腫瘍**(図 5-8 の④):胃癌, 腸癌, 肺癌, 前立腺癌などで, 時に CK-BB が血中に出現することがあり, 腫瘍組織に由来すると考えられている.

極めて稀に, 免疫グロブリン結合 CK の報告もあり, 高値を示す.

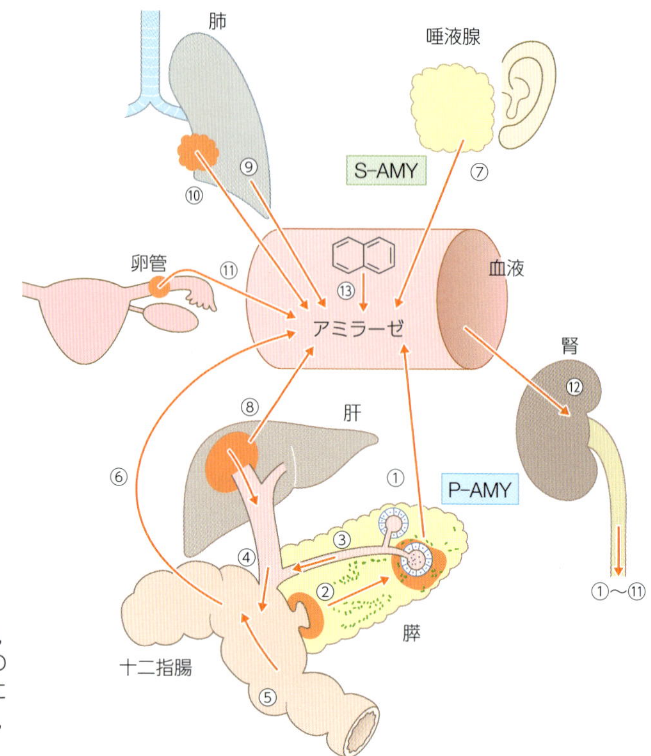


**図 5-10　AMY の体内動態と病態**
（原図・河合）

①② 膵実質の破壊病変，③④ 閉塞障害，⑤⑥ 腸管からの再吸収増加，⑦ 唾液腺の病変，⑧ 肝障害，⑨ 呼吸不全，⑩ 肺癌による異所性 AMY，⑪ 異所性妊娠破裂，⑫ 腎不全，⑬ マクロアミラーゼ血症

# 7 アミラーゼ（AMY）

## A 体内分布と代謝（図 5-10）

アミラーゼ（amylase；AMY）はでんぷんを加水分解する酵素の総称である．α-，β-，γ-の 3 種類のアミラーゼやイソアミラーゼなどがある．臨床で話題にするアミラーゼはα-アミラーゼ（α-amylase, EC 3.2.1.1）で，系統名は 1,4-α-D-glucan glucanohydrolase，別名はジアスターゼ（diastase）である．多糖類（でんぷん，グリコーゲンなど）やオリゴ糖のα-1,4-グルコシド結合を加水分解する．ヒト体液中のアミラーゼは膵型（P 型）と唾液腺型（S 型）の 2 種類のアイソザイムの混合物である．

AMY は膵と唾液腺に多く存在し，微量ではあるが肺，肝，腎，小腸，卵巣などにも存在する．血中に逸脱した AMY の半減期は約 2〜4 時間と短い．低分子のため，腎排泄があり，腎機能の影響を受ける．

## B 測定法と基準範囲

JSCC 標準化対応法が 91% の施設で使用されている．技術的変動係数（CV）は 2.2% ほどである．使われている基質にはまだ統一がみられていないが，基準範囲は 44〜132 U/L とされる．活性測定には $Ca^{2+}$ が必要なので，抗凝固剤の EDTA の入った血漿で低値となる．また試料に唾液が混入すると高値となる．

## C 異常値を示す場合（図 5-11）

**① 膵実質の破壊病変**（図 5-10 の①，②）：急性膵炎の場合には，原発性（図 5-10 の①）および続発性（穿通性十二指腸潰瘍，腹膜炎などに合併）（図 5-10 の②）を問わず，膵外分泌腺細胞の炎症性破壊により AMY が多量に逸脱して血液中に移行し，正常の 5〜10 倍まで著明に上昇する．ただし

**図 5-11 血清 AMY の各種疾患時の上昇頻度(平均的傾向)**(原図・玄番を改変)

ERCP 後：内視鏡的逆行性胆管膵管造影(ERCP)後膵炎
青色は P 型アミラーゼ，緑色は S 型アミラーゼを示す．

AMY の上昇程度と膵炎の重症度とは必ずしも比例しない．また，病期の初期には腹水中の AMY 活性も上昇する．急性膵炎の場合には，発病後 3〜4 日以内に基準範囲に戻ることが多い．

慢性膵炎の場合は，急性発作を合併すると，AMY 活性が上昇する，しかし慢性膵炎や膵癌で上昇する頻度は高くない．

② **閉塞障害**(図 5-10 の③，④)：膵管(図 5-10 の③)，総胆管，Vater 乳頭部(図 5-10 の④)の閉塞が起こった場合は，膵外分泌機能障害のため AMY が血中に逆流し，血清および尿の AMY 値が上昇する．膵管の開口部の解剖学的位置が症例によって異なるので，総胆管や Vater 乳頭部の閉塞でも，膵外分泌機能への影響の度合いは異なる．

③ **腸管からの再吸収増加**(図 5-10 の⑤，⑥)：小腸上位に腸閉塞が起こると(図 5-10 の⑤)，十二指腸の拡張により Vater 乳頭部を圧迫し，④のごとく閉塞性増加を来すほか，十二指腸の壊死が起こると(図 5-10 の⑥)，正常粘膜とは異なって，いったん分泌された AMY が再吸収されて，血中上昇の一因となる．

④ **唾液腺の病変**(図 5-10 の⑦)：ムンプス，耳下腺腫瘍，唾石などによる唾液分泌障害があると，膵の場合と同じように血清および尿の AMY が上昇する．この場合は S 型が上昇する．

⑤ **肝障害**(図 5-10 の⑧)：原因は明らかではないが，肝炎，アルコール肝障害で AMY の上昇がみられることがある．ただこの場合，ほとんどの症例では S 型 AMY が認められる．

⑥ **呼吸不全**(図 5-10 の⑨)：ヘロイン中毒，モルヒネ注射後など一過性に血清 AMY の軽度上昇がみられることがある．以前は薬物による Vater 乳頭部の収縮によると考えられたが，S 型 AMY の増加がほとんどであるため，急性呼吸不全によるものではないかと考えられるようになった．

⑦ **肺癌による異所性 AMY**(図 5-10 の⑩)：稀に肺癌組織や卵巣癌で S 型が産生される．

⑧ **異所性妊娠破裂**(図 5-10 の⑪)：子宮外妊娠破裂で血清 AMY の軽度上昇がみられることがあり，S 型であることから卵管由来の可能性が考えられている．

⑨ **腎不全**(図 5-10 の⑫)：血清 AMY の約 1/3 は腎糸球体を通過して尿中に排泄される．したがって，腎機能が正常であれば，血清 AMY の上昇により通常尿 AMY 排泄も増加する．ただ，腎不全があれば，他の血清蛋白成分と同じように尿中への排泄が低下して血清中にうっ滞してくる．この場合は尿中 AMY が低下し，血清 AMY が上昇する．

⑩ **マクロアミラーゼ血症**(図 5-10 の⑬)：稀に，血清中の AMY の一部が免疫グロブリンや多糖体と結合して大きな分子集団を作ることがある．マクロアミラーゼは尿中に排泄されないため，血清中に持続的な高値を示すことになる．この場合は電気泳動法によるアイソザイム分析で，異常バンドとして認められる．本症に共通した臨床症状はなく，その臨床的意義は不明である．

⑪ **その他の病態**：図 5-10 の①〜⑬のほかにも，

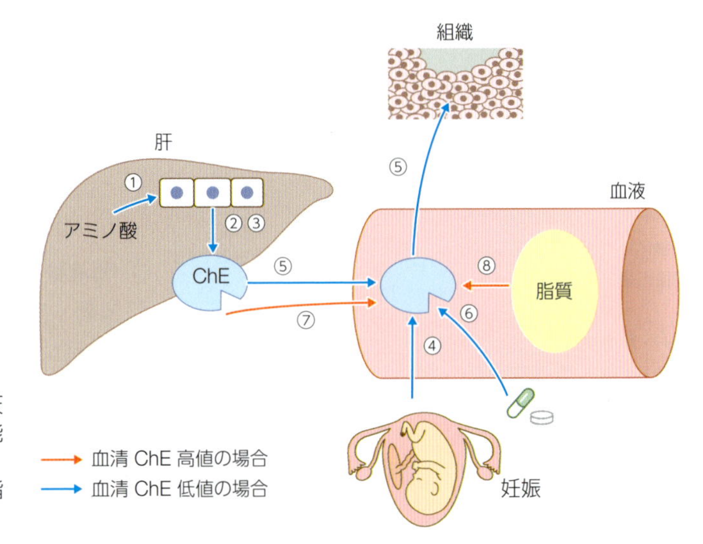


**図 5-12　ChE の体内分布と病態**（原図・河合）

①悪液質・重症消耗性疾患，②先天性 pseudo ChE 異常症，③肝合成能障害，④妊娠，⑤蛋白異化の亢進，⑥薬剤，⑦ネフローゼ症候群，⑧脂質異常症

ショック，心因性拒食症や胸痛，手術後のS型の上昇が知られている．その理由は，例えば人工呼吸管理をする手術では唾液腺圧迫によるS型の上昇が考えられるが，それ以外は不明である．

# 8 コリンエステラーゼ（ChE）

## A 体内分布と代謝

コリンエステラーゼ（cholinesterase；ChE）には2種類あって，一つはアセチルコリンを特異的に分解するアセチルコリンエステラーゼ（acetylcholinesterase；AChE, EC 3.1.1.7, specific or true ChE）と，もう一つはアセチルコリンのみでなく，他のアシルコリンも幅広く分解するアシルコリンエステラーゼ（EC 3.1.1.8, non-specific or pseudo ChE）であり，以下のような触媒反応を示す．臨床検査が対象としているのは後者である．

$$\text{アセチルコリン} + H_2O \xrightarrow{\text{AChE}} \text{コリン} + \text{酢酸}$$
$$\text{アシルコリン} + H_2O \xrightarrow{\text{ChE}} \text{コリン} + \text{カルボン酸}$$

ChE は広く体内に分布しており，赤血球・骨格筋・神経組織などでは主として AChE が含まれ，腸や心では pseudo ChE が主に含まれ，肝・肺などの臓器では AChE と pseudo ChE がおおよそ半々に含まれている．血清も正常人では約65％が pseudo ChE を含んでいる．ChE は分子量 86,000 のサブユニット4つからなる分子量約35万の大きな酵素である．

## B 測定法と基準範囲

JSCC の標準化対応法がほとんどの施設で採用されている．同じ測定法を使用している施設群の技術的変動係数（CV）は，2％ほどである．基準範囲は男性で 240〜486 U/L，女性で 201〜421 U/L である，新生児では成人の約65％程度であるが，生後数週以内に成人値に達し，高齢者ではやや減少傾向を示す．個人内生理的変動の少ない項目として，検体取り違いなどの個別管理に利用されている．

## C 低下する場合（図 5-12）

①**悪液質・重症消耗性疾患**（図 5-12 の①）：アミノ酸プールの欠乏により，他の蛋白質成分と同じように ChE 蛋白の生合成が低下するためである．例えば悪性腫瘍，急性感染症極期などでみられる．

②**先天性 pseudo ChE 異常症**（図 5-12 の②）：極めて稀であるが，先天性に pseudo ChE の活性を

示さない例があり，筋弛緩薬であるスキサメトニウム塩化物投与により，術中無呼吸状態が長時間持続するものがある．この場合，他の肝機能検査が正常であることに注意すれば鑑別ができる．

③ **肝合成能障害**（図 5-12 の③）：肝がほぼ唯一の合成場所と考えてよいので，他の肝機能検査（アルブミンやコレステロール）よりも鋭敏に早期の肝障害を反映する．

④ **妊娠，その他**（図 5-12 の④）：血液ヘモグロビン，血清総蛋白などと同じように，妊娠後期に生理的水血症（循環血液量の増加）のために血清 ChE の低下傾向を示す．それに加えて，妊娠高血圧症候群では肝障害を合併し，さらに低下傾向が著明となる．

同様な機序は腎不全，うっ血性心不全などでもみられる．

⑤ **蛋白異化の亢進**（図 5-12 の⑤）：感染症，内分泌疾患などでは，全身組織での異化亢進のために血清アルブミンの低下傾向とともに，ChE も低値となる．もちろん全身疾患の場合には潜在的な肝機能障害の合併を常に念頭においておく必要がある．

⑥ **薬剤の投与または中毒症状**（図 5-12 の⑥）：ChE 活性を抑制する抗 ChE 薬により著しい血清 ChE の低下が起こる．抗 ChE 薬には次の 2 種類がある．

(ⅰ)カルバミン酸誘導体：エドロホニウム，エゼリン，プロスチグミン，ピリドスチグミン，ジスチグミン，アンベノニウムなどがあり，これらは ChE 蛋白の陰イオン部に働いて可逆的に抗 ChE 作用を示す．

(ⅱ)有機リン剤：パラチオンなどの農薬中毒がよく知られているが，ジイソプロピルフルオロリン酸（DFP），オクタメチルピロホスホラミド（OMPA），テトラエチルピロホスフェート（TEPP），トリオルソクレシールホスフェート（TOCP），神経毒ガス（サリンなど）などの有機リン剤は ChE のエステル分解部位に対して不可逆的抑制作用を示す．その結果，アセチルコリンが神経終末に蓄積して中毒症状を起こす．

### D 上昇する場合（図 5-12）

① **ネフローゼ症候群**（図 5-12 の⑦）：低蛋白血症を代償するために肝細胞での蛋白合成が増加することが，アルブミン代謝の研究により証明されている．ただ，アルブミンなどのように，比較的分子の小さな成分は尿中に多量に漏出するため，血清濃度も低値となる．しかし，$\alpha_2$-マクログロブリン，リポ蛋白のような巨大分子と同じように，分子量 35 万の ChE は漏出されにくいため，血中にうっ滞して高値を示すと考えられる．

② **肝細胞癌**：時に高値を示す症例があり，傍腫瘍性症候群（paraneoplastic syndrome）と考えられる．

③ **甲状腺機能亢進症**：増加しうるとされるが，蛋白異化亢進と肝での代償性生合成亢進との平衡関係の差によって起こるのかもしれない．

④ **脂質異常症**（図 5-8 の⑧）：高脂血症，メタボリック症候群など過栄養状態で軽度高値になることがある．

## 9 リパーゼ

### A 分布と代謝

臨床検査でリパーゼ（lipase）と呼んでいるものは，膵リパーゼのことである．膵リパーゼは主に膵腺房細胞で合成され膵液中に分泌される分子量 49,000 の酵素である．本酵素の常用名はトリアシルグリセロールリパーゼ（triacylglycerol lipase, EC 3.1.1.3）で，トリグリセライド（triglyceride, 中性脂肪）をグリセロールと脂肪酸に加水分解する．基準範囲は検査方法によるが，1, 2-ジリノレオイルグリセロールを基質とする場合は 2～42 U/L である．

## B 異常値を示す場合

P型アミラーゼと同様の機序で血中活性が上昇する．すなわち腺細胞の炎症，壊死によって膵液が細胞外に流出したとき，あるいは正常腺細胞から分泌された場合でもその分泌経路（膵管）に閉塞があるとき，さらに十二指腸に分泌される以上に膵液が過剰生産されたときに，これら膵酵素を含む膵液が血中に逸脱する．血清アミラーゼとの関係では，急性膵炎時の異常高値持続日数がアミラーゼよりも長い場合が多いとされている．

# アイソザイム検査

## A アイソザイム検査の意義

血清酵素活性の異常（多くは高値）が，どの臓器の障害を反映しているかは，他の血清酵素を含む臨床検査値と臨床情報から推測することは難しくはない．加えて古典的なアイソザイム検査は電気泳動法を使用するため時間がかかり煩雑なため，検査される頻度は少なくなってきている．例えば急性心筋梗塞の診断に時間のかかる電気泳動によるCK-MBアイソザイム検査よりは迅速な心筋トロポニン検査が臨床現場で有用なのは言うまでもない．しかし，その異常値の原因の推定が困難である場合は，しばしば電気泳動によるアイソザイム検査が必要になることがある．特に，酵素結合免疫グロブリン（マクロ酵素）や遺伝性の異常はこの分析が必須となる．

## B LDアイソザイム

（❸ 乳酸脱水素酵素，97頁も参照）

### 1 アイソザイムの構成と分布

LDはMサブユニットとHサブユニットの2種の組み合わせによる4個のサブユニットからなり，電気泳動により分離され，陽極に泳動されるものから$LD_1(H_4)$，$LD_2(H_3M_1)$，$LD_3(H_2M_2)$，$LD_4(H_1M_3)$，$LD_5(M_4)$と命名されている（図5-13）．それぞれのアイソザイムは臓器・細胞に特徴的な分布を示し，そのことが病態推定の手掛かりとなる．健常人血清においては，おおよそ$LD_1$ 26%，$LD_2$ 34%，$LD_3$ 25%，$LD_4$ 8%，$LD_5$ 7%程度の割合である．血中での安定性はアイソザイムで異なり，$LD_1$は100時間，$LD_5$は10時間程度である．

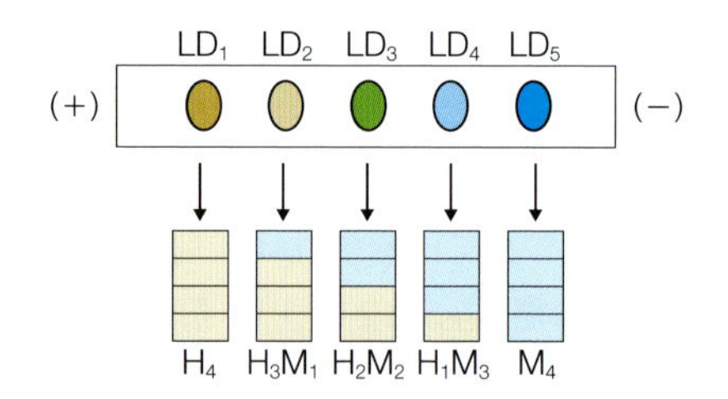


図5-13 LDアイソザイムのサブユニット構成

表5-3 各種疾患における血清LDの相対上昇度とアイソザイムの異常パターン

| | LD活性 | LDアイソザイム | | | | |
|---|---|---|---|---|---|---|
| | | $LD_1$ | $LD_2$ | $LD_3$ | $LD_4$ | $LD_5$ |
| 心筋梗塞 | ↑↑ | ● | ● | | | |
| 巨赤芽球性貧血 | ↑↑↑↑ | ● | ● | | | |
| 溶血性貧血 | ↑↑ | ● | ● | | | |
| 筋ジストロフィー | ↑，→ | ● | ● | | | |
| Cushing症候群 | ↑ | ● | ● | | | |
| 甲状腺機能低下症 | ↑ | ● | ● | | | |
| 白血病 | ↑↑ | | ● | ● | | |
| リンパ腫 | ↑↑ | | ● | ● | | |
| 膵炎 | ↑ | | ● | ● | | |
| 進行癌 | ↑↑↑ | | ● | ● | | |
| 肺梗塞 | ↑ | | ● | ● | ● | |
| うっ血性心不全 | ↑ | | | | ● | ● |
| ウイルス性肝炎 | ↑↑ | | | | ● | ● |
| 中毒性肝炎 | ↑ | | | | ● | ● |
| 肝硬変 | ↑ | | | | ● | ● |
| 尿毒症 | ↑ | | | | ● | ● |
| 多発性筋炎 | ↑ | | | | ● | ● |

●は異常上昇を示す．

### 2 分画異常と病態

各種疾患において血清LD活性が増加するが，その場合のLDアイソザイムパターンの平均的な動きを表5-3にまとめた．

① **H サブユニット優位型**：$LD_1$ は心筋，赤血球に多く含まれるので，心筋梗塞や巨赤芽球性貧血，溶血性貧血では $LD_1$ 分画が上昇する．$LD_2$ に比較した $LD_1$ の優位性は心筋傷害でより顕著である．

② **M サブユニット優位型**：$LD_5$ は肝細胞，骨格筋，皮膚などに多く含まれるので，ウイルス性肝炎，肝硬変，肝癌，多発性筋炎，悪性腫瘍(特定はできない)などで $LD_5$ 分画の優位な上昇がみられる．

③ **$LD_2$ または $LD_3$ 優位型(非特異型)**：健常人では，$LD_2 > LD_3$ の関係であるが，白血病や悪性リンパ腫などの造血器腫瘍では，$LD_3$ が優位になる．その他の悪性腫瘍でも $LD_2$ と $LD_3$ がさまざまなバランスで上昇する．筋疾患では，急性では $LD_5$ の増加が観察されるが，筋ジストロフィーのような慢性筋疾患では $LD_2$ 優位型の上昇となる．肺梗塞などの肺傷害では $LD_2$，$LD_3$ 優位パターンとなる．

④ **免疫グロブリン結合 LD**：稀な異常で臨床的意義に乏しいが，異常電気泳動パターンとなる．LD が血中にうっ滞し，総活性が高くなる．

## C ALP アイソザイム

(❹ **アルカリホスファターゼ**，98 頁も参照)

電気泳動で陽極から $ALP_1$～$ALP_6$ に分離される．健常人で見られる主たる分画は $ALP_2$ と $ALP_3$ である．

① **$ALP_1$(高分子肝型)**：$ALP_2$(肝型)に肝細胞膜断片が結合したもので，閉塞性黄疸，胆汁うっ滞で出現する．

② **$ALP_2$(肝型)**：肝細胞膜に存在する酵素で，胆汁うっ滞による排泄障害，生合成亢進により血中で高値となる．

③ **$ALP_3$(骨型)**：骨芽細胞に由来するため，骨形成マーカーとなる．副甲状腺機能亢進症，骨軟化症，腎不全，成長期で高値を示す．$ALP_2$ とは蛋白部分の構造が同じで，糖鎖構造が異なる．電気泳動では，しばしば両者の分離が困難なことがあり，特殊な電気泳動で分離または直接免疫学的に定量されることがある．

④ **$ALP_4$(胎盤型)**：胎盤に由来するもので妊娠時に出現する．一部の腫瘍で同じようなアイソザイムを産生されることがある．

⑤ **$ALP_5$(小腸型)**：小腸由来であり，血液型 B または O の分泌型の人で検出され，かつ脂肪食後に血中で上昇する．

## D アミラーゼアイソザイム

(❼ **アミラーゼ**，104 頁も参照)

アミラーゼには膵由来(P 型)と唾液腺由来(S 型)の一次構造が若干異なる 2 種のアイソザイムがある．分子量が 5 万～6 万で，P 型のほうが低分子で尿中に排泄されやすい(腎機能の影響を受けやすい)．健常人では P 型が約 40%，S 型が約 60% である．膵疾患においては，リパーゼなどの検査があり，あえて P 型アイソザイムの上昇を見る必要性は低い．同じように唾液腺疾患では当然 S 型が上昇する．

したがってアイソザイム検査は説明困難な高アミラーゼ血症で行われることになる．両アイソザイムとも，腎不全で上昇することがあるが，説明困難な場合は S 型アイソザイムの上昇がほとんどで，腫瘍細胞(肺癌や卵巣癌)が産生することが報告されていることに留意したい．また，マクロアミラーゼ血症もアイソザイムパターンで疑うことができる．

## E CK アイソザイム

(❻ **クレアチンキナーゼ**，102 頁も参照)

前述したように，大部分を占める MM 型と，微量の MB 型，BB 型アイソザイムがある．心筋傷害時に上昇する MB 型を確認するために電気泳動によるアイソザイム検査が行われることはなく，活性で測定する CK-MB 検査も偽陽性が多いため保険収載から削除され，MB 型の蛋白量を免疫化学的に測定する検査が行われている(⓫ **心筋傷害マーカー**，110 頁参照)．稀に酵素結合免疫グロブリンや，BB 型の評価で本検査が行われることがある．

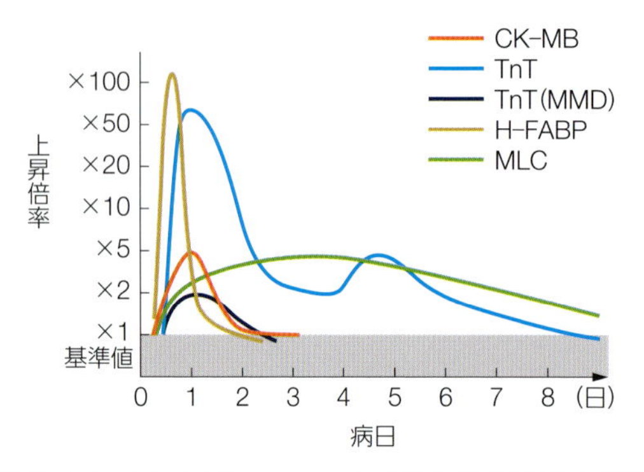


**図 5-14　主な心筋マーカーの急性心筋梗塞時の平均的変動**

H-FABP：心臓型脂肪酸結合蛋白，TnT：トロポニン T，MLC：ミオシン軽鎖，MMD：微小心筋障害
〔日本臨床検査医学会ガイドライン作成委員会(編)：臨床検査のガイドライン JSLM2015．p271 より一部改変〕

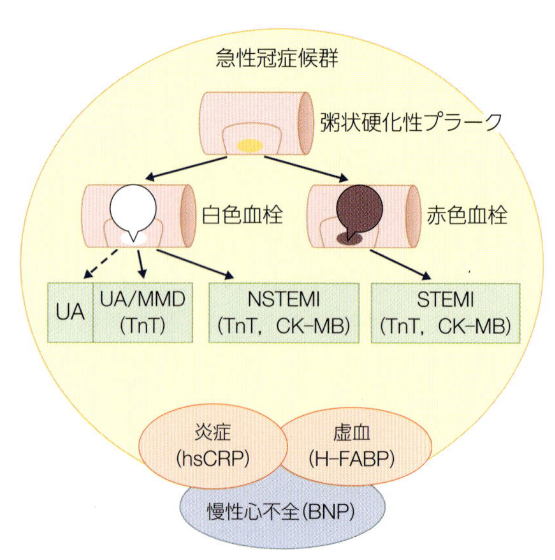


**図 5-15　急性冠症候群/急性心筋梗塞の概念と病態の背景**

UA：不安定狭心症，MMD：微小心筋障害，NSTEMI：非 ST 上昇型心筋梗塞，STEMI：ST 上昇型心筋梗塞
(　)内は主な心筋マーカーで，TnT：トロポニン T，hsCRP：高感度 CRP，H-FABP：心臓型脂肪酸結合蛋白，BNP：脳性ナトリウム利尿ペプチド

# 11 心筋傷害マーカー

## A 心筋傷害の概念と心筋マーカー

急性心筋梗塞を含む急性冠症候群は，心筋細胞に存在し，心筋傷害時に血中に逸脱してきて診断に役立つ一連の物質は心筋マーカーと呼ばれている．虚血性心筋傷害が起こると，まず細胞膜傷害により細胞質可溶性成分が血中に逸脱する．傷害が軽度で短時間のうちに血流が回復すると，これらの心筋マーカーの上昇は軽度であり，心筋傷害も可逆的である可能性が高い．虚血性傷害がさらに進展すると，細胞内蛋白分解酵素が活性化されて筋原線維が破壊され，トロポニン T，ミオシン軽鎖などが血中に逸脱してくる．急性心筋梗塞時における各種の心筋マーカーの経時的変化を模型的に示したのが図 5-14 である．

従来 WHO 分類によって急性心筋梗塞(acute myocardial infarction；AMI)が定義され，定型的臨床徴候を伴い血中の CK-MB，トロポニン T または I(TnT or I)が上昇する病態とされてきた．その後，海外の関連学会，日本循環器学会が冠動脈狭窄/閉塞による心筋障害を広く急性冠症候群と定義した(図 5-15)．これには，赤色血栓または混合血栓による完全閉塞に伴う ST 上昇型心筋梗塞(ST-elevation myocardial infarction；STEMI)に加えて，主として白色血栓による不完全閉塞に伴う非 ST 上昇型心筋梗塞(non-ST-elevation myocardial infarction；NSTEMI)，微小心筋障害(minor myocardial damage；MMD)，不安定狭心症(unstable angina；UA)が包括されている．さらに，不安定狭心症のうち CK の軽度上昇(健常値の 2 倍以下)で，TnT，CK-MB の上昇する高リスク型は，MMD または微小心筋梗塞(myocardial micro-infarction)と呼ばれている．

症状と心電図から ST 上昇型心筋梗塞と診断された場合には心筋マーカーの結果を待つことなく治療が検討されるが，非 ST 上昇型心筋梗塞や不安定狭心症は心電図診断が困難なため，心筋マーカーの測定意義は高い．全般的には，早期心筋障害の診断には，第一選択としてトロポニン T の検査を推奨し，それができない場合には CK-MB の検査を実施する．

## B CK-MB
(❻ クレアチンキナーゼ，102 頁も参照)

CK は M サブユニットと B サブユニットの組み合わせによる 2 量体であり，MM，MB，BB に分離される．図 5-8(103 頁参照)に示すような臓器分布があるが，血清については，CK-MM が約 95%，CK-MB が約 5%，CK-BB が 1% 以下の割合となる．心筋自体は MM を多く含むが，MB の相対的割合が大であるため，急性心筋梗塞の診断に使われてきた．血清 CK-MB 値は急性心筋梗塞発作後 12〜24 時間でピークに達し，以後，急速に減少する．発症後 4〜8 時間では 60%，12〜24 時間では 100% の症例で陽性所見を示すが，発症後 32 時間からすでに陽性率は減りはじめ，3 日後ではほぼ全例で陰性となる．従前は活性測定が行われていたが，現在は免疫化学的に蛋白量が定量され，その基準範囲は 5 ng/mL 以下である．

## C 心筋トロポニン

トロポニン T(troponin T；TnT)は，TnI，TnC とともに心筋トロポニン複合体を形成し，ミオシンやアクチンとともに心筋収縮に関与している．TnT の約 94% は筋原線維構造蛋白に局在し，約 6% は細胞質に可溶性成分として存在する．血中半減期が 2 時間と短いため，心筋障害時に 2 峰性の上昇を示すのが特徴である．第一ピークは発症 12〜18 時間で，細胞質に由来し，第二ピークは 90〜120 時間後に認められ，筋原線維に由来する．POC 検査用具が開発され，心電図検査とともに初診時検査として広く行われている．TnI は 2 峰性の上昇パターンは見られない．TnT の定量測定が高感度化し，超急性期の急性心筋梗塞の診断トリスク層別化が可能になった．また，CK が上昇しない程度の微小心筋傷害を検出できるようになったことで，従来，不安定狭心症とされてきた症例が非 ST 上昇型心筋梗塞に含まれるようになった．なお，TnT と TnI の臨床的有用性はほぼ同等とされる．現在心筋トロポニンは急性冠症候群における第一選択のマーカーであるが，高感度化されたとはいえ発症直後の急性心筋梗塞では異常を示さない例もある(再測定が必要)こと，虚血以外の心筋炎や肺塞栓などでも上昇する例があること，腎排泄のため腎機能障害で上昇すること，などに注意したい．

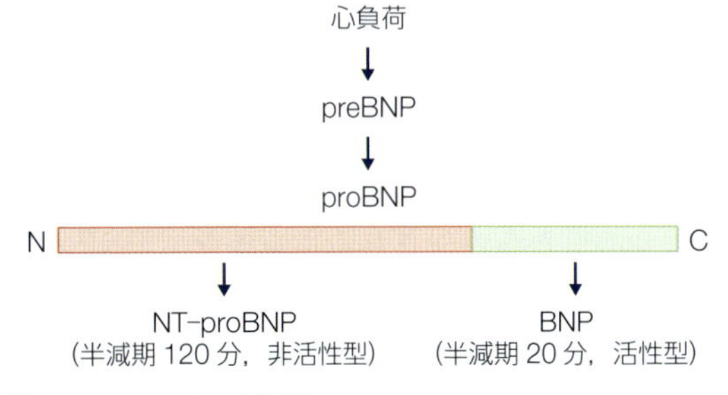

図 5-16 BNP の代謝

## D 心臓型脂肪酸結合蛋白 (H-FABP)

心臓型脂肪酸結合蛋白(heart-type fatty acid binding protein；H-FABP)は，主として心筋細胞脂質に局在し，AMI 発症後 2 時間程度という早期から，トロポニン，CK-MB に先駆けて上昇し，5〜10 時間でピークに達する．

# ⑫ 心筋ストレスマーカー：BNP と ANP

脳性ナトリウム利尿ペプチド(brain natriuretic peptide；BNP)は，心室で合成されるホルモンであり，利尿作用と血管拡張作用を有する．循環血液量の増大や，心肥大，虚血，拡張期圧上昇，拡張期容積増大などの心室壁へのストレスによって合成が亢進することで，心不全の重症度を示唆する生化学的なマーカーとして測定されている．BNP は心室で前駆体 preBNP として合成され，さらにやや低分子の proBNP となり，この N 末端側 2/3 部分が除去されたものが BNP として活性を示す(図 5-16)．BNP は不安定で，測定試料も血漿に限られることから，N 末端側のフラグメントである NT-proBNP が，安定した血中濃度を示し，血清を試料とできる利点もあいまって，BNP とともに測定対象となっている．NT-proBNPは腎排泄に依存するため，腎不全で高値となることに注意したい．心房性ナトリウム利尿ペプチド(atrial natriuretic peptide；ANP)は，心房負荷により心房から産生されるホルモンでBNPと同様の生理作用を有する．心不全で上昇するが，その程度はBNPのほうが顕著である．

# 13 肝線維化マーカー

## A 肝線維化診断の意義

ウイルス性肝炎，脂肪肝，その他の肝障害では，その一部が慢性に進行し，肝の線維化をきたし肝硬変に至る．その線維化の程度を把握することは患者のケアと予後を考えるうえで極めて重要である．なお，線維化診断のスタンダードは生検による病理組織診断であるが侵襲検査に位置づけられる．検体検査としては，従来から血小板数がこの目的で用いられてきている．線維化により門脈系の循環が障害され，脾臓へ血流が増加することで血球減少が起こり，血小板の減少は他の血球系より鋭敏である．他には，因果関係は不明であるが線維化が進むと免疫グロブリンのポリクローナルな増加が顕著となる．しかし，それらは線維化以外でもみられるため，直接的に肝線維化を示唆するマーカーが順次見いだされ，臨床応用されるに至った．なお，画像検査特に超音波検査のこの目的での進歩も著しい．

## B FIB-4 Index

肝線維化を反映する血小板減少と肝硬変ではAST＞ALTとなることを利用した計算式で，健診などで用いられている．

$$\text{FIB-4 Index} = \frac{\text{年齢} \times \text{AST(U/L)}}{\text{血小板数}(10^9/\text{L}) \times \sqrt{\text{ALT(U/L)}}}$$

基準値は1.3未満，13～2.67が線維化，それ以上は肝硬変とされる．

## C 肝線維化マーカー

### ❶ ヒアルロン酸

ヒアルロン酸はD-グルクロン酸と*N*-アセチル-D-グルコサミンが重合した酸性ムコ多糖で関節滑膜細胞をはじめとする結合組織で産生される．肝線維化に伴い，肝でのヒアルロン酸処理能が低下して血中濃度が増加する．

### ❷ Ⅲ型プロコラーゲンペプチド(P-Ⅲ-P)

線維成分であるコラーゲンは，前駆体であるプロコラーゲンからペプチダーゼで処理されて生成する．P-Ⅲ-Pは，その際に遊離するペプチドの一つである．P-Ⅲ-Pは線維化の活動性，炎症を反映するため，線維化のやや早期のマーカーと考えられている．

### ❸ Ⅳ型コラーゲン

肝の線維化過程では，類洞のDisse腔に基底膜が形成される．Ⅳ型コラーゲンは基底膜の主要成分であるため，血中のⅣ型コラーゲンが増加してくる．線維化後期のマーカーと考えられている．

### ❹ Mac2結合蛋白糖鎖修飾異性体(M2BPGi)

M2BPGi(Mac2 binding protein glycosylation isomer)はレクチン親和性を有する分泌糖蛋白質Mac2の結合蛋白質であるMac2 binding protein(M2BP)の糖鎖修飾異性体で，培養細胞株からがん糖鎖バイオマーカーを探索する中で見いだされたものであるB型・C型のウイルス性肝炎，NASHの線維化後期の診断に有用とされている．

### ❺ オートタキシン

リン脂質であるリゾホスファチジン酸(LPA)は線維芽細胞や平滑筋細胞の増殖を促進するため，肝の線維化に働く．しかし，LPAを測定するのは困難なためその産生酵素であるオートタキシンがマーカーとして見いだされた．オートタキシンはまた，類洞内皮細胞で取り込まれて分解されるため，肝線維化が進み，その取り込みが低下すると血中濃度が増加する．M2BPGiに比較すると初期線維化の診断能に優れているとされる．

# 6章 糖代謝関連検査

## 1 総論

### A 糖質

糖質は，単糖類，これが結合した少糖類(オリゴ糖，果糖類ともいわれる)，多糖類の総称である．単糖類は4～7個あるいは8個の炭素原子をもち，1分子のアルデヒド基またはケトン基を有している．グルコース(ブドウ糖)は炭素数が6つの六炭糖(ヘキソース)に属している．グリコーゲン(動物)やデンプン(植物)は多糖類であり，加水分解されて単糖類になる．正常者の血清・尿中の糖質の濃度を表6-1に示す．ガラクトース，マンノース，フルクトース，ラクトースの存在はわずかであり，血中のグルコースを血糖と呼称している．

糖質は，一般に生体内でエネルギー源として働く．主として脳を含む神経組織や赤血球のエネルギー源であるグルコースは，細胞内で解糖系によって代謝され，ピルビン酸になる．好気的条件(酸素が十分な状況)下でピルビン酸はミトコンドリアにおいてクエン酸回路(tricarboxylic acid；TCA または Krebs 回路)で代謝され，アデノシン三リン酸(adenosine triphosphate；ATP)を産生し，エネルギーを放出・貯蔵する．

### B 血糖の調節

血糖(血中のグルコース)はさまざまな分子の複雑な関与で精緻に調節され，正常時の血糖値は70～109 mg/dL(10～14時間の絶食後の空腹時値)に保持される(図6-1)．糖質の摂取と吸収の過程を経て，グルコースは肝臓に輸送される．肝臓においてグルコースの取り込み，さらにそのグルコースをもとにしたグリコーゲンの合成と分解が行われ，これは血糖調節の主機構の一つになる．また，末梢組織(例：筋，脂肪組織)もグルコースを利用して血糖調節を行う．

内分泌ホルモン群の挙動は，血糖調節の主な機構の一つである．膵の Langerhans 島は $\alpha$，$\beta$，$\delta$，PP 細胞からなる．インスリンは，血糖を下げる唯一のホルモンとして膵 $\beta$ 細胞から分泌される．肝臓においてはグリコーゲンの合成促進と分解抑制に働き，糖新生を抑制する．筋や脂肪組織の末梢組織においてはグルコースの取り込みを促進する．脂肪細胞ではグルコースを脂肪に転換する脂肪の合成促進にも働く．インスリンが膵から十分に分泌されていても，臓器のインスリンに対

**表6-1 健常者の血清・尿中に存在する糖質の濃度**

| | 糖質 | 血清(mg/dL) | 尿(mg/dL) |
|---|---|---|---|
| 単糖類 | 五炭糖類 | 3.7 | |
| | アルドース | | |
| | キシロース | | 2.8 |
| | アラビノース | | 0.9 |
| | 六炭糖類 | | |
| | アルドース | | |
| | グルコース | 80 | 5 |
| | ガラクトース | 1 | 4 |
| | マンノース | 1 | |
| | ケトース | | |
| | フルクトース | 1 | 2 |
| 少糖類 | 二糖類 | | |
| | ラクトース | 0.5 | 9.5 |
| | スクロース | 0 | 2.2 |
| 多糖類 | 多糖類 | 110 | |
| | グルコサミン | 70 | |
| | グリコーゲン | 0 | |

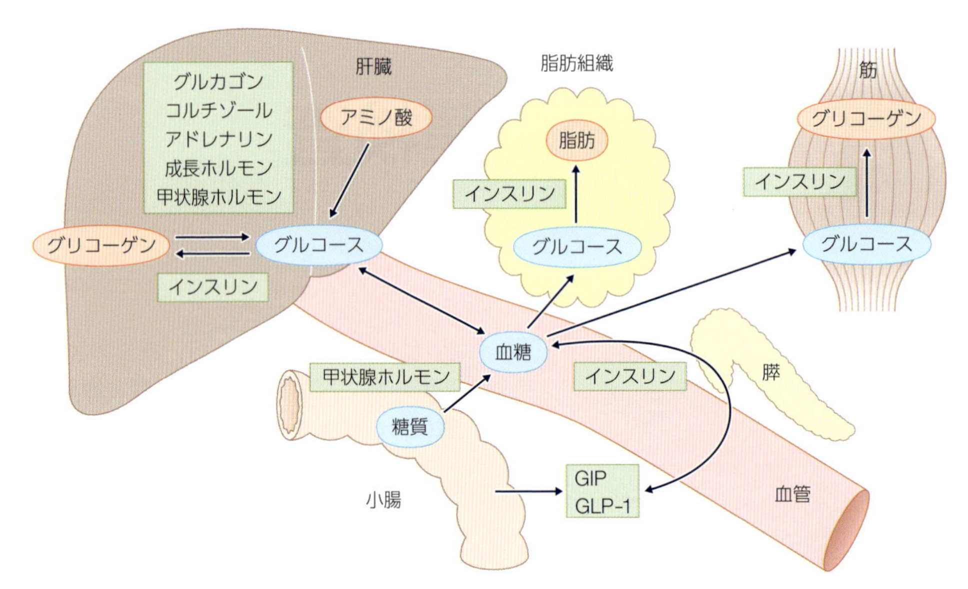


**図 6-1　血糖の調節と主なホルモン群**

する感受性低下がみられ，その作用に乏しい状態をインスリン抵抗性と呼び，この状態は血糖を上げる．

逆に血糖を上げる作用をもつホルモンは多くみられ，グルカゴン，副腎皮質刺激ホルモン，糖質コルチコイド(グルココルチコイド；特にコルチゾール)，アドレナリン(エピネフリン)，成長ホルモン，プロラクチン，甲状腺ホルモン，ソマトスタチンなどがあげられる．膵 α 細胞から分泌されるグルカゴンは肝での糖新生を亢進し，グリコーゲンを分解する．グルカゴンの分泌は過血糖時には抑制され，低血糖時には促進される．グルカゴンには胃運動を抑制する作用もある．糖質コルチコイドは蛋白質を分解し，肝臓へのアミノ酸の取り込みを促進して糖原性アミノ酸からの糖新生を亢進する．同時に末梢組織でのグルコースの消費を抑制する．アドレナリンはグルカゴンと同様の作用を示しつつ，グルカゴンの分泌も促進し，また筋組織で生じた乳酸をもとに糖新生を亢進する．

消化管ホルモンのインクレチン，特にグルカゴン様ペプチド 1(glucagon-like peptide-1；GLP-1)やグルコース依存性インスリン分泌刺激ポリペプチド(glucose-dependent insulinotropic polypeptide；GIP)も血糖調節にあずかる．GLP-1 は下部腸管の L 細胞から分泌され，インスリン分泌を促進するとともにグルカゴン分泌を抑制する．GIP は上部小腸の K 細胞から分泌され，血糖の上昇に合わせてインスリン分泌を促進する．なお，正常～低血糖時にはグルカゴン分泌を促進する．血中のインクレチンは DPP-4(dipeptidyl peptidase-4)によって速やかに分解されるため，血中半減期は短い．

この他に血糖調節には自律神経系が関与している．交感神経の影響下では，間脳視床下部からの経路でグルカゴンやアドレナリンなどが分泌されて血糖は上がり，逆に副交感神経の影響下では，

**サイドメモ　細胞膜糖輸送体**

細胞内外へのグルコースの移動は，細胞膜上の担体蛋白を介しており，糖輸送体(glucose transporter；GLUT)とナトリウム・グルコース共役輸送体〔sodium glucose (co)transporter；SGLT〕の 2 つが有名である．GLUT には 14 種のアイソフォームがある．GLUT2 は主に肝で糖輸送を制御している．血糖が上がると膵 β 細胞からインスリンの分泌も促す．GLUT4 はインスリン刺激による筋や脂肪細胞への血糖の移動にあずかる．SGLT には 6 種のアイソフォームがある．SGLT1 は主に小腸で摂取された糖を吸収する．また，SGLT2 は主として腎臓で，糸球体濾過を受けた糖を再吸収し，体内に糖を取り込む．

**表 6-2 糖尿病と糖代謝異常[注1]の成因分類[注2]**

**Ⅰ. 1 型**(膵 β 細胞の破壊．通常は絶対的インスリン欠乏に至る)
A. 自己免疫性
B. 特発性

**Ⅱ. 2 型**(インスリン分泌低下を主体とするものと，インスリン抵抗性が主体で，それにインスリンの相対的不足を伴うものなどがある)

**Ⅲ. その他の特定の機序，疾患によるもの**
A. 遺伝因子として遺伝子異常が同定されたもの
① 膵 β 細胞機能にかかわる遺伝子異常
② インスリン作用の伝達機構にかかわる遺伝子異常
B. 他の疾患，条件に伴うもの
① 膵外分泌疾患
② 内分泌疾患
③ 肝疾患
④ 薬剤や化学物質によるもの
⑤ 感染症
⑥ 免疫機序によるまれな病態
⑦ その他の遺伝的症候群で糖尿病を伴うことの多いもの

**Ⅳ. 妊娠糖尿病[注3]**

注 1 一部には，糖尿病特有の合併症をきたすかどうかが確認されていないものも含まれる．
注 2 現時点ではいずれにも分類できないものは，分類不能とする．
注 3 糖尿病治療ガイド 2022-2023 の「妊娠と糖尿病」を参照．
〔日本糖尿病学会：糖尿病の分類と診断基準に関する委員会報告(国際標準化対応版)．糖尿病 55(7)：490，2012 より〕

インスリンが分泌されて血糖は下がる．

また，血中のグルコースは腎糸球体で濾過され，近位尿細管で再吸収されており，血糖調節にあずかる．再吸収されない量の血糖であれば，尿糖が出現する．なお，腎性糖尿では近位尿細管の再吸収障害があり，腎排泄閾値以下の血糖であっても尿糖が生じる．

## C 検査の臨床的意義

血糖の異常値の背景には多様な分子がかかわり，その量あるいは作用(機能)における高低がみられる．インスリンの分泌不全(量的不足)，あるいはインスリン抵抗性の亢進(インスリンの作用部位での感受性の低下)によってインスリンが血糖を降下できない場合に，高血糖が生じる．また，血糖を上昇させるホルモンが増加した場合にも高血糖は生じ，低下した場合には低血糖が生じ得る．糖代謝異常と糖尿病(原発性あるいは続発性)の診療において糖代謝関連検査はしばしば適用される(表 6-2，3)．

糖尿病の臨床診断のフローチャートを図 6-2 に示す．空腹時血糖(126 mg/dL[7 mmol/L]以上)，随時血糖(200 mg/dL[11.1 mmol/L]以上)，75 g 経口ブドウ糖負荷試験(oral glucose tolerance test；OGTT)の負荷 2 時間後血糖(200 mg/dL[11.1 mmol/L]以上)に加えて，ヘモグロビン A1c(hemoglobin A1c[HbA1c]，糖化ヘモグロビン；6.5% 以上)も糖尿病型として診断(判断)に用いられる．また，糖尿病の診断のみならず治療におい

**表 6-3 糖尿病以外で血糖が異常を示す例**

高値
① 膵疾患：慢性膵炎，膵癌，膵切除後
② 肝疾患：肝硬変
③ 内分泌疾患：グルカゴン産生腫瘍，Cushing 症候群，先端巨大症，褐色細胞腫，甲状腺機能亢進症，ソマトスタチン産生腫瘍
④ 薬剤性：副腎皮質ステロイド，サイアザイド，インターフェロン，フェニトイン

低値
① 膵疾患：インスリノーマ
② 肝疾患：肝硬変，肝癌
③ 内分泌疾患：Addison 病，下垂体前葉機能低下症
④ 代謝性疾患：糖原病
⑤ 薬剤性：シベンゾリン，ジソピラミド，ペンタミジン
⑥ その他：長時間の絶食，飢餓，胃全摘後(ダンピング症候群)，大量のアルコール摂取，CD36 欠損症

**サイドメモ 肝疾患と血糖**

肝疾患と血糖調節とは密接な関係性がある．非アルコール性脂肪肝(non-alcoholic fatty liver disease；NAFLD)また代謝異常関連脂肪肝(metabolic dysfunction associated fatty liver disease；MAFLD)はインスリン抵抗性を有し，肝での糖新生が亢進して血糖上昇をみる．肝硬変では，肝での糖処理能やインスリンクリアランスの低下などで血糖上昇をみる．一方で，肝硬変や肝癌では，肝でのグリコーゲン貯蔵や糖新生の低下から(特に空腹時の)低血糖も認められる．

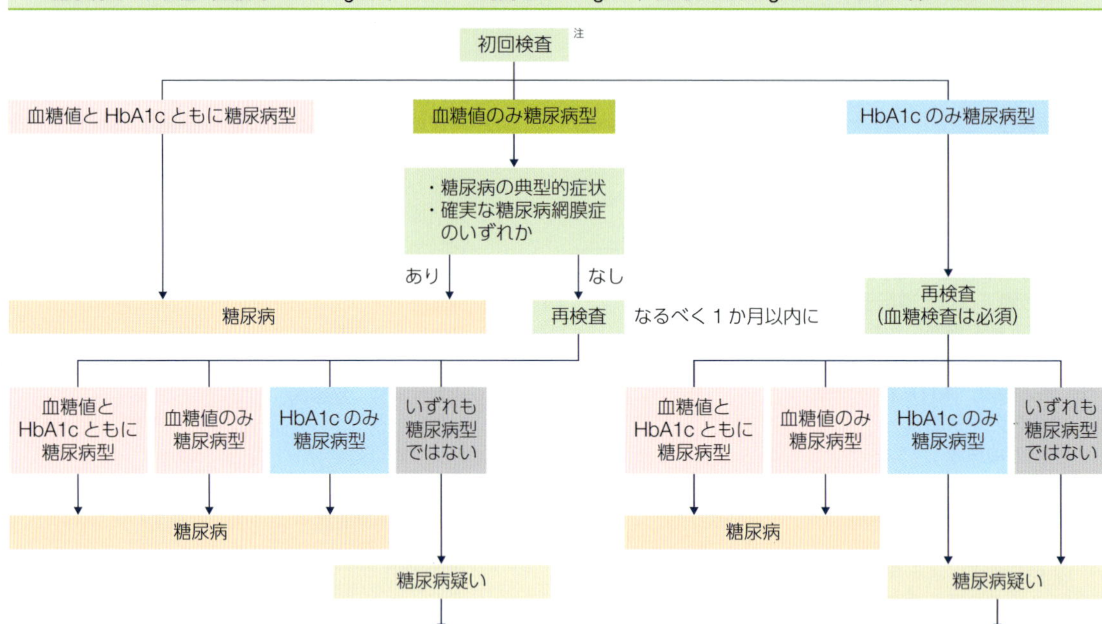


**図6-2　糖尿病の診断フローチャート**

注　糖尿病が疑われる場合は，血糖値と同時にHbA1cを測定する．同日に血糖値とHbA1cが糖尿病型を示した場合には，初回検査だけで糖尿病と診断する．

〔日本糖尿病学会：糖尿病の分類と診断基準に関する委員会報告（国際標準化対応版）．糖尿病 55(7)：494，2012より一部改変〕

ても血糖やHbA1cは日常臨床では頻用されている．この意味で，血糖やHbA1cは糖代謝の基本的検査といえる．

# 2 血糖と経口糖負荷試験

## A 血糖検査

血糖は，一般に静脈血漿値を用いて酵素法で測定されている．血糖値は動脈血＞毛細管血＞静脈血の順に高くなり，それぞれ10%程度の差がある．全血での血糖値は血漿（血清）での値よりも低く，10%程度の差がある（血球中のグルコース濃度は血中よりも低いため）．血球でのグルコース利用を防ぐ目的で，解糖阻止剤であるNaFを添加した採血管を使用し，採血後には速やかに測定する．

簡易型の血糖測定機を用いた血糖自己測定（self-monitoring of blood glucose；SMBG）は広く行われている．この機器では全血を用いて測定することを前提に，測定値を血漿相当値に換算して表示している．検体に血漿や血清を用いてはならない．また，SMBG機器によっては値の再現性が10%程度であることには留意する．手指の残留果汁中グルコースの混入による偽高値に注意を要する機器があることの他に，食品や輸液に含まれる糖質が測定値に影響を与えることも知られている．最近，皮下の間質液中の糖濃度（血糖とほぼ同じとされている）をセンサーで持続的に測定する持続グルコースモニタリング（continuous glucose monitoring；CGM）も登場した．1日の血糖変動の検出に有用性を発揮する．

## B 経口糖負荷試験

経口摂取したグルコースは，消化管から吸収され，血糖の濃度は速やかに上昇し，30〜60 分後に頂値となる．これに対応してインスリンが膵から分泌され，この作用で血糖は低下し，正常では 2 時間後に前値に戻る．臨床検査では，グルコース(日本では 75 g)を経口負荷して OGTT として活用している．絶食後にグルコース溶解液を摂取負荷(5 分以内)し，負荷前，負荷 30 分後，60 分後，120 分後に血糖と血中インスリン，また尿糖を測定する．75 g OGTT において，血糖(静脈血漿値)が，空腹時値≧126 mg/dL(7 mmol/L)または負荷 2 時間値≧200 mg/dL(11.1 mmol/L)の場合を糖尿病型，空腹時値＜110 mg/dL(6.1 mmol/L)または負荷 2 時間値＜140 mg/dL(7.8 mmol/L)の場合を正常型とし，いずれにも属さない場合を境界型とする(図 6-3)．この負荷によって生じる血糖の変動を血糖曲線として観察し，いくつかのパターンに分類する(図 6-3，4)．OGTT は，糖尿病や耐糖能障害の診断あるいは病態の判断に特に有用である．インスリンの分泌の程度を推定することは，治療の選択にも寄与する．また，OGTT は妊娠糖尿病に対しても用いられ，この基準では 75 g OGTT において，以下の 1 項目以上を満たした場合に診断される：空腹時血糖値≧92 mg/dL(5.1 mmol/L)，1 時間値≧180 mg/dL(10.0 mmol/L)，2 時間値≧153 mg/dL(8.5 mmol/L)．

インスリン分泌能の評価は，糖尿病や耐糖能障害の診療に役立つ．この評価に，インスリンや C ペプチドの測定，グルカゴン負荷試験，また血糖とインスリンの値を用いた homeostasis model assessment(HOMA)-$\beta$ 指数(119 頁参照)を用いることもあるが，OGTT も有力である．2 型糖尿病ではインスリン分泌能はある程度保持されているが，血糖に対するインスリン初期分泌反応の低い例がしばしばみられるため，75 g OGTT の負荷 30 分後と負荷前の血糖とインスリンの反応で，インスリン分泌能を評価することもある．

$$\text{インスリン分泌指数} = \frac{\text{負荷 30 分後のインスリン値} - \text{負荷前の同値}}{\text{負荷 30 分後の血糖値} - \text{負荷前の同値}}$$

この指数が 0.4 未満ならば血糖に対するインスリン分泌能が低下していると考えられる．耐糖能障害の場合に，インスリン分泌指数が低下していれば，糖尿病への移行率が高い．

なお，OGTT の再現性はやや低いことには留意する．負荷試験中の安静も必要である．また，明らかに糖尿病がある場合には，負荷によって高血糖を惹起する可能性があるので，負荷試験の適

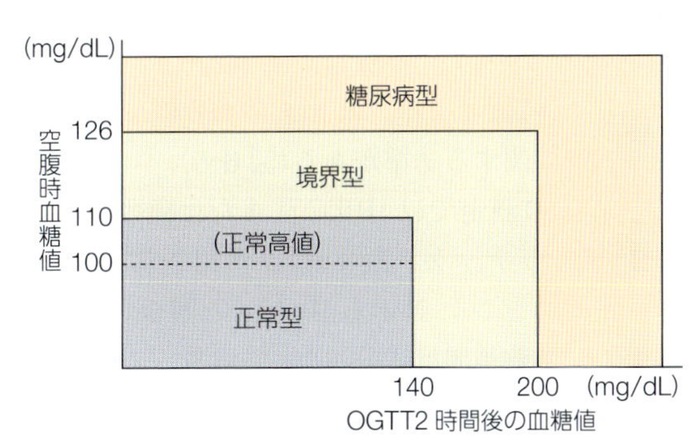


図 6-3 空腹時と 75 g OGTT の血糖値を用いた糖尿病型の判定区分

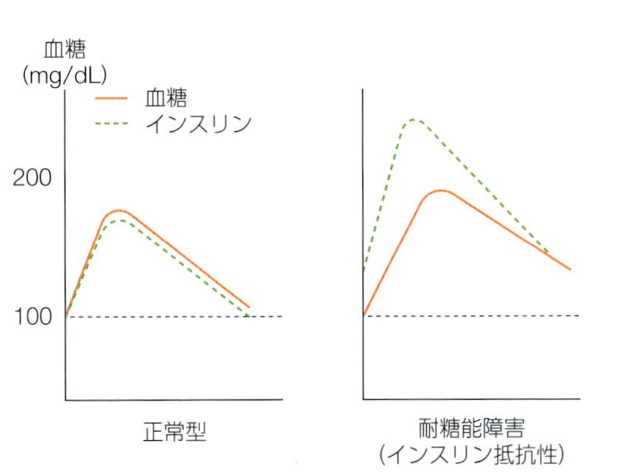


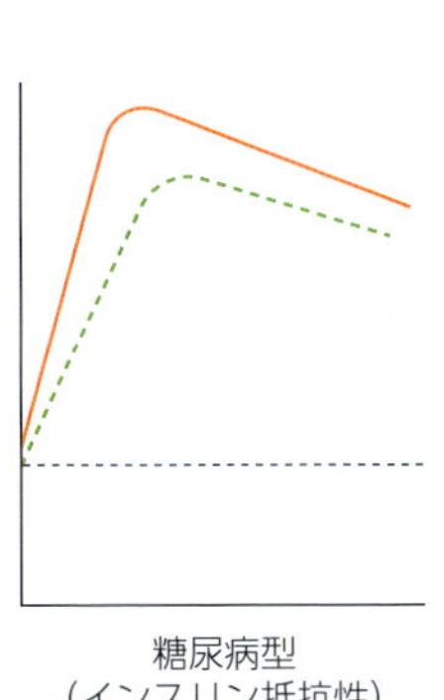

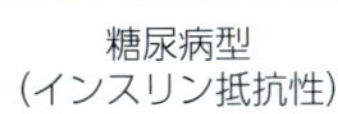


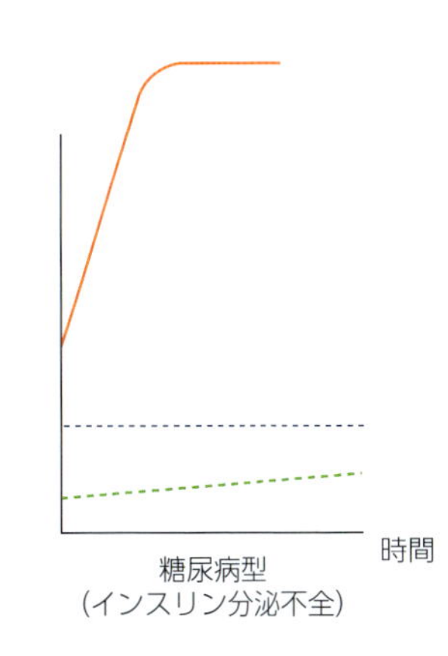


図 6-4 糖負荷による血糖とインスリンの反応パターン

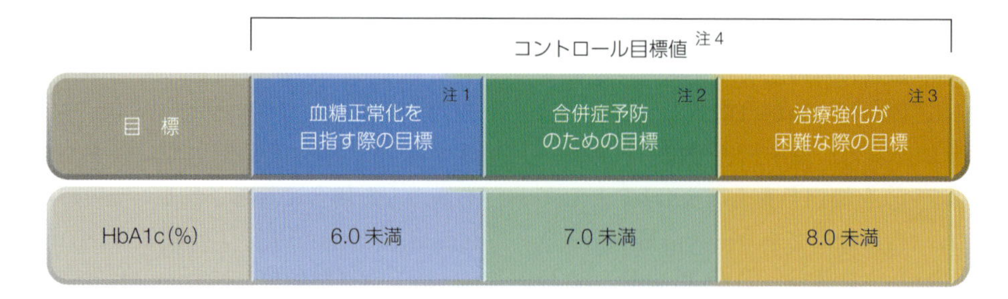


治療目標は年齢，罹病期間，臓器障害，低血糖の危険性，サポート体制などを考慮して個別に設定する．

注 1　適切な食事療法や運動療法だけで達成可能な場合，または薬物療法中でも低血糖などの副作用なく達成可能な場合の目標とする．
注2　合併症予防の観点から HbA1c の目標値を 7% 未満とする．対応する血糖値としては，空腹時血糖値 130 mg/dL 未満，食後 2 時間血糖値 180 mg/dL 未満をおおよその目安とする．
注3　低血糖などの副作用，その他の理由で治療の強化が難しい場合の目標とする．
注4　いずれも成人に対しての目標値であり，また妊娠例は除くものとする．

**図 6-5　血糖コントロールの目標**(65 歳以上の高齢者については「高齢者糖尿病の血糖コントロール目標」を参照)

〔日本糖尿病学会(編・著)：糖尿病治療ガイド 2022-2023．p34，文光堂，2022 より〕

応には慎重を期する(例えば随時血糖を参考にする)．

## 3　ヘモグロビン A1c (HbA1c)

グルコースによって蛋白は糖化される．これは非酵素的な反応である．赤血球中のヘモグロビンや血中のアルブミンをはじめとする蛋白群が糖化修飾される．これらの蛋白は，血中の半減期に合わせて，過去から現在までの一定期間の血糖値を総合的に反映する．すなわち，こうした蛋白は，瞬時に変化する血糖や尿糖とは異なる糖尿病の治療モニターとなり，平均的な血糖のコントロールの指標として利用されている．

ヘモグロビンはヘム鉄とグロビン蛋白からなっており，酸素運搬能を担っている．HbA1c は，糖化ヘモグロビン HbA1 の大部分を占める(HbA1a や HbA1b も存在する)．ヘモグロビンには糖化されるアミノ酸が複数あるが，ヘモグロビンの $\beta$ 鎖 N 末端のバリンの糖化を HbA1c と定義(国際臨床化学連合)している．赤血球の寿命である 120 日にわたって糖化され，過去 1〜3 か月の血糖値の変動を反映する．直前の 1 か月間の血糖値が 50%，その前の 1 か月間の血糖値が 25%，そしてその前の 2 か月間の血糖値が 25% ずつ反映されるという．一般に，血糖が高いほどに HbA1c は高値となる．臨床上の血糖コントロールの目標に関する基準がある(図 6-5)．

HbA1c の測定では HPLC 法または免疫学的測定法(例：ラテックス凝集法)が汎用されており，全ヘモグロビンに対する HbA1c の割合(%)で表示する．基準範囲は 4.9〜6.0% である．

赤血球寿命が短縮する溶血性貧血や出血性の貧血，あるいは鉄欠乏性貧血の治療開始時には，HbA1c は見かけ上の低値となる．HPLC 法においては，異常ヘモグロビン症で高値または低値のいずれも来す．異常ヘモグロビンはアミノ酸配列異常による電荷の相違から HPLC 法による通常の HbA1c 分画と異なる位置に検出される．

## 4　インスリンと C ペプチド

膵 $\beta$ 細胞で生成されたプレプロインスリンはプロインスリンに転化された後に，インスリンと C ペプチドに分解されて，ともに血中に分泌される．インスリンは血糖を下げるホルモンとして有名だが，これと異なって，C ペプチドはホルモン作用をもたない．インスリンは経門脈的に肝を通過し，その一部は不活化される．他方の C ペプチドは腎で代謝される．空腹時にはインスリンの基礎分泌レベルは一定に保たれているが，血糖の上昇時(例えば食後)には，インスリンの追加分泌がスパイク状に発生する．

糖尿病の病態の判定(インスリン分泌能の評価を含めて)ひいては治療の選択に，インスリンと C ペプチドの測定は，血糖と合わせて重要である．空腹時に測定することもあれば，OGTT やグルカゴン負荷試験のような負荷試験時に測定することもある．肥満症や 2 型糖尿病では空腹時のインスリンや C ペプチドが比較的高値で，OGTT も過剰反応を示すことがある．このような場合をインスリン抵抗性にあるという．インスリン抵抗性の判定に関しては，homeostatic model assessment of insulin resistance(または ratio)，HOMA-IR (または-R)指数も利用できる．

$$\text{HOMA-IR} = \frac{\text{空腹時血糖値(mg/dL)} \times \text{空腹時インスリン値}(\mu\text{U/mL})}{405}$$

この指数が 2.5 以上の場合にインスリン抵抗性があると考える(ただし，空腹時血糖値が 140 mg/dL 以下の場合に適応)．

インスリノーマでは，低血糖発作時のインスリンや C ペプチドが著明に高くなり(非発作時には異常を示さない)，グルカゴン負荷試験では過剰な遅延反応を来す．インスリン自己免疫症候群では，血中に抗インスリン抗体があり，インスリンと C ペプチドは高値になる．特殊なインスリン抵抗性の糖尿病とされるインスリン受容体異常症や家族性プロインスリン血症では，インスリンと C ペプチドは高値を，また異常インスリン血症ではインスリン高値(C ペプチドは基準範囲内)を示す．一方，1 型糖尿病ではインスリンや C ペプチドの低値をみる(負荷試験でも反応に乏しい)．膵疾患(膵機能不全)やヘモクロマトーシスでは，インスリンや C ペプチドは低値を示す．なお，特に残存するインスリン分泌能に関しては，HOMA-$\beta$ 指数も利用できる．

$$\text{HOMA-}\beta = \frac{360 \times \text{空腹時インスリン値}(\mu\text{U/mL})}{\text{空腹時血糖値(mg/dL)} - 63}$$

基準範囲：40～80

インスリンは免疫学的に測定され，これを immunoreactive insulin(IRI)という(ホルモン活性を検査しているわけではない)．基準範囲(空腹時)は 2～12 μU/mL である．インスリン治療中や外因性の抗インスリン抗体の保有時には高値となる．

C ペプチドも免疫学的に測定され，C-peptide immunoreactivity(CPR)という．基準範囲(空腹時)は 0.5～2.0 ng/mL である．CPR は，インスリン治療中または抗インスリン抗体を保有していてもインスリン分泌能を判定できる有用さをもっている．ただし，C ペプチドは腎で代謝されるため，腎機能障害時には解釈に留意すべきである．1 日尿中 C ペプチド排泄量も測定されることがあり，20 μg/日でインスリン依存性があると推定される(3 日連続の測定が望ましい)．

## 5 HbA1c 以外の糖尿病コントロールマーカー

### A グリコアルブミン

グリコアルブミン(糖化アルブミン，glycated albumin；GA)は糖化されたアルブミンで，4 か所のリジンにグルコースが結合する．アルブミンの半減期は 17 日のため，過去 2～3 週間の血糖コントロールの指標となる．血糖コントロールを HbA1c よりも短期に捉えられ，治療の開始期の効果判定や，食後高血糖，妊娠糖尿病，あるいは不安定糖尿病の血糖管理に向く．GA は HbA1c の 3 倍に近似でき，食後高血糖では両者の比が高くなる．

糖化アミノ酸に特異的な酵素法で測定される．総アルブミンに対する糖化アルブミンの割合で表現され，基準範囲は 11.0～16.0% である．ネフローゼ症候群のようなアルブミン喪失がある場合には，GA は見かけ上低値となる．甲状腺機能亢進症のようなアルブミン代謝亢進のある場合にもGA は低値となる．

### B　1,5-アンヒドロ(-D-)グルシトール

1,5-アンヒドロ(-D-)グルシトール(1,5-anhydro-glucitol；1,5-AG)とはグルコースの 1 位の炭素に結合しているヒドロキシ基が還元された多価アルコールであり，構造がグルコースに非常に近い．主に食物中から体内に入り，グルコースと同様に腎糸球体で濾過され，尿細管でほとんどが再吸収される．糖尿病において，構造の非常に近いグルコースが尿中に混在していると，尿細管での再吸収時に競合阻害され，血中 1,5-AG は低下する．逆に血糖コントロールが改善すると，血中 1,5-AG は上昇する．HbA1c や GA，もしくはフルクトサミンとは異なって，どちらかといえば日々の血糖コントロールの指標である．尿糖が生じるような食後高血糖の管理，あるいは治療開始時の効果判定に向く．

酵素法で測定され，基準範囲は 14.0 μg/mL 以上である．また，血中 1,5-AG の回復には数日を要することが通例である．血糖コントロールが不良で，尿糖が大量に排出されているような場合には，血中 1,5-AG は低値のままで，変動は観察できない．低血糖も反映されにくい．なお，糖尿病の治療薬である sodium glucose cotransporter 2 (SGLT2)阻害薬を使用中の場合には尿グルコース量が増加するため，血糖コントロールの指標とはできない．また，人参養栄湯(ニンジンヨウエイトウ)のような 1,5-AG を含む漢方薬の服用時においては血中 1,5-AG は高値となる．

## 6　糖尿病関連自己抗体検査

1 型糖尿病では，その発症に自己免疫学的機序を伴う膵 β 細胞の破壊的病理変化がしばしばみられ，膵島関連抗体群はその病理を反映して検出される．緩徐進行型 1 型糖尿病であっても，これらの抗体は陽性化する．一連の抗体は，主として 1 型糖尿病の診断(成因分類)と治療法の選択，また発症や進行予測に測定される．膵島関連抗体群を組み合わせての診断が勧められている．

### A　抗グルタミン酸デカルボキシラーゼ抗体

膵 β 細胞には，グルタミン酸から γ アミノ酪酸を合成するグルタミン酸デカルボキシラーゼ(glutamic acid decarboxylase；GAD)が存在している．1 型糖尿病の発症直後には，抗グルタミン酸デカルボキシラーゼ抗体(anti-glutamic acid decarboxylase antibody；抗 GAD 抗体)が約 60〜90% で陽性である．また，1 型糖尿病者の第一度近親者においては，糖尿病発症の数〜10 年程度前から抗 GAD 抗体が血清中に検出されることもあり，発症予知の指標となる．インスリン依存性にない緩徐進行型 1 型糖尿病においては，抗 GAD 抗体は約 60〜80% で陽性であるという．なお，抗 GAD 抗体の抗体力価は発症後経過とともに低下し，発症して数年を経過するとその陽性率は 50% 以下になる．

### B　抗 IA-2 抗体

抗 IA-2 抗体(anti-insulinoma-associated protein-2 antibody．抗 ICA512 抗体：anti-islet cell antibody 512 とも)は若年発症の 1 型糖尿病の発症直後の約 70〜80% で陽性になる．発症年齢が高い場合に陽性率は低い．抗 GAD 抗体は陰性であるが，30 歳未満で 1 型糖尿病を疑うような場合に測定の意義をもつ．

### C　抗膵島細胞質抗体

抗膵島細胞質抗体(anti-islet cell cytoplasmic antibody；ICA)には β 細胞のみと反応する restricted(selective)型と非 restricted 型があり，

前者では1型糖尿病の発症や進展との関連は必ずしも明瞭でないとされるが，後者の非 restricted 型では，1型糖尿病の発症直後や第一度近親者において陽性率が高い．また非 restricted 型は，緩徐進行型1型糖尿病で陽性率が高い．ICA は間接蛍光(免疫)抗体法で測定される．

### D 抗インスリン抗体

インスリンに対して抗体を産生する場合がある．インスリン自己抗体(insulin auto-antibody；IAA)が産生され，これがインスリンと反応すると低血糖を呈する．インスリン自己免疫症候群ではこの機序による低血糖がみられる．同症候群では抗体力価が変動しやすく，症状を呈した際の検体採取が必要である．また，1型糖尿病(特に若年性)の発症直後に IAA が検出されることも知られている．これらとは別に，外因性のインスリン，すなわちインスリン製剤によるインスリン抗体の産生でも同様な反応がみられる．ヒト由来の製剤が開発されるようになって，同抗体が産生されることは少なくなってきた．なお，血中インスリンや C ペプチドの測定，また非標識インスリンを用いた抑制試験(実験室レベル)の結果も病態の推定の参考になる．抗インスリン抗体は，免疫学的に測定される．

## 7 糖尿病の合併症関連検査

### A ペントシジン

高濃度の糖によって，蛋白は非酵素的な糖化反応(メイラード反応またはアミノカルボニル反応)によって変性修飾を受け，糖化最終産物(advanced glycation end products；AGEs)が生成される．糖化反応で生じる HbA1c や AGEs は糖尿病の合併症の一因と考えられており，ペントシジンは AGEs の一つである．また，酸化ストレスの発生下でもカルボニル化合物はカルボニルストレスを来して AGEs を生成するが，ペントシジンはその酸化の影響も反映する．ゆえに，ペントシジンは，糖尿病合併症の潜在下で，生体内の酸化ならびに糖化の総合的指標として測定される．特に，糖尿病性腎症や腎機能低下の早期指標の一つであり，HPLC 法で比較的高精度に測定される．なお，カルボキシメチルアルギニン($N^{\omega}$-carboxymethylarginine；CMA)やカルボキシメチルリジン($N^{\varepsilon}$-carboxymethyl lysine；CML)も AGEs の一つとして研究されている．

### B その他の一般的検査

糖尿病の合併症は多岐にわたるため，HbA1c や AGEs といった検体検査のみならず，各種の生理機能検査を駆使して，その検出が行われている．例えば，糖尿病網膜症の評価に眼底検査，糖尿病性腎症に微量アルブミンを含む尿検査と血清クレアチンや eGFR，糖尿病性神経障害に神経伝達速度，そして動脈硬化や血管障害の評価に頸動脈超音波検査が行われる．

## 8 糖代謝産物とその他の糖

### A ケトン体分画，ケトン体定性(血中ケトン体)

飢餓(糖質不足)や糖尿病(糖の利用不全)のような代謝異常が進展すれば，エネルギー源としては糖でなく脂肪酸が利用される．肝で脂肪酸からアセチル-CoA が生成され，アセト酢酸になり，これは還元されて $\beta$-ヒドロキシ酪酸(3-ヒドロキシ酪酸)に，脱炭酸されてアセトンにそれぞれ変換される．ケトン体は，アセト酢酸，$\beta$-ヒドロキシ酪酸，アセトンの総称であり，正常では 78%，20%，2% の割合で存在するが，通常，尿には出現しない．

ケトン体の尿中への出現は，高ケトン体血症の存在，すなわち著しい糖代謝異常を示唆する．コントロール不良の1型糖尿病でケトーシスを来すような場合にみられる．著しい糖代謝異常では，脂肪酸の利用（β酸化）が亢進してアセチルCoAの産生が過剰になり，クエン酸回路での処理能力を超えるとケトン体が産生される．ケトン体（酸）はアシドーシスを惹起する．一方で，アセトンは速やかに呼気によって排出される（アセトン臭）．

ケトン体については，定性（血中ケトン体：試験紙法）や分画（血清アセト酢酸，β-ヒドロキシ酪酸，総ケトン体：酵素法）として測定される．早朝空腹時採血を原則とする．血中と尿中のケトン体は必ずしも並行しない．糖尿病性ケトアシドーシスの判定には，血糖値はもとより電解質，動脈血液ガス，血清浸透圧の測定を行い，また発症や治療の情報を加味する．なお，動脈血ケトン体比（arterial ketone body ratio；AKBR，アセト酢酸/β-ヒドロキシ酪酸）は肝機能の指標になる．

### B　ピルビン酸，乳酸（有機モノカルボン酸）

血糖は解糖されて最終的にはピルビン酸となり，さらに乳酸が生成される．ほとんどが肝や腎で代謝される．正常時には，血糖：乳酸：ピルビン酸＝100：10：1の割合である．ピルビン酸や乳酸の上昇は酸素供給不足を意味しており，これは嫌気的解糖から乳酸の停滞・蓄積，さらに乳酸アシドーシスを来す．過剰な運動時のほかに，組織の循環不全・代謝不全やミトコンドリア異常症をはじめとする多様な病態で高値を示す．乳酸アシドーシスの診断ならびに治療のモニターとして，ピルビン酸と乳酸はともに測定（空腹安静時の非駆血下採血；酵素法）される．

筋型糖原病の診断では，阻血下前腕運動負荷試験または非阻血下前腕運動負荷試験によるピルビン酸と乳酸の無反応（上昇しない現象）が有用となる場合がある．また，薬剤による影響として，例えばビグアナイド（ミトコンドリアに結合して電子伝達系を抑制し，好気性環境を阻害）は乳酸値を上昇させる可能性をもち，注意が喚起されている．

### C　ガラクトース

血中や尿中に存在するグルコース以外の糖質は，通常では微量である．先天性糖代謝異常症のある場合に検出の意義がある．乳糖が小腸でグルコースとガラクトースに分解されて吸収された後に，ガラクトースは，肝において解糖系で代謝される．ガラクトース代謝に必要な酵素（ガラクトース1-リン酸ウリジルトランスフェラーゼ，ガラクトキナーゼ，UDP-ガラクトース-4-エピメラーゼ）活性の欠損で先天性ガラクトース血症は生じる．新生児マススクリーニング検査として，生後4〜7日の新生児から検体を採取する．全血や赤血球でガラクトースの高値を確認する．なお，肝障害（例：門脈異常，肝硬変，急性肝疾患）でもガラクトース代謝不全が生じ，ガラクトース血症を呈する．

##  9　グルカゴンと負荷試験

### A　グルカゴン

膵α細胞からプレプログルカゴンを経て分泌される．グルカゴンはインスリン拮抗性を有するとして知られている．この他に，消化管蠕動運動の抑制にも働く．グルカゴンは免疫学的にimmunoreactive glucagon（IRG）として測定される．日常的には，IRGは糖代謝病態の判断に用いられている．低血糖や飢餓後には，一般にIRGは上昇する．また，グルカゴン産生腫瘍（グルカゴノーマ）は膵α細胞に由来する稀な疾患である．グルカゴンを過剰産生し，その診断の際に測定する．

### B　グルカゴン負荷試験

グルカゴンの負荷時には，グルコースの負荷時とは異なったインスリン分泌反応を来す．グルカ

ゴン負荷は，膵β細胞のインスリン分泌能を直接に評価できるので，高度なインスリン分泌不全やインスリン依存性を判断できる．ひいては治療法の選択に寄与する．

早朝空腹時に1 mgのグルカゴンを静注(負荷前)し，その(5分または)6分後(負荷後)の血中Cペプチドを測定する．グルカゴン負荷後のCペプチド値が1.0 ng/mL未満または負荷前後のCペプチド値の差が0.5 ng/mL未満の場合にはインスリン依存性であり，インスリン療法の絶対的適応の病態と判断される．グルカゴン負荷後のCペプチド値が1.0～2.0 ng/mLまたは負荷前後のCペプチド値の差が0.5～1.0 ng/mLの場合には高度インスリン分泌不全で，インスリン療法の適応を考慮する病態と判断される．グルカゴン負荷後のCペプチド値が4.0 ng/mL以上または負荷前後のCペプチド値の差が2.0 ng/mL以上の場合に，インスリン分泌反応は良好と判断される．

グルカゴンにはカテコールアミン分泌も刺激する作用があり，褐色細胞腫ではグルカゴン負荷は禁忌とされる．なお，アルギニン(インスリンやグルカゴンの分泌を刺激する)負荷試験もあるが，グルカゴン負荷試験のほうが一般的で確立されている．

# 7章 脂質代謝関連検査

## 1 総論

### A 概要

#### 1 脂質

主たる脂質成分として，コレステロール，トリグリセライド(トリグリセリド，トリアシルグリセロール)，リン脂質，そして脂肪酸がある．中性脂肪はモノグリセライド，ジグリセライド，トリグリセライド(グリセロール[グリセリン]に3分子の脂肪酸が結合した構造体)からなるが，血中の中性脂肪のほとんどはトリグリセライドである．トリグリセライドはエネルギー源の役割をもつ．また，コレステロールは細胞膜の構成にかかわる役割のほかに，胆汁酸の原料，副腎皮質ホルモンや性腺ホルモンのようなステロイドホルモンの原料，ビタミンDの前駆といった役割を担う．

#### 2 リポ蛋白

脂質成分は，アポ(リポ)蛋白とともにリポ蛋白となって血中を循環する．リポ蛋白は，中心にエステル型コレステロール(コレステロールエステル)とトリグリセライドを，表層に遊離(非エステル型)コレステロール，リン脂質，アポ蛋白を擁して粒子を形成する．リポ蛋白はアポ蛋白以外の蛋白を含み得る．

リポ蛋白には，脂質組成，アポ蛋白構成，比重(密度；density[d])，サイズ(粒子の大きさ)からみた種別がある．リポ蛋白種ごとに性状は異なっており，その分け方にはいくつかの方法が知られているが，基本的には超遠心法によって以下に分類される(図7-1)：カイロミクロン(d＜0.96)，超低密度リポ蛋白(very-low-density lipoprotein；VLDL[d＜1.006])，低密度リポ蛋白(low-density lipoprotein；LDL[1.006＜d＜1.063])，高密度リポ蛋白(high-density lipoprotein；HDL[1.063＜d＜1.21])．LDLは，中間密度リポ蛋白(intermediate-density lipoprotein；IDL[1.006＜d＜1.019])と狭義のLDL(1.019＜d＜1.063)とに分けられる．HDLは，$HDL_2$(1.063＜d＜1.125)と$HDL_3$(1.125＜d＜1.21)とに分けられる．一般に，大きな粒子のリポ蛋白には脂質成分が多く，小さい粒子にはアポ蛋白が多く含まれている(図7-2)．

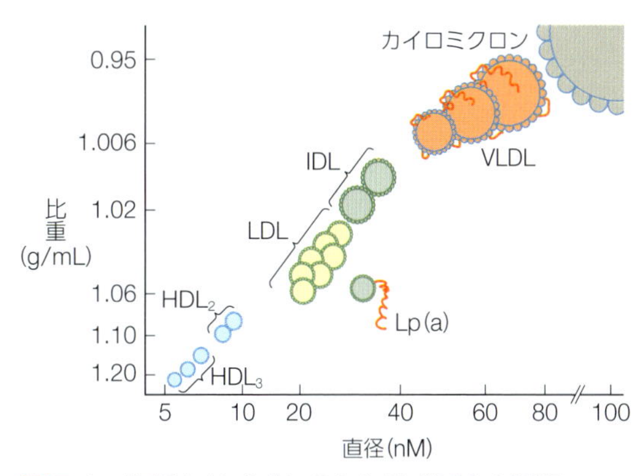

図7-1　比重とサイズからみたリポ蛋白の種類

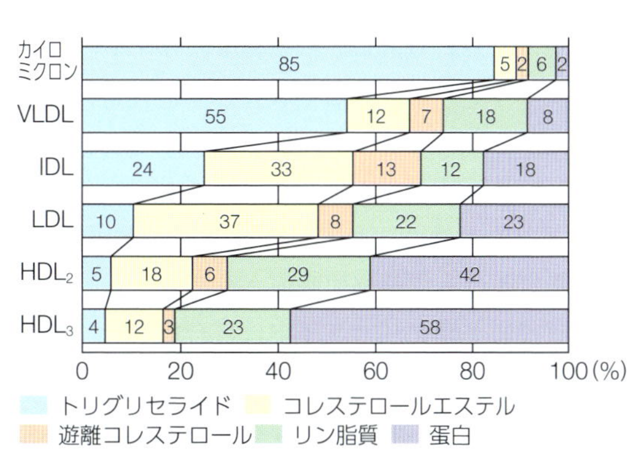

図7-2　リポ蛋白の種類と組成

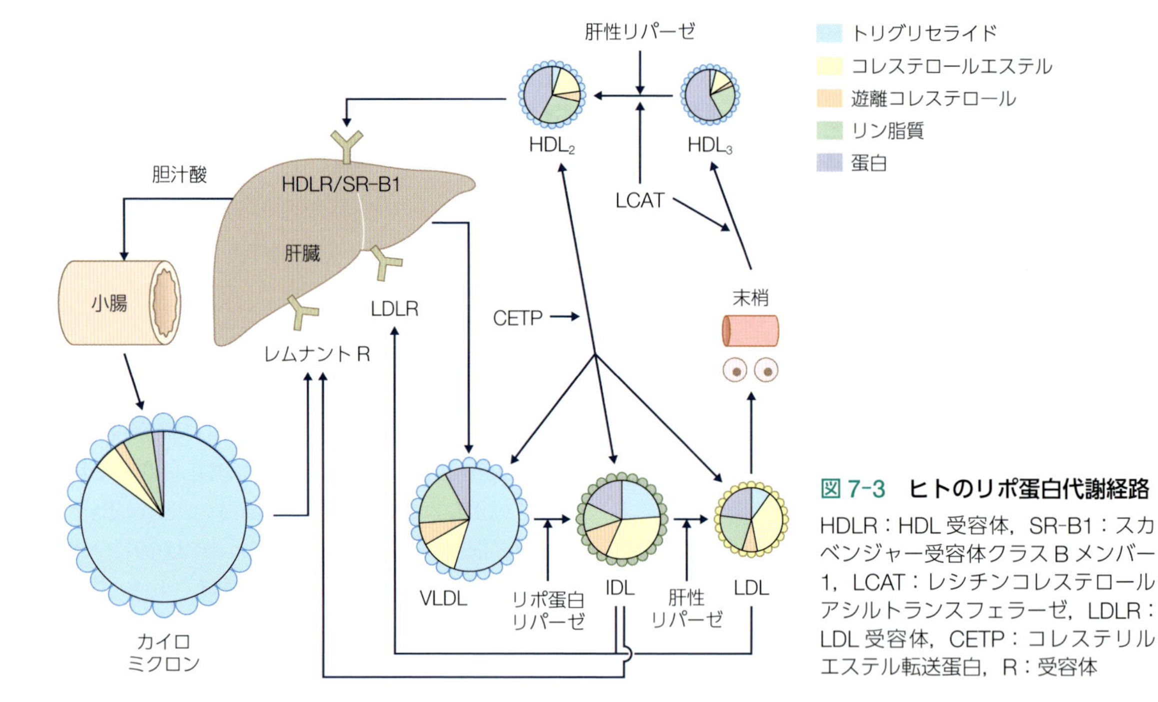


**図 7-3　ヒトのリポ蛋白代謝経路**
HDLR：HDL 受容体，SR-B1：スカベンジャー受容体クラス B メンバー 1，LCAT：レシチンコレステロールアシルトランスフェラーゼ，LDLR：LDL 受容体，CETP：コレステリルエステル転送蛋白，R：受容体

このようなリポ蛋白の機能の一つとして脂質の運搬があげられる．細胞の構成要素となるコレステロールや，エネルギー源としてのトリグリセライドを全身的に循環させ，末梢からはコレステロールを回収する．すなわち，血中の脂質の変動はリポ蛋白代謝の面からとらえることができる．

## B　吸収

### 1 脂質の吸収系

摂取された脂質(脂肪)は，小腸で胆汁によって乳化され，膵臓からの分泌酵素のリパーゼによって分解される．トリグリセライド(トリアシルグリセロール)は，脂肪酸とジグリセライド，さらにモノグリセライドに消化される．これらの分解産物は胆汁酸とミセルを形成し，小腸で共存するコレステロールやリン脂質を取り込んで，複合ミセルとなる．このミセルは，小腸の内壁で壊れ，中の脂質類は上皮細胞に吸収される．

吸収後にトリグリセライドは再合成され，このトリグリセライドは，コレステロールやリン脂質，そして小腸上皮で産生される蛋白と一緒にカイロミクロンを形成する．カイロミクロンは，リンパ液中に漏れて腸リンパ管に取り込まれ，胸管から大静脈へと移送され，最終的に肝臓に輸送される．血中に入ったカイロミクロンは構成蛋白であるアポ A-I を HDL に転送する．またリポ蛋白リパーゼの加水分解作用でトリグリセライドを生成する．レムナント(remnant：遺残が語源である)と呼ばれているリポ蛋白が生じる(通常はほとんどみられないが，カイロミクロンが多く形成され，またその代謝不全があるとカイロミクロンレムナントの発生をみる)場合には，肝のレムナント受容体に取り込まれる．

なお，脂肪酸のうちで，12 個以上の炭素数をもつ長鎖脂肪酸は小腸上皮でトリグリセライドに再合成され，カイロミクロンに取り込まれて移送される．一方で，中～短鎖脂肪酸は親水性でカイロミクロンの形成に関与せず，直に門脈を経由して肝臓に輸送される．

食物に由来するコレステロールも，主として小腸で吸収される．これにはコレステロール輸送担体である Niemann-Pick C1-Like 1(NPC1L1)がかかわっていることがわかっている．このような一連の吸収過程は，脂質の外因系の代謝経路とされる(図 7-3)．

表 7-1 脂肪酸における結合脂質の割合(%)

| 種類 | コレステロール | トリグリセライド | リン脂質 |
|---|---|---|---|
| パルミチン酸(16:0) | 10.8 | 26.0 | 37.3 |
| ステアリン酸(18:0) | 2.3 | 3.5 | 14.7 |
| オレイン酸(18:1) | 25.5 | 46.9 | 16.5 |
| リノール酸(18:2) | 49.1 | 11.7 | 18.4 |
| その他 | 12.3 | 11.9 | 13.1 |

## C 合成

### 1 脂質の合成系

脂肪酸はアセチル CoA から肝臓で合成される．アセチル CoA は，グルコースの解糖系による代謝から生じる．血中で脂肪酸は他の脂質とエステル結合して存在する(表 7-1)．遊離して存在する脂肪酸(遊離脂肪酸；free fatty acid[FFA])は少なく，その多くはアルブミンと会合している(FFA を non-esterified fatty acid[NEFA]と称する所以である)．遊離脂肪酸は，脂肪細胞や筋に存在するリポ蛋白リパーゼや脂肪細胞に存在するホルモン感受性リパーゼによってトリグリセライドが加水分解されて発生する．

コレステロールも主として肝臓で合成され，一般に長期の空腹時には合成が亢進する．アセチル CoA からヒドロキシメチルグルタリル CoA(hydroxymethylglutaryl-CoA；HMG-CoA)が合成され，HMG-CoA レダクターゼによってメバロン酸となる．この後にスクアレンを経て，最終的にコレステロールが合成される．また，リン脂質も肝で合成される．

なお，一般に，コレステロールの合成は細胞内のコレステロール量によって調節されている．コレステロール量に応じて，転写因子である sterol regulatory element binding protein(SREBP)が，HMG-CoA レダクターゼをはじめとする脂質代謝関連分子の発現を正方向に制御する．

## D 循環と異化

### 1 リポ蛋白の動態

小腸を中心とした脂質の外因系の代謝経路に対して，肝臓を中心として脂質が合成され，リポ蛋白に含有されて循環する過程がある．これは脂質の内因系の代謝経路とされる(図 7-3)．

#### a VLDL・LDL の動態

VLDL は肝臓から分泌される．VLDL はトリグリセライドに富んでおり，リポ蛋白リパーゼで加水分解されて IDL になる．IDL は，コレステロールとトリグリセライドを同等に有する VLDL レムナントをいう．さらに，肝性リパーゼの作用で IDL は小型化して LDL になり，末梢の組織に届けられる(末梢の LDL 受容体に取り込まれる)．この LDL が酸化を受けた場合に発生する酸化 LDL は，マクロファージに貪食されて動脈硬化巣を形成する．

LDL や IDL(VLDL)は，肝の LDL 受容体に取り込まれる．一般に，LDL 受容体は細胞内のコレステロール量に応じてその発現が負に制御される．最近，LDL 受容体と結合して肝表面 LDL 受容体の減少を促す proprotein convertase subtilisin/kexin 9(PCSK9)という分子が，LDL 代謝に関与することも見出された．

#### b HDL の動態

末梢のコレステロールは，HDL によって肝臓に運搬される．これをコレステロール逆転送系と呼ぶ．HDL の前駆となるアポ A-I は肝臓，小腸(カイロミクロンの代謝過程)で生成される．生成後のアポ A-I は，円盤状またはディスク状の原始型の HDL を形成するが，この過程で末梢から遊離コレステロールとリン脂質を引き抜く．この引き抜きにはいくつかの機構が知られており，特に細胞膜における ATP 結合カセット輸送体 1(ATP-binding cassette transporter 1；ABCA1)のような輸送担体蛋白の関与は有名である．原始型の HDL において，アポ A-I はレシチンコレステロールアシルトランスフェラーゼ(lecithin cholesterol acyl transferase；LCAT)を活性化

**表 7-2　脂質異常症の診断基準**

| | | |
|---|---|---|
| **LDL コレステロール** | 140 mg/dL 以上 | 高 LDL コレステロール血症 |
| | 120〜139 mg/dL | 境界域高 LDL コレステロール血症*2 |
| **HDL コレステロール** | 40 mg/dL 未満 | 低 HDL コレステロール血症 |
| **トリグリセライド** | 150 mg/dL 以上(空腹時採血*1) | 高トリグリセライド血症 |
| | 175 mg/dL 以上(随時採血*1) | |
| **Non-HDL コレステロール** | 170 mg/dL 以上 | 高 non-HDL コレステロール血症 |
| | 150〜169 mg/dL | 境界域高 non-HDL コレステロール血症*2 |

*1 基本的に 10 時間以上の絶食を「空腹時」とする．ただし水やお茶などカロリーのない水分の摂取は可とする．空腹時であることが確認できない場合を「随時」とする．
*2 スクリーニングで境界域高 LDL-C 血症，境界域高 non-HDL-C 血症を示した場合は，高リスク病態がないか検討し，治療の必要性を考慮する．
・LDL-C は Friedewald 式(TC−HDL-C−TG/5)で計算する(ただし空腹時採血の場合のみ)．または直接法で求める．
・トリグリセライド(TG)が 400 mg/dL 以上や随時採血の場合は non-HDL-C(＝TC−HDL-C)か LDL-C 直接法を使用する．ただしスクリーニングで non-HDL-C を用いる時は，高 TG 血症を伴わない場合は LDL-C との差が＋30 mg/dL より小さくなる可能性を念頭においてリスクを評価する．
・TG の基準値は空腹時採血と随時採血により異なる．
・HDL-C は単独では薬物介入の対象とはならない．
〔日本動脈硬化学会(編)：動脈硬化性疾患予防ガイドライン 2022 年版より転載〕

し，LCAT によって，その引き抜かれた遊離コレステロールはコレステロールエステルになる．このコレステロールを蓄えた HDL 粒子は球状になって大型化($HDL_3$ から $HDL_2$ に変化)する．HDL は肝の HDL 受容体(スカベンジャー受容体クラス B メンバー 1)に取り込まれる．また，コレステリルエステル転送蛋白(cholesteryl ester transfer protein；CETP)によって，HDL のコレステロールエステルと，VLDL や LDL のトリグリセライドとは交換される．

## 2 異化系

リポ蛋白が血中で肝臓に転送される循環，血中から受容体を介した細胞内へのリポ蛋白の取り込み，胆汁へのコレステロールの排泄，便への脂質の排泄などが関与する．これらには，脂質代謝関連分子(例えば酵素)の様態のほかに，生体内のホルモンの作用やさまざまな疾患の存在が影響する．

## 3 脂質異常値の判読

脂質の異常値をみた場合には，脂質の吸収系，合成系，リポ蛋白の循環動態と異化における高低について検討する．脂質異常症に関する臨床では，動脈硬化の危険因子として脂質異常を考えることが多い．通常，血中の総コレステロール，特に LDL コレステロールが高い，あるいはトリグリセライドが高い，逆に HDL コレステロールが低い場合を総称して脂質異常症とする(表 7-2)．総コレステロール−HDL コレステロールから算出される non-HDL コレステロールの使用も有用である．基本的な脂質検査という場合には，総コレステロール，LDL コレステロール，トリグリセライド，HDL コレステロールの測定を指し，これらの値をモニターしながら診療は組み立てられる．なお，脂質関連検査値の取り扱いにあたっては，表 7-2 にあるような臨床的な判断を目的としたレベルと，健常者から求めた基準範囲の 2 種類のしきい値があることに注意したい(17 章 ❶ C 検査のしきい値，322 頁参照)．

異常値を判読してもその原因をなお追究すべきときには，リポ蛋白分画，アポ蛋白，各種の脂質代謝関連酵素，遺伝子検査(例えば LDL 受容体，microsomal triglyceride transfer protein[MTP]，アポ B，高カイロミクロン血症関連分子)などの検査を加える．また，続発性の脂質異常症を念頭に置いて内分泌ホルモン(例えば甲状腺ホルモン)

の検査を行う．

# 2 総コレステロールと LDL コレステロール

## A 総コレステロール

### 1 概要と基準範囲

高コレステロール血症は，動脈硬化の危険因子として広く知られており，総コレステロールは，動脈硬化リスクの診断や治療モニター，またコレステロール含有リポ蛋白代謝やその異常を来す病態の推定のために測定されている．基準範囲は 142～248 mg/dL である．

### 2 異常値を示す場合

血中のコレステロールの多寡は外因性と内因性で規定される．外因性としてはコレステロールの過剰摂取が代表的であるが，一般に，内因性，すなわち肝での合成と異化にかかわる病態の影響が大きいとされている．

#### a 高値を来す病態

肝でリポ蛋白を取り込む受容体の異常（例えば受容体活性の低下，LDL 受容体の遺伝子変異や受容体分解促進蛋白である PCSK9 の影響）や，受容体に結合するアポ蛋白 B や E の異常によって血中コレステロールは高値になる．高コレステロール血症を来す疾患として，家族性高コレステロール血症は有名である．LDL 受容体の遺伝子変異がみられる．PCSK9（機能獲得性）やアポ B の遺伝子変異のこともある．家族性複合型高脂血症では多因子遺伝を背景に，アポ B-100 の合成亢進から VLDL が増え，コレステロールの高値を来す．同時に，リポ蛋白リパーゼ活性の低下を伴ってトリグリセライドの高値もみられる．家族性Ⅲ型高脂血症では，アポ E（リポ蛋白の LDL 受容体への結合性に関与）の欠損や E2/E2 型のアイソフォームをもつことが多い．この場合，レムナントの LDL 受容体への結合性が低下し，レムナントの代謝が遅滞してコレステロールの高値が生じる．トリグリセライドの高値もみられる．稀だが，low-density lipoprotein receptor adaptor protein 1（LDLAP1）の遺伝子変異による常染色体潜性遺伝性高コレステロール血症（autosomal recessive hypercholesterolemia；ARH）という病態も知られている．なお，糖尿病のような病態においては，LDL 受容体活性の低下から高コレステロール血症を来す．

CETP 欠損症や低下症ではコレステリルエステル転送が抑止され，高 HDL コレステロール血症を生じて総コレステロール血症の高値を来す．総コレステロールは LDL コレステロールと並行して上昇することが多いなかで，同症は脂質プロファイルの判読を必要とする病態の代表である．

続発性の病態として，ネフローゼ症候群では尿への蛋白漏出に対する代償反応による肝での VLDL 合成亢進があり，コレステロールの高値をみる．閉塞性黄疸で，胆道での胆汁酸排泄（異化）障害がある時にも高値になる．原発性胆汁性胆管炎では LDL コレステロール（胆汁うっ滞による異常リポ蛋白の出現による）と HDL コレステロールともに高値となり，総コレステロールの高値をみる．甲状腺機能低下症では LDL 受容体数の低下を生じ，リポ蛋白（コレステロール）代謝や異化の遅滞から高値になる．

#### b 低値を来す病態

無 β リポ蛋白血症ではコレステロールは低値になる．同症では MTP（アポ B にトリグリセライドを付加する蛋白）の遺伝的変異がみられ，VLDL やカイロミクロンが形成されず，アポ B は速やかに分解される．家族性低 β リポ蛋白血症も低コレステロール血症を来すが，この病態では短縮型のアポ B がみられ，リポ蛋白が十分に形成されず，血中コレステロールは低値になる．同症は PCSK9（機能欠失型：肝 LDL 受容体でのリポ蛋白の取り込み亢進）や ANGPTL3（機能欠失型：リポ蛋白リパーゼと内皮リパーゼの作用亢進）の遺伝的変異でも生じ得る．コレステロールが低値になる続発性の病態としては，摂取の低下時，重症肝疾患でのリポ蛋白の合成低下時，また甲状腺機能亢進のような代謝（異化）の低下時などがあげられる．

**表 7-3 LDL コレステロールの異常を来す疾患**

高値
1. 家族性高コレステロール血症
2. 家族性複合型高脂血症
3. 家族性Ⅲ型高脂血症
4. 続発性病態：肥満症，糖尿病，閉塞性黄疸，ネフローゼ症候群，甲状腺機能低下症，下垂体機能低下症，Cushing 症候群

低値
1. 無βリポ蛋白血症
2. 家族性低βリポ蛋白血症
3. 続発性病態：肝障害(重度)，吸収不良症候群，甲状腺機能亢進症，Addison 病

**表 7-4 トリグリセライドの異常を来す疾患**

高値
1. 家族性複合型高脂血症
2. 家族性Ⅲ型高脂血症
3. 家族性Ⅳ型高脂血症
4. リポ蛋白リパーゼ欠損症
5. アポ蛋白 C-Ⅱ欠損症
6. 肝性リパーゼ欠損症
7. 続発性病態：肥満症，糖尿病，脂肪肝・脂肪肝炎，急性膵炎，閉塞性黄疸，ネフローゼ症候群，甲状腺機能低下症，下垂体機能低下症，Cushing 症候群，自己免疫性疾患

低値
1. 無βリポ蛋白血症
2. 家族性低βリポ蛋白血症

### 3 測定法

血中のコレステロールは酵素法で測定される．食事による影響は少ないというが，食後にやや低下することがある．加齢とともに上昇する．妊娠時にも上昇する．閉経後(エストロゲンの低下)に上昇する場合がある．

## B LDL コレステロール

総コレステロールの検査値は，トリグリセライドや HDL コレステロールの検査値と合わせて評価することが日常的であり，また動脈硬化の評価という点では，総コレステロールよりも LDL コレステロールの値に注目することが重要になる．高 LDL コレステロール血症は，疫学研究や(介入試験を含む)臨床研究の結果から動脈硬化の危険因子として確立されており，動脈硬化リスクの診断や治療モニター，また LDL 代謝やその異常を来す病態の推定に測定されている(表 7-3)．基準範囲は 65～163 mg/dL である．

LDL コレステロールは Friedewald の計算式でしばしば推定される．

LDL コレステロール(空腹時採血値)
＝総コレステロール － HDL コレステロール － トリグリセライド×0.2

計算式ではなく，直接法(酵素法)で測定することも日常診療で実施されている．一般に，いずれもトリグリセライドが 400 mg/dL 以上の場合には正確な LDL コレステロール値を得ることは難しい．

# 3 トリグリセライド

### 1 概要と基準範囲

カイロミクロンや VLDL，そのレムナントといったトリグリセライドに富むリポ蛋白の多寡の観察やその異常を来す疾患を推定するために測定される(表 7-4)．トリグリセライドの高値は動脈硬化のリスクに関わり，また急性膵炎の原因にもなるので，その診断や治療モニターに用いられる．基準範囲は男性で 40～234 mg/dL，女性で 30～117 mg/dL である．

### 2 異常値を示す場合

#### a 高値を来す病態

著明な高トリグリセライド血症は，遺伝的背景をしばしば有する．家族性複合型高脂血症では，アポ B-100 の合成の亢進から VLDL が増え，コレステロールの高値と同時に，リポ蛋白リパーゼ活性の低下を伴ってトリグリセライドの高値がみられる．家族性Ⅲ型高脂血症では，アポ E の欠損や E2/E2 型のアイソフォームによる肝 LDL 受容体への結合性の低下から，レムナントの代謝(異化)が滞留し，コレステロールの高値と同時にトリグリセライドの高値がみられる．遺伝的なリ

ポ蛋白リパーゼ欠損症では，カイロミクロンやVLDLの代謝(異化)の抑止のため，小児期からトリグリセライドは高値を示し，通常，1,000 mg/dL を超える(高脂血症の分類でⅠ型を呈する)．リポ蛋白リパーゼはアポ蛋白C-Ⅱの存在下で活性化されるため，アポC-Ⅱ欠損症ではトリグリセライドは高値になる．肝性リパーゼは肝から分泌されるリポ蛋白の小型化への代謝を促進するため，肝性リパーゼ欠損症ではトリグリセライドは高値になる．このほかに，アポA-Ⅴ，lipase maturation factor 1(LMF1)，glycosylphosphatidylinositol anchored high density lipoprotein binding protein 1(GPIHBP1)の欠損，あるいはGPIHBP1の自己抗体の存在は，高カイロミクロン血症を呈し，トリグリセライドの上昇の原因になる．

続発性の高トリグリセライド血症もある．自己免疫性疾患に併存して，リポ蛋白リパーゼの活性を阻害する抗体が生じることがある．インスリンはリポ蛋白リパーゼの活性化を促すが，肥満症や糖尿病などのインスリン抵抗性病態ではリポ蛋白リパーゼの作用低下から高トリグリセライド血症を来す．糖尿病・腎不全で肝性リパーゼの活性が低下し，高トリグリセライド血症になることもある．さらに，過食や脂肪肝・脂肪肝炎はVLDLの合成を亢進し，トリグリセライドを上昇させる．

### ⓑ 低値を来す病態

無βリポ蛋白血症はMTPの遺伝的変異で生じ，VLDLやカイロミクロンが形成されず，コレステロールとトリグリセライドともに非常に低値になる．家族性低βリポ蛋白血症では短縮型のアポBがみられ，リポ蛋白の形成が十分にできず，低コレステロール血症とともに低トリグリセライド血症を来す．また，トリグリセライドが低値になる続発性の病態として，摂取の低下時，重症肝疾患でのリポ蛋白の合成低下時，また甲状腺機能亢進のような代謝(異化)の低下時などがあげられる．

## 3 測定法

酵素法で測定されている．同一人であっても日差変動が大きい．男性のほうが女性よりも高値を

**表 7-5 HDL コレステロールの異常を来す疾患**

**高値**
1. CETP 欠損症(遺伝子異常を含む)
2. 肝性リパーゼ欠損症
3. 続発性病態：原発性胆汁性肝硬変症

**低値**
1. アポ蛋白 A-Ⅰ欠損症
2. アポ蛋白 A-Ⅰ異常症
3. Tangier 病
4. 家族性 LCAT 欠損症
5. 魚眼病
6. 続発性病態：肝障害(重度)，肥満症，糖尿病，慢性腎不全，冠動脈疾患，甲状腺機能亢進症

示す．妊娠時に上昇する．一般に，小児期には低値であるが加齢につれて高値となり，高齢になるとやや低下する．食事の影響を受けやすい．健常では食後の3～4時間で頂値(通例，250～300 mg/dL を超えることはない)になり，8～10時間後には食前値になるとされる．空腹時値を観察するには，12時間以上の絶食を遵守したうえでの早朝採血が望まれる．ただし，最近，食後(随時)のトリグリセライド値で判定する動向(表 7-2：175 mg/dL 以上)もみられるようになった．

トリグリセライドが1,000 mg/dL を超える場合にはカイロミクロンの存在がしばしば示唆されるが，それがカイロミクロンに起因するのか，あるいはVLDLに起因するのかについて，より適正な判断するにはリポ蛋白分画，アポB-48，アポC-Ⅱ，肝性リパーゼのような他の検査項目を組み合わせて考える．

# 4 HDL コレステロール

## 1 概要と基準範囲

HDL コレステロール(HDL cholesterol；HDL-C)は，コレステロール逆転送系を反映し，(CETPをはじめとするHDL代謝関連酵素異常のない場合に)抗動脈硬化性指標になると考えられて測定されている．HDLの代謝動態ならびにその異常を来す疾患の推定にも測定される(表 7-5)．基準範囲は男性で38～90 mg/dL，女性で48～103

**表 7-6　アポ蛋白の種類と機能**

| 種類 | 存在するリポ蛋白 | 主な機能 |
|---|---|---|
| A-Ⅰ | HDL，カイロミクロン | LCAT 活性化，HDL の構造形成，HDL 受容体との結合 |
| A-Ⅱ | HDL，カイロミクロン | 不明(LCAT や肝性リパーゼ) |
| B-100 | VLDL，IDL，LDL | LDL 受容体との結合，VLDL 分泌 |
| B-48 | カイロミクロン | カイロミクロン分泌とレムナント受容体との結合 |
| C-Ⅱ | カイロミクロン，VLDL，HDL | LPL 活性化 |
| C-Ⅲ | カイロミクロン，VLDL，HDL | LDL 抑制(C-Ⅱ阻害)，レムナント受容体との結合阻害 |
| E | カイロミクロン，VLDL，HDL | リポ蛋白受容体との結合，コレステロールの取り込みや逆転送促進 |

mg/dL 以上である．

末梢のコレステロールは，血中に引き抜かれて，アポ A-Ⅰが主体の原始型の HDL を形成し，LCAT の作用の下でコレステロールエステルを蓄えて成熟(大型粒状化)していく．この HDL のコレステロールは，CETP によって，VLDL や LDL に転送され，逆に HDL はトリグリセライドの転送を受ける．また，原始型の HDL のアポ A-Ⅰは，リポ蛋白リパーゼの作用によって，カイロミクロンや VLDL の粒子表面からも生成される．これらの代謝過程から，HDL コレステロールはトリグリセライドと負の相関性をもつとされている．

## 2 異常値を示す場合

### ⓐ 高値を来す病態

HDL コレステロールが高値を示す疾患として，CETP 欠損症が知られている．同症では HDL コレステロールが 100 mg/dL 以上を呈することもある．また，肝性リパーゼは大型 HDL を小型 HDL に転換する方向で働いているが，肝性リパーゼが欠損すると大型 HDL が増加し，HDL コレステロールは高値となる．

続発性の病態として原発性胆汁性胆管炎があげられる．同症では LDL コレステロールのみならず，アポ E に富む大型の HDL が増えて HDL コレステロールが高値になり，これには肝性リパーゼの関与が示唆されている．

### ⓑ 低値を来す病態

家族性 LCAT 欠損症や魚眼病(LCAT 欠損症の一亜型)のような場合には HDL コレステロールは著明に低値となる．Tangier 病(ABCA1 の遺伝子異常症)でも HDL コレステロールは著明に低値となる．LCAT の活性化にはアポ A-Ⅰを要し，アポ A-Ⅰ欠損症や異常症でも HDL コレステロールは低値を示す．

続発性の病態もあげられる．重症の肝疾患では肝リポ蛋白の合成障害を生じ，HDL コレステロールは低値になる．肥満症，糖尿病，虚血性心疾患でも低値を示す．リポ蛋白リパーゼの活性化に寄与するインスリンの作用不足はその一因と考えられる．

## 3 測定法

直接法(酵素法)で測定される．女性は男性よりも高値である．運動や飲酒の習慣がある場合に高値となる．喫煙習慣があると低値となる．

# 5 アポ蛋白

アポ蛋白(アポリポ蛋白)は，リポ蛋白代謝での役割を有し，各種のリポ蛋白上に存在する(表 7-6)．アポ蛋白はリポ蛋白代謝の評価のために測定される．すなわち，各アポ蛋白はそのアポ蛋白の存在するリポ蛋白の量を反映する．リポ蛋白代謝の異常を来す疾患の推定のためにも測定され，アポ蛋白の欠損症では，リポ蛋白や脂質の値とアポ蛋白の値が乖離が生じる．免疫学的測定法で検査される．

**サイドメモ** **高リポ蛋白血症の分類**

高リポ蛋白血症は，各リポ蛋白の挙動によって，Fredrickson により 5 型に分類(WHO 分類)されている(表 7-7)．Ⅰ型ではカイロミクロンが高値で，Ⅴ型ではカイロミクロンと VLDL が高値である．このタイプを来す疾患にはリポ蛋白リパーゼ欠損症やアポ C-Ⅱ欠損症が含まれる．Ⅳ型では VLDL が，Ⅱb 型では VLDL と LDL が高値である．Ⅱa 型では LDL が高値で，代表的な疾患に家族性高コレステロール血症があげられる．Ⅲ型では IDL 分画が観察され，代表的な疾患に家族性Ⅲ型高脂血症があげられる．

**表 7-7 高リポ蛋白血症の分類と脂質の変動**

| 分類 | 増加するリポ蛋白 | コレステロール | 中性脂肪 |
|---|---|---|---|
| Ⅰ | カイロミクロン | ↑ | ↑↑↑ |
| Ⅱa | LDL | ↑↑↑ | → |
| Ⅱb | LDL，VLDL | ↑↑ | ↑↑ |
| Ⅲ | IDL | ↑↑ | ↑↑ |
| Ⅳ | VLDL | → or ↑ | ↑↑ |
| Ⅴ | カイロミクロン，VLDL | ↑ | ↑↑ |

Ⅰ型とⅤ型：24～48 時間の静置後に血清の上層にクリーム層を認める．また，一般に総脂質が 600 mg/dL 程度以上になると血清の乳濁がみられる．

# 6 リポ蛋白関連検査

## A リポ蛋白分画

脂質の異常値に際して，リポ蛋白の分画との関連で評価する場合に測定する．例えばコレステロールが VLDL，LDL，HDL のどの分画に由来するのか，あるいはトリグリセライドがカイロミクロン，VLDL のどの分画に由来するのかを観察するような場合である(サイドメモ)．

家族性Ⅲ型高脂血症の診断には broad $\beta$(アガロースゲル電気泳動：主として荷電で分画する)の検出が役立つ．レムナントの存在にはミッドバンド(ポリアクリルアミドゲル電気泳動：主として粒子サイズで分画する)を観察する．小型 LDL の存在はポリアクリルアミドゲル電気泳動像で観察できる．胆汁うっ滞で出現するリポ蛋白 X(lipoprotein-X；Lp-X)のような特殊な(異常)リポ蛋白は，陰極側に泳動される(寒天ゲル電気泳動：通常のリポ蛋白は陽極側に泳動される)ことで検出できる．

通常，超遠心分離法，電気泳動法(アガロースゲルまたはポリアクリルアミドゲル)，高速液体クロマトグラフィ(HPLC)法を用いて分画する．電気泳動法では，HDL は $\alpha$，LDL は $\beta$，VLDL は pre$\beta$ の位置におよそ対応する．アガロースゲル電気泳動法では，移動の速さに合わせて，HDL，VLDL，LDL の順に分離される．HPLC 法では，HDL，LDL，IDL，VLDL の順に溶出する．

## B リポ蛋白(a)

リポ蛋白(a)〔lipoprotein(a)；Lp(a)〕は，LDL と類似したリポ蛋白で，アポ蛋白(a)という蛋白を有した特異な構造をしている．LDL のアポ B-100 にアポ(a)がジスルフィド結合している．LDL 類似構造は動脈硬化促進性にあずかる．また，アポ(a)には 5 種類のクリングルがあり，クリングル 4 が繰り返し構造をもつ〔Lp(a)の個人のフェノタイプを決める〕とともにプラスミノゲンと相同性を示して血液凝固亢進にあずかる．したがって，Lp(a)の高値は，動脈硬化のリスク評価に用いられている．

免疫学的測定法で検査されており，基準値は約 30 mg/dL 以下である．Lp(a)の値は，大部分が遺伝的に決められている．個人差ならびに民族差がある．繰り返し構造をもつクリングルによってアポ(a)の分子量は異なるが，その分子量が小さいほど，Lp(a)は高値になる傾向を示す．また，Lp(a)は炎症病態で上昇し，アポ(a)は肝で合成されていることから，重症肝障害で低下する．

## C　レムナント様リポ蛋白

動脈硬化の形成には，レムナントと呼ばれるリポ蛋白も関与している．レムナントは，酸化を受けずに直にマクロファージに取り込まれて，マクロファージを泡沫化させ，動脈硬化を促進する．またレムナントは血管の接着因子の発現や血液凝固能を亢進し，動脈硬化を惹起する．レムナントは，カイロミクロンやVLDLのようなトリグリセライドに富むリポ蛋白の代謝過程で発生し，カイロミクロンレムナント，VLDLレムナント(IDLを含む)と呼ばれる．

レムナントは，通常はリポ蛋白リパーゼで加水分解され，速やかに代謝(異化)されてほとんどみられないが，カイロミクロンやVLDLが多く，また受容体や代謝酵素の作用不全があると発生し，高値を示す．小腸での吸収不良や肝での合成低下がある場合には低値になる．

レムナント様リポ蛋白(remnant like particle；RLP)コレステロールを測定(酵素法で測定可)することで，レムナントの発生を推定する．一般に食事負荷で増加する．空腹絶食時採血で測定する．

## D　small dense LDL

LDLの粒子群の中で小型で比重の高いsmall dense LDLと呼ばれるリポ蛋白も，動脈硬化の形成に関与する(サイドメモ)．25.5 nm以下のサイズの場合にsmall dense LDLと呼ぶことが多い．このリポ蛋白は，酸化されやすく，また動脈壁内に透過しやすいため，マクロファージの泡沫化を促進する．

トリグリセライド値の高い場合には，通常のVLDLではなく，トリグリセライドに富む大型VLDLが分泌される．通常のVLDLは血管内皮にあるリポ蛋白リパーゼによって加水分解されてLDLになるが，大型VLDLはCETPによってHDLからコレステロールエステルを積極的に受け取り，HDLにトリグリセライドを受け渡す．こうした組成をもつVLDLやLDLは血中に滞在し，リポ蛋白リパーゼと肝性リパーゼによってトリグリセライドの代謝を受けているうちに，小型化したLDLが生じる．

リポ蛋白分画による検査でLDLのサイズを観察する．また，small dense LDLコレステロールの測定(直接法)は，このLDLの存在を反映すると考えられる．

**サイドメモ　LDLの質的検査**

コレステロールのような検査項目は量的な指標である．一方で，LDLの小型化や酸化変性(修飾)のような検査項目は質的な指標といわれる．量と質の両面からリポ蛋白を観察し，動脈硬化の病態に，より接近しようという試みが続いている．

## E　酸化変性(修飾)LDL

LDLは酸化変性(修飾)を受けると，動脈硬化の形成に関与する．マロンジアルデヒド(malondialdehyde；MDA)は，LDLの脂肪酸の酸化で生じるアルデヒドであり，MDA修飾LDL(MDA-LDL)の高値は動脈硬化のリスクや存在を示唆する．冠動脈疾患のある糖尿病保有者の病態の観察や予後予測に適用されている．

免疫学的測定で検査されている．ただし，酸化LDLも多種みられてきており，MDA-LDLの測定がすべての酸化LDL種を捉えているわけではない．

# 7　リポ蛋白代謝の主要酵素群

リポ蛋白リパーゼは脂肪組織や筋における血管内皮細胞に存在し，トリグリセライドを加水分解する．アポC-Ⅱで活性化される．トリグリセライドの異常値を来すさまざまな病態に関与しており，高トリグリセライド血症をみた場合には，リポ蛋白リパーゼの欠損や機能低下を考慮する．早朝空腹時にヘパリン(30単位/体重kg)を静注(負荷)し，10分後に採血してリポ蛋白リパーゼの上昇の有無を調べることで診断に用立てられる．最近では，ヘパリンを用いない空腹時採血(プレヘパリン)によるリポ蛋白リパーゼ(蛋白)を測定することも有用とされる．

肝性リパーゼは肝や脂肪組織における血管内皮細胞に存在し，トリグリセライドを加水分解する．肝性リパーゼの欠損や機能低下ではレムナントの代謝不全から高トリグリセライド血症を来す．また，HDL代謝の面では，$HDL_2$を$HDL_3$に変化させる作用をもつため，その欠損や機能低下ではHDLは高値を示す．肝性リパーゼは肝で合成され，脂肪肝で高値になり，重症肝障害時に低値になる．リポ蛋白リパーゼとセットで，ヘパリンの静注を行って測定する．

LCATは，レシチン(生体膜を構成するグリセロリン脂質の一種)の脂肪酸を遊離コレステロールに転移させ，コレステロールエステルの生成を促進する．特にHDLの成熟にあずかる．*LCAT*遺伝子異常(家族性LCAT欠損症や魚眼病)ではLCATが低値を示し，HDLは低下し，原始型のHDLがみられるようになる．LCATの活性化にはアポA-Iを要し，アポA-I欠損や機能異常でもLCATは低値を示す．LCATは肝で合成されるため，重症肝障害時には続発性にLCATは低値になる．血漿(速やかに測定する場合には血清でも可)を採取し，基質を用いてLCAT活性を測定する．

CETPは，HDLのコレステロールエステルとVLDL，LDLのトリグリセライドとを交換する．CETPの低下は，この転送不全を来し，HDLは高値を示す．特にCETP欠損症では高HDLコレステロール血症を呈する．また，多量の飲酒ではCETPは低値になるという．一般に女性のほうが男性よりもCETPは低値である．CETPの活性と蛋白量は相関し，後者を免疫学的に測定する方法が簡便で用いられる．

# 8 血中脂肪酸分画

脂肪酸分子種の中で，エイコサペンタエン酸(eicosapentaenoic acid；EPA)とアラキドン酸(arachidonic acid；AA)は，生体内で合成できない必須脂肪酸であり，食事から摂取する必要がある．EPAは動脈硬化抑制性に働き，一方で，AAは動脈硬化促進性とされており，EPA/AA比の低値は動脈硬化の危険を示唆するとして測定されるようになっている．

なお，ドコサヘキサエン酸(docosahexaenoic acid；DHA)も動脈硬化抑制性に働くとされる．DHA/AA比，または(EPA+DHA)/AA比の低値も動脈硬化のリスク評価に用い得る．

# 8章 電解質

## 1 総論

電解質はイオンで体内に存在し，生理的役割を果たしている．イオンで存在するためには，水分が必要である．健常人では体内の水分・電解質量は一定に保たれており，基本的に「摂取量＝排泄量」が成立する．したがって血清電解質値の変動は，水分量増減および電解質量増減で決定される．

### A 体内の水分布とその調節

体内の水分布とその調節を示す(図8-1)．成人男性では体重の60～70%，成人女性では40～50%，高齢者では55%，新生児では80%を水分が占めている．体内水分のうち70%が細胞内に，30%が細胞外にある．

健常人では，1日に尿が約1L排泄され，肺や皮膚からの不感蒸泄が約1Lあり，2Lの水分が出入りしている．主として下垂体後葉から分泌される抗利尿ホルモンにより腎臓から排泄する水分

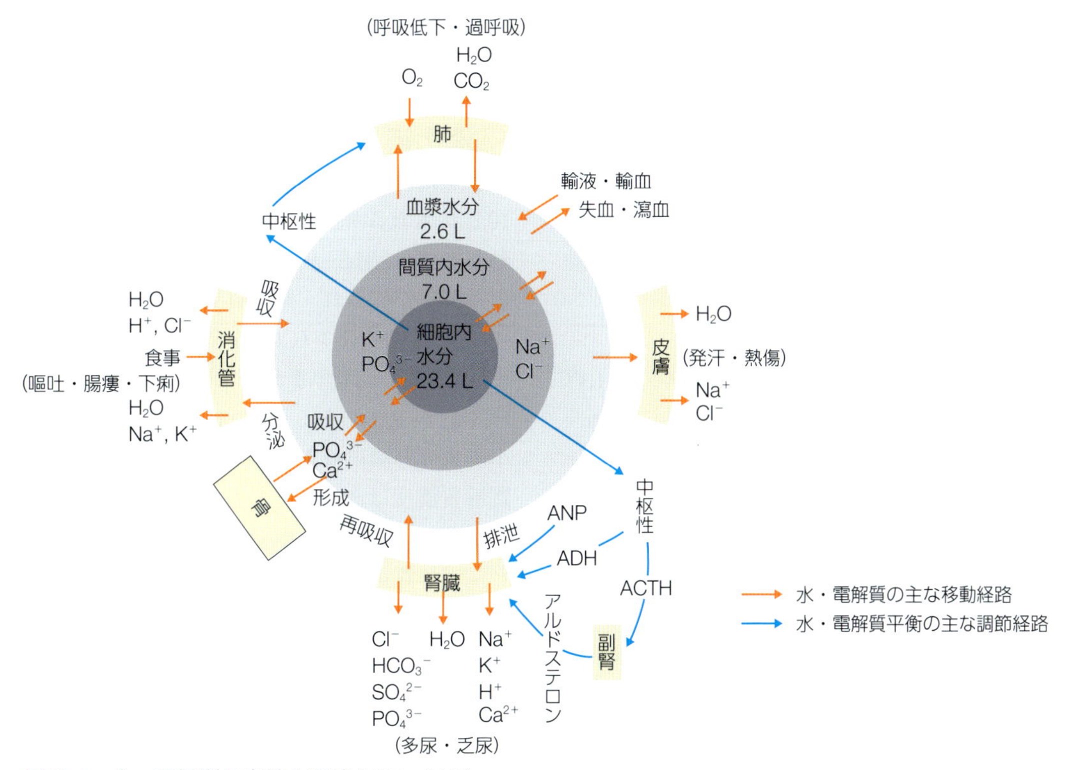


**図8-1　水・電解質の出納と調節**(原図・河合)
ANP：心房性ナトリウム利尿ペプチド，ADH：抗利尿ホルモン，ACTH：副腎皮質刺激ホルモン

量(尿量)を増減させ，体内水分量を調整している．

## B 水・電解質平衡の異常を招く 8つの場

水分もしくは電解質の増減に関与するのは，主に吸収や排泄を行う①腎臓，②消化管，③皮膚，④肺，貯蔵庫である⑤細胞(カリウム)，⑥間質(ナトリウム)，⑦骨(カルシウム，リン)とそれらを仲介/運搬する⑧血管(血液)の8つである(図8-1)．

### 1 腎臓

腎臓では，水分および電解質の再吸収と排泄が行われ，主にホルモンが電解質を調節している．利尿薬およびホルモン剤などの薬剤が強く反応する部位である．

#### ❶ 近位尿細管

アンジオテンシンⅡはナトリウムイオン($Na^+$)の再吸収を促進させ，心房性ナトリウム利尿ペプチド(atrial natriuretic peptide；ANP)は$Na^+$の再吸収を抑制する．SGLT2阻害薬はグルコースとともに$Na^+$の再吸収を抑制する．アンジオテンシンⅡ阻害薬，ANPやSGLT2阻害薬によって$Na^+$再吸収が抑制されても，その下流の尿細管での$Na^+$再吸収が増加するため，Na利尿は生じにくい．SGLT2阻害薬による多尿はグルコースが再吸収できなかったことによる浸透圧利尿効果である．

#### ❷ Henleループ上行脚

フロセミド(furosemide，ラシックス®)は上行脚の$Na^+$-$K^+$-$2Cl^-$共輸送担体を抑制し，NaClおよびカリウムイオン($K^+$)の再吸収を抑える．この部位で$Na^+$再吸収の30～40%を担っており，下流での代償的な$Na^+$再吸収増加機構も十分働かなくなるため強力なNa利尿作用を示す．

#### ❸ 遠位尿細管

サイアザイド系利尿薬は遠位尿細管1のNa-Cl共輸送体を抑制する．この部位で$Na^+$再吸収の5～8%を占めるのみであり，Na利尿効果はフロセミドと比べると弱い．また，$Na^+$再吸収阻害によりこれ以降の流量を増やすことにより遠位尿細管2におけるK排泄を増やす．

アルドステロン(aldosterone)：電解質コルチコイド受容体(MR)を介して遠位尿細管2に作用し，$Na^+$の再吸収と$K^+$，水素イオン($H^+$)の排泄を行う．この部位でNa再吸収の2～3%と少なく，MRを阻害してもほとんどNa利尿効果はない．$K^+$と$H^+$の排泄では中心的な役割を果たしているため，MR拮抗薬(スピロノラクトンなど)で高K血症や代謝性アシドーシスを来しやすい．

#### ❹ 集合管

抗利尿ホルモン(antidiuretic hormone；ADH，バソプレシン arginine vasopressin；AVP)は$V_2$受容体を介して作用し水の再吸収を促進する．$V_2$受容体拮抗薬(トルバプタン)で水利尿が生じる．

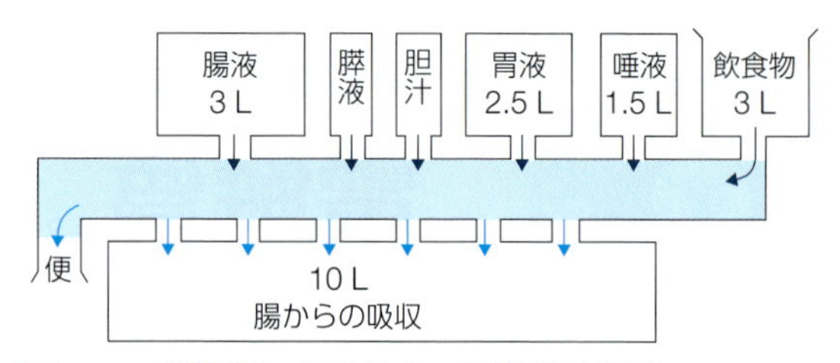


図8-2　消化管における水・電解質の出納
消化管内で1日に移動する水分の内容．

### 2 消化管

水・電解質に関して調節機構はないが，1日で10Lにも及ぶ電解質を含んだ水分が消化管で移動している(図8-2)．消化器疾患では容易に水分と電解質が失われ，電解質異常を来す．胃液には$H^+$と塩化物イオン($Cl^-$)が多く含まれ，重炭酸イオン($HCO_3^-$)は含まれない．腸液は$Na^+$，$Cl^-$，$HCO_3^-$が主体である(表8-1)．膵液，胆汁および小腸中間部滲出液を除く多くの分泌液，排泄液の電解質濃度は血中よりも低値である(図8-3)．したがって，嘔吐や下痢でこれらが体外に失われると，電解質よりも水分の喪失による影響が強く脱水症を呈する．

### 3 皮膚

健常人では，発汗が水分および電解質の調節にかかわっている．しかし，皮膚からの吸収はなく排泄のみの一方向であるため，調節作用は小さい．

**表 8-1 消化管液や喪失体液などの電解質組成**

| | 量(L) | | 電解質濃度(mEq/L) | | | |
|---|---|---|---|---|---|---|
| | | | $Na^+$ | $K^+$ | $Cl^-$ | $HCO_3^-$ |
| 消化管 | 1.5 | 唾液 | 30 | 20 | 31 | 15 |
| | 2.5 | 胃液 | 50〜65 | 10 | 100〜150 | 0 |
| | 0〜3 | 嘔吐 | 20〜100 | 10〜15 | 120〜160 | 0 |
| | 0.5 | 胆汁 | 150 | 4〜5 | 90〜100 | 35〜40 |
| | 0.7 | 膵液 | 140〜150 | 5〜7 | 80〜90 | 75〜90 |
| | 1.5 | 十二指腸液 | 90 | 15 | 90 | 15 |
| | | 小腸中間部 | 140 | 6 | 100 | 20 |
| | | 回腸末端部 | 40 | 8 | 60 | 70 |
| | 1.0〜1.5 | 大腸 | 80 | 21 | 48 | 22 |
| | <0.15 | 正常便 | 20〜30 | 55〜75 | 15〜25 | 0 |
| | 1〜20 | 下痢 | 40〜140 | 15〜40 | 25〜100 | 10〜75 |
| 皮膚 | 0〜3.0 | 発汗 | 10〜30 | 3〜10 | 10〜35 | 0 |
| | | 熱傷 | 140 | 5 | 110 | — |



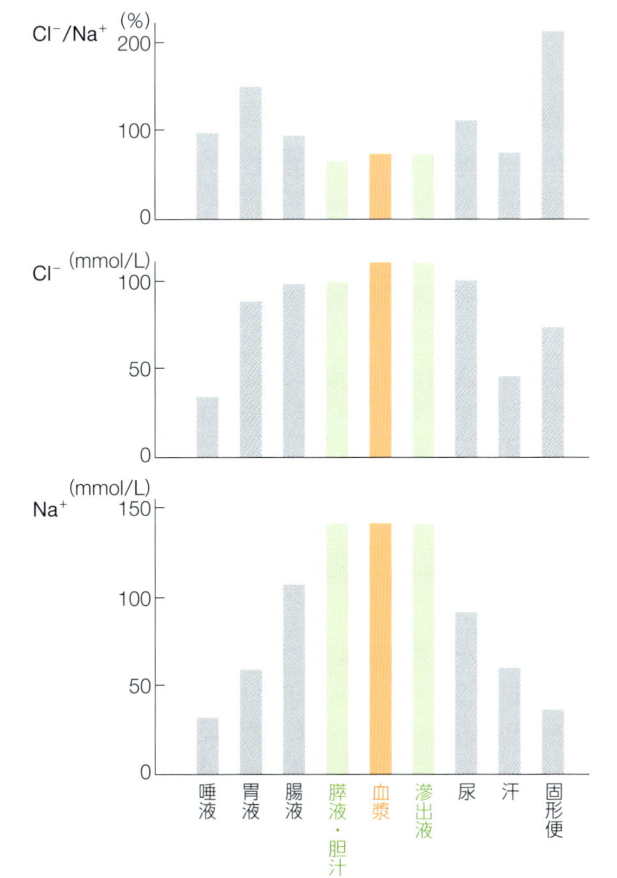


**図 8-3 種々の分泌液および排泄液中の $Na^+$ と $Cl^-$ の濃度**

病的な状態では，発汗，熱傷，滲出性皮膚疾患などで多量の体液成分が失われる．また皮膚の間質に水分が保留される浮腫などでも，血管内から水分および電解質が失われる．

## 4 肺

呼吸により，水蒸気(不感蒸泄の一部)と炭酸ガスが肺から排泄される．皮膚同様に排泄のみの一方向であり，主に酸塩基平衡に関与する．

## 5 細胞，間質

細胞(細胞内液)と間質(細胞外液)では電解質濃度が大きく異なる(表 8-2)．$Na^+$ と $Cl^-$ は細胞外液に多く含まれ，$K^+$ とリン($PO_4^{3-}$)は細胞内液に多く含まれる．特に皮下組織の間質液は $Na^+$ の貯蔵庫として働き，その調整機序が破綻すれば浮腫となり血管内から水分および電解質が失われる．また，細胞内液は 23.4 L と量が多く，濃度も高いことから $K^+$ の貯蔵庫として働いており，K を豊富に含んだ食事を摂取した際，一時的に $K^+$ を細胞内に移動させて，高 K 血症にならないようにしている．

**表 8-2　体液中の主要な電解質組成**

| | | 細胞外液 | | 細胞内液 |
|---|---|---|---|---|
| | | 血漿 | 間質液 | |
| 陽性荷電 | $Na^+$ | 142 | 151～153 | 10 |
| | $K^+$ | 4 | 4.3～4.7 | 160 |
| | $Ca^{2+}$ | 5 | 2.5 | 0.0002*1 |
| | $Mg^{2+}$ | 3 | 1.5 | 1*1 |
| 陰性荷電 | $Cl^-$ | 103 | 114 | 1 |
| | $HCO_3^-$ | 27 | 30 | 10 |
| | $HPO_4^-/HPO_4^{2-}$ | 2 | 2.1 | 140*2 |
| | 蛋白質 | 16 | 微量 | 55 |
| pH | | 7.2 | 7.4 | 7.4 |

単位：mEq/L
*1 遊離イオン濃度，*2 ほとんどは有機リンとして存在している.

### 6 骨カルシウム(Ca)

骨はCaだけではなく，リンの貯蔵庫であり，リン利尿ホルモンであるfibroblast growth factor (FGF)23は主に骨から分泌される.

### 7 血管

通常，血管系は閉鎖循環を維持している. 出血に伴い血液が失われた場合，医原性に輸液，輸血が行われることにより，水・電解質バランスが乱されることがある.

## 2 ナトリウム(Na)とクロル(Cl)

NaとClは細胞外液の主な構成イオンで，血漿浸透圧の主体である. 健常人では，血清濃度はNa 140 mmol/L，Cl 104 mmol/L程度に調整され，食塩(NaCl)の負荷がかかると水分量を増やして調整する. 塩分を過剰に摂取すると，細胞外液量の増加に伴い循環血液容積が増え，血圧が上昇する.

1日に摂取された食塩量は，ほぼ尿への排泄量に等しいと考えてよい. したがって，1日食塩摂取量を知りたい場合は，尿への排泄量を確認する必要がある. 夏や運動時など発汗が多い場合には，必ずしも一致しない.

アルドステロンやバソプレシンなどのホルモンは腎に作用し，血清Na濃度を変動させる. また，血液中のグルコース濃度が上昇すると，血漿浸透圧を補正するためにNa濃度は低下する.

基準範囲はNaが138～145 mmol/L，Clが101～108 mmol/Lである.

### A 血清Na濃度と体液(血漿)浸透圧

体液浸透圧を一定に保つことは細胞が生存するために重要である. 溶液の浸透圧は溶け込んでいるイオンのみでなく，すべての粒子の総数により定まる. 血清浸透圧のほとんどを$Na^+$と$Cl^-$が担っており，グルコースと尿素窒素を加えると血清浸透圧が求められる.

$$\text{血清浸透圧} \fallingdotseq 1.86 \times \text{Na(mmol/L)} + \frac{\text{グルコース(mg/dL)}}{18} + \frac{\text{尿素窒素(mg/dL)}}{2.8}$$

この式から換算すると，健常人の血清浸透圧の基準値は276±10 mOsm/Lとなり，実測値より15 mOsm/L程度低いのは，膠質浸透圧を考慮しないためと考えられる. 浸透圧全体からはわずかな違いであると考えて無視する場合も多い. 一方で細胞外液である血漿と間質液では膠質浸透圧のわずかな違いが重要となる.

膠質浸透圧を考慮した式はいろいろ提唱されて

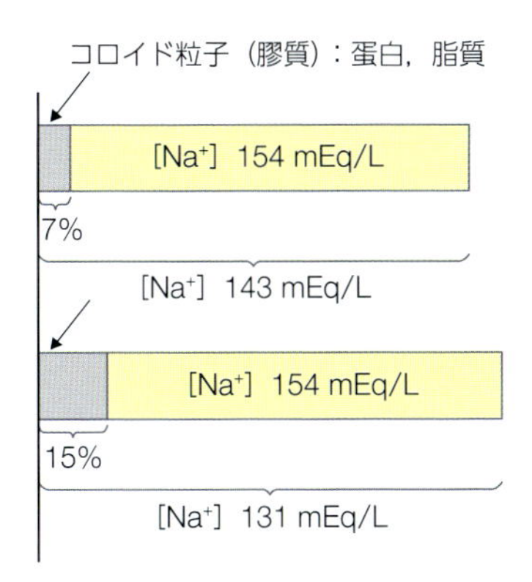


**図 8-4　等張性(偽性)低 Na 血症の考え方**

いるが，

$$\text{血清浸透圧} = 2 \times \text{Na(mmol/L)} + \frac{\text{グルコース(mg/dL)}}{18} + \frac{\text{尿素窒素(mg/dL)}}{2.8}$$

が広く使用されている．

また，尿素窒素は細胞内・外を自由に通過できるため細胞内外の浸透圧の差の形成には関与していないため

$$\text{有効血清体液浸透圧} = 2 \times \text{Na(mmol/L)} + \frac{\text{グルコース(mg/dL)}}{18}$$

を用いる．

① **高張性低 Na 血症**：比較的分子量が小さいグルコースが著しく上昇すると浸透圧を上昇させ，代償性に Na 濃度を低下させる．グルコース 100 mg/dL 上昇で，Na 1.6 mmol/L が低下する．

② **等張性(偽性)低 Na 血症**：血漿には蛋白質や脂質がコロイドとなって存在しているが，粒子数が少ないため浸透圧に与える影響は少ない(膠質浸透圧)．血漿 Na 濃度は蛋白質や脂質を含んで測定しているため，液体部分では Na 濃度が 154 mEq/L と同じでも蛋白質や脂質成分が増加すると血漿 Na 濃度は低下する(図 8-4)．したがって，高度の脂質異常症や高 $\gamma$-グロブリン血症などでは血漿浸透圧は等張つまり大きく変化しないが，血漿 Na 濃度は低下する．

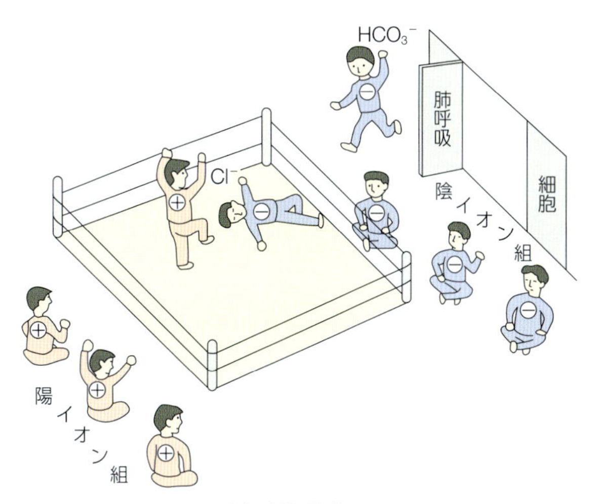


**図 8-5　クロル・重炭酸塩移動**(原図・河合)

$Cl^-$ と $HCO_3^-$ とは互いに選手を融通し合って血清中の陰イオン組総勢をできるだけ保とうとしている．
なお，日本では，$Cl^-$ を習慣的にクロルと呼んでいるが，英語では chloride といい，chlorine(英)とはいわない．



## B　$Na^+$ と $Cl^-$ 変動の乖離

$Na^+$ と $Cl^-$ は食塩として摂取され，NaCl の形で排泄されることが多いので，血中の $Na^+$ と $Cl^-$ は互いに連動して変化することが多い．健常人において $Cl^-/Na^+$ 比はほとんど差がなく，65～80% になる．

しかし，$Cl^-$ は，$Na^+$ とは独立してクロル・重炭酸塩移動(chloride-bicarbonate shift)という機序にも影響される(図 8-5)．すなわち，$Cl^-$ が上昇すると $HCO_3^-$ が低下し，$Cl^-$ が低下すると $HCO_3^-$ が上昇し，陰イオンの総和を一定に保つ．したがって，$Cl^-$ の変化が $Na^+$ の変化に連動しないこともある(図 8-6)．

① **$Cl^-/Na^+$ 比が低値($Na^+ - Cl^-$ が高値)**：$HCO_3^-$ が蓄積されて代謝性アルカローシスになり，$[Cl^-]$ が低下するため $[Na^+] - [Cl^-]$ が 36 より増加する．具体的には，胃酸として $Cl^-$ が失われる嘔吐・胃液吸引で認められる(図 8-6 の①)．また降圧利尿薬投与で $Cl^-$ が尿中に排泄される場合に認められる(図 8-6 の②)．

② **$Cl^-/Na^+$ 比が高値($Na^+ - Cl^-$ が低値)**：$NH_4Cl$・生理食塩液の過剰注入による(図 8-6 の③)．$HCO_3^-$ が呼吸性に失われる状態が呼吸性アルカ

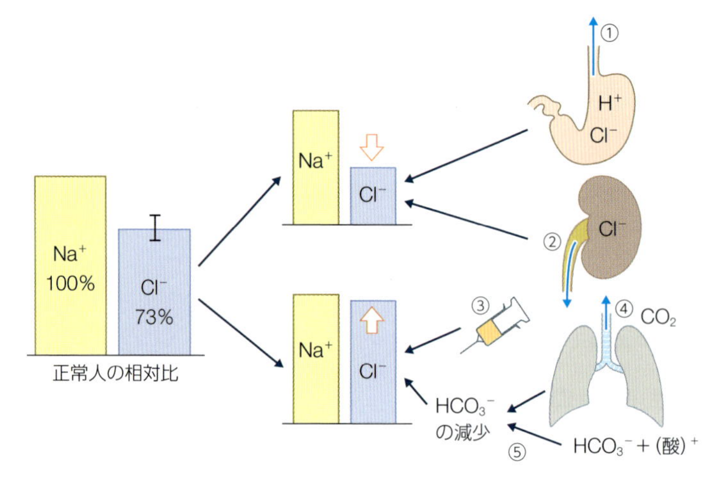


**図 8-6　$Cl^-/Na^+$の比が異常を示す場合の考え方**(原図・河合)
水色は異常な動きを示す．丸中数字は本文参照．

ローシス(図 8-6 の④)．過剰に産生された酸を処理するために$HCO_3^-$が消費され減少する状態が代謝性アシドーシス(図 8-6 の⑤)．不揮発酸が蓄積しないアニオンギャップ正常の代謝性アシドーシスでは[$Cl^-$]が増加するため，[$Na^+$]－[$Cl^-$]が 36 より低下する．

## C　血液濃縮・希釈の評価

血清電解質濃度は mmol/L で表現されるとおり，それらの成分の絶対量とともに，それが溶解している溶媒つまり水の容積も影響する．したがって血漿中の電解質が増減しなくても，循環血漿量が増加していれば(血液希釈)濃度が低下し，循環血漿量が減少していれば(血液濃縮)濃度は高くなる．特に血液濃縮の有無は，臨床的に脱水症状がみられるか，赤血球数，Hb，Ht，総蛋白などが高値になっているかなどを参考にすればある程度把握できる．

## D　$Na^+$が上昇する場合(高 Na 血症)

① **水分の喪失**：(i)皮膚から喪失：過剰な発汗，熱傷，滲出性皮膚疾患や(ii)腎からの喪失：中枢性尿崩症，腎性尿崩症，浸透圧利尿(高血糖など)．なお，これらを認めても，浸透圧上昇により口が乾いて十分な水分が摂取できれば著しい高 Na 血症となることはない．

② **腎における Na 再吸収亢進**：アルドステロン症．アルドステロン症による$Na^+$上昇は基準範囲内に収まる程度のことが多い．

## E　$Na^+$が低下する場合(低張性低 Na 血症)

① **細胞外液量増加**(図 8-7 の①)：(i)腎不全，(ii)うっ血性心不全，(iii)肝不全，(iv)ネフローゼ症候群．

② **細胞外液量正常(腎における水分再吸収亢進，**図 8-7 の②)：(i)抗利尿ホルモン分泌過剰症(syndrome of inappropriate secretion of antidiuretic hormone；SIADH)，(ii)薬剤(ADH 分泌亢進もしくは作用増強)，バルビタールなど．

③ **細胞外液量低下**(図 8-7 の③)：

1) 腎における Na 再吸収抑制：(i)アルドステロン分泌抑制，Addison 病，副腎不全，(ii)副腎皮質ホルモン分泌抑制，下垂体機能不全，副腎不全，(iii)利尿薬，(iv)塩類喪失性腎症．
2) 腎以外から Na 喪失：(i)消化管から喪失，(ii)熱傷．

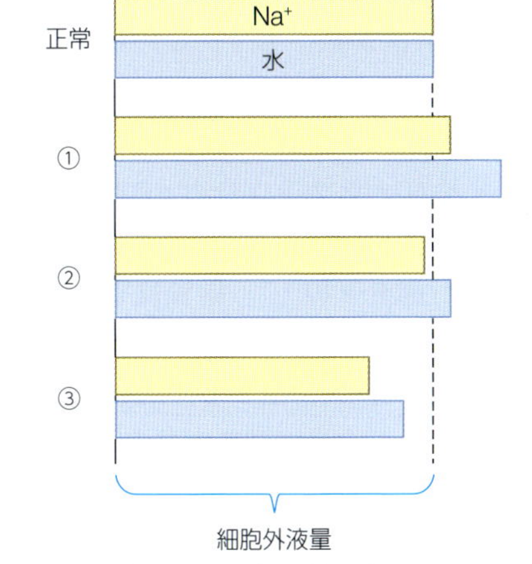


**図 8-7 低張性低 Na 血症の考え方**

① 細胞外液量増加型，② 細胞外液量正常型，③ 細胞外液量低下型

# 3 カリウム(K)

カリウム(potassium；K)は，神経伝導に重要な役割を有し，5.5 mmol/L を超えると心電図上の異常が認められ，7.0 mmol/L では心停止に至る恐れがある．K が基準範囲(3.6～4.8 mmol/L)を逸脱すると，臨床的に大きな問題になる可能性が高い．

## A 体内動態

K は体内に 3,000～4,000 mmol あり，主として細胞内に存在し，細胞外液には 2% しか分布していない．すなわち，血漿には 3.5～4.5 mmol/L 含まれるのに対して，細胞内には 110～150 mmol/L である．大部分がイオンとして存在し，一部は蛋白，グリコーゲンなどに結合している．

1 日の K 摂取量は約 50～100 mmol で，普通の食事で十分に補給される．果物，野菜には比較的多量の K が含まれている．一方，1 日摂取量の 80～90%(35～100 mmoL)が腎から尿量に比例して失われる．5～10% は糞便中に排泄され，ごく少量は汗の中にも失われている．

細胞外液には体内(3,000～4,000 mmol)の 2% つまり 60～80 mmol 存在しており，ほとんど 1 日の K 摂取量と同じである．小腸から吸収される K はすべて血液中にはいるが，腎臓はすぐに K を排泄することができない．そのため，食後上昇するインスリンの作用により一時的に細胞内に移行させ，高 K 血症にならないようにしている．

糸球体を通過した K は，ほとんどすべて近位尿細管で再吸収されるので，尿中の K はすべて遠位尿細管から分泌される．遠位尿細管では Na との交換で K が尿中に排泄される．主にアルドステロンにより調整されているが，遠位尿細管に到達する Na の量や流速が増加すると K の尿への排泄が増加する．したがって，K が欠乏しても Na や水分が十分に摂取できており尿量が維持されれば尿中排泄量を 10～15 mmol/日以下に排泄量を減らすことができない．そのため，体内の K がさらに失われる．逆に急に減塩し，遠位尿細管に到達する Na の量が減少すると尿への K 排泄が低下し，高 K 血症になりやすくなる．

## B 上昇する場合(高 K 血症)

K の体内動態と病態をまとめた(図 8-8)．

**① K の血管内過剰投与(輸血，輸液)**(図 8-8 の①)：保存血は，採血後血清漿中の K 濃度が 1 日に 1 mmol/L ずつ上昇し，21 日保存では約 23 mmol/L まで上昇する．したがって，大量の保存血輸血により K が急激に上昇することがある．特に，K 排泄能の悪い腎不全患者および新生児では注意を要する．同様に，大量の K を輸液で投与したときも K が急激に上昇することがある．

**② K の過剰経口投与**(図 8-8 の②)：正常の腎機能では問題にならないが，K 排泄能の悪い腎不全患者および乏尿により K 蓄積傾向がある場合，果汁を大量に摂取すると高 K 血症になる．

**③ 溶血(生体内および生体外)**(図 8-8 の③)：赤血球内の K 濃度は血漿の 30 倍で，採血時わずかな溶血が生じても著しく血清 K 濃度は上昇する．採血後血清をただちに分離せずに全血のまま放置すると，赤血球内の K が徐々に血中へ溶出してくる．

**④ 細胞壊死**(図 8-8 の④)：広汎な外傷，熱傷な

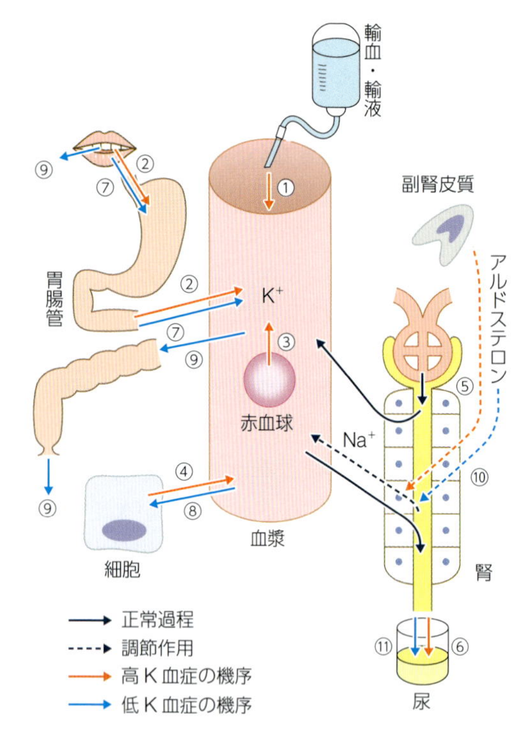


**図 8-8　Kの体内での動態と病態**(原図・河合)

**高K血症**：① 保存血輸血・輸液，② 果汁の大量摂取，③ 溶血，生体内・生体外，④ アシデミア・広範な壊死，⑤ 低アルドステロン症，⑥ 乏尿・無尿

**低K血症**：⑦ 摂取不足，⑧ アルカレミア・インスリン・カテコールアミン，⑨ 嘔吐・下痢，⑩ アルドステロン症，⑪ 多尿

どで組織壊死が生じると，細胞内Kが大量に血中に放出される．75 g の組織が崩壊すると，約 33 mmol のKが放出される．

⑤ **アシデミア(acidemia)**(図 8-8 の④)：血液 pH と K 値は逆に動き，pH が 0.1 低下すれば K は 0.5 mmol/L 上昇する関係にある．すなわち，アシデミアの場合，それを是正するために，血中の $H^+$を細胞内へ移行し，逆に細胞内の $K^+$を血中へ移行させる作用が働き K は上昇する．したがって，アシデミアでは，血中の K は増加するが細胞内は減少するので生体内の総 K 量は変化しない．アシデミアが是正されると逆の作用が働き血清 K は低下する．腎不全患者でみられる高 K 血症でアシドーシスを治療するのはそのためである．

⑥ **アルドステロン低値**(図 8-8 の⑤)：アルドステロンは，遠位尿細管に作用し $Na^+$を再吸収し $K^+$を排泄する．したがって，アルドステロン低値では K の排泄が低下して，K の蓄積傾向になる．Addison 病，下垂体機能不全などで低アルドステロン血症が生じ，抗アルドステロン作用を示す薬剤(スピロノラクトンなど)でも同様に高 K 血症の傾向を示す．

⑦ **副腎不全**(図 8-8 の⑤)：副腎皮質ホルモンもアルドステロンより弱いが，遠位尿細管に作用し $Na^+$を再吸収し $K^+$を排泄する作用を有している．重症患者の場合，全身で副腎皮質ホルモンが必要になり，腎では相対的に副腎皮質ホルモンが不足する病態になる．$Na^+$が低下，$K^+$が上昇し，副腎不全状態を疑う所見になる．

⑧ **乏尿，無尿**(図 8-8 の⑥)：K の排泄は尿量に依存し，著しい尿量減少があると，K 排泄が低下し体内に K が蓄積する．乏尿では，1 日に 0.3〜0.4 mmol/L，無尿では 0.7 mmol/L の割合で血清 K 濃度が上昇する．

## C　低下する場合(低K血症)

① **K 摂取不足**(図 8-8 の⑦)：腎の K を保持しておく能力は鈍く，尿量が維持されていれば 1 日に 20 mmol 程度の排泄が続く．絶食時に K を含まない輸液を長期間行えば，低 K 血症を来すため，最低 1 日に 20 mmol 程度は補給しなければならない．特に小児では K の出入りが激しいので，適切な補給が必要になる．

② **アルカレミア(alkalemia)**(図 8-8 の⑧)：K 高値時の逆が成立する．血液 pH と血清 K 値は逆に動き，pH が 0.1 上昇すれば K は 0.5 mmol/L 低下する．すなわち，アルカレミアの場合，それを是正するために，細胞内の $H^+$を血中に移行し，逆に血中の $K^+$を細胞内へ移行させる作用が働き血清 K は低下する．

③ **インスリン，カテコールアミン増加**(図 8-8 の⑧)：K 摂取や運動により組織からの漏出により血液中に $K^+$が流入すると，インスリンやカテコールアミン($\beta_2$ 刺激)の作用で細胞内への $K^+$取り込みを増加させ，血清 K 値増加を防いでいる．そのため，高 K 血症の際に，一時的に細胞内へ $K^+$を移行させるグルコース・インスリン療法が

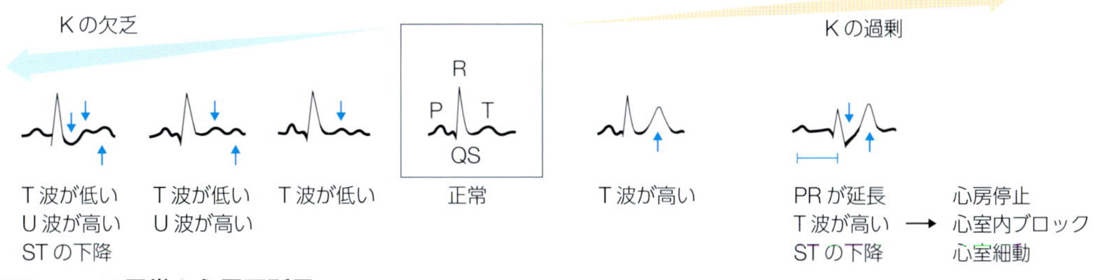


**図 8-9　K 異常と心電図所見**

行われる．低 K 血症性周期性四肢麻痺は，細胞内への $K^+$ 移行が過剰となり，低 K 血症となる．原因の一つである甲状腺機能亢進症では，過剰な甲状腺ホルモンが交感神経 β 刺激に対する反応性を増大させ，細胞内への $K^+$ 移行を増加させる．細胞内外の $K^+$ 濃度の差は，細胞内の K 濃度も低下している K 欠乏と比べると，K 欠乏がない，つまり細胞内 K 濃度が正常のまま細胞内へ $K^+$ が取り込まれる低 K 血症性周期性四肢麻痺より少ないため，K 欠乏では臨床症状として麻痺に至ることは稀である．

④ **嘔吐，下痢**(図 8-8 の⑨)：消化液中へは 1 日に 100 mmol/L 程度の $K^+$ が分泌される．したがって，消化液が多量に体外へ失われると，$Na^+$，$Cl^-$，$K^+$ が不足する．特に，$K^+$ が多く含まれる腸液を失う下痢では，その傾向が著しい．

⑤ **アルドステロン高値**(図 8-8 の⑩)：アルドステロンは，遠位尿細管に作用し $Na^+$ を再吸収し $K^+$ を排泄する．アルドステロン高値では $K^+$ の排泄が促進し，K は低値になる．したがって，原発性アルドステロン症(腺腫および過形成)および続発性アルドステロン症(腎血管性高血圧，肝硬変，ネフローゼ症候群，Bartter 症候群など)で低 K 血症を認める．

副腎皮質ホルモンもアルドステロンと同様の作用があり，副腎皮質ホルモンが上昇する病態(Cushing 病，Cushing 症候群，副腎皮質ホルモン療法など)でも低 K 血症を起こす．

⑥ **多尿**(図 8-8 の⑪)：アルドステロンの影響を除くと，腎における K 調整能力は低い．K の尿中排泄量は尿量に比例し，利尿薬投与後には K が欠乏傾向になる．

## D　K 異常と心電図

K は，神経および筋肉の活動に重要であり，特に心臓の収縮に対して敏感に影響する．したがって，細胞内液の K の過不足は心電図に鋭敏に反映する(図 8-9)．

高 K 血症(hyperpotassemia)では，四肢のしびれ感，筋脱力感，弛緩性麻痺，不整脈などが認められる．血清 K が 5.5 mmol/L を超えると心電図上，テント状にとがった T 波(R 波の 1/2 以上の高さ)が認められる．さらに血清 K が 7.0 mmol/L を超えると T 波が R 波を超えるようになり，心停止を起こすことがある．9.0 mmol/L 以上では生命の維持が困難になる．

低 K 血症(hypopotassemia)では，脱力感，弛緩性麻痺が生じ，次いで神経過敏，昏睡などの重篤な症状が現れる．心電図上は，T 波の平坦化，U 波の出現，ST の下降などが認められる．

多くの場合，K 濃度と心電図変化・臨床症状はほぼ平衡するが，時に両者が一致しない場合がある．臨床的に，心電図所見・臨床症状すなわち細胞内の K の過不足が重要で，K 濃度のみを重視してはいけない．

# 4　カルシウム(Ca)

血清カルシウム(calcium；Ca)総量の基準範囲は 8.8～10.1 mg/dL であり，Ca イオン($Ca^{2+}$)，蛋白(主にアルブミン)と結合した Ca，その他イオンと結合した Ca を含んでいる．重要なのは

$Ca^{2+}$であり，生体では$Ca^{2+}$濃度を一定に保つ作用が働いている．したがって，常にCa総量から結合したCa量を引いた$Ca^{2+}$濃度を考慮しなければならない．

## A 体内動態

Caは生体内にある無機物のうち最も多量に含まれ，成人男性では約1,000 g(体重の2～3%)を占めている．そのうち99%はリン酸Ca〔$Ca_{10}(PO_4)_6(OH)_2$〕として骨に沈着している．通常，Caは1日250～500 mgが小腸からリン酸塩で吸収され，骨に運ばれる．一方，糸球体濾過液中のCaの99%は尿細管にて再吸収され，尿中に排泄されるのは1日100～150 mg程度である．その他に便に多量のCaが排泄される．Ca代謝の調節に主役を演じているのが，副甲状腺ホルモン(parathyroid hormone, parathormone)と活性型ビタミンDである．食事から摂取または皮膚で合成されたビタミンDは，肝臓で25水酸化ビタミンD(25〔OH〕D)となり，さらに腎臓で活性型ビタミンDである$1,25(OH)_2D$に変換される．

## B 補正Ca濃度

血液中のCaの約半分は蛋白，主としてアルブミンと結合している(図8-10)．臨床検査で測定できるのは血清Caの総量で，低アルブミン血症では蛋白に結合している$Ca^{2+}$が低下するため，$Ca^{2+}$濃度は正常でもみかけ上低Ca血症となってしまう．実際に生理的働きをするのは$Ca^{2+}$なので，補正Caにて判断する必要がある．

補正Ca濃度(mg/dL)
＝Ca濃度(mg/dL)＋〔4－アルブミン(g/dL)〕

また，Caのイオン化は溶液のpHにより左右される．アルカリ側ではイオン化が低下し，酸性側ではイオン化が強くなる(図8-10)．pH 7.4では，$Ca^{2+}$が48%，蛋白結合性Caが47%程度で，約5%は非イオン化化合物(リン酸Ca，クエン酸Ca)として存在する．この変化は血清Ca濃度の測定では区別できないので，直接$Ca^{2+}$を測定する必要がある．

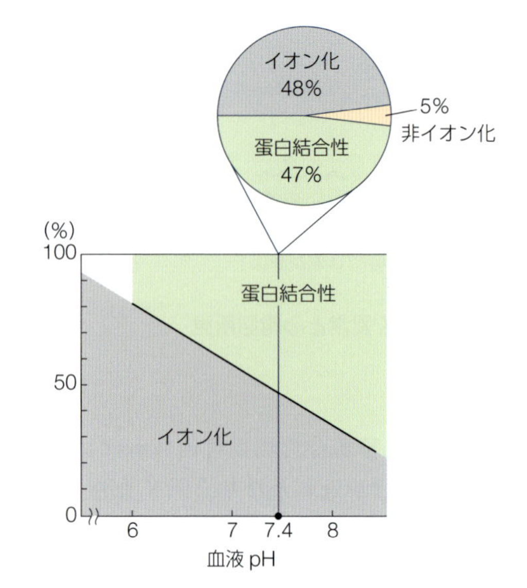


**図8-10　血漿中Caの分布**
下はCaのイオン化とpHの関係を示し，上はpH 7.4におけるCaの内訳を示す．

## C 血液Caの調節(図8-11, 12)

Caの代謝は主に副甲状腺ホルモンと活性型ビタミンDにより調整されるが，そのほかにも種々の因子が関与する．

$Ca^{2+}$濃度は$(Ca^{2+})$×(無機リン)＝Kの関係を満たすように内分泌的にフィードバック作用が働いている．

① **小腸からの吸収促進**(図8-11の①)：高蛋白食，成長ホルモン，ビタミンD．
② **小腸からの吸収抑制**(図8-11の②)：Ca/Pの高比率，腸内容がアルカリに傾く(イオン化の低下)，多量の遊離脂肪酸(Caと脂肪酸の鹸化)，カルシトニン，甲状腺ホルモン($T_4$)，副腎皮質ホルモン．
③ **尿細管再吸収促進**(図8-11の③)：副甲状腺ホルモン，カルシトニン，甲状腺ホルモン．
④ **尿細管再吸収抑制**(図8-11の④)：成長ホルモン，副腎皮質ホルモン．
⑤ **骨への沈着促進**(図8-12の①)：骨への機械的ストレス(重力)，副甲状腺ホルモン(一時的な上

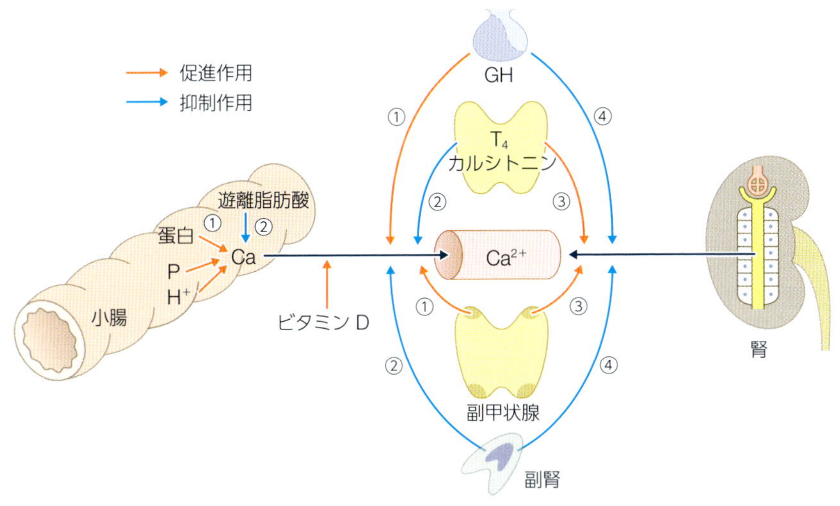


**図 8-11 腸からの吸収と尿細管からの再吸収を調節する因子群**(原図・河合)
丸中数字は本文参照.

昇), カルシトニン, 女性ホルモン, 成長ホルモン. 副甲状腺ホルモンや女性ホルモンは骨細胞から分泌されるスクレロスチンの作用を抑制する. スクレロスチンは, 骨をつくる骨芽細胞の形成や活性化を抑制するだけではなく, RANKL(receptor activator for nuclear factor-kappa B ligand)を介して骨吸収を促進する.

⑥ **骨への沈着抑制**(図 8-12 の②): 副甲状腺ホルモン.

⑦ **骨の脱灰促進**(図 8-12 の③): 副甲状腺ホルモン(持続的な上昇), ビタミン D 誘導体, 成長ホルモン, 甲状腺ホルモン, 副腎皮質ホルモン. 副甲状腺ホルモンは, 骨芽細胞に作用して RANKL の発現を増やし, OPG(osteoprotegerin)の発現を抑制する. RANKL は破骨細胞の形成を促進し, 活性化することで骨吸収(脱灰)を増加させ, OPG は RANKL の作用を阻害し, 骨吸収を抑制する. 副腎皮質ホルモンは OPG の発現を抑制するため, 骨吸収が増加する.

⑧ **骨の脱灰抑制**(図 8-12 の④): カルシトニン, 女性ホルモン.

⑨ **カルシトニン分泌促進**(図 8-12 の⑤): ガストリン, グルカゴン.

⑩ **カルシトニン分泌抑制**(図 8-12 の⑥): プロスタグランジン.

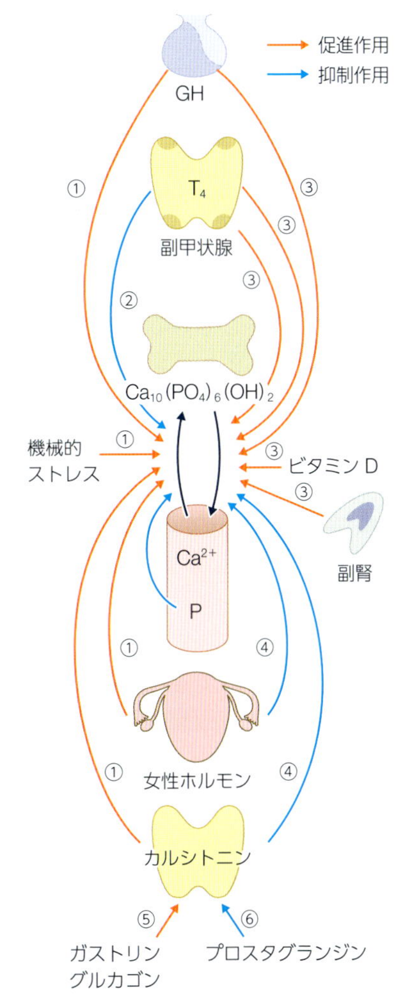


**図 8-12 骨への Ca 沈着を調節する因子群**
(原図・河合)
丸中数字は本文参照.

## D 上昇する場合(高 Ca 血症)

① **副甲状腺機能亢進症**(hyperparathyroidism, 図 8-13 の①)：副甲状腺ホルモンは，骨，腸(腎でのビタミン D 活性化を介して)，腎に作用して $Ca^{2+}$ を上昇させ，結果的に無機リンを低下させる．副甲状腺腺腫および過形成，異所性副甲状腺ホルモン産生腫瘍(肺癌，腎癌，肝癌，悪性リンパ腫)．

② **ビタミン D 中毒**(図 8-13 の②)：ビタミン D は，腸，骨，腎に作用して $Ca^{2+}$ および無機リンを上昇させる．近年開発された 1,25(OH)$_2$D の 2$\beta$ 位に hydroxypropoxy 基をもつエルデカルシトールは 1,25(OH)$_2$D と比べて血中での半減期が長く，強力に腸管からの Ca 吸収を増加させるので高 Ca 血症を来しやすい．

③ **ミルク・アルカリ症候群**(図 8-13 の③)：欧米で以前，消化性潰瘍の治療に長期間牛乳とアルカリを大量に投与したことで，ミルク・アルカリ症候群を発症したことがあった．つまり，大量の Ca とアルカリが体内に長期間負荷され，過剰に体内に貯留すると発症する．現在では，尿から $Ca^{2+}$ 排泄能力が低下している高齢者や腎不全患者に対して，活性型ビタミン D，Ca や Mg 製剤を長期間投与しているところにサイアザイド系利尿薬を追加することで発症しやすい．腎障害と高 Ca 血症，代謝性アルカローシスが 3 徴であり，高 Ca 血症による尿細管での $HCO_3^-$ 再吸収増加と，アルカローシスによる遠位尿細管での Ca 増加により悪循環となって，重症高 Ca 血症を来す．

④ **肉芽腫性疾患などによる Ca 腸吸収の増加**(図 8-13 の③)：肺などに肉芽腫という結節を形成するサルコイドーシスや結核などでは，その肉芽腫においてビタミン D の活性化が生じると考えられている．

⑤ **局所骨融解性高 Ca 血症**(local osteolytic hypercalcemia；LOH，図 8-13 の④)：多発性骨髄腫，乳癌，前立腺癌などの悪性腫瘍で骨質破壊が急速に起こると，Ca が骨から遊離されて高 Ca 血症(hypercalcemia)を来す．

⑥ **液性悪性腫瘍性高 Ca 血症**(humoral hypercalcemia of malignancy；HHM，parathyroid hormone-related protein；PTHrP，図 8-13 の⑤)：肺癌，乳癌，腎癌，成人 T 細胞白血病などで骨転移がなくても副甲状腺ホルモン関連蛋白(parathyroid hormone-related protein；PTHrP)により高 Ca 血症を来す．

⑦ **廃用性骨萎縮**(図 8-13 の⑥)：絶対安静など急激な運動停止により，骨への機械的重力負荷が急激に除かれるために生じる．骨の脱灰(骨吸収)を生じるため，高 Ca 血症，高リン血症を起こすことがある．

⑧ **副腎不全**(図 8-13 の⑦)：不明な点もあるが，骨吸収促進作用により高 Ca 血症を来すと考えられている．

⑨ **甲状腺機能亢進症**(図 8-13 の⑧)：慢性的な甲状腺ホルモン過剰では骨代謝が亢進して高 Ca 血症になる場合がある．

⑩ **家族性低 Ca 尿性高 Ca 血症**(図 8-13 の⑨)：Ca 感受性受容体(CaSR)の不活性型変異はホモ型では新生児重症副甲状腺機能亢進症となり，ヘテロ型では家族性低 Ca 尿性高 Ca 血症となる．CaSR は主に副甲状腺，腎尿細管，甲状腺 C 細胞にあり，尿細管からの Ca 排泄や副甲状腺ホルモン，カルシトニン分泌を調整している．尿細管の CaSR の働きが悪いと尿からの Ca 排泄が悪くなり，血清 Ca 値は増加する．副甲状腺や甲状腺 C 細胞の CaSR の働きや悪いので副甲状腺ホルモン分泌が抑えられない一方でカルシトニンは分泌されない．その結果，骨吸収や腎臓でのビタミン D 活性化も抑制できず，高 Ca 血症となる．

⑪ **Ca 結合性蛋白の増加**(図 8-13 の⑩)：Ca と親和性の強い免疫グロブリンが病的に存在する場合，蛋白結合性 Ca が増加し総 Ca 量が上昇する．

## E 低下する場合(低 Ca 血症)

① **副甲状腺機能低下症**(hypoparathyroidism，図 8-13 の⑪)：放射線治療や甲状腺手術時に副甲状腺が摘出されて生じることが多い．

② **Ca の摂取不足**(図 8-13 の⑫)

③ **腸管からの Ca 吸収不良**(図 8-13 の⑬)：ビタミン D 欠乏症，吸収不良症候群(脂肪酸増加とビ

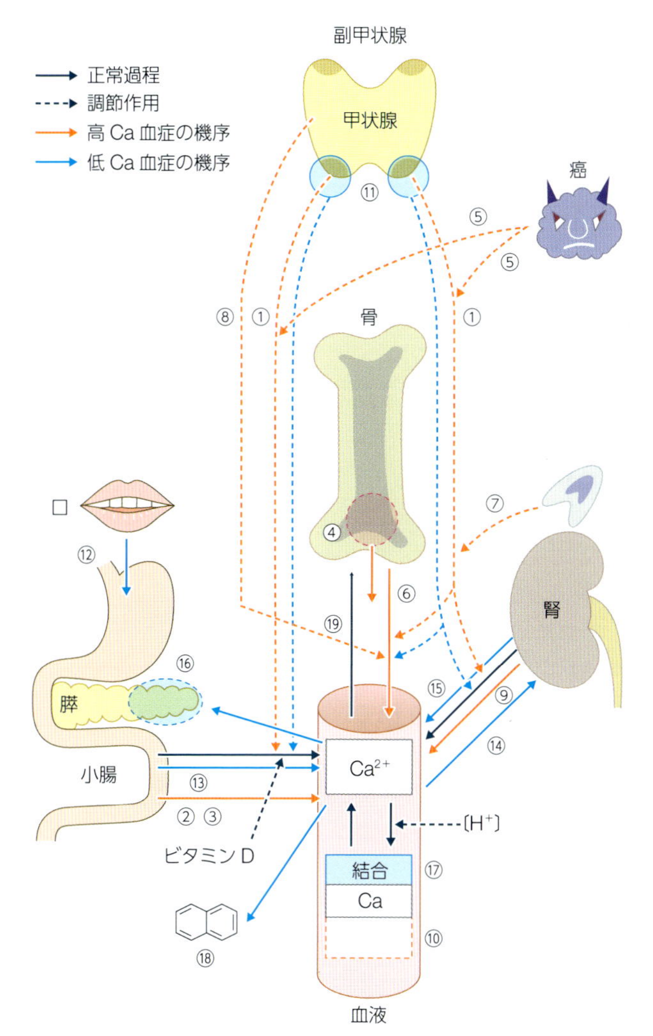


**図 8-13　血清 Ca の異常を来す主な病態**(原図・河合)

**高 Ca 血症**：
① 副甲状腺機能亢進症，② ビタミン D 中毒，③ Ca 腸吸収の増加，④ 骨破壊病変，⑤ 副甲状腺ホルモン関連蛋白，⑥ 骨の急速な脱灰，⑦ 副腎不全，⑧ 甲状腺機能亢進症，⑨ 家族性低 Ca 尿性高 Ca 血症，⑩ Ca 結合性蛋白の増加

**低 Ca 血症**：
⑪ 副甲状腺機能低下症，⑫ Ca の摂取不足，⑬ 腸吸収不良，⑭ Ca の腎排泄の増加，⑮ 続発性副甲状腺過形成，⑯ $Ca^{2+}$ の消費，⑰ 低蛋白血症，⑱ キレート物質中毒，⑲ hungry bone syndrome

タミン不足)では，Ca の吸収が低下する．

**④ 腎からの Ca 排泄増加**(図 8-13 の⑭)：尿細管性アシドーシスでは尿細管からの Ca，リンの再吸収が障害されることにより，尿中への排泄が増加し，リン酸カルシウム結石を来しやすい．偽性副甲状腺機能低下症では，尿細管の副甲状腺ホルモンに対する感受性が先天的に低下している．

**⑤ 続発性副甲状腺過形成**(図 8-13 の⑮)：リンの尿中排泄が障害されると，無機リン濃度が上昇するため，$Ca^{2+}$ は低下する．低 Ca 血症や高リン血症が副甲状腺を刺激し，二次性副甲状腺過形成から腺腫になり，副甲状腺ホルモンが過剰に分泌されるようになると $Ca^{2+}$ が上昇する．

**⑥ 膵炎に伴う $Ca^{2+}$ 消費増大**(図 8-13 の⑯)：急性膵炎において，リパーゼにより遊離した脂肪酸が $Ca^{2+}$ と結合して壊死組織内に沈着するため，低 Ca 血症を来す．

**⑦ 低蛋白血症**(図 8-13 の⑰)：ネフローゼ症候群のように著しい低アルブミン血症があると，蛋白結合性 Ca が低下し，総 Ca は低値を示す．補正 Ca を求めて検討しなければならない．

**⑧ キレート物質の中毒**(図 8-13 の⑱)：血液中に

Caと結合する物質(保存血中のEDTA，クエン酸など)が大量にあれば低Ca血症を起こしやすい．

⑨ **飢餓骨症候群**(hungry bone syndrome，図8-13の⑲)：副甲状腺機能亢進症で線維性骨炎を伴っている病態において，副甲状腺摘出後，骨形成が急激に優勢つまり骨でのCaの需要が亢進するため低Ca血症を起こす．RANKL阻害薬デノスマブによる低Ca血症も同様の機序である．

# 5 無機リン(P)

リン(phosphorus；P)は酸素と結合してリン酸(phosphate；$PO_4^{3-}$)として自然界に広く存在する必須ミネラルであり，有機リン酸と無機リン酸がある．細胞内のリン酸の大部分は有機リン酸であり，炭水化物，脂質や蛋白と複合体を形成し細胞骨格，細胞質やミトコンドリアに存在する．解糖系などの酵素反応に必要であり，細胞膜の主要構成成分であるリン脂質，細胞内のエネルギー代謝に関与しているアデノシン三リン酸(adenosine-triphosphate；ATP)，遺伝情報の維持に関与しているDNA，赤血球で組織への酸素供給を調整している2,3-ビスホスホグリセリン酸など，生命の維持にかかわる重要な化合物を構成している．つまりリン不足は細胞機能障害や末梢組織への酸素供給不足(低酸素状態)を生じる可能性がある．

## A 体内動態

成人では，生体内のPの80.0〜85.4%は骨格，14.0〜19.9%は軟部組織，0.1〜0.6%は細胞外液として存在する．つまり，Pの約80%は不溶性のハイドロキシアパタイト[$Ca_{10}(PO_4)_2 \cdot Ca(OH)_2$]が主に骨および歯に沈着し，約20%は細胞(細胞膜，細胞内)と細胞外(血管外，血管内)に存在し，細胞内と細胞外の比率は100：1である．組織内のP濃度を表8-3に示す．成人では，1日1.0〜1.5gのPが必要で，主に乳製品，肉，魚などから摂取される．あらゆる食物に含まれているので，通常の食生活では摂取不足にはならない．

**表8-3 Pの体内分布**

| 組織 | 濃度(mg/dL or 100 g) |
|---|---|
| 血液 | 40 |
| 血清 小児 | 4〜7 |
| 血清 成人 | 3.2〜4.3 |
| 筋肉 | 170〜250 |
| 神経 | 360 |
| 骨・歯 | 22,000 |

**表8-4 尿細管P再吸収率の算出**

$$\%TRP=\frac{[クレアチニン・クリアランス]-[P・クリアランス]}{[クレアチニン・クリアランス]}\times 100$$

$$=\left(1-\frac{UP\times SC}{UC\times SP}\right)\times 100$$

UP，SP：尿中および血清中無機リン濃度(mg/dL)
UC，SC：尿中および血清中クレアチニン濃度(mg/dL)

食事中のPの約60%は小腸上部から吸収される．Pの吸収は主にビタミンDにより調整されているが，腸内pH，食物に共存するCaおよびMg量の影響を受ける．ビタミンDが十分あれば，Ca：Pが1：1で吸収される．

吸収されたPと同じ量が腎から尿中に排泄され，残りは主に腸管から便中に排泄される．尿中へは1日0.5g排泄される．腎糸球体を通過したPの80〜90%は尿細管から再吸収される．血漿Pの腎閾値は3.2mg/dLで，それを超えると尿中への排泄が亢進する．副甲状腺ホルモンやfibroblast growth factor(FGF)23は近位尿細管でのP再吸収を抑制し，Pの尿中排泄量を増加させる．FGF23は腎臓でのビタミンD活性化を抑制し腸管からのリンの吸収を抑制するが，副甲状腺ホルモンは逆にビタミンD活性化を促進する．尿細管でのP再吸収機能は，尿細管P再吸収率(表8-4)で求められる．

血液中のPは，約15%が血漿蛋白質(fetuin A)と結合し，大部分はリン酸が遊離またはNaなどとの錯体として存在する(図8-14)．リン酸は主として$HPO_4^{2-}$と$H_2PO_4^-$で存在し，$PO_4^{3-}$は

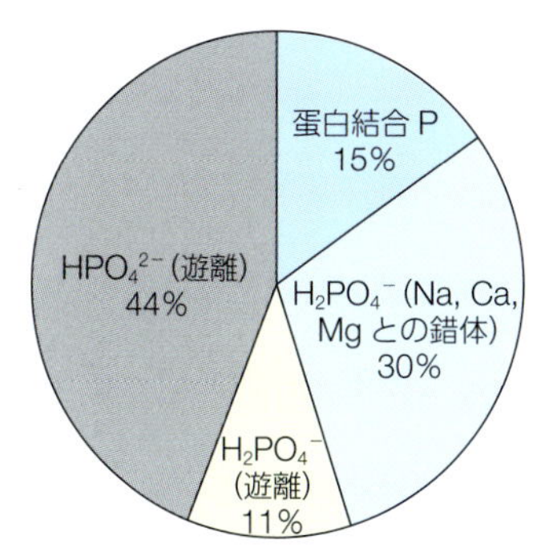


図 8-14 血清 P の分布

ほぼ存在しない．3つのリン酸の比率は血液 pH によって左右され，pH 7.4 では約 50% が $HPO_4^{2-}$，約 40% が $H_2PO_4^-$ である．$HPO_4^{2-}$ は血液に溶けやすく遊離しているが，$H_2PO_4^-$ は主に Na，Ca や Mg と錯体を形成している．遊離している[$HPO_4^{2-}$]：[$H_2PO_4^-$]の比率は 4：1 である．より酸性に傾くと[$HPO_4^{2-}$]の比率が増加し，アルカリ側では[$H_2PO_4^-$]の比率が高くなる．[$HPO_4^{2-}$]と[$H_2PO_4^-$]を個々に検査できないので，両者を合わせて無機リン(inorganic phosphorus；iP)の量(mmol/L)として計測する．血清 iP 濃度を mmol/L から mg/dL に変換する場合 3.1 倍(1 mmol/L＝3.1 mg/dL)する．この場合，リン酸に含まれる P の量を表している．

## B 基準範囲と変動

血清 iP の成人基準範囲は 2.7～4.6 mg/dL で，小児では，成長ホルモン高値の影響で 4～7 mg/dL と高くなる．また，女性では男性より 0.0～0.3 mg/dL 高い傾向がある．Ca と異なり，P は日内変動が大きく午前に低く午後は高い．血清 iP の変動幅は 0.5～1.0 mg/dL に及ぶので，一定の条件下(例えば，早朝空腹時に Ca 制限食下)で複数回の測定により判断したほうがよい．血清 iP はブドウ糖投与後にはインスリンの作用で細胞内へ P が移動し低下するが，P を多く含む牛乳などでは上昇する．

血球内と血漿のリン酸濃度に差はないが，赤血球内には多量の有機リンが存在する．したがって，全血のまま放置すると血清の酵素に加水分解されるため P は著しく高値になる．

血漿 P 濃度は，副甲状腺ホルモン，FGF23，ビタミン D の調節により，以下の関係が成立することが多い．

$$[Ca^{2+}] \times [PO_4] = K(一定)$$

## C 上昇する場合(高 P 血症)

① **副甲状腺機能低下症**(図 8-15 の①)：副甲状腺ホルモン不足のため，尿細管から P 再吸収が促進される．血漿 P は上昇し，反対に Ca は低下する．

② **成長ホルモン分泌亢進**(図 8-15 の②)：成長ホルモンが，P の尿中排泄を抑制し，血漿 P 濃度を上昇させる．血漿 Ca 値には変動は認められない．

③ **慢性腎不全**(図 8-15 の③)：糸球体濾過量が低下すると P の濾過量も低下し，副甲状腺ホルモンや FGF23 を上昇させて P の尿中排泄率を増加させ代償するが，最終的には排泄量は低下する．血清 P が高値となるのに加えて腎臓でのビタミン D の活性化が障害され，血漿 Ca は低値になる．Ca 低値はさらに副甲状腺機能を亢進させ血清 Ca 濃度を維持しようとする．

④ **ビタミン D 中毒**(図 8-15 の④)：Ca の上昇とともに P の上昇も認められる．

⑤ **廃用性骨萎縮**(図 8-15 の⑤)：急激に骨脱灰が進行し，Ca と P ともに増加傾向を示す．

⑥ **甲状腺機能亢進症**(図 8-15 の⑥)：甲状腺ホルモンにより，直接的に骨吸収を高める．

⑦ **アシドーシス，横紋筋融解症**(図 8-15 の⑦)：細胞内から P が移行する．

⑧ **抗がん剤治療**(図 8-15 の⑧)：腫瘍崩壊により P が急激に上昇する．

## D 低下する場合(低 P 血症)

① **副甲状腺機能亢進症**(hyperparathyroidism，図 8-15 の⑨)：副甲状腺ホルモンが尿細管の P の再吸収を抑制する．低 P 血症，高 Ca 血症になる．

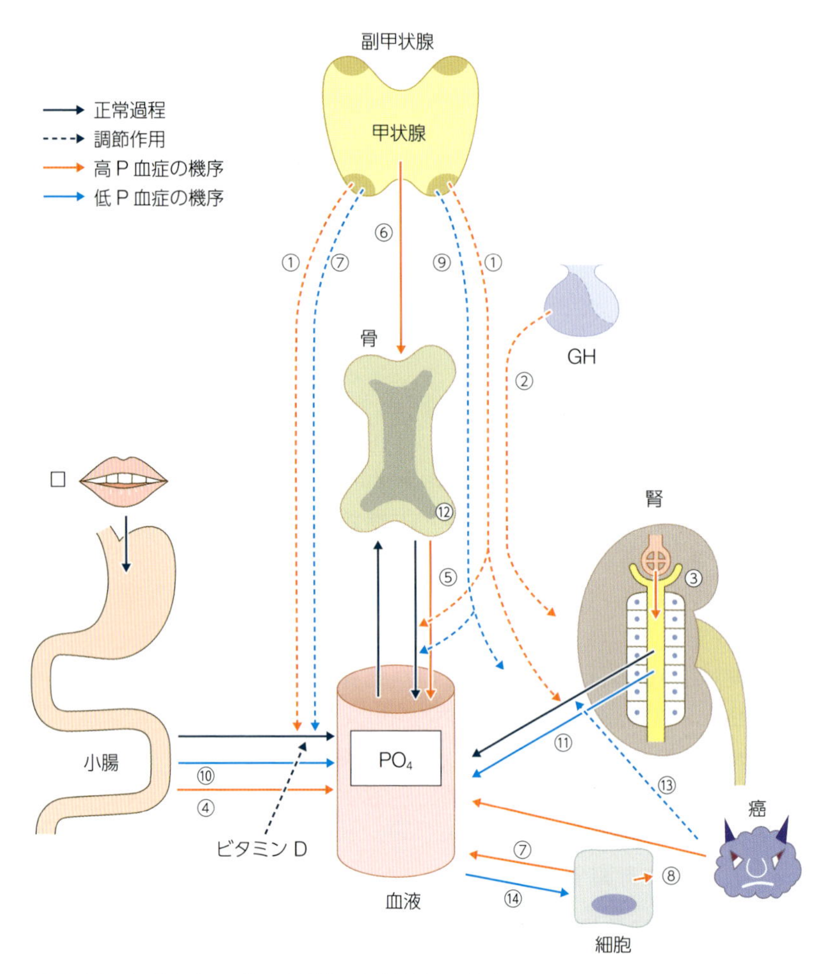


**図 8-15　無機リンの体内動態と病態**（原図・河合）

**高P血症**：① 副甲状腺機能低下症，② 成長ホルモン分泌亢進，③ 慢性腎不全，④ ビタミンD中毒，⑤ 廃用性骨萎縮，⑥ 甲状腺機能亢進症，⑦ アシドーシス，横紋筋融解症，⑧ 腫瘍崩壊症候群

**低P血症**：⑨ 副甲状腺機能亢進症，⑩ ビタミンD欠乏症，⑪ 尿細管機能障害，⑫ 遺伝性低リン血症，⑬腫瘍性骨軟化症，⑭急性呼吸性アルカローシス，インスリン過剰

② **ビタミンD不足**（図 8-15 の⑩）：P，Ca の腸吸収が抑制されるため，低P血症が生じる．血清 Ca も減少する．

③ **尿細管再吸収障害**（図 8-15 の⑪）：Fanconi 症候群による近位尿細管再吸収低下がある場合．

④ **遺伝性低P血症**（図 8-15 の⑫）：家族性に低P血症を呈する．骨からの FGF23 分泌過剰により，P の尿中排泄が増加する．

⑤ **腫瘍性骨軟化症**（図 8-15 の⑬）：腫瘍からの FGF23 分泌過剰により，P の尿中排泄が増加する．

⑥ **急性呼吸性アルカローシス，インスリン過剰**（図 8-15 の⑭）：Refeeding 症候群や糖尿病性ケトアシドーシスに対するインスリン治療によるインスリン過剰などにより細胞内へ P が移行する．

## 6 マグネシウム（Mg）

Mg イオン（$Mg^{2+}$）には種々の生理的働きがある．特に酵素活性やエネルギー代謝に影響する．臨床的には**表 8-5** に示す症候が認められ，電位依存型 $Ca^{2+}$ チャネルを調整していることから Ca

**表 8-5 Mg 代謝異常にみられる臨床症状と徴候**

| | 低 Mg 血症, Mg 欠乏症 | 高 Mg 血症 |
|---|---|---|
| 神経・筋肉 | Chvostek 徴候<br>Trousseau 徴候<br>テタニー，痙攣<br>筋肉振戦<br>筋力低下, 易疲労性<br>アテトーゼ様運動<br>舞踏病様運動<br>眼振, めまい, 運動失調 | 深部反射低下・消失<br>瞳孔拡大<br>平滑筋麻痺<br>呼吸筋抑制 |
| 精神 | 抑うつ，無欲<br>著明な不安，興奮<br>錯乱 | 錯乱，昏迷 |
| 心血管 | 頻脈，不整脈<br>PR，QT 時間延長<br>T 波平低化，拡大<br>ジギタリス作用増強 | 徐脈，起立性低血圧<br>心室内伝導障害<br>PR, QRS, QT 時間延長<br>心停止 |
| 消化器 | 食欲不振，嚥下困難 | 悪心，嘔吐 |
| その他 | 貧血 | 皮膚潮紅，末梢温暖 |

と類似した症状となる.

## A 体内動態

マグネシウム(magnesium；Mg)は，体を構成する元素量としては 11 番目に多く，体内に約 25 g 含まれている．57% が骨，40% が軟部組織(主に筋肉)にあり，血漿中には 0.2% しか存在しない．交換可能な Mg は総量の 10% で，骨組織中の 1%，軟部組織中の 20% である．組織中の Mg 濃度は図 8-16 に示した.

Mg の基準範囲は 1.8〜2.4 mg/dL で，図 8-17 のように 3 つの分画に分かれる．イオン化 Mg が 55%，重炭酸，リン酸，クエン酸などと複合物を形成する Mg 塩が 15%，蛋白(主にアルブミン)結合 Mg が 30% である．基準範囲の年齢差は明らかでなく，日内変動，日差変動，季節変動もほとんどない.

日本人の Mg 1 日摂取量は約 240 mg(20 mEq)で，主として小腸において能動輸送で吸収される．Mg は糸球体で濾過され，ほとんどが Henle 上行脚で再吸収される．したがって，1 日の尿中排泄量は，男性約 100 mg(8.3 mEq)，女性約 90 mg(7.5 mEq)であり，多くは便中に排泄される．Mg を調整する特異的なホルモンは存在しないと考えられている.

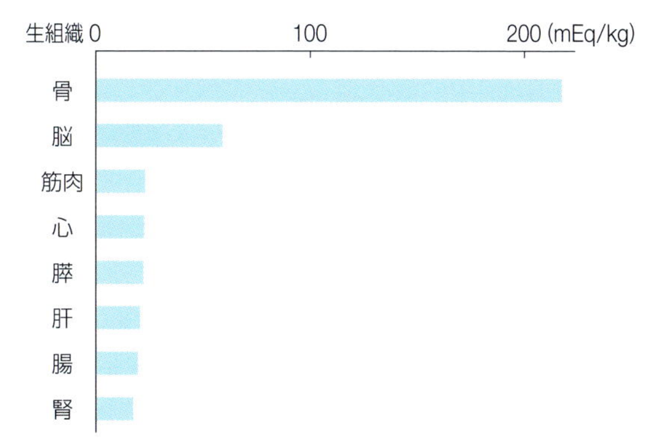


**図 8-16 いろいろな組織に含まれる Mg 濃度**

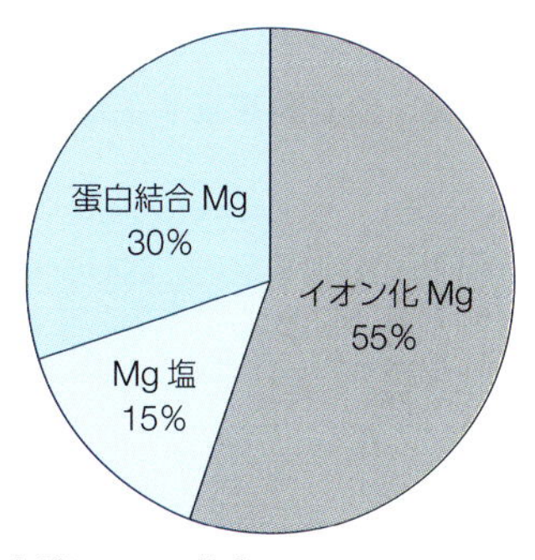


**図 8-17 血漿 Mg の分布**

Mg 塩とイオン化 Mg を限外濾過性 Mg と呼ぶことがある.

## B 上昇する場合(高 Mg 血症)

Mg をたくさん摂取しても腎機能が正常であれば腎臓から排泄されるため，腎機能低下がなければ高 Mg 血症になることはほとんどない.

① **腎排泄の低下**(図 8-18 の①)：糸球体濾過量が 30 mL/分以下になると血清 Mg が上昇する.

② **Mg 含有薬剤の投与**(図 8-18 の②)：便秘薬(酸化マグネシウムなど)や Mg 含有制酸薬投与など.

③ **その他**：Addison 病，甲状腺機能低下症，リチウム治療，ビタミン D 投与などで高 Mg 血症を伴うことがある.

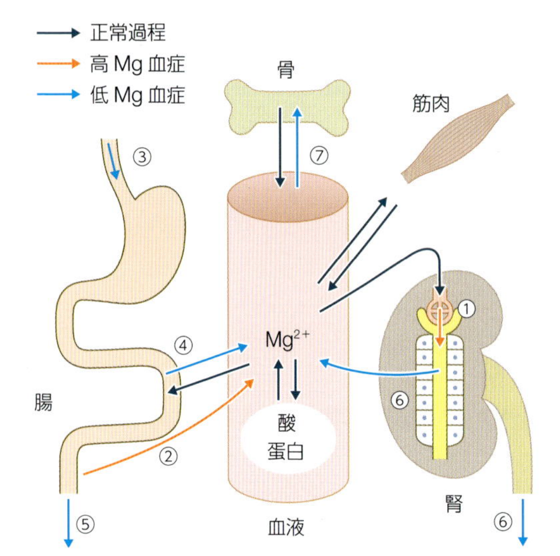


**図 8-18　血清 Mg の変動を来す主な病態**(原図・河合)

**高 Mg 血症**：① 腎不全，② Mg の過剰投与
**低 Mg 血症**：③ Mg の摂取不足，④ 腸吸収不全，⑤ 消化液の喪失，⑥ 尿中 Mg 排泄の増加，⑦ hungry bone syndrome

## C　低下する場合(低 Mg 血症)

細胞外液に存在する Mg は非常に少ないため，血清 Mg 値のわずかな低下でも，体内の Mg の総量はかなり低下している可能性がある．

① **Mg の摂取不足**(図 8-18 の③)：飢餓状態では腎での排泄調節能が働かないため，尿中 Mg 排泄量は減少せず Mg 欠乏状態を招く．高カロリー輸液には 1 日 8 mEq 程度の Mg 補給が必要である．

② **腸吸収不全**(図 8-18 の④)：Mg は小腸で吸収される．小腸の外科的切除後，腸吸収不全症候群では Mg 欠乏症を起こしやすい．

③ **消化液の喪失**(図 8-18 の⑤)：消化液には 1 mEq/L の Mg が含まれ，特に腸液に多い．胃液の持続吸引，胆汁瘻，腸管瘻，慢性下痢などで Mg が大量に体外へ大量に失われる．

④ **尿中 Mg の排泄増加**(図 8-18 の⑥)：内分泌代謝疾患(原発性高アルドステロン症，副甲状腺機能亢進症，糖尿病ケトアシドーシス，腎における Mg 保持能力低下)，利尿薬投与(尿量増加に伴い)，ゲンタマイシンなどの腎毒性薬剤(尿細管の再吸収低下)．

⑤ **飢餓骨症候群**(hungry bone syndrome，図 8-18 の⑦)：Ca と同様，Mg も急激に骨に移行してしまうため低 Mg 血症を起こす．

# 9章 酸塩基平衡

## 1 総論

### A 酸と塩基

酸塩基平衡(acid-base balance, acid-base equilibrium)を考える場合，Brønsted と Lowry の酸塩基理論では，水素イオン($H^+$)を相手に与える分子やイオンを酸(acid)，受け取る分子やイオンを塩基(base)と呼ぶ(図 9-1)．そして，水素イオン濃度$[H^+]$を表すのに nmol/L を用いるが，その逆対数 $\log(1/[H^+])$に代えて pH として表すのが通常である．

$$pH = -\log[H^+] = \log(1/[H^+])$$

$[H^+] = 40$ nmol/L のとき pH = 7.4

$[H^+] = 100$ nmol/L のとき pH = 7.0

$H^+$には相棒となる陰イオンが必要であり(図 9-1)，$H^+$過剰(アシドーシス)となれば相棒である陰イオンが増加する．相棒となる陰イオンは通常は，$Cl^-$または$HCO_3^-$であり，これ以外が増加すれば普段測定していない陰イオン(アニオンギャップ)が増加していることになる．

細胞外液の pH は 7.4 と細胞内液の pH 7.0 より高い．これは細胞内の代謝によって常に産生される$H^+$を濃度勾配により細胞外へ移動しやすくして，細胞内の pH を一定にするためである．つまり，細胞が生命(代謝活動)を維持するために，細胞内の pH を中性に保つことが非常に重要である．

例えば 1〜2 g/kg 体重の蛋白質を食物で摂取すると 40〜60 mmol の不揮発酸(硫酸，リン酸など)が生じ，また炭水化物や脂肪が不完全燃焼すると有機酸(乳酸，ケトン体など)が生じ，完全燃焼すると 10,000〜15,000 mmol の $CO_2$ と水が生じる．このように産生されている酸により，体内の pH が大きく変動しないように，緩衝作用(buffer action)が作用して，酸塩基平衡を維持している．

$HA + H_2O \rightleftharpoons H_3O^+ + A^-$

[酸]　[塩基]　[共役酸]　[共役塩基]

簡略化した表現法

$HA \rightleftharpoons H^+ + A^-$

図 9-1　酸が水に溶解した場合の反応

### B 酸塩基平衡を維持する緩衝作用

生体内で生じる酸を処理する緩衝調節機構として次の 3 つがある．

① 化学的緩衝機構

( i )細胞外液中の緩衝系(即時的)

( ii )細胞内外のイオン交換(数時間)

② 呼吸性処理機構(数分〜数時間)

③ 腎性処理機構(数時間〜数日)

細胞外液中の$H^+$が上昇すれば，最初に細胞外液中の緩衝系が働き，続いて数分から数時間以内に呼吸性処理機構による代償作用が働き中和する．これと並行して，数時間後から細胞内外のイオン交換による調節機構が働き，細胞外の$H^+$が細胞内の$K^+$と入れ替わるか，細胞外の$Cl^-$が細胞内の$HCO_3^-$と入れ替わる．$HCO_3^-$は$H^+$を中和する．最後に，体内の緩衝系によるひずみを是正するために腎性処理機構が働き，腎から余分な$H^+$を排泄する．

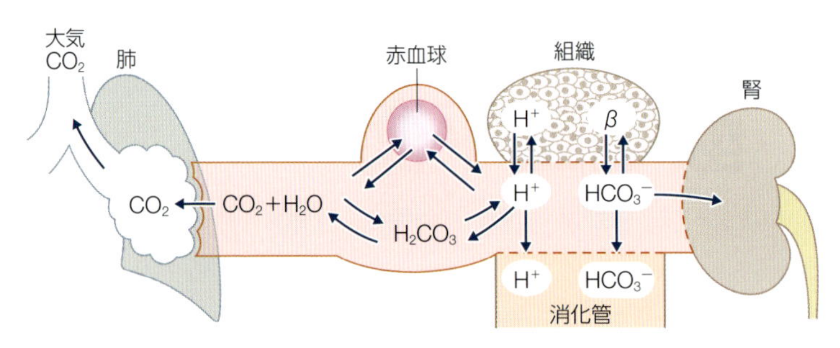


図 9-2 細胞外液中での炭酸緩衝系の動態(原図・河合)

表 9-1 炭酸緩衝系における反応

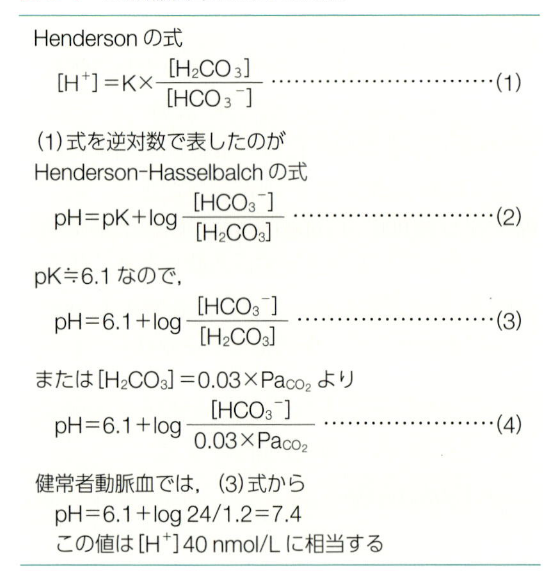

Henderson の式

$$[H^+]=K\times\frac{[H_2CO_3]}{[HCO_3^-]}\cdots\cdots(1)$$

(1)式を逆対数で表したのが
Henderson-Hasselbalch の式

$$pH=pK+\log\frac{[HCO_3^-]}{[H_2CO_3]}\cdots\cdots(2)$$

pK≒6.1 なので,

$$pH=6.1+\log\frac{[HCO_3^-]}{[H_2CO_3]}\cdots\cdots(3)$$

または $[H_2CO_3]=0.03\times Pa_{CO_2}$ より

$$pH=6.1+\log\frac{[HCO_3^-]}{0.03\times Pa_{CO_2}}\cdots\cdots(4)$$

健常者動脈血では,(3)式から
pH=6.1+log 24/1.2=7.4
この値は $[H^+]$ 40 nmol/L に相当する

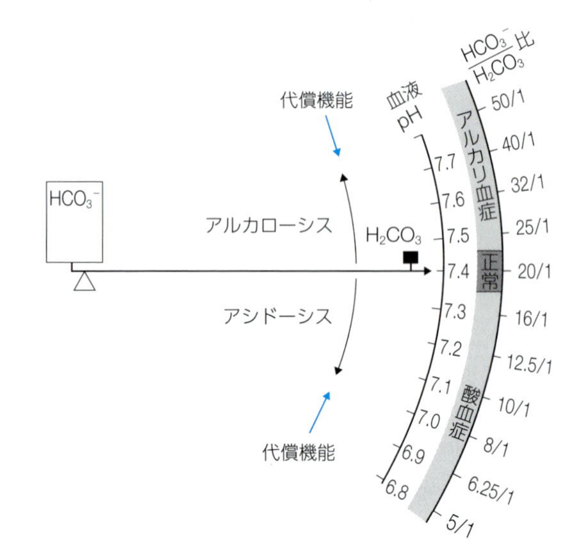


図 9-3 pH の調節と酸塩基平衡異常(原図・河合)

## 1 化学的緩衝機構 ―細胞外液中の緩衝系(炭酸緩衝系)

緩衝系は,酸や塩基の新しい負荷がかかったときに,pH の変化を最小限に抑えるために存在する.緩衝物質を $\beta$ とすると,$H^+$ との間で次の平衡式が成立する.

$$pH=pK+\log([\beta]/[H\beta])$$

pK とは緩衝物質 $\beta$ ごとに異なる定数であり,pH=pK 前後となると $H^+$ の負荷で最も pH の変化が少なくなる.つまり,pK が細胞外では 7.4,細胞内では 7.0 に近く,量が多い物質の緩衝効果が大きくなるので,細胞外では $HCO_3^-$,細胞内ではリン(リン酸緩衝系),$HCO_3^-$ や細胞内蛋白(ヒスチジンのイミダゾール基)が主な緩衝物質となる.ヘモグロビンを除く細胞内蛋白は $H^+$ との結合により,構造が変化し,本来の機能が発揮できなくなる危険があり,他の緩衝系が優先される.

緩衝調節作用のうち,リン($H_2PO_4^-$/$HPO_4^{2-}$)は pK=6.8 と最適であるが,細胞外液では量が少ないため最も大きな役割を果たすのが pK=6.1 の炭酸緩衝系である(図 9-2).炭酸緩衝系の働きは血漿ではなく,90% が赤血球内(主にヘモグロビン)で行われるが,血漿中の反応が単純なため,炭酸緩衝系の反応は Henderson-Hasselbalch の式で表現される(表 9-1).

要するに,図 9-3 のように,体液の pH は炭酸の濃度で決まるわけでなく,$HCO_3^-$/$H_2CO_3$ 比で決まる.pH 7.4 では,その比が 20:1 の割合に共存している.

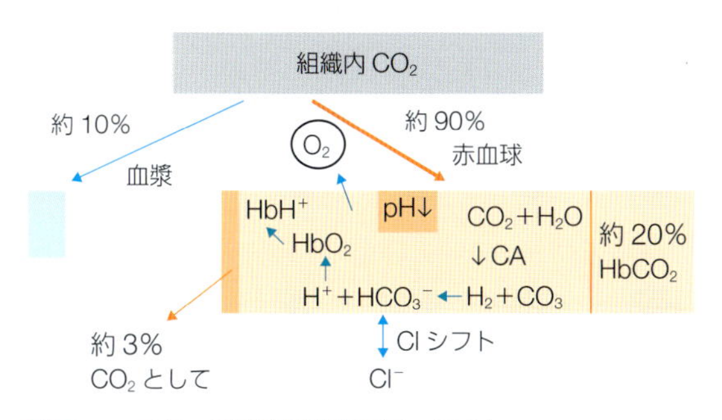


図 9-4　**$CO_2$ の処理機構**(原図・河合)

## 2 呼吸性処理機構

体内に蓄積した炭酸($H_2CO_3$)は，血中では $CO_2+H_2O$ の状態でも存在する．$CO_2$ は肺から呼気に含まれて放出され，体内には $H_2O$ が残るので，実質的に呼吸作用により炭酸が体外に排出されたことになる(図 9-4)．つまり $CO_2$ の排出により，平衡式($H^+ + HCO_3^- \rightleftarrows H_2CO_3 \rightleftarrows H_2O + CO_2$)が常に右へ進行するため，効率のよい緩衝系である．呼吸は $O_2$ を体内に取り込むだけではなく，$CO_2$ として酸を体外に出す役割も果たしている．体内の炭酸量は血中の $CO_2$ 濃度で反映されるので，$Pa_{CO_2}$ は呼吸性因子として使用される．

組織内で大量に産生される $CO_2$ は，図 9-4 のように，約 90% は赤血球で処理され，約 10% は血漿に溶け込んでいる．赤血球に取り込まれた $CO_2$ のうち，約 3% はそのまま溶け込んでおり，約 70～80% は炭酸脱水酵素(carbonic anhydrase；CA)によって極めて速やかに $H_2CO_3$ になり，$H^+$ と $HCO_3^-$ に解離する．$HCO_3^-$ の大部分は血漿中の $Cl^-$ と交換で赤血球外に出る(chloride shift)．そのため，弱酸であった炭酸が強酸の塩酸に変わり赤血球内が酸性に傾くことで，ヘモグロビン(オキシヘモグロビン)から $O_2$ が解離し組織に供給される．$H^+$ は $O_2$ が離れたヘモグロビン(デオキシヘモグロビン)に結合し，赤血球内の pH は戻り，酸素のヘモグロビンからの解離は止まる．約 20% はヘモグロビンとカルバミノ結合を作って運ばれる．組織とは逆の反応が赤血球，主にヘモグロビンで起こり，$CO_2$ 排出と $O_2$ と $CO_2$ 交換に関与する．この機構は，$CO_2$ の多い環境では $H^+$ や $CO_2$ と結合しやすく，$O_2$ の多い環境では $H^+$ や $CO_2$ を離しやすいというヘモグロビンの特別な性質により成立している．

表 9-2　**代謝性因子としての不揮発性の酸**

| |
|---|
| **糖質の不完全燃焼によって主として産生される酸** |
| ピルビン酸，乳酸など |
| **脂質の不完全燃焼によって主として産生される酸** |
| ケトン体(アセト酢酸，$\beta$-ヒドロキシ酪酸など) |
| **蛋白質の代謝によって産生される酸** |
| リン酸，硫酸など |

生体内で酸を生じる化学物質：塩化アンモニウム，塩化カルシウム

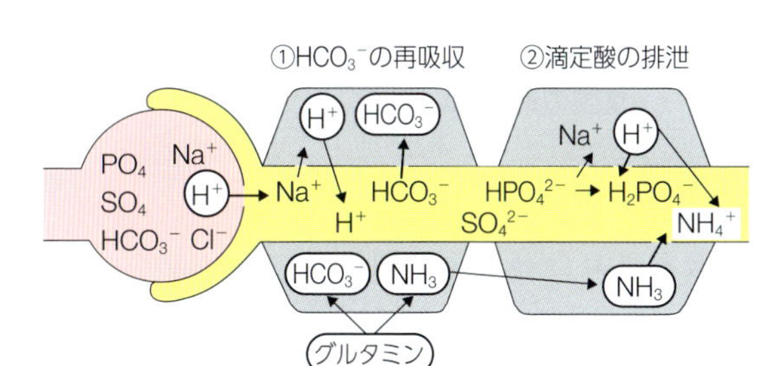


図 9-5　**腎尿細管における酸の排泄機構**(原図・河合)

## 3 腎性処理機構

不揮発性の酸は表 9-2 のように 3 種類ある．組織低酸素やインスリン不足などない通常の状態で産生される乳酸やケト酸の産生速度は遅いため，すぐに代謝分解でされ，$CO_2$ になる．また，中性のアミノ酸は，最終的に中性の尿素，$CO_2$ および水に代謝され，肺の換気が正常であれば $CO_2$ は体外に出ていくので酸の蓄積(代謝性アシドーシス)にはつながらない．一方で，含硫アミノ酸，陽荷電アミノ酸，有機リンは最終代謝として硫酸やリン酸など炭酸以外の酸を生じ，肺からは排出できないため，腎から排泄される．

酸負荷により酸が付加されると呼吸性処理機構で $CO_2$ を体外に排出し，pH の低下は抑えられるが，$HCO_3^-$ を消費するため，そのままでは $HCO_3^-$ 濃度の低下が避けられない．そのため，腎では血漿の $HCO_3^-$ 濃度を恒常的に維持するように，図 9-5 のように尿細管において $HCO_3^-$ をすべて再吸収し，$HCO_3^-$ を産生している．近位尿細管刷子膜に存在する $Na^+$-$H^+$ exchanger や $H^+$-ATPase によって尿細管腔に分泌された $H^+$ によって $HCO_3^-$ がトラップされ，炭酸脱水酵素(CA)4 の刷子膜上の作用で $CO_2+H_2O$ となり，再吸収される．

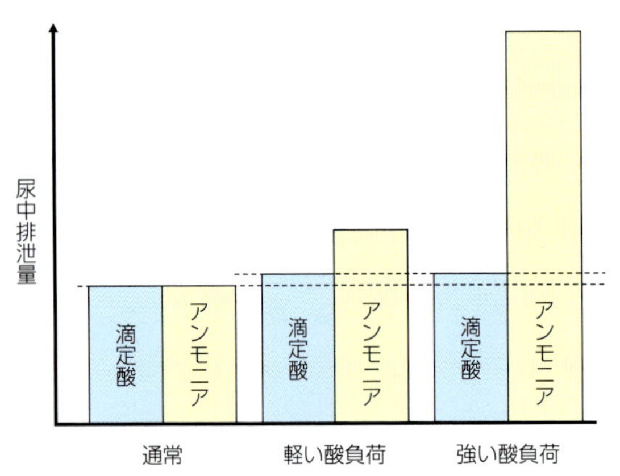


**図 9-6　酸負荷に対する滴定酸とアンモニア排泄量増加の違い**

再吸収された後，再び細胞質のCA2の働きで$H^+$と$HCO_3^-$になり，$H^+$は$HCO_3^-$の再吸収に再利用され，$HCO_3^-$は体内へ回収される．そのため，この機構では酸とアルカリを交換しているだけなので，実際に酸の排泄やアルカリの産生は生じない．

$H^+$の排泄は，$H^+$のまま排泄すると尿のpHは1未満という極めて酸性になってしまう．そのため，滴定酸（主にリン酸：$HPO_4^{2-} \rightarrow H_2PO_4^-$）やアンモニア（$NH_3$：$NH_3 \rightarrow NH_4^+$）が緩衝剤の役割を果たし，$H^+$を受け取り，尿のpHを下げ過ぎないようにしている．ただ，リン酸（リン）などの滴定酸は，その量が限られているため，酸負荷がかかると十分に対応できない．量を増加させることができる緩衝剤としてアンモニアがその役割を果たしている（図 9-6）．つまり，近位尿細管において酸負荷に応じてグルタミンからアンモニアが産生され，遠位尿細管において$H^+$の受け皿となって体外へ排出される．同時に$HCO_3^-$も産生され，体内に回収されるため，この機構において酸の排泄とアルカリの産生が生じる．アンモニア緩衝系はpKa（酸解離定数）9.4であるため，尿がどのようなpHになっても$NH_4^+$，つまり酸（$H^+$）をトラップした形で存在するため，酸の排泄に最も適している．

すなわち①近位尿細管における$HCO_3^-$の再吸収，②近位尿細管における$HCO_3^-$と$NH_3$の産生，③滴定酸の排泄，④遠位尿細管におけるアンモニア（$NH_3$を$NH_4^+$に変換して）の排泄である．

## 2 酸塩基平衡異常

酸塩基平衡が病的に崩れると，生理的に代償作用が働いて正常な平衡状態に戻そうとする．呼吸性の代償であれば数分後に始まり5～6時間でピークになるが，代謝性の代償のうち腎性代償には数時間後に始まり数日かけて定常状態になるため，呼吸性の酸塩基平衡異常は急性と慢性で代償範囲が異なる．代償性範囲を超える変化の場合，2つ以上の酸塩基平衡障害が合併する混合性酸塩基平衡も珍しくない．

**① 呼吸性アシドーシス（respiratory acidosis）**：呼吸数低下もしくは1回換気量の減少に伴い肺胞低換気が生じ，$CO_2$を十分に排泄できなくなり体内に$H_2CO_3$つまり[$H^+$]が蓄積する．呼吸性アシドーシスの原因を表 9-3にまとめた．

**② 呼吸性アルカローシス（respiratory alkalosis）**：過呼吸が起こると，肺胞換気量が増大し，$CO_2$が必要以上に排泄される．したがって$Pa_{CO_2}$の減少，$H_2CO_3$の低下，$H^+$の低下を認める．呼吸性アルカローシスの原因を表 9-4にまとめた．

**③ 代謝性アシドーシス（metabolic acidosis）**：炭酸増加以外の原因で血液のpHが低下する．大きく体液中の酸が増加する場合と，逆に重炭酸を喪失する場合（図 9-7 の③-3）の2つがある．前者の場合はさらに，体内において酸の産生が病的に増加する機序（図 9-7 の③-1）と，酸の正常排泄が低下する機序（図 9-7 の③-2）に分けて考えることができる．代謝性アシドーシスの原因を表 9-5にまとめた．

**④ 代謝性アルカローシス（metabolic alkalosis）**：細胞外液の$H^+$が腎，胃腸管などから体外へ失われることにより生じる場合と，外因性にアルカリを過剰に注入するために$H^+$が相対的に減少する場合がある．代謝性アルカローシスの原因を表 9-6にまとめた．

**⑤ 希釈性アシドーシス（dilution acidosis）および濃縮性アルカローシス（contraction alkalosis）**：代謝性障害の特殊型である．生理食塩水の大量投与により代謝性アシドーシスになることは古くから知られており，大量輸液による希釈により

**表 9-3　呼吸性アシドーシスの原因**

| |
|---|
| **呼吸中枢の障害** |
| 1. 薬剤 |
| 2. 慢性高 $CO_2$ 血症における $O_2$ 吸入 |
| 3. 脳神経障害 |
| 4. 心停止 |
| **呼吸筋と胸郭の異常──拘束性肺胞低換気** |
| 1. 重症筋無力症，ポリオ，側索硬化症，周期性四肢麻痺，アミノグリコシド系抗菌薬 |
| 2. 胸郭・脊椎変形 |
| 3. 極度の肥満(Pickwickian 症候群) |
| **肺におけるガス交換の障害──閉塞性肺胞低換気** |
| 1. 肺水腫 |
| 2. 肺炎，重症気管支喘息，重症肺気腫 |
| 3. 呼吸窮迫症候群 |
| **人工的 $CO_2$ 吸入** |

**表 9-4　呼吸性アルカローシスの原因**

| |
|---|
| **低酸素血症** |
| 1. 間質性肺炎 |
| 2. 無気肺 |
| 3. 肺塞栓 |
| 4. 高地生活・高山病 |
| 5. うっ血性心不全 |
| 6. 先天性心疾患(左右シャント) |
| **心因性過呼吸** |
| **中枢神経障害** |
| 1. くも膜下出血 |
| 2. 呼吸中枢(延髄)障害 |
| **サリチル酸中毒** |
| **代謝亢進** |
| 1. 発熱 |
| 2. 甲状腺機能亢進症 |
| 3. 貧血 |
| **肝硬変症** |
| **レスピレータの使用** |
| **グラム陰性桿菌敗血症** |
| **代謝性アシドーシス補正後** |
| **運動** |

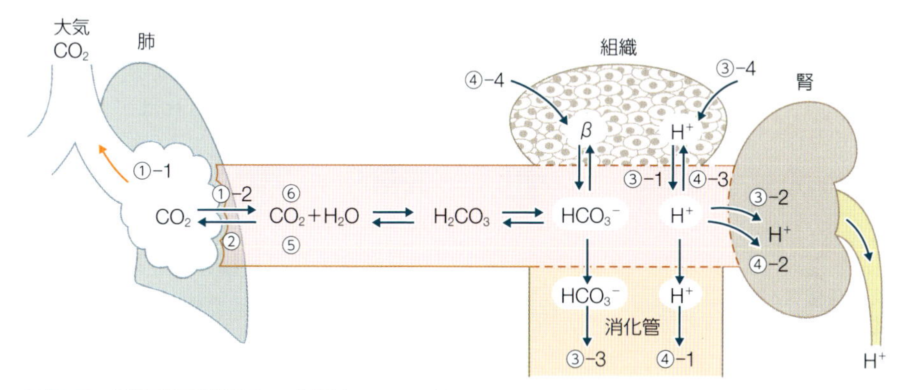


**図 9-7　酸塩基平衡障害の病態**(原図・河合)

① 呼吸性アシドーシス
　①-1 拘束性肺胞低換気
　①-2 閉塞性肺胞低換気
② 呼吸性アルカローシス
③ 代謝性アシドーシス
　③-1 代謝によって $H^+$ 産生の増加
　③-2 腎からの $H^+$ 排泄の低下
　③-3 消化管・腎からの $HCO_3^-$ 喪失
　③-4 薬剤投与
④ 代謝性アルカローシス
　④-1 消化管からの $H^+$ 喪失
　④-2 腎からの $H^+$ 喪失
　④-3 細胞内への $H^+$ 移行
　④-4 アルカリ摂取の増加
⑤ 希釈性アシドーシス
⑥ 濃縮性アルカローシス

$[HCO_3^-]$が減少するため希釈性アシドーシスになると考えられてきた．現在では，$Cl^-$の相対的な過剰投与により$[Cl^-]$が上昇し，$[HCO_3^-]$が低下するために生じるとされている．実際に生理食塩水($[Na^+]$154 mmol/L，$[Cl^-]$ = 154 mmol/L)の代わりに乳酸リンゲル液($[Na^+]$130 mmol/L，$[K^+]$5.4 mmol/L，$[Cl^-]$ = 154 mmol/L，$[Lactate^-]$27 mmol/L)を使用すると，アシドーシスにはならない．また，細胞外液量低下により濃縮性アルカローシスになると考えられてきたが，近

**表 9-5　代謝性アシドーシスの原因**

**$H^+$負荷量の増加**
1. 糖尿病性ケトアシドーシス
2. 乳酸アシドーシス
3. 中毒性物質の摂取
　① サリチル酸
　② エチレングリコール
　③ メタノール
　④ パラアルデヒド
　⑤ 塩化アンモニウム
　⑥ 高カロリー輸液

**腎からの $H^+$排泄低下**
1. $NH_3$ 産生減少
　① 腎不全
2. $H^+$分泌減少
　① 遠位尿細管性アシドーシス
　② 低アルドステロン症

**$HCO_3^-$の喪失**
1. 消化管からの $HCO_3^-$の喪失
　① 下痢・瘻孔よりの喪失
　② コレスチラミン
　③ 尿管・S 状結腸吻合
2. 腎よりの $HCO_3^-$喪失
　① 腎不全
　② 近位尿細管性アシドーシス

**血中 $HCO_3^-$の希釈（希釈性アシドーシス）**

**表 9-6　代謝性アルカローシスの原因**

**酸排泄過剰**
1. 腎性
　① Na 塩の遠位部流入量増加
　② 電解質コルチコイド過剰
　③ K 欠乏
2. 腎外性
　① 胃液喪失：嘔吐，吸引，胃瘻
　② 細胞内への酸移行：K 欠乏，飢餓時投与グルコースによるアルカローシス
　③ 便中への酸喪失：先天性下痢性アルカローシス

**重炭酸貯留**
1. 経口的，非経口的アルカリ摂取
　① 正常時あるいは腎機能障害時
　② ミルク・アルカリ症候群
2. 代謝性アシドーシス治癒時のアルカローシス
3. 先天性下痢性アルカローシス
4. $CO_2$ 貯留後のアルカローシス

**体液量減少性アルカローシス（濃縮性アルカローシス）**

年は $Cl^-$不足により腎集合管の Pendrin（$Cl^-$-$HCO_3^-$ exchanger）での $HCO_3^-$の排泄ができなくなり，体内に $HCO_3^-$が蓄積すると考えられている．

## 3 酸塩基平衡検査データの読み方

酸塩基平衡障害の病態を知るには，動脈血または静脈血の血液ガス検査によって得られる①pH，②呼吸性因子（$pCO_2$），および③代謝性因子（[$HCO_3^-$]）の 3 つのデータを組み合わせて診断する．さらに，Na，K，Cl やアルブミンを加えた解釈が必要になる．もちろん，これらの検査データのみで診断できるとは限らないので，常に臨床症状および臨床所見を十分に参考にして最終診断するべきである．

酸塩基平衡を検査データ所見だけからみると血液 pH の基準値を 7.40 に固定し，それより酸性側（pH＜7.40）であればアシデミア（acidemia），アルカリ側（pH＞7.40）であればアルカレミア（alkalemia）としている．これらはあくまで検査データの所見であって，体内の病態を示すアシドーシスやアルカローシスと同じではない．その主な理由は，生体の代償機構の存在があげられ，一例を示す．ショックなどで代謝性アシドーシスとなれば，血液はアシデミアになる．アシデミアを呼吸性に代償するため頻呼吸となり，十分に代償できれば見かけ上 pH は 7.40 になってしまう場合がある．つまり，pH だけではアシドーシスまたはアルカローシスの有無は判断できない．

### A 動脈血ガス分析の読み方

動脈血ガス分析では，$Pa_{CO_2}$ により呼吸性アシドーシスと呼吸性アルカローシスに，$HCO_3^-$により代謝性アシドーシスと代謝性アルカローシスに分類する．ただ，$Pa_{CO_2}$ の基準範囲は 32.0〜45.0 mmHg，$HCO_3^-$ は 22.0〜28.0 mmol/L であり，これらをもとに呼吸性と代謝性の関連を考察しようとしても，基準範囲に幅があるため難し

い．$Pa_{CO_2}$ の基準を 40.0 mmHg，$HCO_3^-$ の基準を 24.0 mmol/L として判断する．

### 1 Step1　アシデミアとアルカレミアに分ける

pH<7.40 であればアシデミア，pH>7.40 であればアルカレミアと判断する．

### 2 Step2　一次性の変化は代謝性か呼吸性かを考える

$pCO_2$ と $HCO_3^-$ のどちらが pH に同調した動きかをみる．

- pH ↓なら $pCO_2$ ↑または $HCO_3^-$ ↓
- pH ↑なら $pCO_2$ ↓または $HCO_3^-$ ↑

pH に同調しているほうが一次性の変化である．

$pCO_2$ の変化が同調していれば呼吸性，$HCO_3^-$ が同調していれば代謝性である．

つまり，

| pH | アシデミア | | アルカレミア | |
|---|---|---|---|---|
| $HCO_3^-$ (mmol/L) | >24 | <24 | <24 | >24 |
| $pCO_2$ (mmHg) | >40 | <40 | <40 | >40 |
| 病態 | 呼吸性アシドーシス | 代謝性アシドーシス | 呼吸性アルカローシス | 代謝性アルカローシス |

となる．

アシデミアで $HCO_3^-$<24 mmol/L，$pCO_2$>40 mmHg の両者を伴っていることもあるが，変化の大きいほうを主体として以下の解釈を行う．

### 3 Step3　アニオンギャップ開大を計算して判定する

アニオンギャップ＝$Na^+$－($HCO_3^-$＋$Cl^-$)

アニオンギャップ(anion gap)>12 mmol/L であれば，アニオンギャップが開大する代謝性アシドーシスと判断する．アニオンギャップの主体は陰性に荷電しているアルブミンであるため，低アルブミン血症では補正が必要になる．アルブミンが 1 g/dL 低下するごとに，アニオンギャップは 2.5 mmol/L ずつ増加するので，補正アニオンギャップで判断する．

補正アニオンギャップ＝アニオンギャップ＋2.5×〔4.0－血清アルブミン値(g/dL)〕

### 4 Step4　補正 $HCO_3^-$ を計算する

アニオンギャップが開大している場合，血中の $H^+$ を中和するために $HCO_3^-$ が消費される．消費される前の $HCO_3^-$(補正 $HCO_3^-$)が，26 mmol/L 以上あれば，代謝性アルカローシスがあると判断する．逆に消費される前の $HCO_3^-$ が 24 mmol/L 未満であれば，アニオンギャップが開大しない代謝性アシドーシスがあると判断する．

補正 $HCO_3^-$
＝$HCO_3^-$＋(アニオンギャップ－12)

## B　代償作用を検討する

### 1 呼吸性代償作用

- 代謝性アシドーシス：代償性の $Pa_{CO_2}$ 変化は，$\Delta Pa_{CO_2}$＝(1.0〜1.3)×$\Delta HCO_3^-$ が成立するが，$Pa_{CO_2}$ は 15 mmHg 以下にはならない．呼吸性代償が正常に機能していれば，pH 7.MN において，MN＝$Pa_{CO_2}$，および $Pa_{CO_2}$＝16＋$HCO_3^-$ が成立する(M および N は一桁の正の整数)．
- 代謝性アルカローシス：代償性の $Pa_{CO_2}$ 変化は，$\Delta Pa_{CO_2}$＝(0.5〜1.0)×$\Delta HCO_3^-$ が成立するが，$Pa_{CO_2}$ は 60 mmHg 以上にはならない．

### 2 代謝性代償作用

- 呼吸性アシドーシス：急性呼吸性アシドーシスの代償作用は，$\Delta HCO_3^-$＝0.1×$\Delta Pa_{CO_2}$ が成立するが，$HCO_3^-$ は 30 mmol/L 以上にはならない．慢性呼吸性アシドーシスでは $\Delta HCO_3^-$＝0.35×$\Delta Pa_{CO_2}$ が成立するが，$HCO_3^-$ は 42 mmol/L 以上にはならない．
- 呼吸性アルカローシス：急性呼吸性アルカローシスでは $\Delta HCO_3^-$＝0.2×$\Delta PaCO_2$ が成立するが，$HCO_3^-$ は 18 mmol/L 以下にはならない．慢性呼吸性アルカローシスでは $\Delta HCO_3^-$＝0.5×$\Delta Pa_{CO_2}$ が成立するが，$HCO_3^-$ は 12 mmol/L 以下にはならない．

### C 総合的に判断する

酸塩基平衡に関与している作用を列挙し，臨床所見および他の検査所見と合致するかを検討する．

## 4 動脈血液ガス測定

### A 採血時の注意点

市販されているキットはシリンジ内壁または外筒先端のフィルムに乾燥ヘパリンが塗布されているが，通常のシリンジで採血する場合はヘパリン溶液(1,000単位/mL)を1 mL程度吸って十分にシリンジ内壁を湿らせる(ヘパリンを付着させる)必要がある．また，市販キットは乾燥ヘパリンを使用しているので希釈される心配はないが，ヘパリン溶液を使用する場合は希釈を防ぐために針先を上に向けて気泡を残さないよう過剰のヘパリン液を捨てる．

採血時に検査値に影響することがあるため，患者さんが緊張して過呼吸や息をこらえたりしないように注意を払う．

採血後，気泡がないことを確認し，あった場合は気泡を除去し，針先をゴム栓で密封する．血液凝固塊の発生を防ぐため，注射器を両手掌間に挟んで回転させ，ヘパリンと血液がよく混ざるようにした後，直ちに検査室に届けて検査する．

ガラスシリンジが一般的に使用されていた時代は，直ちに氷水に入れ4℃以下に冷却すると3時間くらいは誤差を認めなかった．しかし，現在使用されているプラスチックシリンジは酸素透過性があり，大気からシリンジ内へ酸素が溶け込んでしまう．氷水保存のほうが室温保存よりヘモグロビンの酸素結合能などが変化する影響で酸素が多く溶け込み，酸素分圧が上昇する．プラスチックシリンジで運搬する際は，室温で運搬し，速やかに検査室で測定することが重要となる．

表 9-7　血液ガス分析検査で評価できる項目

| 標準項目 | pH，$Pa_{O_2}$，$Pa_{CO_2}$，$HCO_3^-$ |
|---|---|
| 追加項目 | カルボキシヘモグロビン(COHb)，イオン化Ca，乳酸，ヘモグロビン，Na，K，Cl，クレアチニン，尿素窒素 |

### B 血液ガス分析検査で測定可能な検査項目

血液ガス分析検査で測定できる項目は増加しており(表9-7)，1分程度で結果が出るため便利で特に救急の現場では使用されることが増加しているが，血算(ヘモグロビン)や生化学検査(クレアチニン，尿素窒素，血糖，Na，K，Cl)と誤差があるのであくまで補助的に使用すべきある．例えば，Naは3 mmol/L程度，Kは0.43 mmol/L程度，Hbは4%程度低い．

### C 静脈血を使用できるか

pHは，動脈血に比べて静脈血は平均0.03低く，$HCO_3^-$は動脈血と比べて静脈血は平均1.03 mmol/L高く，いずれもばらつきも低いとされている．ただ，pHはショックや呼吸性・代謝性アシドーシスで，$HCO_3^-$は慢性Ⅱ型呼吸不全では誤差が大きくなる傾向がある．

$pCO_2$は4.41 mmHg，乳酸は0.25 mmol/dLの違いがあるとされている．$pO_2$や乳酸の予測幅については信頼性が低い．例えば，静脈血$pCO_2$ 55 mmHgの場合に予測される動脈血$pCO_2$は44.3～57.4 mmHgと幅が大きく，呼吸不全の患者とするとⅠ型呼吸不全なのかⅡ型呼吸不全なのか評価できない．つまり，静脈血の値をそのまま動脈血の値として解釈することには注意が必要である．一方で，静脈血$pCO_2 \leq 45$ mmHgならば動脈血$pCO_2 < 50$ mmHgであるとされ，乳酸値に関しても静脈血が正常ならば動脈血の乳酸値の上昇はないとされ，ほとんどの場合，静脈血で正常ならば動脈血でも正常である可能性が高いと判断できる．

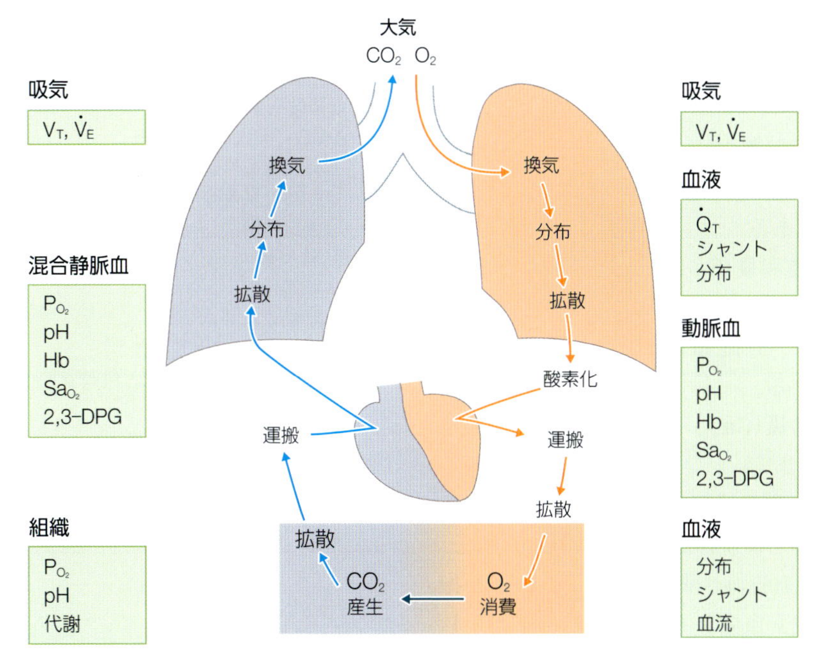


**図 9-8　体内における酸素の動態と，酸素供給に影響する因子**(原図・河合)

大気中の $O_2$ は呼吸運動によって，肺胞に移行し，動脈血として組織に運ばれる(→)．代謝の結果産生された $CO_2$ は血流を通って肺に到達し，呼気中に排出される(→)．それぞれのレベルで $O_2$ 分圧に影響する因子を□に示した．

# 5 動脈血酸素分圧($Pa_{O_2}$)

$Pa_{O_2}$ の基準範囲 75.0〜100.0 mmHg を保てなくなった状態が呼吸不全と呼ばれる．低酸素血症の症状としてチアノーゼ(cyanosis)が有名である．これは酸素化されない黒い還元ヘモグロビン濃度が 5 g/dL 以上になると出現するもので，多血症で現れやすく，貧血で現れにくい．一方，一酸化炭素中毒では，低酸素血症を認めるが，HbCO が鮮紅色なのでチアノーゼは認めない．$Pa_{O_2}$ などの単位として「Torr」や「mmHg」が使用されるが，ほぼ同じである．厳密にいえば 1/7,000,000 だけ数字が異なる．

## A 酸素の体内動態(図 9-8)

外気中の $O_2$ は気道を経て肺胞に達する．$O_2$ は肺胞気から肺毛細血管血へ移行し，酸素化された動脈血は全身の組織に供給される．逆に，組織では炭酸ガス($CO_2$)が生じ，末梢血中に入り混合静脈血になる．このとき，組織では供給 $O_2$ 量の約 25%，安静時において約 250 mL/分の $O_2$ が消費される．混合静脈血は，右心を経て肺に運ばれ，外気中に $CO_2$ を排出する．血液の酸素化を判断する因子には以下などがある．

① 全身の毛細血管床の血液分布
② 体循環の動静脈シャント
③ 心拍出量($\dot{Q}_T$)
④ 組織での代謝率
⑤ 肺内の静脈・動脈シャント
⑥ 肺胞換気(1 回換気量 $V_T$，分時換気量 $\dot{V}_E$)
⑦ 気管支・肺胞への呼気ガス分圧
⑧ 組織ガス分圧

どの部分に異常が起こっても動脈血酸素分圧($Pa_{O_2}$)は低下する．その他，血液中を運搬される際に $O_2$ 分圧，pH，ヘモグロビン(Hb)，$O_2$ 飽和度($Sa_{O_2}$)，赤血球内 2,3-DPG(diphosphoglycerate)が重要となる．ほとんどすべての $O_2$ は Hb と結合して運ばれ，1〜2% が血漿中に溶存する．

## B 血液 $O_2$ 濃度に関与する検査

① **血液ガス測定装置**：pH，$Pa_{CO_2}$，$Pa_{O_2}$，$HCO_3^-$ などを同時に測定する．自動化され，分析誤差は 5 mmHg 以内である．

② **動脈血酸素飽和度($Sa_{O_2}$)**：ヘモグロビンに結合できる最大 $O_2$ 量の何％が実際に結合しているかを計測する．$O_2$ 飽和度 90％が概ね $Pa_{O_2}$ 60 mmHg に相当する．

③ **動脈血酸素含量($Ca_{O_2}$)**：Hb 結合 $O_2$ と溶存 $O_2$ を加えたものである．

④ **肺胞気動脈血酸素分圧較差(A-$aD_{O_2}$)**：肺胞気の酸素分圧と肺毛細血管血酸素分圧の差を示し，肺胞気から毛細血管血へ酸素の移行しやすさの指標である．低酸素血症があり，A-$aD_{O_2}$ が開大していない場合，体内に取り込めるが肺(肺胞)に酸素が届いていない状態つまり肺胞低換気の状態ということになり，原因疾患の鑑別に役立つ(表 9-8)．

A-$aD_{O_2}$＝$P_{AO_2}$(肺胞気酸素分圧)－$Pa_{O_2}$(動脈血酸素分圧)

基準範囲：8 mmHg 以下

$P_{AO_2}=P_{IO_2}\times$(大気圧－水蒸気圧)$-P_{ACO_2}/R$

A：肺胞 alveolus，a：動脈 artery，$P_{IO_2}$：吸入気酸素分圧，R＝0.83(ガス交換比)，水蒸気圧＝47 mmHg

海抜 0 m で室内気吸入時の $P_{IO_2}$ は 150 mmHg なので酸素を投与していない場合，

$$A\text{-}aD_{O_2}=(760-47)\times0.21-(Pa_{CO_2}\div0.83)-Pa_{O_2}=150-(Pa_{CO_2}\div0.83)-Pa_{O_2}$$

となる．

酸素を投与している場合，

$$A\text{-}aD_{O_2}=(760-47)\times F_{IO_2}-(Pa_{CO_2}\div0.83)-Pa_{O_2}$$

となる．

**表 9-8 低 $O_2$ 血症を来す病態**

1. $P_{IO_2}$ 低下：高地
2. 低換気を来す疾患
3. A-$aD_{O_2}$ 開大を来す疾患
   ① 先天性心血管奇形
   ② 閉塞性肺疾患
   ③ 間質性肺炎
   ④ 肺水腫
   ⑤ 肺塞栓症
   ⑥ 肺感染症
   ⑦ 悪性腫瘍(肺病変を伴う)
   ⑧ その他の疾患：塵肺，気管支拡張症，肺胞蛋白症など．
4. $Pa_{O_2}$ 低下のない $Ca_{O_2}$ 低下
   ① 貧血
   ② CO 中毒
   ③ 異常ヘモグロビン血症

## C パルスオキシメーターとの違い

動脈血酸素分圧はしばしば酸素飽和度($Sp_{O_2}$)で代用されることが多い．しかし $Sp_{O_2}$ は $Sp_{O_2}$ 98～100％のときは $Pa_{O_2}$ 100～500 mmHg と大きな開きがあり，発熱やアシドーシスなどを認める状況では，酸素解離曲線が右方移動，つまり赤血球が酸素を離しやすくなるため $Sp_{O_2}$ から予測する $Pa_{O_2}$ よりも実際の $Pa_{O_2}$ が高いことが多い．例えば，体温 39℃，pH 7.3 の条件では，$Sp_{O_2}$ 90％は $Pa_{O_2}$ 67 mmHg になり，$Pa_{O_2}$ 60 mmHg は $Sp_{O_2}$ 87％になると予測できる．

## D 年齢別動脈血酸素分圧($Pa_{O_2}$)の基準範囲

室内気を吸入している場合，高値は問題にならない．年齢別の基準範囲下限値と異常低値を表 9-9 に示した．加齢に伴い A-$aD_{O_2}$ は増加し(表 9-10)，肺呼吸機能検査では，1 秒率，肺活量，肺拡散能は低下し，残気量が増加する．このように肺機能は低下する一方で，安静時の $Pa_{O_2}$ や $Pa_{CO_2}$ は変化しない(表 9-10)．

**表 9-9 動脈血酸素分圧 $Pa_{O_2}$ の基準値と異常低値**
(原表・大塚洋久)

| 年齢(歳) | 基準範囲下限値 (mmHg) | 異常低値 (mmHg 未満) |
|---|---|---|
| 25 | 90 | 80 |
| 35 | 85 | 70 |
| 45 | 80 | 65 |
| 55 | 75 | 65 |
| 65 | 70 | 60 |

**表 9-10 $A-aD_{O_2}$ の加齢性変化**

| 年齢 | 性別 | $Pa_{O_2}$ (mmHg) | $Pa_{CO_2}$ (mmHg) | $A-aD_{O_2}$ (mmHg) |
|---|---|---|---|---|
| 18〜29 | 男 | 89.5 | 42.4 | 9.4 |
| | 女 | 89.5 | 40.4 | 11.8 |
| 30〜39 | 男 | 86.0 | 42.0 | 13.4 |
| | 女 | 88.1 | 39.3 | 14.6 |
| 40〜49 | 男 | 85.2 | 41.6 | 14.7 |
| | 女 | 88.6 | 39.4 | 13.9 |
| 50〜59 | 男 | 82.2 | 42.5 | 16.6 |
| | 女 | 85.5 | 41.5 | 16.4 |
| 60〜69 | 男 | 85.6 | 41.2 | 14.8 |
| | 女 | 82.5 | 41.6 | 17.4 |
| 70〜79 | 男 | 86.1 | 40.6 | 15.1 |
| | 女 | 82.7 | 40.6 | 18.4 |
| 80〜 | 男 | 85.0 | 41.0 | 15.7 |
| | 女 | 82.9 | 49.3 | 18.6 |

〔日本呼吸器学会肺生理専門委員会:日本人のスパイログラムと動脈血液ガス分圧基準値(2001 年 4 月)を改変〕

## E 酸素分圧が低下する場合(低 $O_2$ 血症)

低 $O_2$ 血症は,①$Pa_{O_2}$ 低下,②$Ca_{O_2}$ 低下の 2 つに分類される.後者は,貧血,CO 中毒,異常 Hb 血症(鎌状赤血球症など)で認められる.

ここでは①$Pa_{O_2}$ 低下についてまとめる.

**① 吸入気レベルでの $O_2$ 分圧の低下(高地)**(図 9-9):高地では気圧が低下するため吸入気 $O_2$ 分圧($P_{IO_2}$)も低下する.$P_B$＝気圧,0.21 は大気中の $O_2$ 濃度,47 は 37℃における飽和水蒸気圧とすると,

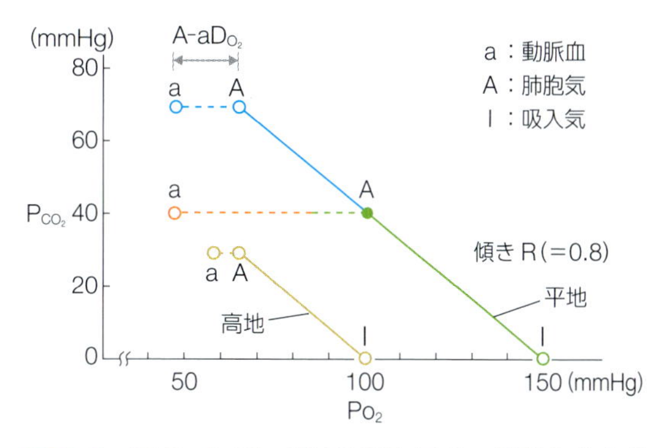


**図 9-9 低 $O_2$ 血症における吸入気(I),肺胞気(A)および動脈血(a)の $O_2$ 分圧ならびに $CO_2$ 分圧の関係**

健常人が平地に居住するとき(——),吸入気中の $O_2$ 分圧は 150 mmHg で,ガス交換比(R=0.8)を勾配として肺胞に入って,$P_{AO_2}$ は 100 mmHg 前後になる.$Pa_{CO_2}$ については,肺胞気と動脈血でほとんど変わらない(----).
低換気では(——),肺胞気,動脈血ともに $O_2$ 分圧は低下し,$CO_2$ 分圧は増加するが,ガス交換率は変わらない.また $A-aD_{O_2}$ もほぼ基準範囲にある.
$A-aD_{O_2}$ 開大では(----),$CO_2$ 分圧は変化しないで $O_2$ 分圧が低下している.
高地(約 5,000 m)では(——),吸入気 $O_2$ 分圧が低く,ガス交換率は変わらないので,肺胞気,動脈血の $O_2$ 分圧は低くなり,$A-aD_{O_2}$ は低下傾向がみられる.

$$P_{IO_2}=0.21\times(P_B-47)$$

が成立する.

**② 肺胞気レベルでの $O_2$ 分圧の低下(低換気)**:低換気では,$A-aD_{O_2}$ は正常で,ガス交換が低下して,高 $CO_2$ 血症と低 $O_2$ 血症が生じる.

**③ 動脈血レベルでの $O_2$ 分圧の低下($A-aD_{O_2}$ 開大)**:肺胞気から肺毛細血管血への $O_2$ 移行が低下すれば,$Pa_{O_2}$ は低下する.換気血流不均等分布,肺胞毛細血管ブロック(alveolar-capillary block)の病態で認められ,$A-aD_{O_2}$ が開大する(図 9-9,表 9-8).臨床で遭遇する多くの呼吸不全はこのタイプである.

**④ 組織毛細血管レベルでの $O_2$ 飽和度の低下**:$Pa_{O_2}$ が正常であっても,組織に十分な $O_2$ の供給が不可能な病態がある.具体的には $O_2$ 輸送の循環状態,Hb への $O_2$ 結合低下などで,①心拍出量($\dot{Q}_T$)低下,②$Ca_{O_2}$ 低下,③Hb の $O_2$ 親和性低下などがある.

**参考文献**


1) 黒川 清:水・電解質と酸塩基平衡—step by step で考える,改訂第 2 版.南江堂,2004.

# 10章 免疫・アレルギー検査

## 1 総論

### A アレルギーの病態と分類

免疫機構は生体防御のために存在するが，そのシステムが働く際に自己をも障害してしまう，または過剰に働き自己障害性となるのがアレルギーであり，記憶免疫が関与するものとして大きく4つに分類される(表10-1).

#### 1 Ⅰ型アレルギー(図10-1のa)

即時型またはアナフィラキシー型とも呼ばれる．抗原(アレルゲン)に対する免疫記憶により産生されたIgEが再びアレルゲンと反応することで起こる．IgEはそのFc部分で組織中の肥満細胞と結合しており，再度IgEにアレルゲンが結合すると，肥満細胞は活性化され，細胞内顆粒のヒスタミンやセロトニンを放出，またホスホリパーゼ$A_2$を活性化してアラキドン酸を生じ，リポキシゲナーゼを活性化し，細胞膜アラキドン酸からロイコトリエンなどの化学伝達物質を分泌する．それらは，血管透過性の亢進，粘膜分泌液の増加，平滑筋収縮に働き，鼻づまり，鼻汁，くしゃみなどの症状を引き起こす．アレルギー性鼻炎のほかには，気管支喘息，アトピー性皮膚炎，蕁麻疹などがこの機序による．診断のための検査の一つに，アレルゲンに対する特異IgE抗体の検出がある．

#### 2 Ⅱ型アレルギー(図10-1のb)

細胞膜が抗原となり，抗体，次いで補体が結合することにより細胞傷害が起こる．障害の機序は，結合した補体後期成分による細胞溶解，抗体のFc部分のレセプターや補体のC3bレセプターを有するマクロファージなどの食細胞による貪食，FcレセプターをもつNK細胞による傷害などがある．この機序による疾患としては，自己免疫性溶血性貧血，Rh不適合妊娠による新生児溶血性疾患，Goodpasture症候群などがある．それぞれの細胞成分に反応する自己抗体が検査される．

#### 3 Ⅲ型アレルギー(図10-1のc)

抗原抗体複合体(免疫複合体)が形成され，多くの場合それが組織に沈着し，抗体のFc部分を介して好中球が浸潤し，活性酸素やタンパク分解酵素などを放出して組織を傷害する．また結合した補体の活性化によっても傷害を受ける．組織傷害の機序はⅡ型に類似するが，Ⅲ型の場合は細胞や組織そのものが抗原になるのではなく，生体中の比較的普遍的な物質が抗原となる．全身性エリテマトーデスにおけるループス腎炎や血管炎などがこの機序で起こる．Ⅱ型同様，自己抗体が検査される．

#### 4 Ⅳ型アレルギー(図10-1のd)

遅延型アレルギーとも呼ばれる．ある抗原に免疫記憶のあるT細胞(感作T細胞)が再度抗原に出合うと，細胞傷害性T細胞が増殖して直接細胞傷害を起こす．またはT細胞から産生されるリンホカイン(サイトカイン)が血管透過性を亢進させ，マクロファージを遊走させて組織傷害を起こす．一連の反応で線維芽細胞が増殖し，組織に結節性腫瘤を形成する．接触皮膚炎，移植拒絶反応などがこの機序による．検出にはツベルクリン反応のような生体への接種試験と，リンパ球を取り出し試験管内で抗原刺激によるリンパ球活性化をみる検査がある．

**表 10-1　アレルギー反応の分類(Gell & Coombs による)**

| 型 | | Ⅰ型 | Ⅱ型 | Ⅲ型 | Ⅳ型 |
|---|---|---|---|---|---|
| 同義語 | | 即時型<br>アナフィラキシー型<br>IgE 依存型<br>レアギン型 | 細胞融解型<br>抗受容体抗体型<br>抗体依存性細胞傷害(ADCC)型 | 免疫複合型<br>Arthus 型 | 遅延型<br>細胞免疫型<br>ツベルクリン型 |
| 反応に関与する因子 | 抗原 | 外来性抗原<br>ダニ，花粉，真菌，動物，食物，薬剤など | 外来性抗原<br>薬剤(ペニシリンなど)<br>自己抗原<br>細胞膜，基底膜抗原 | 外来性抗原<br>細菌，薬剤，異種蛋白<br>自己抗原<br>変性 IgG，DNA | 外来性抗原<br>細菌，薬剤<br>自己抗原 |
| | 抗体 | IgE | IgG，IgM | IgG，IgM，IgA | |
| | 細胞 | 肥満細胞<br>好塩基球<br>好酸球 | マクロファージ<br>好中球<br>NK 細胞 | マクロファージ<br>好中球 | 感作 T 細胞<br>細胞傷害性 T 細胞(CTL)<br>マクロファージ |
| | 補体/メディエーター | ヒスタミン<br>ロイコトリエン(LT)<br>プロスタグランジン(PG)$D_2$<br>トロンボキサン(TX)$A_2$<br>血小板活性化因子(PAF) | 補体系 | 補体系<br>リソソーム酵素 | サイトカイン<br>(IL-2，IFN-γなど) |
| 反応時間 | | 15〜30 分 | 数分〜数時間 | 3〜8 時間 | 24〜72 時間 |
| 関連疾患 | | アナフィラキシーショック<br>気管支喘息<br>アレルギー性鼻炎<br>アレルギー性結膜炎<br>急性蕁麻疹<br>アトピー性皮膚炎<br>アレルギー性気管支肺真菌症(Ⅰ＋Ⅲ型) | 不適合輸血<br>自己免疫性溶血性貧血<br>新生児溶血性疾患<br>特発性血小板減少性紫斑病(ITP)<br>Goodpasture 症候群<br>重症筋無力症<br>自己免疫性甲状腺疾患<br>1 型糖尿病 | 血清病<br>糸球体腎炎<br>全身性エリテマトーデス(SLE)<br>関節リウマチ(RA)<br>血管炎<br>過敏性肺炎(Ⅲ＋Ⅳ型)<br>アレルギー性気管支肺真菌症(Ⅰ＋Ⅲ型) | 接触皮膚炎<br>同種移植拒絶反応<br>移植片対宿主病(GVHD)<br>結核病変<br>過敏性肺炎(Ⅲ＋Ⅳ型) |
| 検査 | 生体内検査 | 皮膚テスト(プリックテスト，皮内テスト，PK 反応)<br>誘発試験(眼，鼻粘膜，吸入)<br>負荷試験(食物) | | 皮内テスト(遅発型) | 皮内テスト(遅発型)<br>貼付(パッチ)試験<br>吸入誘発試験<br>誘発試験 |
| | 試験管内検査 | 血清総 IgE 測定<br>アレルゲン特異的 IgE 測定<br>ヒスタミン遊離試験<br>好塩基球活性化試験 | 直接 Coombs 試験<br>間接 Coombs 試験<br>血小板表面 IgG<br>抗受容体抗体 | 免疫複合体<br>自己抗体 | リンパ球刺激試験<br>リンパ球細胞傷害試験 |

## B　自己免疫疾患と自己抗体の意義

リンパ球は，免疫寛容として分化の段階で自己成分に反応するものは原則として淘汰されるか，または活性化しない状態におかれている．しかし感染やホルモン環境の変化などが引き金になり，自己反応性のリンパ球が結果的に活性化され，さまざまな組織傷害につながることがあり，この病態を自己免疫疾患と総称する．免疫のシステムが自己に対して過剰に働くアレルギーと捉えることもでき，アレルギーの型では，Ⅱ型・Ⅲ型において自己に反応する抗体(自己抗体)が，Ⅳ型では自己反応性の T 細胞が組織傷害を担う．

以上は狭義の自己免疫であるが，免疫寛容にか

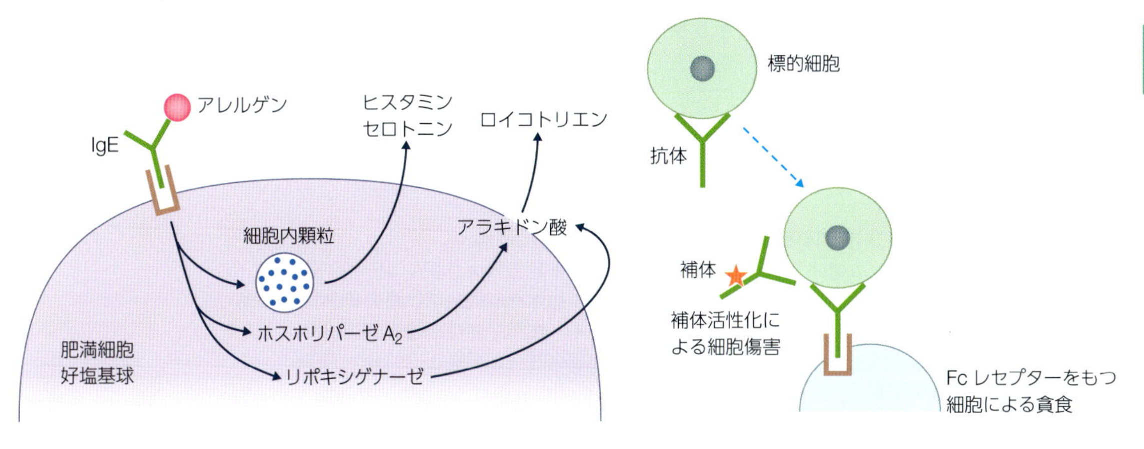


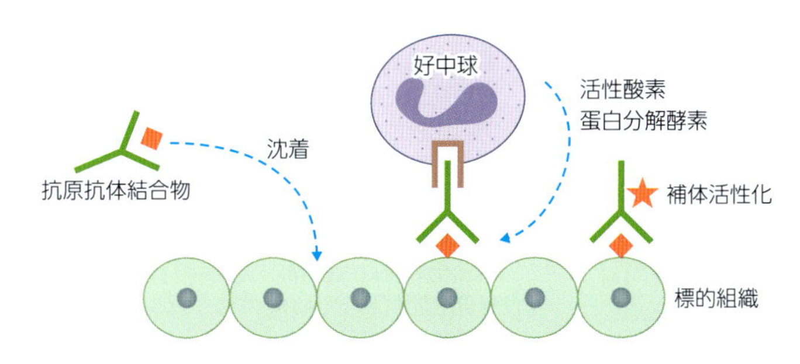


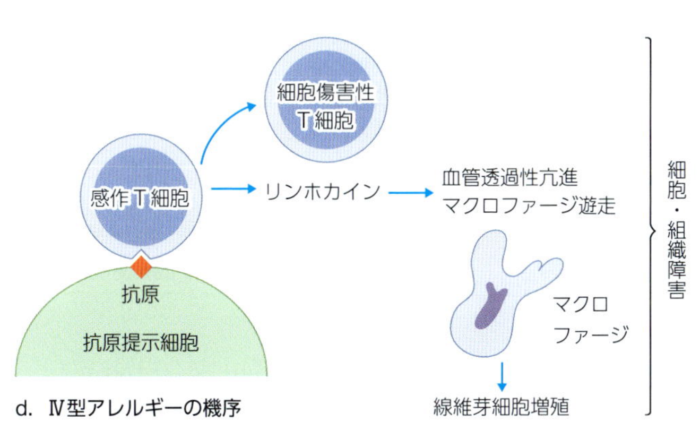


**図 10-1 Ⅰ～Ⅳ型アレルギーの機序**

かわらず，生体成分が修飾されたために惹起された抗体も組織傷害を起こす．また，微生物などの異物に惹起された抗体が，類似した生体成分に反応して組織傷害を起こすことがある．いずれにおいても真の病態背景を明確にすることは困難であるが，共通していることは自己成分に対して反応する抗体やT細胞が存在することである．

自己抗体に限って論ずると，ある臓器に傷害が限定される疾患(臓器特異的自己免疫疾患)と全身に及ぶ疾患(全身性自己免疫疾患)で検出される自己抗体に分類される(表 10-2)．前者の場合，検出される自己抗体の病因性は比較的明確であるが，後者では必ずしも明確でないものが多く，疾患を診断するためのマーカーとして利用されているものが多い．

**表 10-2　主な自己抗体の種類と陽性を示す疾患**

| 自己抗体の種類 | 高い陽性率を示す疾患 |
|---|---|
| **臓器特異性自己抗体** | |
| ・抗赤血球自己抗体（Coombs テスト） | 自己免疫性溶血性貧血 |
| ・寒冷凝集素 | 慢性寒冷凝集素症 |
| ・DL 抗体 | 発作性寒冷血色素尿症 |
| ・血小板関連 IgG（PAIgG）（抗血小板抗体） | ITP，頻回輸血経験者 |
| ・抗好中球細胞質ミエロペルオキシダーゼ抗体（p-ANCA, MPO-ANCA） | 顕微鏡的多発血管炎（MPA, 45～80%）<br>特発性半月体形成性糸球体腎炎（RPGN, 65%），<br>アレルギー性肉芽腫性血管炎（60%） |
| ・細胞質性抗好中球細胞質抗体（c-ANCA, PR3-ANCA） | 多発血管炎性肉芽腫症（GPA, 80～90%） |
| ・抗サイログロブリン抗体 | 原発性甲状腺機能低下症（65%），橋本病（60%），Basedow 病（45%） |
| ・抗ミクロソーム抗体（抗甲状腺ペルオキシダーゼ抗体） | 橋本病（95%），粘液水腫（85%），Basedow 病（80%） |
| ・TSH 受容体抗体 | Basedow 病（80%），橋本病，萎縮性甲状腺炎 |
| ・抗胃壁細胞抗体 | 悪性貧血（90%），萎縮性胃炎（40%），甲状腺疾患（20～50%） |
| ・抗内因子抗体 | 悪性貧血（50～70%） |
| ・抗平滑筋抗体（SMA） | 自己免疫性肝炎（60%） |
| ・抗ミトコンドリア抗体 | 原発性胆汁性肝硬変（90%） |
| ・抗心筋抗体 | リウマチ熱（70%），細菌性心内膜炎（80%），心筋梗塞（65%），膠原病（30%） |
| ・抗糸球体基底膜抗体（抗 GBM 抗体） | Goodpasture 症候群，急性半月体形成性糸球体腎炎（6%） |
| ・抗副腎皮質抗体 | 特発性副腎不全（60%） |
| ・抗インスリン抗体 | インスリン自己免疫症候群 |
| ・抗インスリン受容体抗体 | インスリン抵抗性糖尿病 |
| ・抗膵島細胞質抗体 | 1 型糖尿病 |
| ・抗 GAD 抗体 | 1 型糖尿病 |
| ・抗アセチルコリン受容体抗体 | 重症筋無力症 |
| ・抗デスモグレイン 3（Dsg 3）抗体 | 尋常性天疱瘡 |
| ・抗デスモグレイン 1（Dsg 1）抗体 | 落葉状天疱瘡 |
| **全身性自己抗体** | |
| ・抗リン脂質抗体 | 抗リン脂質抗体症候群，SLE，他の膠原病 |
| ・リウマトイド因子 | 関節リウマチ（RA）（80%），慢性肝疾患（40%），他の膠原病 |
| ・抗ガラクトース欠損 IgG 抗体（CARF） | 関節リウマチ（76%），Sjögren 症候群，他の膠原病（30%） |
| ・マトリックスメタロプロテイナーゼ-3*（MMP-3） | 関節リウマチ（68%），RA 早期（75%），SLE，他の膠原病 |
| ・抗 CCP 抗体 | 関節リウマチ（84%），RA 早期（69%） |
| ・抗核抗体 | SLE（98%），オーバーラップ症候群，進行性全身硬化症（80%），他の膠原病（20%） |
| ・抗 dsDNA 抗体 | SLE（90%），オーバーラップ症候群（65%），MCTD（55%），<br>他の膠原病（30% 以下） |
| ・抗 RNP 抗体 | MCTD（100%），SLE（30%），強皮症（20%），オーバーラップ症候群，Sjögren 症候群，多発性筋炎，皮膚筋炎 |
| ・抗 Sm 抗体 | SLE（20～30%） |
| ・抗 SS-A 抗体（抗 Ro 抗体） | Sjögren 症候群（50～70%），SLE（30～40%），MCTD，強皮症，RA |
| ・抗 SS-B 抗体（抗 La 抗体） | Sjögren 症候群（20～30%），SLE（10%） |
| ・抗 Scl-70 抗体（抗トポイソメラーゼ I 抗体） | 全身性強皮症（40%） |
| ・抗 ARS 抗体 | 多発性筋炎，皮膚筋炎（30～40%） |
| ・抗 Jo-1 抗体（抗 ARS 抗体の一つ） | 多発性筋炎，皮膚筋炎 |
| ・抗セントロメア抗体 | CREST 症候群（50～90%） |

DL：Donath-Landsteiner，GAD：グルタミン酸脱炭酸酵素（glutamic acid decarboxylase），ITP：特発性血小板減少性紫斑病（idiopathic thrombocytopenic purpura），MCTD：混合結合組織病（mixed connective tissue disease），CCP：cyclic citrullinated peptides
*自己抗体ではないが，便宜的に含めた（173 頁参照）．

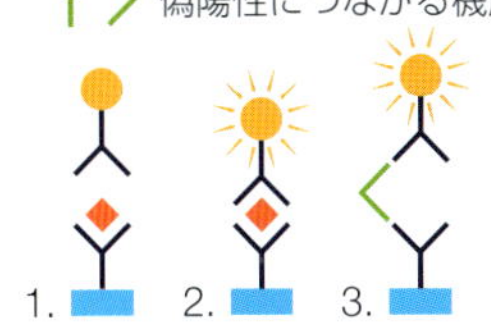

**図 10-2　標識抗体法における偽陽性(1→2 が望ましい反応，3 が偽陽性反応)**

a：抗原が存在しなくても，上下の抗体を橋渡しする何らかの物質があると陽性となる.

b：例えば真の抗病原体抗体ではなく，たまたま意味のない IgG が結合してしまうと陽性結果になってしまう.

## C 抗原抗体反応を利用する検査の注意点

免疫・アレルギー検査において検査される項目のほとんどと，腫瘍マーカー，生化学検査での個別の蛋白質，蛋白量を測定する血液凝固線溶検査は，抗原抗体反応を利用して検査される．ここではその注意点を述べる.

### 1 非特異反応

抗原と抗体の反応は本来 1 対 1 であるが，類似構造の物質に反応してしまう場合，またはまったく類似していない物質でも物理的に結合してしまう場合などがある．図 10-2 は酵素免疫測定法(enzyme immunoassay；EIA)などの標識抗体法の模式図である．抗原検出系(図 10-2 の a)においては，しかるべき抗原を抗体が挟みこむべきであるが，例えばリウマトイド因子のように抗体成分と反応してしまう物質が存在すると，抗原がなくても何らかの測定結果が得られる．また，試薬にはマウスモノクローナル抗体が使われることが多いため，医原性にまたは自然にマウス免疫グロブリンに対する抗体(human anti-mouse immunoglobulin antibody；HAMA)のある試料でも異常に高値となる．図 10-2b の抗体検出系においては，抗体がしかるべき抗原に反応せずに，試薬中の別の成分に反応すると陽性結果となってしまう．抗原に反応しても，抗原の中の夾雑成分に反応しても陽性となるので，例えば HIV 抗体のように意義ある成分への反応をみるための確認検査(ウエスタンブロット法が行われる)が重要となる.

### 2 反応性(特異性)の変化

生体内の抗体を検出する系では，対応する抗原の性状により反応性(特異性)が変化する．例えば抗 DNA 抗体を検出する方法には，液体中で溶解している DNA と免疫グロブリン抗体を反応させてから検出する系と，プラスチックに固定化した DNA に対して免疫グロブリン抗体を反応させる系があり，検出される抗体が微妙に違うとされる.

### 3 地帯現象

抗原と抗体の反応は適切な量比の範囲で物質量に応じた抗原抗体複合体が得られる．どちらかの量が過剰になると，反応物の最終的な生成量が少なくなること(地帯現象)があり，誤った結果となる.

### 4 コンタミネーション

免疫関連検査や微生物検査(核酸増幅検査を含む)の項目には，陽性試料と陰性試料の目的物質の量的関係が極端に大きなものがある．例えば，HBs 抗原陰性試料を陽性試料の隣において操作すると陰性試料にわずかにコンタミネーションしただけで陽性結果になる可能性がある.

### 5 標準化の困難さ

適切な標準物質がないこと，試薬の条件により抗原と抗体の反応性が異なることなどの理由で，試薬(施設)間の検査値のズレが大きな項目がある.

## 2 関節リウマチの検査(RF，ACPA，MMP-3)

関節リウマチ(rheumatoid arthritis；RA)は，関節を主病変とする自己免疫機序に基づく全身性疾患である．その発症メカニズムは解明されていないが，明らかな炎症が関節滑膜に起こり，続いて関節の軟骨，骨をも破壊し，関節の変形と機能障害が起こる．

診断に寄与する検査には，リウマトイド因子(rheumatoid factor；RF)，抗環状シトルリン化ペプチド抗体(anti-cyclic citrullinated peptide antibody；抗 CCP 抗体または ACPA)があり，炎症活動性は赤血球沈降速度や CRP などの炎症マーカーが指標となる．マトリックスメタロプロテイナーゼ3(matrix metalloproteinase 3；MMP-3)は，滑膜から産生される物質でユニークな指標である．

## A　リウマトイド因子(RF)

### 1 性状，測定法と基準範囲

RF は IgG の Fc 部分に結合する免疫グロブリンである．その産生機序は不明であるが，IgG が何らかの抗原と結合することによって Fc 部分に高次構造の変化を生じ，それが異物として認識されることによって RF が産生されると考えられる．実際，RF は変性 IgG や免疫複合体中の IgG により強い親和性を有している．他には微生物抗原との交差説もある．

RF はすべての免疫グロブリンクラスのものが存在するが，一般的な方法で検出されるのは IgM クラスの RF である．現在，RF は IgG を結合させたラテックス粒子が RF で凝集することで測定され，カットオフ値は 15 IU/mL とされている．

### 2 疾患での動態

① **RA**：患者の約 70〜90% が陽性を示し，これらを seropositive RA と呼んでいる．ただし，これらの症例であっても，発症 1 年以内では約 50% に陽性を示すにすぎない．全経過を通じて RF 陰性の患者は seronegative RA と呼ばれ，約 20% が相当する．また，若年性 RA では陽性を示す症例が約 20% 程度と低い．悪性関節リウマチ，Felty 症候群では強陽性を示す傾向がある．RF 自体の病原性はよくわかってはいないが，RF 高値を示す RA 患者では臨床症状が改善するにつれて RF 定量値が低下してくるので，疾患活動性には関連しているとみてよい．

② **RA 以外の膠原病**：SLE，Sjögren 症候群，強皮症，皮膚筋炎，多発性筋炎などでも約 20% 程度の頻度で陽性を示す．以上の疾患はしばしば関節症状を示し，RA との鑑別を要する場合がある．関節症状がなくても RF 陽性の場合には，膠原病または自己免疫異常を示す疾患の存在を疑ってみる必要がある．

③ **その他の疾患**：肝疾患，悪性腫瘍など，一般的に高 γ-グロブリン血症(特に高 IgG 血症)では RF が陽性を示すことが少なくない．健康人でも，特に高齢になるに従い陽性を示すことがあり，人種により異なるようである．わが国では，0.3〜5% 程度で低い．RF は病因論的には自己抗体であるが，検査の原理からは免疫グロブリン(IgG)に結合して凝集させるものを検出しているにすぎない．RA で検出されるものと，健常人を含む非 RA 疾患で検出されるものが必ずしも同じとは限らない．

## B　抗 CCP 抗体(ACPA)

### 1 性状，測定法と基準範囲

シトルリンはペプチジルアルギニンデアミナーゼの作用により塩基性アミノ酸であるアルギニン N 末端のアミノ基が酸素で置換されて産生される．RA では，関節内での炎症反応により多くの抗原がシトルリン化され，関節，さらには血清中にシトルリン化抗原に対する自己抗体が出現してくる．以前から知られていた抗ケラチン抗体はシトルリン化したフィラグリンがその抗原であることが示された．検査試薬では，シトルリン化した人工ペプチドを環状にして抗原とすることで検出感度を上げている．基準値は 4.5 U/mL 未満である．また喫煙者で陽性率が高いことから，喫煙により修飾された気道上皮抗原に反応して抗体が惹起されるとの説もある．

### 2 疾患での動態

抗 CCP 抗体は，RF に比べると遜色ないか，より高い RA に対する感度(85〜90%)と特異度

(85〜90%)を有し，特に早期RAでも陽性率が高いことが示されたが，実際は，RF陰性患者での陽性を期待した測定という補助的に使われることが多い．

### C MMP-3

#### 1 性状，測定法と基準範囲

MMP-3は自己抗体ではないが，RAの補助診断と経過観察に用いられるため便宜的に本章に含めた．MMP-3はストロムライシン-1(SL)とも呼ばれ，関節の主に滑膜細胞，一部は軟骨細胞などからも産生される．軟骨の主要構成成分であるプロテオグリカンを中心にコラーゲン，ラミニンなどに分解作用し，結合組織の分解，再生に重要な役割を果たす．MMP-3は低分子であることから，組織破壊により濃度勾配に従い関節内から血中へと容易に移行する．異化組織は腎であり，急速に糸球体基底膜を通過し血中から濾過され，近位尿細管で再吸収，分解される．抗原抗体反応で測定される．血清濃度は性差があり，基準範囲は男性で36.9〜121.0 ng/mL，女性で17.3〜59.7 ng/mLである．腎で代謝されるため，腎機能低下で高値となる．また，副腎皮質ホルモン治療でも高めとなる．

#### 2 疾患での動態

血清MMP-3濃度は，RAにおいて滑膜細胞の増殖能を反映して増加する．それはRAの疾患活動性そのものであるので，炎症マーカーのCRPなどと相関することが多い．ただし，MMP-3は直接軟骨の破壊に働く酵素のため，局所の病像をより反映するとされている．RAの70〜80%で陽性となる．

## 3 抗核抗体

### A 性状，測定法と基準範囲

抗核抗体(anti-nuclear antibody；ANA)は，真核細胞の核に含まれるさまざまな抗原に対する抗体群の総称である．一般的にはヒト喉頭癌由来の株化細胞であるHep2を材料に間接蛍光抗体法によって検出されるもので，FANA(fluorescent ANA)と呼ばれることがある．FANAはスクリーニング検査であり，陽性であれば核成分に対する各抗体検査を行う．FANAは顕微鏡を使う検査で，染色パターンが読み取れる利点がある一方，煩雑で施行者の技術を要するため，機械化された方法(酵素免疫測定法)も登場してきているが，ここではFANAについて述べる．

スライドグラス上のHep2培養株に被検血清を反応させた後，余分の血清を洗浄除去し，FITC蛍光色素で標識した抗ヒト免疫グロブリン抗体を反応させる．再びよく洗浄した後，蛍光顕微鏡にて細胞核の蛍光パターンを観察する(図10-3)．被検血清を倍数希釈して検査し，陽性を示す最高希釈倍数を力価として半定量的な結果が得られる．カットオフの力価は40倍とされてきたが，これでは，健常人，特に女性が15〜20%程度陽性になり，病的意義のある各抗体を調べても陽性にならない場合がほとんどである．そのため，最近は陽性判定の力価を160倍とする考え方がある．通常，抗核タンパク抗体(RNP抗体など)は高力価を示しやすく，抗DNA抗体は低力価のことが多いので，次に述べる染色パターンとともに力価を評価すべきである．

染色パターンとしては，基本的に5つの種類が観察される(図10-4，サイドメモ)．パターンが診断に直結することはないが，時に特徴的なパターンがある病型の診断に役立つこともある．

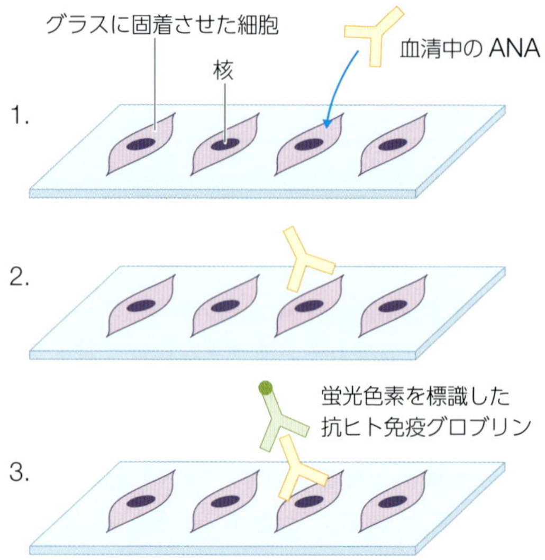

**図10-3 間接蛍光抗体法による抗核抗体検出法**

1. 被検血清を細胞核に反応させる.
2. よく洗浄して余分の成分を取り除く.
3. 蛍光色素を標識した抗ヒト免疫グロブリン抗体と反応させ，余分の成分を洗浄した後，蛍光顕微鏡で観察する.

**サイドメモ 抗核抗体パターンの国際新分類について**

図10-4で示す染色パターンの分類は，わが国で現在使われているものであるが，国際的には2019年に新しい分類が提唱されている[1]．わが国でどのように普及していくかは現時点で不透明であるが，簡単に紹介する．まず，homogenous（均一型）とperipheral（辺縁型）は区別せず，homogenousに統一．speckled（斑紋型），centromere（セントロメア型），nucleolar（核小体型）は残るが，speckledとnucleolarはそれぞれ3パターンの細分類をもつ．他に基本パターンとして，granular，nucleolar envelope，PNCA-like，CENP-F-like，TOPOI-like（Scl-70）が加わった．

1) Damoiseaux J, et al：Clinical relevance of HEp-2 indirect immunofluorescent patterns: the International Consensus on ANA patterns（ICAP）perspective. Ann Rheum Dis 78：879-889, 2019

| | 蛍光パターン | 反応する抗体 | 代表的疾患 |
|---|---|---|---|
|  | 均一型（homogeneous） | 抗ヒストン抗体 | SLE，薬剤性ループス |
|  | 辺縁型，核膜型<br>（peripheral，shaggy，ring，rim） | 抗DNA抗体（ds-，ss-） | SLE |
|  | 斑紋型（coarse speckled） | 抗Sm，抗SS-A，抗SS-B，<br>抗U1-RNP，抗Scl-70 | MCTD，SSc，DM/PM，<br>SjS，SLE |
|  | 核小体型（nucleolar） | 抗U3-RNP，<br>抗RNAポリメラーゼⅢ抗体 | SSc |
| 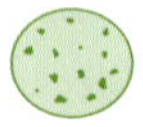 | セントロメア型<br>（centromere，discrete speckled） | 抗セントロメア抗体 | CREST，PBC，SSc |

**図10-4 間接蛍光抗体法による抗核抗体検査における細胞核の蛍光パターン**

SLE：全身性エリテマトーデス，MCTD：混合結合組織病，SSc：全身性強皮症，DM/PM：皮膚筋炎/多発性筋炎，SjS：Sjögren症候群，CREST：CREST症候群，PBC：原発性胆汁性肝硬変

## B 疾患での病態

さまざまな膠原病ならびに自己免疫疾患において陽性を示す．最も高頻度に陽性を示すのはSLE（systemic lupus erythematosus：全身性エリテマトーデス），SSc（全身性強皮症），MCTD（mixed connective tissue disease：混合結合組織病）で，95～99%に陽性を示す．FANAの染色パターンの中には疾患と関連づけやすいものがある（図10-4）一方，抗体や疾患との関連づけが困難なものが多いため，表10-2（170頁参照）に示す，より特異性の高い核抗原成分に対する抗体の検出を行う．

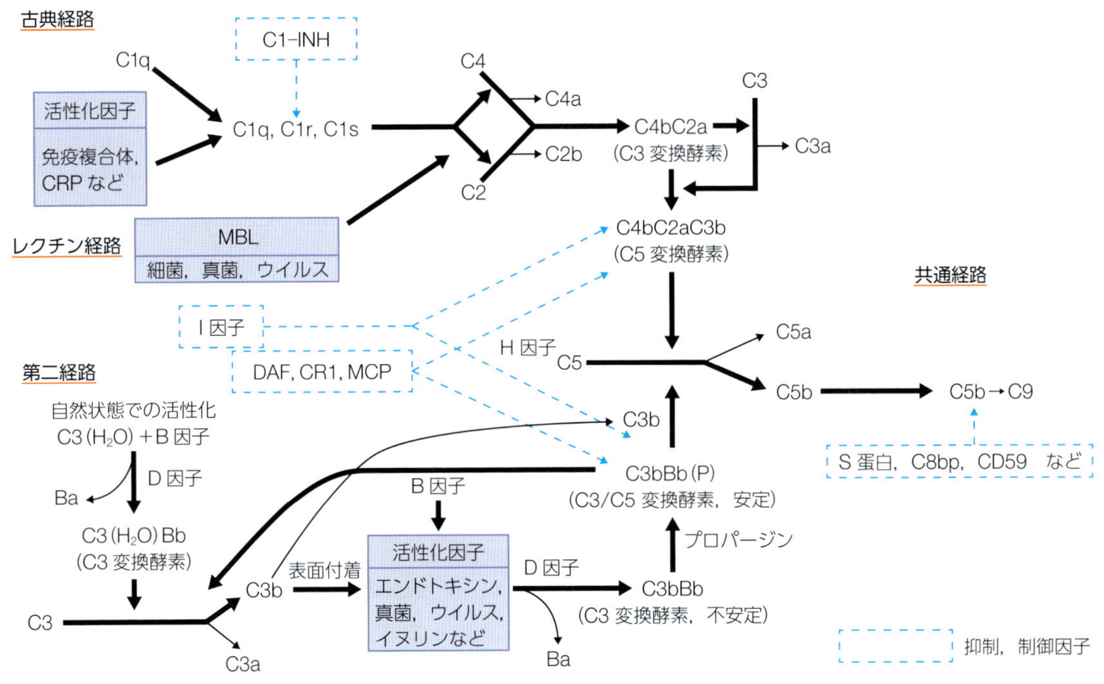


図 10-5　**補体系の活性経路**(原図・伊藤)
古典経路, レクチン経路, 第二経路, 共通経路からなる.

# 4 補体

## A 補体系活性化の機序

補体は, 免疫機構を補完, 強化し, 炎症の場で機能することで生体のホメオスターシス維持に働く一連の物質で, 活性化反応にかかわる促進因子, 抑制因子および細胞表面関連レセプターなどから構成される. その活性化経路は古典経路(classical pathway), レクチン経路(lectin pathway), 第二経路(alternative pathway, または副経路)からなり, これら三つの経路は合流して共通経路(common pathway)となる.

### 1 古典経路・共通経路の活性化(図 10-5)

古典経路は免疫複合体と C1 が結合することにより活性化が始まる. 免疫複合体に C1q が結合すると, C1r が結合, C1s が活性化されて, C4 は C4b(大きなフラグメント)と C4a(小さなフラグメント)に, また C2 は C2b と C2a に分解する. それらが結合した C4bC2a は C3 変換酵素(C3 convertase)として C3 を C3b と C3a に分解する. さらに C3b が C4bC2a と結合して形成される C4bC2aC3b は C5 変換酵素として C5 を C5b と C5a に分解する. その結果, 共通経路が開かれ C5b から C9 までの一連の成分が活性化され, 最終的に細胞膜を貫通して補体分子の重みも加わり, 細胞膜を破壊(溶菌, 溶血)する.

古典経路を制御する種々の抑制物質が知られ, C1-INH(C1 inhibitor)は C1r, C1s を不活性化する機能を有する. I 因子は C4 結合蛋白(C4 binding protein；C4bp)の補助のもとで C5 変換酵素から C3b を除去して不活性化する. また, I 因子は第二経路にも関与して, C3/C5 変換酵素である C3bBb を H 因子のもとで不活性化する. さらに細胞表面には decay accelerating factor(DAF), complement receptor 1(CR1), membrane co-protein(MCP)などが存在して, C3/C5 変換酵素を不活性化して, 補体による傷害から細胞を守る働きを有する. 発作性夜間ヘモグロビン尿症はこの機能異常による. 共通経路では, S 蛋白, C8bp, CD59 などの補体調節蛋白(homologous restriction factors；HRF)が細胞表面上における傷害作用を抑制する.

## 2 レクチン経路の活性化

マンノース結合レクチン(mannose binding lectin；MBL), フィコリンによるレクチン活性経路も見出されている. C1q に類似した構造のレクチンで, 細菌, 真菌, ウイルス表面の糖鎖に結合し, C1q と同様古典経路を活性化する.

## 3 第二経路の活性化

自然な状態ですでに C3 は加水分解して C3b 様物質 C3($H_2O$)として存在し, B 因子と結合し, D 因子の活性化により初期の C3 変換酵素である C3($H_2O$)Bb が形成され, この酵素が C3 に作用して C3b が, いわば標的物質を待つ状態にある. ウイルス, 真菌あるいはグラム陰性菌由来のエンドトキシンが生体内に侵入すると, C3b はただちにこれらの細胞表面, 物質表面に付着して B 因子との結合, D 因子の活性化を経て, C3 変換酵素である C3bBb を形成し, 新たに C3b を得て C5 変換酵素である C3bBbC3b を形成する. C3bBbC3b は不安定であるが, プロパージン(P)が結合することにより安定化し, ここから C3b がさらに生成され C5b の形成を経て, 共通経路へと続く.

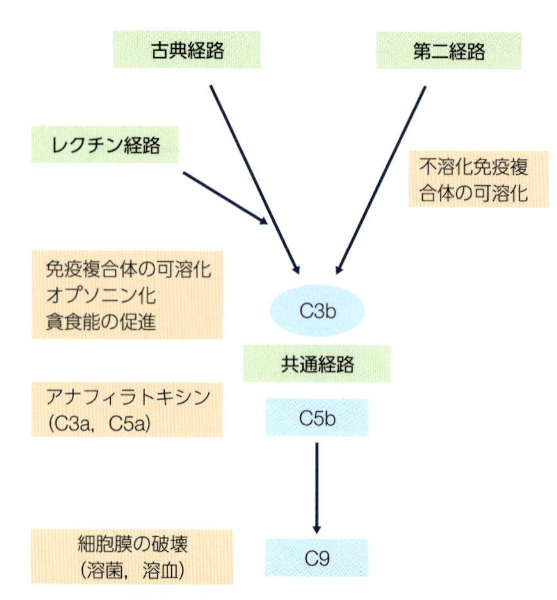


図 10-6　補体の免疫応答における主な機能
(原図・伊藤)

# B 補体系の機能(図 10-6)

## 1 細菌・真菌・ウイルスに対する作用

微生物に対して抗体が生成され, 免疫複合体となれば古典経路, レクチン経路が活性化される. 補体あるいは抗体によりオプソニン化されることにより, ウイルスの組織細胞への付着も阻害される. 上述のようにレクチン経路もかかわる. 直接作用するばかりでなく, 白血球による貪食を促進することにより殺菌する. C1, C3b はウイルスに直接結合して活性化が開始される.

## 2 免疫複合体の除去

抗原(病原微生物を含む)が特異抗体と結合し免疫複合体が形成されると古典経路が活性化される. 抗原が架橋となって抗体がさらに結合して多量体を形成して不溶化すると, 局所の炎症が増強して生体細胞に大きな傷害を与える. 可溶性免疫複合体は, 活性化の過程で出現する C3b が赤血球上のレセプターと結合し, 局所から脾臓, 肝臓などの網内系に運ばれて除去される. 不溶化した免疫複合体の場合は第二経路が活性化され, この過程で貪食, 分解により除去される.

## 3 アナフィラトキシンと走化作用

C3a と C5a はアナフィラトキシンとして, 平滑筋の収縮, 肥満細胞への作用, 白血球の走化作用などにより, 局所の浮腫による抗原の洗い流し, 白血球による貪食, 消化処理に働く.

# C 測定法と基準範囲

補体蛋白は炎症で増加する急性期蛋白であるがその目的で測定されることはなく, 補体活性化の結果として低下することをみる目的で検査される. 通常行われるのは血清補体価と C3, C4 蛋白量の測定である. この 3 つの指標は多くの場合相関するが, C3, C4 以外の補体成分欠損者や cold activation(後出, 178 頁参照)では補体価のみ低値となる. C4 は古典経路活性化のみを反映して低下し, C3 はどの経路の活性化でも低下する.

表 10-3　血清補体が低下する主な病態

| CH50 | C3 | C4 | 関連する病態，疾患 |
|---|---|---|---|
| ↓ | ↓ | ↓ | 古典経路の活性化；SLE，悪性関節リウマチなど |
| ↓ | ↓ | → | 第二経路の活性化；急性糸球体腎炎，エンドトキシン血症，膜性増殖性糸球体腎炎，C3 欠損症など |
| ↓ | → | ↓ | C4 欠損症，遺伝性血管神経性浮腫（HANE） |
| ↓ | → | → | C5〜C9 の単独欠損症 |
| ↓（4℃） | → | → | cold activation（血漿 $CH_{50}$ は低下しない） |

## 1 血清補体価（CH50）

古典経路，第二経路の総合的な活性を測定する検査である．あらかじめヒツジ赤血球に特異的抗体である溶血素を結合した免疫複合体（感作赤血球：EA）を用意し，被検血清を反応させる．血清中の補体が反応し，溶血作用によって遊離するヘモグロビン量から総合的な活性を推定する．50% の赤血球が溶血するのに必要な希釈血清量から U/mL で表現する．成人の基準範囲は 30〜45 U/mL である．現在では赤血球の替わりに人工粒子が使われ測定も自動化されている．

## 2 C3，C4

免疫化学的測定法により測定される．基準範囲は C3 が 73〜138 mg/dL，C4 は 11〜31 mg/dL である．

# D 低下する場合（表 10-3）

炎症で高値となるが，ここでは低下する病態を述べる．

## 1 産生低下による病態

① **後天性産生低下**：補体成分は主として肝細胞で合成されるので，重症肝障害，例えば肝硬変，劇症肝炎，慢性肝炎などで低値となる．

② **先天性産生低下**：すべての補体成分について欠損症が報告されており，表 10-4 に主な所見を列記した．C1〜C8 の補体成分が欠損すると血清補体価は低値を示す．C9 欠損症（最も多い）では，血清補体価は健康人の約 35% 程度の低値を示すが，臨床症状はない．

表 10-4　先天性補体欠損症

| 欠損補体成分 | 病態，疾患 |
|---|---|
| C1q | 原発性免疫不全症，SLE |
| C1r | 腎炎，SLE（様症状） |
| C1s | SLE（様症状） |
| C2 | 腎炎，SLE，若年性関節リウマチ |
| C3 | 腎炎，易感染性 |
| C4 | SLE（様症状），クリオグロブリン血症 |
| C5 | SLE，ナイセリア易感染性 |
| C6 | ナイセリア易感染性 |
| C7 | Raynaud 症状，ナイセリア易感染性 |
| C8 | SLE，ナイセリア易感染性 |
| C9 | ほとんど無症状，ナイセリア易感染性（?） |
| C1-INH | 遺伝性血管神経性浮腫（HANE），SLE |
| D 因子・I 因子 | 易感染性 |
| H 因子 | 糸球体腎炎 |
| プロパージン | 易感染性など |

## 2 補体活性化が亢進する病態

古典経路が活性化され補体が低下する病態としては，SLE，悪性関節リウマチなどの自己免疫性疾患がある．SLE においては CRP などの炎症マーカーの変動が少なく，補体が最も信頼できる疾患活動性の指標となる．ほかには血清病，遺伝性血管神経性浮腫（hereditary angioneurotic edema；HANE），クリオグロブリン血症などがある．HANE では C1-INH の欠損により C1r，C1s の抑制が失われ，古典経路の持続的な活性化が引き起こされる．

第二経路が主として活性化される病態としては，急性糸球体腎炎，膜性増殖性糸球体腎炎（membranoproliferative glomerulonephritis；MPGN, C3 nephritic factor），エンドトキシン血症などが知られている．

表 10-5　ABO 血液型

| 表現型 | 日本人の頻度(%) | 遺伝子型 | 遺伝子型頻度(%) | 赤血球抗原 | 血清中の抗体 |
|---|---|---|---|---|---|
| A 型 | 39 | *A/A*<br>*A/O* | 8<br>31 | A，H | 抗 B |
| B 型 | 22 | *B/B*<br>*B/O* | 3<br>19 | B，H | 抗 A |
| O 型 | 29 | *O/O* | 29 | H | 抗 A，抗 B，抗 AB |
| AB 型 | 10 | *A/B* | 10 | A，B，H | なし |

### 3 cold activation（試験管内現象）

血清を低温に放置すると，古典経路が活性化する現象を cold activation と呼ぶ．低温で形成されるクリオグロブリン様物質が免疫複合体同様の構造のため古典経路を活性化するとされている．そのため慢性肝炎，C 型肝炎でみられやすい．$CH_{50}$ は明らかな低値を示すが，C3，C4 の減少は明らかでない．キレート剤である EDTA（ethylenediaminetetraacetic acid：エチレンジアミン四酢酸）添加でこの反応を防止できる．

# 5 輸血検査

## A ABO 血液型の基本

赤血球膜上の ABO 血液型抗原は，糖鎖末端の構造で規定される．簡単には，前駆物質から作られた H 抗原（O 型）の末端に，*N*-アセチルガラクトサミンが付与されたものが A 抗原，D-ガラクトースが付与されたものが B 抗原である．ABO 血液型においては，血清中には自己赤血球抗原とは反応しない抗体が血漿中に存在する（表 10-5）．これを Landsteiner の法則と呼ぶ．例えば A 型の人は A 抗原と基本となる H 抗原をもっているので，自身にはない B 抗原に反応する抗体を有する．規則的な対応を示すことから規則抗体と呼ばれる．なお，この抗体は輸血などにより後天的な要因で獲得されたものではなく，食物などに含まれる交差抗原が免疫源となった自然抗体である．免疫グロブリンクラスは通常 IgM である．

表 10-6　ABO 血液型の判定

| オモテ検査（血清） | | | ウラ検査（血球） | | | | 総合判定 |
|---|---|---|---|---|---|---|---|
| 抗 A | 抗 B | 判定 | A | B | O | 判定 | |
| + | − | A | − | + | − | A | A |
| − | + | B | + | − | − | B | B |
| − | − | O | + | + | − | O | O |
| + | + | AB | − | − | − | AB | AB |

## B ABO 血液型の検査

被検血球と標準抗 A，抗 B 血清を反応させ，血球の抗原を検査するオモテ検査と，既知の A 血球と B 血球と被検血清を反応させ，血清中の抗 A，抗 B 抗体を検査するウラ検査を行ってそれぞれ判定し，最終的に総合判定で血液型を決定する（表 10-6）．オモテ検査とウラ検査の判定は一致することが原則であるが，血球抗原の亜型や血清中抗体の異常などによって不一致を起こすことが知られている．その原因と対処法を表 10-7 に示す．

## C Rh 血液型と不適合妊娠

Rh 血液型には，D，C，c，E，e（d は未発見）があり，なかでも D 抗原は陰性者の頻度が 0.5% と高く，不適合輸血の場合の副作用が重要であるため，$Rh_0$(D) 検査のみが通常行われる．D 陰性の母親が，D 陽性の児を妊娠すると，母親には抗 D 抗体が産生される．抗 D 抗体は IgG 型が主であり，胎盤を通過して児に移行して溶血性副作用を起こす．第 1 子で起こるのは極めて稀で，通常第 2 子

**表 10-7　ABO 式血液型でオモテ検査とウラ検査の一致しない原因と，原因検索のための検査**

| 一致しない原因 | 原因探索のための検査 |
|---|---|
| 余剰型 | |
| 1. A，B 型亜型<br>(A₂，Ax，Bx の一部) | 血液型変異型(亜型)の検索 |
| 2. 不規則抗体の存在 | 不規則抗体の検索 |
| 脱落型 | |
| 1. 低，無免疫グロブリン血症 | 免疫グロブリン(IgM)の検索 |
| 2. 新生児 | 経過観察 |
| 3. A，B 型亜型<br>(Am，Ax，または Bm，Bx) | 血液型変異型(亜型)の検索 |
| 4. 不適合輸血 | 供血者，受血者の血液型の確認 |
| 5. 血液型キメラ，モザイク | 唾液中血液型，白血球型，染色体検査，双生児か否かの確認 |
| 紛らわしい反応 | 対照の凝集の有無を確認する |
| 1. 寒冷凝集 | 寒冷凝集素価，加温して検査 |
| 2. 連銭形成 | 生理食塩水を加え顕微鏡で観察 |
| 3. 汎血球凝集 | 検体，血球，抗血清を新しくする |

〔土屋達行：輸血検査．高木　康，山田俊幸(編)：標準臨床検査医学，第 4 版．p 317，医学書院，2013 より〕

以降で起こる．母親の血清中抗 D 抗体の存在は間接抗グロブリン試験(間接 Coombs 試験)で検出され，児では直接抗グロブリン試験(直接 Coombs 試験)で血球に結合した抗体が検出される(図 10-11，186 頁参照)．

## D　交差適合試験

供血者と受血者の血球，血清を使って，実際に輸血が適合するかを確認する検査である．ABO 血液型，$Rh_0$(D)は確認されているが，この検査ではそれ以外の抗体(不規則性抗体)を検出する目的で行われる．例えば，Rh 血液型である抗 E 抗体の頻度が比較的高いため，この検査で陽性になり，不規則抗体検査で同定されることがある．または，輸血前にすでに代表的な不規則抗体の有無をスクリーニングして備えることも行われており，タイプアンドスクリーンと呼び，交差適合試験を省略できる．

交差適合試験では，受血者の血清と供血者の血球を反応させる主試験と，受血者の血球と供血者の血清を反応させる副試験を行い，その結果で輸血の対応を決定する．原則として主試験不適合は輸血不可，副試験のみの不適合はやむを得ない場合に慎重に行うという対応になる．

**表 10-8　免疫性輸血副作用と臨床検査**

| 副作用 | 臨床検査 |
|---|---|
| 溶血性 | |
| 1. 共通 | LD，AST，間接ビリルビンの上昇<br>ハプトグロビンの低下(血管内溶血で著明)<br>直接 Coombs 試験陽性 |
| 2. 血管内溶血 | 血漿遊離ヘモグロビン上昇<br>尿中ヘモグロビン(尿潜血)陽性 |
| 3. 血管外溶血 | 尿ビリルビン陽性 |
| 非溶血性 | |
| 1. 輸血後 GVHD | HLA 型 |
| 2. 輸血関連急性肺傷害* | 抗白血球抗体 |
| 3. アナフィラキシー | トリプターゼ，ヒスタミン<br>血漿蛋白欠損(IgA など) |
| 4. 蕁麻疹 | 抗血漿蛋白抗体 |
| 5. 発熱 | 抗 HLA 抗体 |

*TRALI：transfusion-related acute lung injury

## E　輸血副作用と臨床検査

輸血副作用は感染性のものと，免疫反応によるものに大別され，前者では例えば日本赤十字社の献血製剤では，B 型肝炎ウイルス，C 型肝炎ウイルス，HTLV-1，HIV がスクリーニングされている．後者には，赤血球抗原に反応する溶血性副作用とそれ以外のものがある(表 10-8)．

ここで溶血には ABO 型抗体など主に IgM 抗体が関与し，急激に起こりしばしば重篤となる血管内溶血と，Rh 血液型など主に IgG 抗体が関与し，緩徐に起こる血管外溶血があり，共通して示す所見とそれぞれに特徴的な所見がある(表 10-8)．非溶血性では，輸血されたリンパ球が HLA 不一致の受血者組織を攻撃する輸血後 GVHD (graft versus host disease)が重要である.

# IgE とアレルゲン特異的 IgE 抗体

## A IgE の構造と機能

IgE の基本構造は他のクラスの免疫グロブリンと同様であるが(4 章 6 A 免疫グロブリンの基本構造, 83 頁参照), H 鎖の一つである $\varepsilon$ 鎖は N 末端の可変部と CH1～4 の 4 つのドメインからなり, 他のクラスの H 鎖よりも長い. C 末端の CH4 ドメインが肥満細胞(マスト細胞)や好塩基球などの細胞膜上に存在するレセプター(Fc$\varepsilon$R)に結合する.

IgE はⅠ型アレルギー反応を媒介する. この反応は, 異物抗原(アレルゲン)に対して産生された特異抗体〔かつてはレアギン(reagin)と呼ばれていた〕が, Fc$\varepsilon$RⅠを介して, 肥満細胞, 好塩基球細胞に結合することが発端となる. 同一アレルゲンが IgE に結合すると, 細胞にシグナルが伝わり, 顆粒が細胞膜と融合して, 脱顆粒状態となりヒスタミン, セロトニンなどが放出される. その結果, 局所の平滑筋の収縮, 血管透過性の増加により血漿成分が血管外に漏出して浮腫となり, 炎症細胞の浸潤を来す. さらには, ホスホリパーゼ $A_2$ の活性化からアラキドン酸を生じ, リポキシゲナーゼを活性化させてロイコトリエンを分泌させる(図 10-1a, 169 頁参照). ロイコトリエンは強力に長時間にわたり平滑筋の収縮に作用する. これらの化学物質の作用により, 局所には好酸球, 好中球, 単球, リンパ球が浸潤する. 実際にⅠ型アレルギーでは末梢血好酸球が増加する.

## B IgE 定量と病態

IgE は免疫グロブリンのなかでは最も血中濃度が低く, 濃度は単位で報告される. 1 単位は 2.4 ng に相当する. アトピー性皮膚炎ほかⅠ型アレルギー性疾患で高値となり, 成人で 200 単位/mL 以下であればⅠ型アレルギーの可能性は低いとされる. ただし, 低いからといってアレルギーが否定されるわけではなく, 逆に高いからといってアレルギーが確定するわけでもなく, アレルギーの症状とも必ずしも相関はしないとされる. Ⅰ型アレルギーの診断にはアレルゲンの特定を兼ねたアレルゲン特異的 IgE 測定を行うべきである. IgE 濃度はⅠ型アレルギーで上昇するほか, 寄生虫感染, IgE 型多発性骨髄腫(極めて稀), 免疫不全症である高 IgE 症候群や Wiskott-Aldrich 症候群で高値となる(表 10-9). アレルギー性気管支肺真菌症では病勢と相関する.

**表 10-9　血清 IgE の増減する病態**

**高 IgE 血症**
1. 多クローン性
①アレルギー性疾患：気管支喘息, 花粉症, アトピー性皮膚炎, アレルギー性鼻炎, 薬剤アレルギー, 食物アレルギーなど
②寄生虫感染症：組織破壊を伴う場合
③原発性 T 細胞性免疫不全：高 IgE 症候群, Wiskott-Aldrich 症候群など
2. 単クローン性
① IgE 型骨髄腫(稀)

**低 IgE 血症**
①悪性 M 蛋白血症(IgE 型骨髄腫を除く)
②原発性 B 細胞性免疫不全, 重症複合免疫不全
③続発性免疫グロブリン減少症を伴う各種病態

## C アレルゲン特異的 IgE 測定

特定のアレルゲンと反応する IgE 抗体活性を *in vitro* で検査する方法で, ハウスダスト, ダニ, 花粉, 真菌, 細菌, 動物(フケ, 羽毛), 職業アレルゲン, 食品, 薬剤など現在 200 種類以上のアレルゲンに対する抗体が測定されている. 患者の負担が少なく, 多種にわたるアレルゲンの検索を同時にできる利点がある. 一方, 候補アレルゲンをヒトに投与して症状の発現をみる *in vivo* 検査としてのチャレンジテストが, 信頼性において特異 IgE 抗体測定を上回る. 例えば, 多くの人はハウスダストへの反応が陽性となるが, 実際に症状が出るとは限らないし, 症状があったとしてもその程度と IgE 測定値が相関するわけではな

い．チャレンジテストとして実際には，種々のアレルゲン液を皮膚にのせて針でしみこませたのちに判定する皮膚テスト(プリックテストまたはスクラッチテスト)が多く行われている．ただし，皮膚疾患のため施行できない場合，より多くのアレルゲンを検索したい場合では，特異的IgE抗体測定が選択される．

## 7 各種自己抗体の検査

各種自己抗体については表10-2(170頁参照)に一覧で示したが，ここでは主要なものに簡単な解説を追加する．

### A 抗DNA抗体と抗Sm抗体

両者ともSLEの診断に重要な自己抗体である．抗DNA抗体はその反応性により，3種類に分類される．すなわち①高次構造を認識し，2本鎖DNAのみに反応，②糖・リン酸骨格を認識し，2本鎖DNAと1本鎖DNAの両方に反応，③塩基または塩基配列を認識し，1本鎖DNAのみに反応するもの，である．①は稀とされている．臨床的に測定されている抗dsDNA抗体は①と②を含むもので，SLEの活動期では90%以上で陽性となり，病勢をよく表すとされている．抗ssDNA抗体は③のことで，SLEに対する感度，特異度(他の自己免疫疾患でも陽性となりやすい)は抗dsDNA抗体に及ばず，現在ではあまり測定されていない．

抗Sm抗体は次に述べる抗RNP抗体と抗原性を部分的に同じくするもので，SLEでの陽性率は20〜30%と低いが，他疾患で陽性となることが少なく，SLEでの特異性が高いことで検査される．

### B 抗RNP抗体

核内のRNA分画のうちのU1分画と蛋白との複合体である，U1-RNPに反応する自己抗体である．抗U1-RNP抗体が陽性で，SLE，皮膚筋炎，全身性強皮症の症状を示す疾患がMCTDである．つまり，抗U1-RNP抗体陽性はMCTDの診断に必須となる．なお，抗Sm抗体の認識抗原は，U1-RNP，U2-RNP，U4-RNP，U5-RNP，U6-RNPであるため，抗RNP抗体と抗Sm抗体は同時に陽性となることが多い．

### C 抗Scl-70抗体と強皮症関連抗体

抗Scl-70抗体は核内酵素であるトポイソメラーゼIに対する抗体で，全身性強皮症での陽性率は40%弱であるが，特異性は高い．抗セントロメア抗体は強皮症の亜型であるCREST(calcinosis, Raynaud phenomenon, esophageal dismotility, sclerodactylia, teleangiectasis)症候群の50〜90%で陽性となる．RNA転写因子であるRNAポリメラーゼⅢに対する抗体も強皮症で検出され，抗Scl-70抗体や抗セントロメア抗体との陽性の重複が少ないとされている．

### D 抗SS-A抗体と抗SS-B抗体

抗SS-A(Ro)抗体，抗SS-B(La)抗体は抗非ヒストン核蛋白抗体で，Sjögren症候群(SjS)の患者で見出されたものである．抗SS-B抗体のほうがSjSに特異性が高く，抗SS-A抗体はSjSで高率に陽性となるが，関節リウマチやSLEでも陽性となることがあり，特異性は低い．

### E 抗ARS抗体

蛋白合成系において，特定のアミノ酸と対応するtRNAからアミノアシルtRNAを合成する酵素をアミノアシルtRNA合成酵素(ARS)と呼び，皮膚筋炎/多発性筋炎(DM/PM)においてARSに対する自己抗体が検出される．抗ARS抗体として測定されるのは，抗Jo-1抗体，抗PL-7抗体，抗 PL-12 抗体，抗 EJ 抗体，抗 KS 抗体，抗 OJ 抗体を包括したものである．抗 Jo-1 抗体検査が先行していたが，抗 ARS 抗体として測定することで DM/PM での陽性率が 2 倍(30～40%)になったとされる．近年，抗 ARS 抗体以外のものとして抗 MAD5(melanoma differentiation associated gene 5)抗体，抗 Mi-2 抗体，抗 TIF1γ(transcriptional intermediary factor-1)抗体が，多様な病像を示す DM/PM のサブセットの推定のために測定される．簡単には，抗 MAD5 抗体陽性例は急速進行性間質性肺炎を発症しやすく，抗 Mi-2 抗体陽性例は筋症状が主体で比較的予後良好，抗 TIF1γ 抗体陽性例は悪性腫瘍の合併率が高い．

## F 抗好中球細胞質抗体

抗好中球細胞質抗体(anti-neutrophil cytoplasmic antibody；ANCA)は，蛍光抗体法で好中球の細胞質がびまん性に染色される c(cytoplasmic)-ANCA と，核周囲が染色される p(peripheral)-ANCA に区別されていたが，それぞれの主要対応抗原がそれぞれプロテイナーゼ-3 (PR3)，ミエロペルオキシダーゼ(MPO)と同定され，それぞれの物質を抗原とした自己抗体が測定されるようになった．PR3-ANCA は多発血管炎性肉芽腫症の 80～90% で陽性となり，MPO-ANCA は顕微鏡的多発血管炎，特発性半月体形成性糸球体腎炎，アレルギー性肉芽腫性血管炎(Churg-Strauss 症候群)で高率に陽性となる．

## G 抗ミトコンドリア抗体

原発性胆汁性肝硬変(primary biliary cirrhosis；PBC)で陽性となる自己抗体で，当初は切片を用いた蛍光抗体法で検出されていたが対応抗原が $M_2$ 分画にあることから純度の高い対応物質(ピルビン酸脱水素酵素複合体ほか)に対して免疫化学的に定量する(抗ミトコンドリア $M_2$ 抗体)ことで感度，特異性とも向上した．

## H 抗平滑筋抗体と抗 LKM-1 抗体

抗平滑筋抗体(anti-smooth muscle antibody；SMA)は切片を使った蛍光抗体法で検出され，対応抗原は筋線維蛋白のアクチンである．抗 LKM-1 抗体は，抗肝腎ミクロソームに反応し，蛍光抗体法での染色パターンが 1 を示すことから命名されたが，対応抗原がチトクロム P450 であることが判明し，現在ではこの蛋白に対する抗体として免疫化学的に定量されている．これらの自己抗体は自己免疫性肝炎(AIH)の診断(型分類)に用いられる．Ⅰ型は抗核抗体(ANA)と SMA の一方または両方陽性，2 型は ANA と SMA が陰性で抗 LKM-1 が陽性，3 型は 3 者とも陰性で可溶性肝抗原(抗 SLA)が陽性になる．

## I 抗胃壁細胞抗体と抗内因子抗体

抗胃壁細胞抗体は胃壁細胞のミクロソームと反応する抗体で切片を用いた蛍光抗体法で検出される．抗内因子抗体は名のとおり内因子に反応する抗体で，ビタミン $B_{12}$ と内因子の結合を阻害するⅠ型と，両者の結合部位に結合し粘膜への付着を阻害するⅡ型がある(総合して測定される)．悪性貧血患者では，抗胃壁細胞抗体の陽性率は 90% と高いが，健常者でも 5～10% 陽性であり，特異性が低い．一方，抗内因子抗体は 50～70% の陽性率であるが，特異性が高い．

## J 抗糸球体基底膜抗体

腎や肺の血管基底膜に対する抗体で，対応抗原として明らかになったⅣ型コラーゲン α3 鎖を用いて測定されている．この抗体が陽性になる腎炎に肺出血を合併する疾患が Goodpasture 症候群である．急性半月体形成性糸球体腎炎を呈する場合は，ANCA 関連腎炎との鑑別が必要となる．

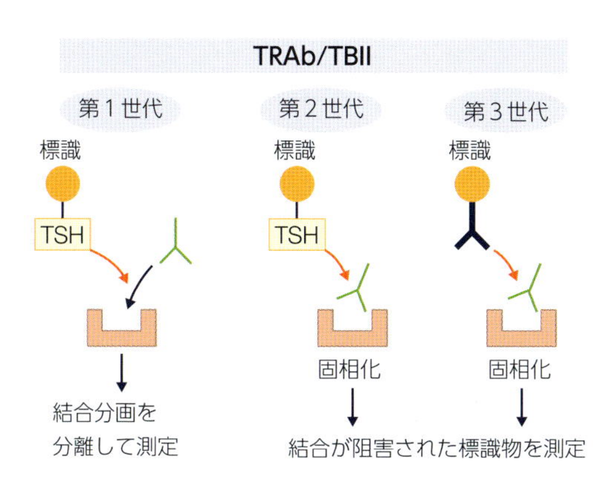


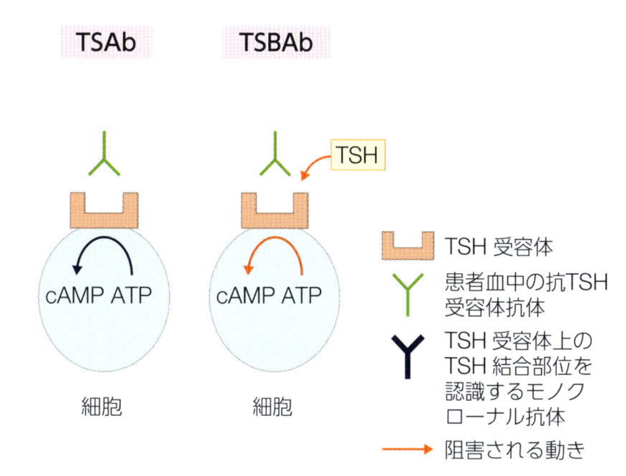


図 10-7 TSH 受容体に作用する抗体

## K 抗 GAD 抗体と抗膵島細胞質抗体

1 型糖尿病では膵ランゲルハンス島細胞の破壊が関与し，蛍光抗体法で抗膵島細胞質抗体が陽性となる．対応する抗原としてグルタミン酸デカルボキシラーゼ(GAD)と IA-2(insulinoma associated antigen-2)が同定され，それぞれに対する自己抗体が測定されるようになった．抗 GAD 抗体は 1 型糖尿病の発症前から陽性となり，抗 IA-2 抗体は若年発症や急性発症例で陽性になりやすい特徴がある．

## L 甲状腺関連抗体

### 1 抗サイログロブリン抗体

甲状腺濾胞内の蛋白であるサイログロブリンに対する自己抗体で，慢性甲状腺炎(橋本病)の診断に重要である．半定量検査も使われていたが現在では免疫化学的定量が主流である．

### 2 抗甲状腺ペルオキシダーゼ抗体

抗サイロブリン抗体同様，慢性甲状腺炎の診断に重要な自己抗体である．半定量検査として粒子凝集法に基づくミクロソームテストが行われていたが，対応抗原が甲状腺のペルオキシダーゼ(TPO)であることから，これに対し免疫化学に定量する抗 TPO 抗体の検査が主流になっている．

抗サイログロブリン抗体と抗 TPO 抗体の比較では，抗サイログロブリン抗体が慢性甲状腺炎で陽性率がやや高い．両抗体とも Basedow 病で高率に陽性となる．また，明らかな甲状腺炎症状，甲状腺検査値の低下がなくても陽性となる時期があり，潜在性慢性甲状腺炎とされる．

### 3 TSH 受容体に作用する抗体(図 10-7)

Basedow 病は TSH 受容体に自己抗体が結合し，甲状腺刺激ホルモン(TSH)の産生を促すことで発症する．その自己抗体の測定法には，大きく分けて，受容体と標識 TSH との結合阻害をもって検出するもの(厳密には第 3 世代は原理が異なる)と，結合したことによる cAMP の生成をみる生物学的な方法がある．

前者は，TSH 受容体抗体(TSH receptor antibody；TRAb)または TSH 結合阻害免疫グロブリン(TSH binding inhibitory immunoglobulin；TBII)と呼ばれ，後者は甲状腺刺激抗体(thyroid stimulating antibody；TSAb)と呼ばれる．なお，生物学的方法で測定されるものには，結合したことにより刺激するのではなく，TSH の作用を抑制する甲状腺刺激阻害型抗体(thyroid stimulation blocking antibody；TSBAb)があり，橋本病で低率ながら陽性となる．

一般的には，TRAb が測定されるが，TSAb には真に活性を確認するという意義がある．TRAb には試薬開発の経緯から第 1〜3 世代の測定法があり，第 2，3 世代は高感度で，陰性であれば Basedow 病はほぼ否定できる．第 3 世代は

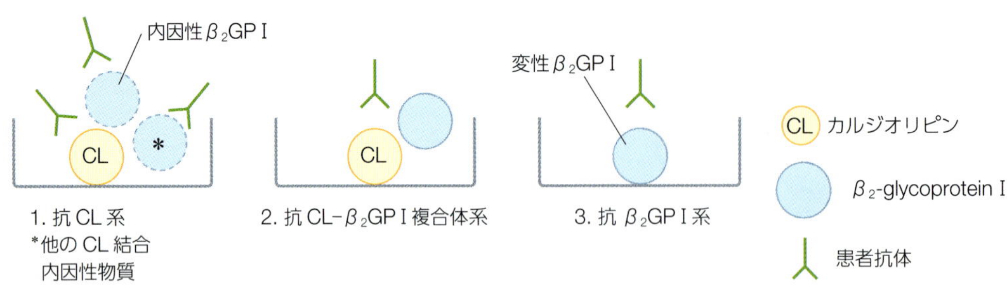


**図10-8　抗リン脂質抗体の測定系**

安定した測定系という利点がある（12章❸F 甲状腺関連検査，204頁参照）．

## M　抗リン脂質抗体

### 1 抗リン脂質抗体の分類

リン脂質にはグリセロール（グリセリン）骨格に2つの脂肪酸，リン酸が結合し，リン酸部分にコリン，エタノールアミンなどが結合したグリセロリン脂質とセラミドを骨格とするスフィンゴリン脂質がある．細胞膜，核膜，ミトコンドリア膜成分を構成し，血小板にも豊富に存在し，血液凝固機能制御に関与する．カルジオリピン（cardiolipin；CL，ジホスファチジルグリセロール）はリン脂質の代表的な成分で，ウシ心筋から分離，精製されたためこの名称で呼ばれている．

抗リン脂質抗体は，リン脂質に対する自己抗体あるいはリン脂質依存性凝固検査における阻害活性として検出される自己抗体の総称であるが，臨床検査として測定されているものとしては，抗カルジオリピン抗体（anticardiolipin；aCL）および$\beta_2$グリコプロテインⅠ（$\beta_2$GPⅠ）依存性抗カルジオリピン抗体（$\beta_2$GPⅠ-dependent aCL），リン脂質依存性凝固反応に対する阻害活性として検出されるループスアンチコアグラント（lupus anticoagulant；LA）がある（図10-8，サイドメモ）．

#### ⓐ 抗カルジオリピン抗体

狭義の意味では，梅毒で検査されるSTS反応（非トレポネーマ抗原法）のようにリン脂質そのものを認識する抗体である．酵素免疫測定法で検出されるものは次に述べる$\beta_2$GPⅠ依存性aCLも含まれる．

**サイドメモ　抗リン脂質抗体症候群**

本症（antiphospholipid antibody syndrome；APS）は静脈血栓症，動脈血栓症，習慣性流産，血小板減少を主徴とする．$\beta_2$GPⅠ依存性aCLかLAのどちらかが陽性であることが診断に必要である．一般にLA陽性患者の50～60%はaCLを有するとされる．

一次性のものと，SLEに合併するものとに大別される．SLEでは報告により異なるが，15～30%と高い頻度で認められる．しかし，実際に症状を呈するものは少ない．習慣性流産では40～50%が陽性とされる．本症では検査結果では凝固延長であるにもかかわらず，生体内では血栓形成がみられるという奇異な印象があるが，検査での凝固延長は試験管内現象であると捉え，生体内ではこの自己抗体が過凝固にかかわっているとされる．

#### ⓑ $\beta_2$GPⅠ依存性抗カルジオリピン抗体

抗リン脂質抗体症候群（APS）では，当初，カルジオリピンそのものに対する抗体が生成されるとされていたが，本邦の研究グループが，主な反応対象はリン脂質に結合して構造が変化した内因性の血漿蛋白である$\beta_2$GPⅠであることを見いだした．カルジオリピンと$\beta_2$GPⅠの複合体に対する抗体検出という形で測定される．カルジオリピンを介さず，構造変化を起こさせた$\beta_2$GPⅠに対する抗体を検出する方法（抗$\beta_2$GPⅠ抗体）もある．

#### ⓒ ループスアンチコアグラント

（2章❼C 2 ループスアンチコアグラント，51頁も参照）

ループスアンチコアグラント（LA）は試験管内において個々の凝固因子活性を阻害することなく，リン脂質依存性の凝固反応を抑制する免疫グロブリンである．血液凝固ではリン脂質が凝固因子と複合体を形成して反応が進む過程が多いが，LA はこの複合体に結合して凝固反応を阻害する．

抗リン脂質抗体ではあるが，リン脂質との直接的な結合をみるのではなく，凝固検査を利用して検出するものである．活性化部分トロンボプラスチン時間（APTT）や希釈ラッセル蛇毒時間（dilute Russell's viper venom time；dRVVT）において，凝固時間の延長がリン脂質依存性の反応であることを確認する．

# 8 抗赤血球抗体

## A Coombs 法の原理

### 1 Coombs 法

赤血球表面は主としてシアル酸を保有していて生理的溶液中では陰性に荷電し，互いに反発しているために個々の赤血球がバラバラに浮遊している．赤血球間の反発力は，浮遊している溶媒の性質によって異なり，赤血球間距離に反比例している．大きく結合価の多い IgM 抗体ならば赤血球間距離が離れていても，赤血球同士の反発力に逆らって隣接の赤血球と互いに結合が可能であって，凝集現象を起こしうる（完全抗体と呼ばれる，図 10-9）．しかし，小さな IgG 抗体では，反発力が抗原抗体結合力に打ち勝って赤血球同士の格子形成が起こりえないので凝集現象が起こらない（不完全抗体と呼ばれる）．そのため，不完全抗体でも凝集現象を起こすためには，ヒト免疫グロブリンおよび補体成分に対する動物免疫抗血清（Coombs 血清）を加えて，人為的に大きな赤血球間の橋渡しをする必要がある（図 10-10）．Coombs 法（抗グロブリン試験）には直接 Coombs 試験と間接 Coombs 試験とがある．

直接 Coombs 試験は，被検者赤血球浮遊液と Coombs 血清を混合して，凝集の有無を観察する方法で，被検者自身の赤血球にすでに不完全抗体が結合しているかどうかを知るために行う．間接

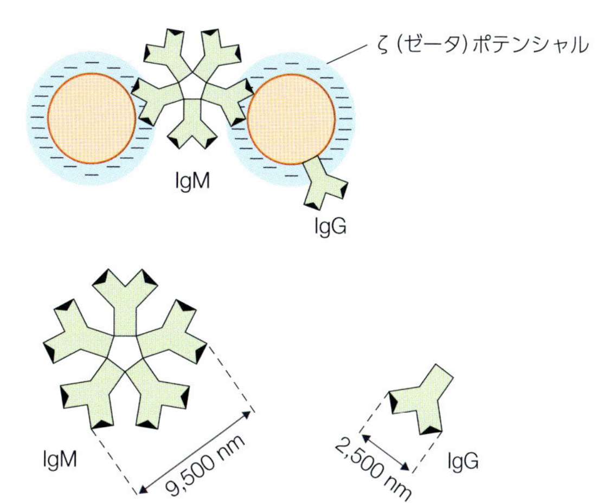


**図 10-9　赤血球同士の反発力（ゼータポテンシャル）と赤血球間を橋渡しする抗体分子の関係**

生理食塩液では赤血球の陰性荷電が強いので，IgM のみが橋渡し可能である．下は抗体分子の有効長さ（effective length）を示す．

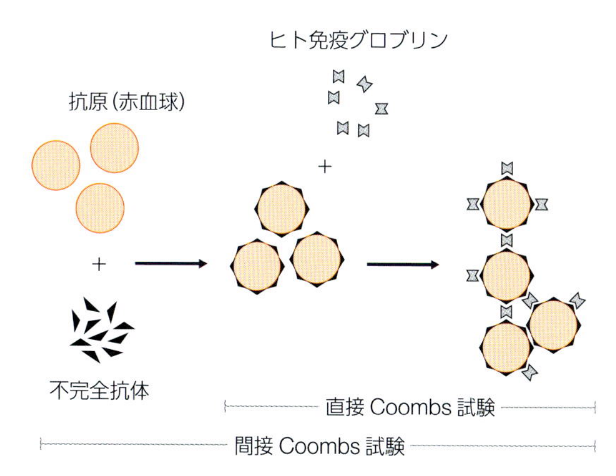


**図 10-10　Coombs（抗グロブリン）試験の原理**

〔小酒井望，河合　忠：臨床血清学．宇宙堂八木書店，1966 より引用〕

Coombs 試験は，別に準備したヒト赤血球と被検者血清を反応させた後に Coombs 血清を混合して，凝集の有無を観察する方法で，被検者自身の血清中に不完全抗体が存在するかどうかを知るために行う．

なお，いわゆる Coombs 血清（抗ヒトグロブリン血清）には，大きく 2 種類ある．①（広域）Coombs 血清，②単一特異性 Coombs 血清である．前者は，ヒト免疫グロブリン（主として IgG）と補体成分（主として C3，C4）に反応する抗体成分を含んでいて，スクリーニングに用いられる．後者は，

ヒト免疫グロブリンの各クラスに特異的に反応する抗体であって，広域Coombs血清に反応した場合に，どのヒトグロブリン成分が反応に関与しているかを同定するのに用いられる．

## B　Coombs試験が陽性になる場合

### 1 自己免疫性溶血性貧血

自己免疫性溶血性貧血(autoimmune hemolytic anemia；AIHA)では抗赤血球自己抗体が存在するために，生体内で溶血が起こり，しばしば重症な貧血を来す．したがって，この場合には生体内で赤血球に自己抗体または補体が結合しているので，直接Coombs試験が陽性となる．最もよく凝集を起こす至適温度の違いにより，温式抗体と冷式抗体に分類されている．

AIHAを起こしている約80%の症例は，温式自己抗体による．約80%以上の症例でIgGが検出され，約50%に補体が検出される．ただし，約10%の症例では補体のみが検出される．ごく稀にIgAやIgMが検出されている．冷式自己抗体に起因する疾患としては，慢性寒冷凝集素症(chronic cold hemagglutinin disease；CCHD)とAIHAがある．しかし，AIHAを発症するのは約20%弱の症例であって，多くの症例では明らかな貧血を示さない．CCHDの場合には，IgM型M蛋白血症(マクログロブリン血症)を伴い，IgM自体が寒冷凝集素活性を有し，リウマトイド因子活性をもっており，しばしば悪性リンパ腫などのリンパ組織の増殖疾患を合併している．

間接Coombs試験は原則陽性であるが，不完全抗体が少量で，すべて赤血球に結合している場合は陰性を示すこともある．また，症例によっては抗赤血球自己抗体があるが，Coombs法では検出されないものもあるため，Coombs陰性をもって AIHAを否定することはできない．

### 2 組織障害を伴わない直接Coombs試験陽性

α-メチルドパ，ペニシリンなどの薬剤によって直接Coombs試験が陽性になることは稀ではない．比較的大量の薬物が血中に存在すると，それらが赤血球表面に吸着し，同時に血漿蛋白も吸着する．これらの血漿蛋白については，特にどの蛋白成分が吸着しやすいというわけではないが，高濃度に含まれるアルブミン，免疫グロブリン(特にIgG)が著明である．したがって，赤血球に吸着したIgGが，あたかも不完全抗体のようにCoombs血清と反応する．この場合には，臨床的にまったく症状・徴候が認められない．

ただ，稀に赤血球表面に吸着された薬物がアレルギー反応を起こして，自己免疫性溶血性貧血を誘発することもあるので，それを確認する必要がある．

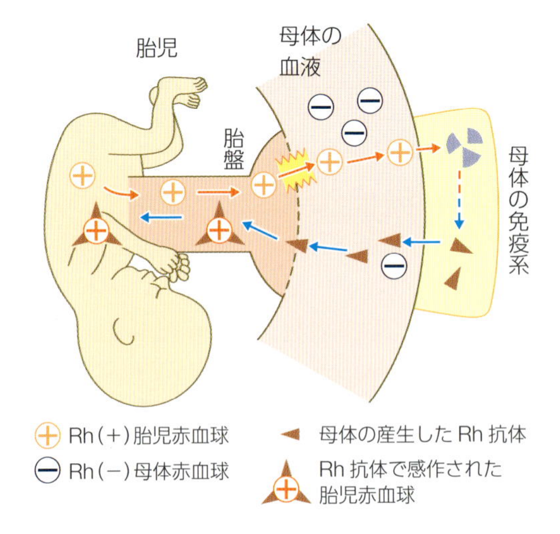


**図10-11　新生児溶血性疾患の発症機序**(原図・河合)

### 3 母子血液型不適合妊娠による新生児溶血性疾患

胎児赤血球が胎盤を通過して(損傷または分娩時)母体に移行し，母体の免疫系に免疫原として働き，免疫抗体の産生を促す．こうして産生された母体の免疫抗体(IgG抗体のみ)が胎盤を通過して胎児に移行し，胎児赤血球を感作する結果，発病する(図10-11)．したがって，新生児赤血球の表面には母体由来のIgG抗体が結合しているので，直接Coombs試験が陽性になる．

# 9 寒冷凝集素

## A 寒冷凝集素

### 1 寒冷凝集素の反応性

赤血球凝集素は抗赤血球自己抗体の一種で，温式自己抗体と冷式自己抗体がある（8 B Coombs 試験が陽性になる場合，前頁を参照）．冷式抗体が寒冷凝集素（cold agglutinin）であって，4～10℃で最もよく凝集反応を起こすが，臨床的に問題となるのは凝集素価の高いことではなく，体温に近い温度まで反応温度範囲の広い抗体が，生体内で溶血反応を起こすことである．すなわち，凝集素が赤血球と結合し補体系が活性化されて溶血を起こすが，C3 の活性化に対して C4 の活性化が弱いために，冷式抗体のうちの約 20% 程度が溶血反応による貧血を伴う．

赤血球凝集素は赤血球表面の I 抗原に対して反応する I 特異性を示し，ほとんどが IgM クラスであり，時に IgA，IgG クラスのものもある．また，多クローン性の抗体と単クローン性の抗体があり，前者のものでは $\kappa$ 型と $\lambda$ 型が混合している免疫グロブリン L 鎖をもっているが，単クローン性抗体のほとんどは $\kappa$ 型 L 鎖のみをもっている．I 特異性を示す寒冷凝集素は IgM-$\kappa$ であり，i 特異性を示すものは IgM-$\lambda$ である．稀に Ii 抗原性以外に，Pr 抗原またはその他の抗原に反応するものもある．I 特異性および寒冷凝集のメカニズムについては不明であるが，赤血球抗原決定基または寒冷凝集素の抗体活性基に関連する立体構造の変化が起こるのではないかと推定されている．

測定は O 型赤血球浮遊液と血清検体を一定の割合に混合し，0～4℃で 1 晩静置した後，赤血球凝集の有無を判定する．凝集を示す最終血清希釈倍数をもって凝集素価（agglutinin titer）とする．基準範囲は 32～64 倍以下である．採血にあたっては，あらかじめ体温（ほぼ 36℃）まで温めた採血器具と試験管類を用いる．

### 2 寒冷凝集素価が上昇する場合

本態性に寒冷凝集素が増加する疾患を，慢性寒冷凝集素症と呼ぶ．寒冷にさらされると指趾，顔面，耳朶などにチアノーゼが出現し，約 20% 程度が自己免疫性溶血性貧血を伴い，凝集する温度が 30℃以上に広がっている．また，しばしば生体内で赤血球に結合した C3，C4 により直接 Coombs 試験が陽性を示す．すなわち，生体内で寒冷凝集素が結合し補体活性化が起こるが，寒冷凝集素（IgM）は体温で容易に解離し，補体成分が残るためである．

原発性マクログロブリン血症や悪性リンパ腫との鑑別が困難な場合があり，経過中にそれらの疾患に移行する症例もある．M 蛋白血症で M 蛋白（単クローン性免疫グロブリン）が寒冷凝集性をもつこともある．

マイコプラズマ肺炎などの感染症でも非特異的に見られ，補助診断に用いられた時期もあったが，現在は病原体特異的検査が行われるため，その目的で検査されることは少なくなっている．

# 10 Donath-Landsteiner 抗体

Donath-Landsteiner 抗体（DL 抗体）は，二相性自己溶血素とも呼ばれるように，15℃の低温で赤血球と結合し，37℃に加温すると補体系を活性化して溶血を惹起する．DL 抗体は IgG クラスに属し，P 式血液型の P 抗原特異性（P1，P2）を示すことが多い．低温相では抗原抗体複合体によって赤血球膜上で補体系の初期段階が活性化され C1 が結合，高温相になると DL 抗体-C 1 複合体は赤血球から離れるが赤血球表面には C4bC2aC3b が残り，C5 から C9 まで順次活性化されて溶血を起こすと考えられている．

発作性寒冷ヘモグロビン尿症（paroxysmal cold hemoglobinuria；PCH）は寒冷曝露で DL 抗体により溶血が起こる疾患である．患者赤血球は直接抗グロブリン検査が陽性となり，補体価が低下する．PCH には特発型 PCH と梅毒・ウイルス感染症などに続発する続発型 PCH がある．

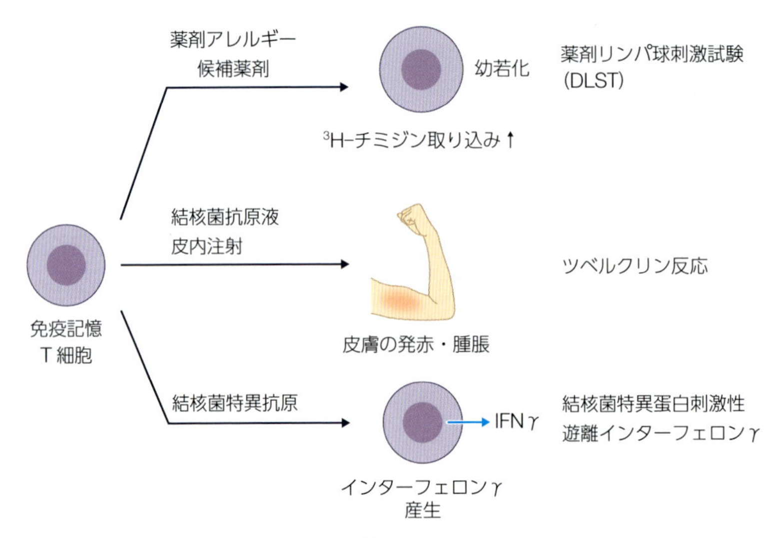


図10-12　代表的な細胞性免疫の検査

# 11 細胞性免疫の検査

細胞性免疫の主役はリンパ球(T細胞)であり，ここではリンパ球の質や機能に関連する代表的な検査について解説する．

## A 表面マーカーによるリンパ球サブセット検査

フローサイトメトリーの技術を使って，リンパ球表面抗原によるリンパ球の質的評価が行われる．リンパ性白血病などの腫瘍性疾患においては病型診断だけでなく，治療による悪性クローンの残存や再発の評価に用いる．非腫瘍性疾患で最も必要とされているのは，後天性免疫不全症候群(AIDS)での CD4 陽性 T 細胞減少の評価である．

一般的にはヘルパー機能をもつ CD4 陽性 T 細胞と，細胞傷害機能をもつ CD8 陽性 T 細胞を測定しそのバランスを種々の病態で評価することが多い．基準範囲は，CD4 陽性 25～55%，CD8 陽性 15～45% で，CD4/CD8 の上昇は，成人 T 細胞白血病，移植拒絶反応，膠原病で見られ，CD4/CD8 の低下は AIDS，伝染性単核症，骨髄移植後で見られる．

さらに CD4 陽性 T 細胞をその産生するサイトカインパターンから自己免疫疾患の発症に関連する群(Th1)とアトピー性疾患の発症に関連する群(Th2)に分け，そのバランスを評価することもある．

## B Ⅳ型アレルギーとしてのリンパ球検査

抗原に感作された T 細胞の免疫記憶を，抗原の再感作によりリンパ球が幼若化して増殖することや，リンパ球から液性因子が産生されることで評価する検査である(図10-12)．

① **薬剤リンパ球刺激試験(drug-induced lymphocyte stimulation test；DLST)**：薬剤アレルギーが疑われる場合に，候補薬剤で患者リンパ球を刺激してリンパ球が幼若化することを$^{3}$H-チミジンの取り込みで見る検査である．原因薬剤が必ずしも陽性とならないことがあり，結果の判定には慎重を要する．

② **ツベルクリン反応**：結核菌感染の有無に古くから用いられてきた．結核菌抗原液を皮内注射し，感作リンパ球が局所で増殖した結果として起こる発赤や腫脹として観察する．

③ **結核菌特異蛋白刺激性遊離インターフェロンγ**：試験管内で患者リンパ球を結核菌特異抗原

で刺激して，感作リンパ球から産生されるインターフェロン$\gamma$を検出する検査で，近年普及している．ツベルクリン反応では，予防注射のBCG接種者でも陽性となるが，こちらは影響を受けないという利点がある．クォンティフェロン® 検査かT-スポット® 検査(商品名)が行われる．

# 11章 腫瘍マーカー検査



## 1 総論

### A 腫瘍マーカーとは

腫瘍マーカーとは「狭義」には腫瘍細胞が産生する物質，または腫瘍化した細胞でその構造が変化する物質，または腫瘍細胞に対して特異的に産生されるもの（抗体など）で，それを検査することで悪性腫瘍の種類や量を推測できるものをいう．現在普及しているものを図 11-1 に示す．「広義」には腫瘍に特異的ではないが，それを検査することで腫瘍の検出に役立つもの，例えば便潜血などをいう．本章では狭義の腫瘍マーカーを解説する．なお，がん診療に役立てられているがんの遺伝子診断と抗がん剤の効きを評価するコンパニオン診断は含めないことにする．

### B 腫瘍マーカーの成り立ちによる分類

#### 1 胎児期に産生されていた蛋白

胎児期の細胞で発現される蛋白は，成長に伴い発現しなくなるが，腫瘍化により腫瘍細胞で産生されるようになるもの．α-fetoprotein（AFP），carcinoembryonic antigen（CEA）などがそれにあたる．

#### 2 腫瘍化により変化した糖鎖構造（carbohydrate antigen）

腫瘍細胞膜で表現される糖鎖は糖転移酵素の異常などにより，正常細胞とわずかに構造が異なることがある．その構造の違いはモノクローナル抗体によって認識され，その抗体が検査で使われている．CA19-9，DUPAN-2，CA125 などがそれにあたる．

#### 3 正常に産生されているもので細胞増殖により産生量が増加するもの

前立腺特異抗原（PSA），神経特異エノラーゼ（NSE），扁平上皮癌（SCC）抗原，シフラ（サイトケラチン 19 フラグメント），ヒト絨毛性ゴナドトロピン（hCG），バニリルマンデリン酸（VMA）など．

### C 腫瘍マーカーの血中濃度を決める因子

腫瘍マーカーは，産生する腫瘍細胞の増殖あるいは細胞当たりの産生量の増加を受けて血中遊出量が増加する．基本的には産生側の因子が主に影響するが，CA19-9 のように胆汁ほか血管外に異化経路をもつものが，閉塞機転により血中に移行して血中濃度が上昇するものもある．この場合は閉塞が解除されると血中濃度は急速に低下する．そのため，腫瘍量のみを反映しない場合があることに注意したい．また，血中での消退は次項で述べる治療時の経過観察を行ううえで重要で，例えば CEA の半減期は 10 日前後とされ，癌組織を完全に摘出すれば半減期から期待される CEA の経時的な低下がみられる．

### D 腫瘍マーカーの特徴

#### 1 長所

① すでに診断が確定した患者では，治療による

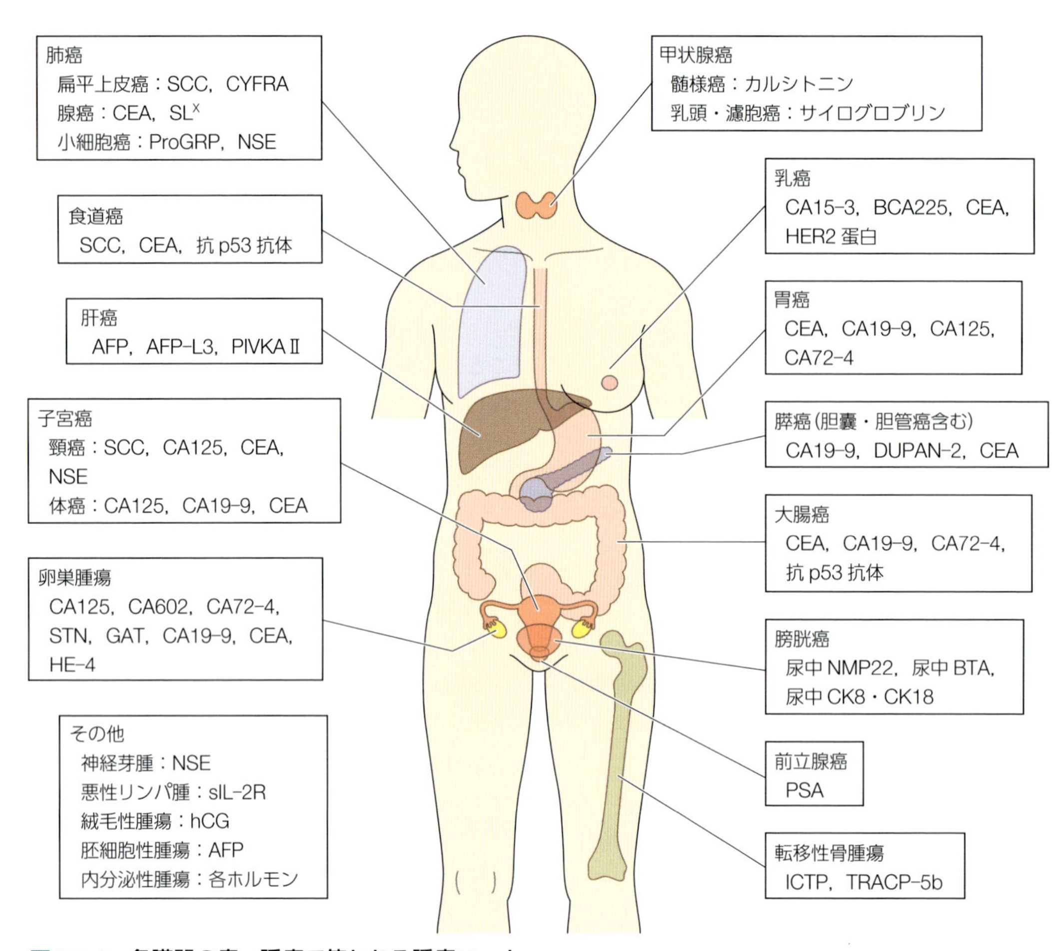


**図11-1　各臓器の癌・腫瘍で使われる腫瘍マーカー**

AFP：α-fetoprotein（α-胎児蛋白），BCA225：breast cancer antigen 225，BTA：bladder tumor antigen，CA19-9：carbohydrate antigen19-9，CEA：carcinoembryonic antigen（癌胎児性抗原），CK8・18：cytokeratin 8・18（尿中サイトケラチン8・サイトケラチン18），CYFRA：cytokeratin 19 fragment；CYFRA21-1（シフラ），DUPAN-2：pancreatic cancer-associated antigen-2（膵癌関連糖蛋白抗原），GAT：galactosyltransferase associated with tumor（癌関連ガラクトース転移酵素），hCG：human chorionic gonadotropin（ヒト絨毛性ゴナドトロピン），HE4：human epididymis protein 4（ヒト精巣上体蛋白4），HER2蛋白：human epidermal growth factor receptor 2 protein，ICTP：C-terminal telopeptide of type I collagen（I型コラーゲンCテロペプチド），NMP22：nuclear matrix protein 22，NSE：neuron-specific enolase（神経特異エノラーゼ），PIVKA-II：protein induced by vitamin K absence or antagonist-II，ProGRP：pro-gastrin-releasing peptide（ガストリン放出ペプチド前駆体），SCC抗原：squamous cell carcinoma antigen（扁平上皮癌関連抗原），sIL-2R：soluble interleukin-2 receptor（可溶性インターロイキン2レセプター），$SL^X$：sialyl Lewis$^x$-i antigen（シアリルLe$^x$-（iSL$^X$）抗原），STN：sialyl Tn antigen（シアリルTn抗原），TRACP-5b：tartrate-resistant acid phosphatase-5b（酒石酸抵抗性酸性ホスファターゼ）

腫瘍の消退の評価や再発の予知などにおいて，組織診断に比べ，侵襲性がないため頻回に使用できる（図11-2）．

② 遺伝性腫瘍家系や，肝癌のリスクがある慢性肝障害などの，高リスク患者において腫瘍化を予知するために使用できる．

③ 臓器・組織型に特異性の高いものがある（例：PSA，proGRP）．

## 2 短所

① 早期・限局した腫瘍では陽性率（感度）は低い．

② 健常・非腫瘍性疾患でも陽性となることが少なくない（特異度が低い）．①の特徴と併せると，疾患確率の低いスクリーニングなどで使用するのは勧められない．

③ 臓器，組織型の特異性の低いもの（例：CEA）が多い．

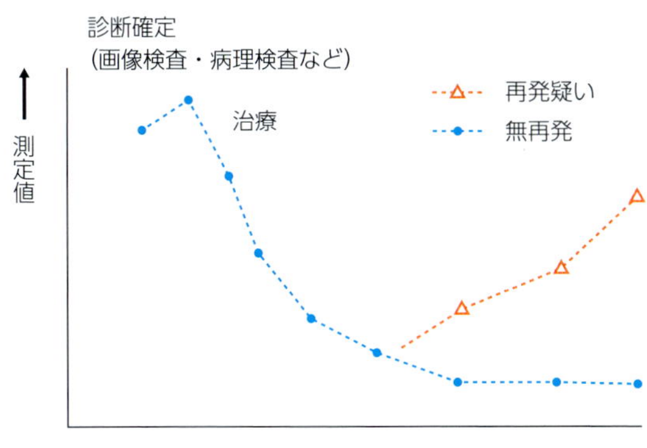


図 11-2 既診断例の経過観察における腫瘍マーカーの変動

④ 測定における均一な標準物質が存在しないため，各試薬の測定値にばらつきがある．
⑤ 悪性腫瘍の可能性を判断するしきい値としてカットオフ値が使われる．原則，カットオフ値は悪性腫瘍患者を拾い上げ，健常者・良性疾患患者を除外するための効率のよい値が設定されるが，どちらかがある程度犠牲になる．また，単なる健常者上限値が用いられている場合があるので注意を要する．

## 2 CEA

### A 性状

CEA(carcinoembryonic antigen：癌胎児性抗原)は大腸癌から抽出され，正常の大腸にも存在する分子量 18 万～20 万，糖質を約 50% 含む糖蛋白質である．

### B カットオフ値

5 ng/mL が広く採用されている．測定試薬ごとのばらつきがある．個人内変動が小さいため変化を評価しやすい．喫煙者で高めになることが知られている．高齢者で高めになることがある．

### C 上昇する場合

結腸癌診断を目的に開発されて実際その目的での使用が多いが，多くの臓器の主に腺癌で陽性になる．結腸癌のほかに比較的陽性率が高いのは，膵癌，胆管・胆道癌であり，肺癌，乳癌，胃癌，女性生殖器腫瘍などでも陽性になる．罹患臓器の推定のないまま検査して陽性の結果であった場合は，病巣の特定に難渋することになるのでスクリーニング的な使用は勧められない．診断確定例では，経過観察に有用である．血液以外の検体で，乳頭分泌液での測定は乳癌の診断に，胸水，腹水での測定は癌性漿膜炎の診断に有用である．

## 3 AFP

### A 性状

AFP($\alpha$-fetoprotein：$\alpha$-胎児蛋白)は胎児期に肝臓および卵黄嚢で産生される分子量約 7 万，約 3% の糖質を含む糖蛋白質である．

### B カットオフ値

健常者の上限値として 10 ng/mL が広く採用されている．臍帯血では 6 万 mg/mL と著しく高値であり，生後の血清中にも高値で存在するが，その後急激に低下し，生後 6 か月でほぼ成人と同じ値になる．性差，年齢差はない．

### C AFP レクチン分画(AFP-L3%)

AFP は，レンズマメレクチン(LCA)との親和性により，L1，L2，L3 の分画に分かれる．肝細胞癌で産生される AFP は L3 の比率が高値になり，良性疾患(慢性肝炎，肝硬変など)では低値であることから鑑別に利用されている．

## D 上昇する場合

肝細胞癌における診断能は，5 cm 以下の肝癌でカットオフ値を 20 ng/mL とすると，感度 50〜70%，特異度 50〜85%，200 ng/mL とすると感度 30〜50%，特異度 75〜100% とされている．後述する PIVKA-Ⅱとともに肝硬変や慢性活動性肝炎における肝細胞癌への進展の監視に使用され，急増する場合は癌への進展を疑う．ただし，画像診断を併用した総合的診断が必要である．胚細胞由来の悪性腫瘍（卵黄嚢腫瘍，奇形腫）でも高値となる．時に転移性肝癌でも高値になる．

## E 小児，妊婦の場合

乳児期は月齢により基準範囲が異なるので注意を要する．肝芽腫，胎児性癌でも高値を示すが，乳児肝炎や先天性胆道閉鎖症でも著しい高値を示す．多胎妊娠，神経管欠損症の胎児妊娠では母体の AFP が 400 ng/mL 以上を示す．

## F PIVKA-Ⅱ

PIVKA-Ⅱ（protein induced by vitamin K absence or antagonist）は，ビタミン K 欠乏時にプロトロンビン前駆体から生成する異常プロトロンビンである．肝細胞癌患者で高値となり，AFP に比べ特異性が高いとされるが，臨床的には AFP が陰性でも陽性になる例がある（逆もある）ことから，適宜 AFP と併用または使い分けする意義がある．ワルファリン投与時に上昇するので注意が必要である．

# 4 PSA

## A 性状

PSA（prostate specific antigen：前立腺特異抗原）は，前立腺上皮細胞から正常に分泌される分子量約 3 万の蛋白分解酵素である．血中に分泌されると，$\alpha_1$-アンチキモトリプシン（ACT）と，ごく一部は $\alpha_2$-マクログロブリンと複合体を形成して存在する．生理作用は精液中のフィブリネクチンを分解して精子の運動性を高めることで，精液中には血中の $10^6$ 倍の PSA が存在する．前立腺癌では細胞当たりの PSA の産生が増えることはないが，癌組織が基底膜を欠損していること，血管を巻き込んで増殖することから血中濃度が上昇する．

## B カットオフ値

4.0 ng/mL が広く採用されている．ただし加齢で上昇するので，70 歳以下では若くなるほど低めに設定したほうがよい．直腸診をはじめとする前立腺への機械的刺激で上昇するので，サンプリング前の状態に注意が必要である．射精後の採血，精液混入などで異常高値となる．男性型脱毛症治療薬のフィナステリド，前立腺肥大症治療薬の抗男性ホルモン薬により，PSA 値が約半分に低下することにも注意する．

## C 上昇する場合

当然ながら高値であるほど前立腺癌の可能性が高い．10 ng/mL 以上で癌を強く疑い精査されることが多い．前立腺肥大症，前立腺炎，尿閉などの良性疾患との鑑別に，癌では活性型の PSA が放出され，ACT に結合する割合が高く，遊離型の割合（% free PSA）が低いことをみる検査が行われる．また，前立腺体積あたりの PSA や，

PSA 増加率などの指標も癌の診断のために使われることがある．PSA は前立腺癌治療後の経過観察に有用で，治療後 PSA が順調に低下する患者は予後良好で，再上昇すれば再発を強く疑う．

## 5 CA19-9

### A 性状

CA19-9（carbohydrate antigen 19-9）は大腸癌培養細胞 SW1116 を免疫原として，マウスを免疫して作製したモノクローナル抗体のうち，正常細胞に反応せず免疫した癌細胞に反応するクローン NS19-9 が認識する抗原である．つまり，癌化によって変化した細胞膜末端の糖鎖構造を認識する抗体が採取されたわけである．血中で測定される CA19-9 はその糖鎖を有する膜蛋白質が遊離したものであり，分子としては多様なものである．CA19-9 の糖鎖は，ルイス式血液型の糖鎖が母体になっているため，日本人の 10% ほどが該当するルイス式血液型陰性者（$Le^{a-b-}$）では，極端な低値となる．

### B カットオフ値

37 U/mL が広く採用されている．ただし，上述のように測定される物質は多様であること，測定条件の違いなどにより測定試薬間差が大であることに注意したい．

### C 上昇する場合

多くの臓器の腺癌で陽性となる．最も期待されているのは膵癌での利用で，他を抑え第一選択となっている．早期癌の検出は期待できず，診断後の経過観察としての意義がある．ルイス式血液型陰性の場合は，その影響を受けず，ほぼ同様の意義を有する DUPAN2 の利用が勧められる．

膵癌以外の消化管，胆道系の良性疾患で陽性となりうる．特に胆汁うっ滞性の疾患では高値となりやすい．その他，機序が不明であるが糖尿病，多種類の薬剤，嗜好品などの影響で上昇することが知られている．これらの除外には，期間を空けて再検することが勧められる．陰性化または不変である場合は，悪性疾患は否定的となる．

## その他の主な腫瘍マーカー

### A CA125

CA19-9 などと同様，癌化により変化した糖鎖構造を認識するモノクローナル抗体によって測定されるもので，糖鎖のコア部分（CA19-9 は末端部分）の一部である．カットオフ値は 35 U/mL が広く採用されている．卵巣癌では 100 U/mL 以上に上昇し，特に漿液性嚢胞腺癌で陽性率が高い．子宮内膜症や付属器炎でも上昇するほか，性周期のうちの月経期，妊娠でも上昇する．

### B CA15-3

CA15-3 は，乳汁脂肪膜上の抗原を認識するモノクローナル抗体と乳腺上皮の糖鎖抗原を認識するモノクローナル抗体で挟み込んで測定されるものである．カットオフ値には 25 U/mL または 31.3 U/mL が採用されている．乳癌のステージではⅡまでがほぼ陰性で，Ⅲで 20% ほど，Ⅳでようやく 55% が陽性となる．そのため，臨床的には進行再発乳癌の経過観察で用いられる．なおこの目的では CEA も用いられる．

### C SCC 抗原

SCC 抗原（squamous cell carcinoma antigen：扁平上皮癌関連抗原）は子宮頸部扁平上皮癌の転移巣から分離・精製された分子量 45,000 の蛋白

**サイドメモ　胃癌検診へのペプシノゲンとヘリコバクター・ピロリ抗体測定の応用**

胃癌の診断は内視鏡による観察と病理診断による．集団検診としては，従来から，また現在も行われているのがバリウムを服用後の造影X線検査である．この検査を血液検査に置き換え，内視鏡検査へとつなげるアプローチがあり，ABC検診と呼ばれている．測定するのはペプシノゲン(PG)とヘリコバクター・ピロリ(HP)抗体である．PGは胃粘膜で産生されるが，その萎縮により血清濃度が低下する．実際には胃底腺に多くが存在するPGⅠと胃底腺を含み他所にも存在するPGⅡを同時に測定し，Ⅰの低下とⅠ/Ⅱ比の低下をもって陽性と判定する．一方，HP感染は胃癌発症の高リスクであるため，感染既往を示すHP抗体を測定し，PGの結果との組合せにより胃癌のリスクを判定するものである．

である．カットオフ値は1.5 ng/mLである．子宮頸癌の他，肺，食道，皮膚など各臓器の扁平上皮癌で陽性となる．皮膚組織や毛髪の混入でも高値化するので注意したい．

## D　肺癌の腫瘍マーカー

肺癌の診断は，細胞診や画像診断が主体となり，検体検査は補助的使用にとどまる．よく利用されるのは，CEA(腺癌で陽性となることが期待される)，CYFRA，ProGRPである．

CYFRAは，上皮細胞の中間径フィラメント構成蛋白におけるサイトケラチン分子の一つであるサイトケラチン19の可溶性フラグメント(cytokeratin19 fragment；CYFRA21-1)である．カットオフ値は2.0 ng/mLであり，肺非小細胞癌(肺扁平上皮癌，肺腺癌，肺大細胞癌)で高値となる．

神経内分泌細胞に由来するGRP(gastrin-releasing-peptide：ガストリン放出ペプチド)の前駆体ProGRPは肺小細胞癌で上昇する．カットオフ値は血漿検体で81 pg/mL，血清検体で46 pg/mLである．肺小細胞癌に比較的特異性が高いため，肺癌の組織型の推測のため測定される．腎不全で高めとなる．

**参考文献**

山田俊幸，前川真人(編著)：がんの臨床検査ハンドブック．日本医事新報社，2019

12

# 12章 ホルモン検査

## 1 総論

### A ホルモンの概要

内分泌(endocrine)系は，ホルモンという分子で情報伝達を行い，生命活動の調節を行っている．一般に，ホルモンは，特定の細胞(組織)で産生され，血液をはじめとする体液中に微量に分泌され，標的細胞(臓器)の受容体を介して作用する．標的細胞は自身(自己分泌；オートクリン)や近傍(傍分泌；パラクリン)のこともある．主に免疫系に作用するサイトカインは，近くの細胞に作用することがほとんどであるが，遠い細胞に作用する場合もあり，ホルモンと区別することは困難になってきている．また，ビタミンも活性型ビタミンDのように腎臓の近位尿細管で活性化され，受容体を介して腸などに作用しており，ホルモンを定義すること自体が難しくなっている．

個々のホルモンが正常に機能するためには，①ホルモン合成・分泌指令の感知，②ホルモン合成，③分泌，④血液などを介したホルモンの運搬，⑤標的組織におけるホルモンの感知，⑥ホルモンの作用発揮，⑦ホルモン代謝(破壊)という一連の機構が滞りなく営まれる必要がある(図12-1)．

ホルモンに対しては，いくつかの分類がみられる．化学構造に基づいてステロイドホルモン(例えば副腎皮質ホルモン，性腺ホルモン，ビタミン$D_3$)，アミノ酸誘導体(例えば副腎髄質ホルモン，甲状腺ホルモン)，ペプチドホルモン(例えば成長ホルモン，サイトカイン)のように分けることもできる．いずれにしても，ホルモンは，ビタミンのように脂溶性と水溶性に分けると理解しやすい(表12-1)．脂溶性ホルモンは細胞膜を自由に通過し，疎水性つまり水に溶けない性質をもつ．そのため，脂溶性ビタミンは水溶性ビタミンと比べると，分泌速度が合成速度に依存し(図12-1の③)，分泌後輸送蛋白と結合し(図12-1の④)，蛋白と結合しているので，分解が遅く(図12-1の⑦)，受容体が細胞内にあり(図12-1の⑤)，受容体との複合体がそのまま細胞内のメッセンジャー

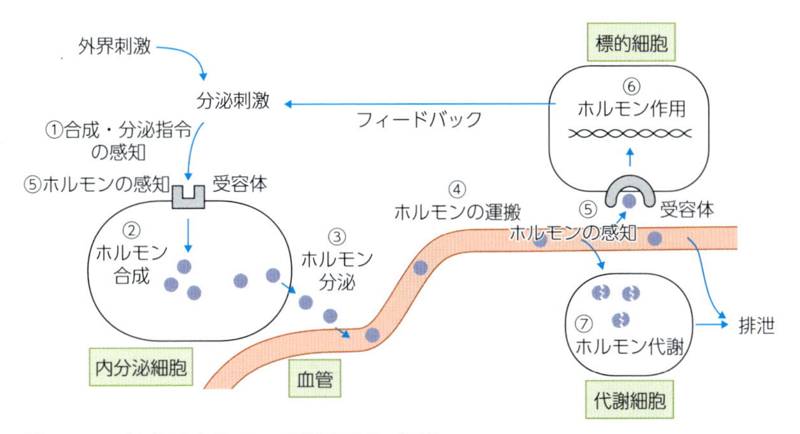


図12-1 体内のホルモン動態(原図・櫻井)

**表 12-1　ホルモンの分類と一般的な特性**

| | 脂溶性ホルモン (Group1) | 水溶性ホルモン (Group2) |
|---|---|---|
| 分子の種類 | ステロイド<br>ヨードなど | ポリペプチド<br>タンパク質など |
| 合成後の貯蔵 | なし | あり(分泌顆粒) |
| 溶解性 | 疎水性 | 親水性 |
| 輸送蛋白 | あり | なし |
| 血中半減期 | 長い(数時間～数日) | 短い(数分) |
| 受容体 | 細胞内 | 細胞膜(ダウンレギュレーションあり) |
| セカンドメッセンジャー | 受容体-ホルモン複合体 | cAMP, cGMP, $Ca^{2+}$<br>ホスホイノシトール産物<br>キナーゼカスケード |

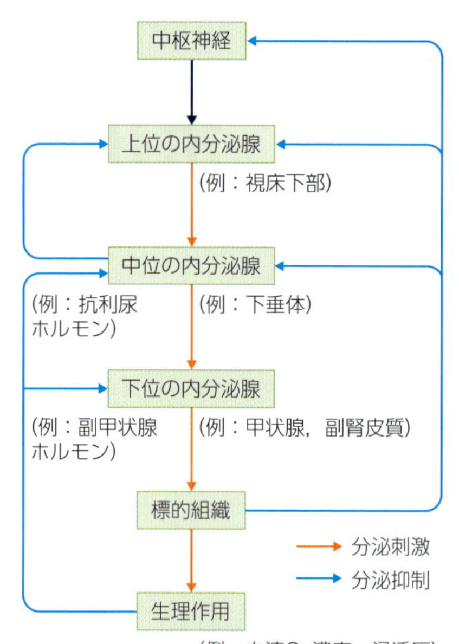


**図 12-2　ホルモン分泌のフィードバックループ**

**表 12-2　ホルモンの作用メカニズムによる分類**

| 脂溶性ホルモン(細胞内受容体に結合) |
|---|
| 甲状腺ホルモン<br>糖質(グルコ)コルチコイド<br>電解質(ミネラル)コルチコイド<br>エストロゲン<br>アンドロゲンなど |
| **水溶性ホルモン(細胞膜受容体に結合)** |
| 1. cAMP(セカンドメッセンジャー) |
| 抗利尿ホルモン<br>副腎皮質刺激ホルモン<br>甲状腺刺激ホルモン<br>卵胞刺激ホルモン<br>副甲状腺ホルモン<br>グルカゴン<br>$\alpha_2$-アドレナリン性カテコールアミン<br>$\beta$-アドレナリン性カテコールアミンなど |
| 2. cGMP(セカンドメッセンジャー) |
| 心房性ナトリウムペプチド<br>一酸化窒素 |
| 3. $Ca^{2+}$またはホスファチジルイノシトール(セカンドメッセンジャー) |
| アセチルコリン(ムスカリン性)<br>$\alpha_1$-アドレナリン性カテーコルアミン<br>アンジオテンシンⅡ<br>抗利尿ホルモンなど |
| 4. プロテインキナーゼまたはホファファターゼカスケード(セカンドメッセンジャー) |
| インスリン<br>レプチン<br>プロラクチン<br>エリスロポエチンなど |

になる(**図 12-1 の⑥**)というように一連の機構(特性)が異なる．輸送蛋白との結合により，細胞内に移動(受容体に結合)できなくなるため，結合型と遊離型の比を変えることで，ホルモン産生量を変化させなくてもホルモン作用を発揮できる(**図 12-1 の⑥**)．

脂溶性ビタミンが合成後にすぐに分泌されるのに対して，水溶性ビタミンは合成後に細胞内に貯留され，刺激に応じて分泌される．水溶性ホルモン自身はファーストメッセンジャーであり，細胞膜の受容体に結合したことで生成されるセカンドメッセンジャーを介して細胞内の情報伝達をしている．セカンドメッセンジャーに環状アデノシン一リン酸(cyclic adenosine monophosphate；cAMP)，環状グアノシン一リン酸(cyclic guanosine monophosphate；cGMP)，$Ca^{2+}$またはリン脂質の代謝物(またはその両方)やプロテインキナーゼまたはホスファターゼカスケードを使用する群とに分けられる(**表 12-2**)．少数例だが，複数のカテゴリーにまたがるセカンドメッセンジャーを利用するホルモンもある．また，水溶性ビタミンは細胞膜の受容体に結合する必要があるため，受容体が細胞質に入ってしまうと結合できない(受容体のダウンレギュレーションがみられる)．

体内でのホルモンの量(合成・貯蔵・分泌)に関

**表 12-3 ホルモンの種類**

| 産生臓器 | ホルモン | 産生臓器 | ホルモン |
|---|---|---|---|
| 視床下部 | 副腎皮質刺激ホルモン放出ホルモン(CRH)<br>甲状腺刺激ホルモン放出ホルモン(TRH)<br>成長ホルモン放出ホルモン(GHRH, GRH)<br>ソマトスタチン<br>プロラクチン放出・抑制因子(PRF, PIF)<br>性腺刺激ホルモン放出ホルモン(ゴナドトロピン放出ホルモン, GnRH) | 甲状腺 | トリヨードサイロニン($T_3$)<br>サイロキシン($T_4$)<br>カルシトニン(傍濾胞細胞) |
| | | 副甲状腺 | 副甲状腺ホルモン(PTH) |
| 下垂体 | **前葉**<br>副腎皮質刺激ホルモン(ACTH)<br>成長ホルモン(GH)<br>プロラクチン(PRL)<br>甲状腺刺激ホルモン(TSH)<br>卵胞刺激ホルモン(濾胞刺激ホルモン, FSH)<br>黄体形成ホルモン(黄体化ホルモン, LH)<br>**後葉**<br>抗利尿ホルモン(ADH, バソプレシン) | 副腎 | **皮質**<br>アルドステロン(電解質コルチコイド)<br>コルチゾール(糖質コルチコイド)<br>アンドロゲン<br>**髄質**<br>カテコールアミン |
| | | 性腺 | **卵巣**<br>エストロゲン<br>プロゲステロン<br>**精巣(睾丸)**<br>テストステロン |



しては，基本的にフィードバックループが形成され，相互調整が行われている．例えば，視床下部-下垂体前葉-下位内分泌器官(例えば甲状腺)では視床下部は下垂体，下垂体は下位内分泌器官を刺激するホルモンを分泌し(ここで短いフィードバックループを形成する場合もある)，最終的に末梢分泌器官から分泌されたホルモンは視床下部や下垂体からのホルモン合成を抑制し，血中濃度が過剰にならないようになっている．下垂体後葉では血漿浸透圧が上昇すると抗利尿ホルモンが分泌され，血漿浸透圧が下がると分泌が抑制され，同様に副甲状腺では血清 Ca 濃度が低下すると副甲状腺ホルモンが分泌され，上昇すると抑制される(図 12-2)．神経系を巻き込む広義のフィードバックも存在し，複雑なフィードバック機構によって，生体内の恒常性は維持されている．

## B 臨床検査におけるホルモン

臨床検査として日常的に測定されるホルモンについて概観する(表 12-3)．臨床における血中ホルモンについては，それぞれのホルモンのフィードバックループを踏まえて検査項目を選択し，病態を理解して用いるべきである．また，ホルモン検査には，日内変動や性周期の存在，年齢や投与薬剤の影響，安静時での検体採取の必要性などの特有の考慮すべき点がある．さらにホルモン分子やホルモン受容体分子の構造異常症，抗受容体抗体による自己免疫学的異常症といった病態について理解しておく必要もある．

ホルモン検査は，免疫学的測定法でしばしば実施される．従来は放射免疫測定法(radioimmunoassay；RIA)によって測定されることが多かった．昨今では，酵素免疫測定法(enzyme[-linked] immunoassay；EIA)や化学発光免疫測定法(chemiluminescent immunoassay；CLIA)のような高感度な測定系で実施されるようになった．ただ，グルカゴンのようにグルカゴン関連物質と高い交差性を示して高精度に測定できない場合もある．免疫学的測定の場合には，測定系への干渉(自己抗体の存在が有名)を念頭において検査値を判定する姿勢も必要になる．

# 2 視床下部・下垂体ホルモン

視床下部には神経内分泌ニューロンが存在し，視床下部ホルモンを視床下部-下垂体門脈系に放出するニューロンと下垂体後葉で下垂体後葉ホルモンを分泌するニューロンの2つが存在する．この部位の血管は血液脳関門を欠いており，脳以外(末梢)からのフィードバックの情報や浸透圧，グルコース濃度などの液性情報を受け取ることができる．下垂体前葉は，視床下部と視床下部-下垂体門脈系でつながっており，視床下部および下垂体前葉で2つの毛細血管網を形成する．一つ目の毛細血管網(視床下部)で放出された視床下部ホルモンは門脈(2つの毛細血管網にはさまれた血管の名称)のおかげで高濃度かつ細かな濃度変化が2つ目の毛細血管網(下垂体前葉)に伝わり，下垂体前葉ホルモンは微調整される．下垂体後葉まで神経内分泌ニューロンが軸索を伸ばしており，下垂体後葉ホルモンを分泌する毛細血管網が存在する．

下垂体は脳内にある内分泌器官で，主として前葉，後葉から種々のホルモンを分泌する．下垂体前葉はプロラクチンを除き，視床下部のホルモンと標的臓器(組織)からのホルモンとの間でフィードバックループが形成されており，ホルモンの分泌は制御されている．プロラクチンは，生理的な条件下では視床下部からの放出因子はなく，末梢内分泌器官の刺激ホルモンではない．下垂体前葉ホルモンのなかでは特殊な存在である．視床下部-下垂体前葉-標的臓器を系統的に考えたうえで，障害部位を見いだす．このために，下垂体ホルモンに対する分泌刺激試験や抑制試験は行われる．試験効果の判定の目安は，分泌刺激試験では前値の2倍以上を陽性(刺激)とし，分泌抑制試験では前値の1/2以下を陽性(抑制)とする．なお，視床下部に対する分泌刺激試験や抑制試験では，視床下部-下垂体系の同時評価にしばしばなる．下垂体後葉には分泌細胞はなく，視床下部から伸びた軸索からホルモン(バソプレシンとオキシトシン)が分泌されるため，広義には視床下部ホルモンと考えられる．

下垂体ホルモンは，性別，年齢の影響によって基準範囲が異なっている．また，ホルモン値には日内変動がある．さらに睡眠，運動，飲酒，喫煙，精神的ストレスでもホルモン値は変動しうる．これらを踏まえて結果を解釈する．

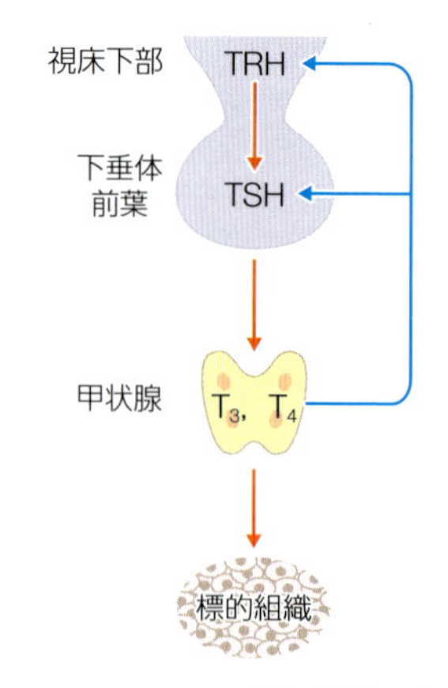


図12-3　TSHと分泌機構の概要

# 3 甲状腺刺激ホルモンと甲状腺ホルモン

## A 甲状腺刺激ホルモン(TSH)

### 1 体内動態

視床下部は甲状腺刺激ホルモン放出ホルモン(thyrotropin-releasing hormone；TRH)を下垂体門脈血中に分泌する．TRH受容体に結合し，下垂体前葉TSH産生細胞から甲状腺刺激ホルモン(TSH)が分泌され，甲状腺濾胞細胞膜のTSH受容体に結合して甲状腺から甲状腺ホルモンは分泌される(図12-3)．甲状腺ホルモン($T_3$)はTSHおよびTRH分泌を抑制し，視床下部-下垂体-甲状腺系のフィードバックループを形成する．通常甲状腺機能低下症を来すほどではないが，ドパミン，糖質コルチコイドやインターロイキン1などもTSH分泌を抑制し，TSH低下の原因が糖質コルチコイドやドパミン治療によることもある．

TSHは他のホルモンと同様にパルス状に分泌され，午後11時から午前5時の間にピークになるが，大きく変化するわけではない．血中半減期が比較的長く(約50分)，甲状腺機能評価の際に夜間以外では，採血時刻はあまり問題とならない．TSHは，甲状腺の発達と甲状腺ホルモンの調整(ヨウ素の取り込みや甲状腺ホルモン合成・分泌を促進)に役割を果たす．

TRHは生理的な濃度ではプロラクチン分泌に

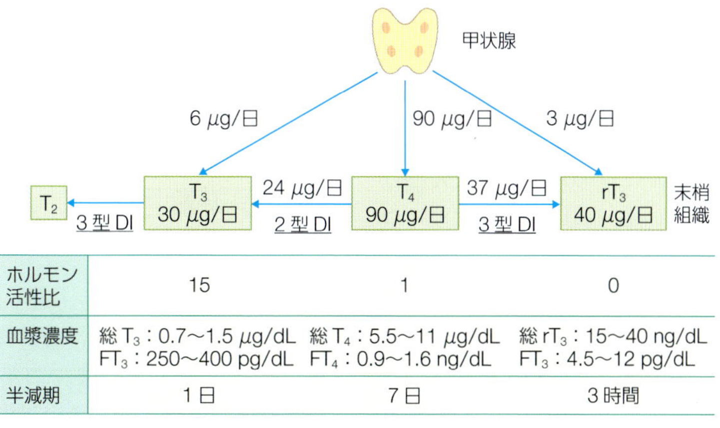


| | | | |
|---|---|---|---|
| ホルモン活性比 | 15 | 1 | 0 |
| 血漿濃度 | 総 $T_3$：0.7〜1.5 μg/dL<br>$FT_3$：250〜400 pg/dL | 総 $T_4$：5.5〜11 μg/dL<br>$FT_4$：0.9〜1.6 ng/dL | 総 $rT_3$：15〜40 ng/dL<br>$FT_3$：4.5〜12 pg/dL |
| 半減期 | 1 日 | 7 日 | 3 時間 |

**図 12-4　甲状腺ホルモンの種類と産生**

ホルモンの半減期が異なるため，産生量と血中濃度は一致しない．
DI：ヨードサイロニン脱ヨウ素酵素

は影響しないが，甲状腺機能低下により，TRH 分泌が亢進するとプロラクチン分泌が増加する．

## B 甲状腺ホルモン

甲状腺ホルモンには，3 個のヨードが結合したトリヨードサイロニン（triiodothyronine；$T_3$）と，4 個のサイロキシン（thyroxine；$T_4$）とリバース $T_3$（$rT_3$）がある．このうち，$T_3$ と $T_4$ は甲状腺ホルモン受容体（thyroid hormone receptor；TR）と結合して生理活性を生じるが，$rT_3$ は TR と結合できない．生理活性は TR との親和性の差から $T_3$ のほうが約 15 倍高いとされる．

### 1 生合成

サイログロブリンは甲状腺濾胞細胞において特異的に合成され，濾胞内に分泌される．また，甲状腺濾胞細胞に特異的に発現しているナトリウム/ヨード共輸送体による血液中より無機ヨードが効率的に取り込まれ，濾胞内へはペンドリンと呼ばれる輸送蛋白によって分泌される．濾胞内では甲状腺ペルオキシダーゼ（thyroid peroxidase；TPO）によって 123 個のチロシン残基をもつサイログロブリンの N 末端や C 末端の数か所においてヨウ素化（有機化）され，縮合し，甲状腺ホルモンが合成される．甲状腺ホルモンを結合したままサイログロブリンは再び濾胞細胞に取り込まれ，加水分解によって遊離した甲状腺ホルモンが血中に分泌される．

10 mg/日（1,000 μg/日）以上のヨード投与は，一過性に無機ヨードの有機化を抑制し，$T_3$ 分泌が抑制される（Wolff-Chaikoff 効果）．1 日の甲状腺ホルモン合成に必要なヨードは最低 130 μg であるのに対して，日本人は 1 日 0.5〜3.0 mg（500〜3,000 μg）のヨードを摂取しており，1 日 3.3 mg 以上を毎日摂取している人がたまに 10 mg 以上摂取すると甲状腺機能低下症を起こす．海外ではヨード不足による甲状腺機能低下症が多いが，日本人の甲状腺機能低下症はヨードの過剰摂取（昆布の摂取やヨウ素系うがい薬の使用など）に注意する必要がある．

### 2 体内動態

甲状腺から分泌される甲状腺ホルモンの 90% 以上は $T_4$ であり，1 日あたり約 90 μg 分泌され，$T_3$ や $rT_3$ の分泌は少量である（図 12-4）．$T_3$ の約 90% は末梢組織のヨードサイロニン脱ヨウ素酵素（iodothyronine deiodinase；DI）によって $T_4$ から産生されている．つまり，甲状腺からの甲状腺ホルモン産生量を表すのが $T_4$ であり，末梢組織での甲状腺ホルモンの産生量を表すのが $T_3$ である．細胞内で作用する $T_3$ の大部分は，標的細胞もしくは付近に存在する 2 型 DI 発現細胞の小胞体で産生され，そのまま核内の TR に結合する（オートクリン）または分泌され付近の細胞に作用する(パラクリン)．血中 $T_3$ のほとんどは2型DIにより産生され，1型DIは甲状腺機能亢進症など特殊な場合のみに関与する．3型DIは，$T_3$ や $T_4$ をそれぞれ $T_2$ と $rT_3$ に変換し，不活化する．

$T_3$ と $T_4$ は脂溶性ホルモンのため，ほとんどは血中で蛋白と結合している．血中では主にサイロキシン結合グロブリン(thyroxine binding globulin；TBG)に結合し，脳脊髄液中では主にトランスサイレチン(transthyretin；TTR)と結合している．この2つにアルブミンも含めた結合蛋白への親和性が $T_3$ と比べると $T_4$ のほうが約10倍高いため，$T_4$ と $T_3$ の半減期は大きく異なる(図12-4)．蛋白に結合していない遊離ホルモンは $T_4$ で0.02～0.03%，$T_3$ で0.3%程度とごく少量であり，蛋白に結合した甲状腺ホルモンは血中ホルモンプールとして機能しており，遊離ホルモンのみが組織に移行してホルモン作用を発揮する．甲状腺ホルモンは脂溶性ホルモンであるが，細胞内に入るにはモノカルボン酸トランスポーター8(MCT8)などの特異的輸送体が必要である．

### 3 生理作用

甲状腺ホルモンは脳や骨の発達に必須で，糖・脂質・蛋白代謝，エネルギー代謝，骨代謝，成長ホルモン(growth hormone；GH)の合成，造血に作用する．したがって，甲状腺ホルモンの異常では全身性に症状が及び，また非特異的になりがちである．甲状腺ホルモンの過剰では，眼球突出，体重減少，発汗，頻脈，収縮期高血圧，下痢などを，他方で甲状腺ホルモンの低下では，易疲労，嗄声，体重増加，浮腫，便秘や心不全様所見などを来す．

## C 測定と考え方

遊離型の甲状腺ホルモンが末梢組織で作用を発揮することもあって，甲状腺機能を判定するときには，遊離 $T_3$(free $T_3$；$FT_3$)や遊離 $T_4$(free $T_4$；$FT_4$)を測定する．甲状腺疾患の臨床では，$T_4$ が甲状腺ホルモン産生量を示しているので，TSHと $FT_4$ の測定がしばしば実施されている．TSHと $FT_4$ は，通常は逆相関性を示すが，そうでない場合には中枢性の異常を想起する．また，$FT_3$ と $FT_4$ の乖離する特殊な病態もあり，$FT_3$ を加えて検査をすると病態把握がさらに確実になる．

## D 基準範囲

TSHは年齢とともに上昇し，小児では $FT_3$ は生理的に高い．しかし，普段使用している基準範囲は20～60歳くらいまでの年齢の健常人から作成されることが多い．それ以外の年齢に当てはまる例えば小児，4～9歳までは $FT_3$，TSHが成人より少し高くなるため不適切TSH分泌症候群と診断し，70歳以上ではTSHの基準範囲の上限が上昇するため潜在性甲状腺機能低下症と診断してしまう可能性がある．

・**参考基準範囲**：

TSH(20～60歳)：0.61～4.23 mIU/L

$FT_3$：2.13～4.07 pg/mL(Atellica)

$FT_4$：0.68～1.26 ng/dL(ルミパルスL2400)

## E 異常値を示す場合

近年，免疫チェックポイント阻害薬などの分子標的薬，アミオダロンやインターフェロンのような甲状腺機能に影響する薬剤が増加している．Basedow病，無痛性甲状腺炎や甲状腺機能低下症など同一薬剤が複数の病態を発症することもあるため，どのタイプの甲状腺機能異常でも薬剤性を考慮する必要がある．

### 1 甲状腺機能異常を疑う検査所見

甲状腺機能亢進症では代謝や異化の亢進を反映し，表12-4のような検査値の異常を認める．そのなかで，特に総コレステロール低値，アルカリホスファターゼ(骨由来)高値，クレアチニン低値を同時に認めた場合，Basedow病を疑う．また，高齢者では心房細動を合併しやすく，心房細動を認めた場合，甲状腺機能亢進症を疑う必要がある．甲状腺機能低下症では，逆に代謝低下などを反映した検査値異常を示す(表12-4)が，貧血，AST，ALT上昇など甲状腺機能亢進症と共通し

**表 12-4 甲状腺機能異常で生じる血液検査値の異常**

| 甲状腺機能 | 検査値 |
|---|---|
| 亢進 | 総コレステロール↓<br>クレアチニン↓<br>アルカリホスファターゼ↑<br>カルシウム↑<br>随時血糖↑ |
| 亢進/低下 | ヘモグロビン↓<br>AST↑<br>ALT↑<br>CPK↑ |
| 低下 | 総コレステロール↑<br>LD↑<br>クレアチニン↑ |

た変化も多い．その中で高コレステロール血症を認めた場合は，甲状腺機能低下症を疑う．

## 2 TSH 低下，$FT_4$ 基準範囲～それ以上の場合

甲状腺中毒症を来している病態であるが，$FT_4$ が基準範囲内の場合を潜在性甲状腺機能中毒症，$FT_4$ 高値の場合を顕性甲状腺中毒症と呼ぶ．フィードバックループが正常に機能しているので甲状腺に問題がある．機能性甲状腺結節のほかに，TSH 以外の甲状腺刺激のある場合(Basedow 病による甲状腺機能亢進症，妊娠甲状腺中毒症)，甲状腺組織の破壊がある場合〔亜急性・無痛性甲状腺炎，橋本病(慢性甲状腺炎)の増悪期〕，甲状腺ホルモンの摂取過剰のある場合があげられる．

## 3 TSH 上昇，$FT_4$ 基準範囲～それ以下 ＋TSH 基準範囲～それ以下 ＋$FT_4$ 低下の場合

$FT_4$ が基準範囲内の場合を潜在性甲状腺機能低下症，$FT_4$ 高値の場合を顕性甲状腺低下症と呼ぶ．フィードバックループが正常に機能しており，甲状腺自体の病態を考える．甲状腺組織の減少のある場合(橋本病による甲状腺機能低下症，甲状腺術後，放射性ヨード治療)，甲状腺ホルモン産生障害(ヨード過剰または欠乏，サイログロブリン遺伝子異常，抗甲状腺薬の使用)があげられる．

ただし，中枢性に甲状腺機能の抑制のある場合〔視床下部-下垂体性障害性甲状腺機能低下症(代表例としては腫瘍)〕では生物活性を有さない TSH が産生され，TSH は軽度上昇することがある．この場合，$FT_4$ 低下に比べて TSH があまり上昇しないことで気づかれることが多い．中枢性の場合は基本的には TSH 低下，$FT_4$ 低下となる．

**12-5 $FT_3$ を追加すべき特殊病態**

| $FT_4$ | TSH | 疾患または病態 | $FT_3$ |
|---|---|---|---|
| 上昇 | 上昇または基準範囲内 | SBP2 異常症<br>アミオダロン | 低下 |
| 基準範囲内 | 基準範囲内 | 非甲状腺疾患<br>(低 $T_3$ 症候群)<br>$T_3$ トキコーシス | 低下<br>上昇 |
| 低下 | 上昇または基準範囲内<br>上昇 | MCT8 異常症<br>甲状腺ホルモン不応症<br>MCT8 異常症 | 上昇 |

## 4 TSH 基準範囲～それ以上，$FT_4$ 高値

フィードバックループが正常に機能しておらず，甲状腺以外に問題がある．多くは測定系の問題で，1 つの抗体を用いているキットで多い．2 つの抗体を使用するキットで再検するか，2 つの抗体を使用するキットなら他社のキットで再検する．

それでも同じ結果であれば，TSH 不適合分泌症候群，TSH 産生下垂体腫瘍や SECIS 結合蛋白 2(SECIS-binding protein 2；SBP2)変異により DI 活性低下を来す SBP2 異常症の鑑別が必要である．

## 5 $FT_3$ を追加すべき病態(表 12-5)と負荷試験

TSH 低値で $FT_4$ は基準範囲にあるが，$FT_3$ が高値を示す病態は $T_3$ 中毒症と呼ばれ，顕在性の機能亢進症であり，治療対象になる．治療対象にはならないが，飢餓や全身性疾患が持続(消耗)することによって，TSH は上昇しないまま，軽症では $T_3$ が低下し(low $T_3$ 症候群)，重症または長引くことによって $T_4$ の低下を来す．消耗を防ごうと末梢組織で $T_4$ が非活性型の $rT_3$ に転換され

ることにより生じ，視床下部・下垂体・甲状腺に本質的に異常はない，つまりeuthyroidであることから，euthyroid sick(ness) syndromeとも呼ばれていたが，最近はnon-thyroidal illnessの呼称が広く使用されている．ごく稀な疾患ではあるが，SBP2異常症では$FT_4$高値で$FT_3$低値となり，甲状腺受容体に異常のある甲状腺ホルモン不応症と細胞内への取り込みが低下するMCT8異常症では$FT_4$低値で$FT_3$高値となる．

TRH負荷試験や$T_3$抑制試験〔甲状腺ホルモンの$T_3$(75 μgを1週間)を投与する〕の場合に，甲状腺の放射性ヨードの取り込みは，TSHの制御を受けて抑制されるが，例えばBasedow病のような場合にはTSH以外の要因でヨードを取り込み，抑制されない．

## F　甲状腺関連検査

サイログロブリンは，臓器(甲状腺)特異性の高い蛋白である．甲状腺機能の亢進あるいは組織の破壊時に高値を示す．やせ薬，漢方薬中の甲状腺ホルモンの混入や食肉中への甲状腺混入を含めた外部からの甲状腺ホルモン摂取増加の際には低値となる．甲状腺(分化)癌の存在下で高値を示し，腫瘍マーカーとなりうる．ただし，癌への特異性は低く，良性疾患との鑑別は困難なことが多い．

抗サイログロブリン抗体(anti-thyroglobulin antibody；TgAb)は，サイログロブリンに対する抗体である．自己免疫性甲状腺疾患であるBasedow病と橋本病(慢性甲状腺炎)において本抗体は陽性を示す．疾患の重篤度も反映する．抗甲状腺ペルオキシダーゼ抗体(anti-thyroid peroxidase antibody；TPOAb，抗TPO抗体，抗ミクロソーム抗体)も同様に自己免疫性甲状腺疾患(特に橋本病)でしばしば陽性となる．

甲状腺刺激抗体(thyroid-stimulating antibody；TSAb)や甲状腺刺激ホルモンレセプター抗体(thyroid-stimulating hormone receptor antibody；TRAb)では，自己抗体による甲状腺刺激の程度が測定される．Basedow病の特に眼症との関連が強いとされる．TRAbがTSHの阻害抗体(甲状腺刺激阻害抗体)である場合も稀にあり，この場合には甲状腺機能は低下する．TSAbはBasedow病で，TRAbはBasedow病と橋本病(慢性萎縮性甲状腺炎)で陽性になる(10章 ⑦ L 甲状腺関連抗体，183頁参照)．

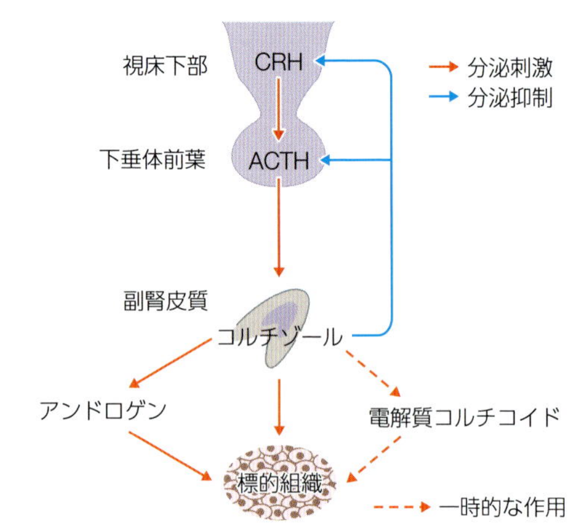

**図12-5　副腎皮質刺激ホルモン(ACTH)と分泌機構の概要**

# 4　副腎皮質刺激ホルモン，副腎皮質ホルモン(コルチゾール)

## A　副腎皮質刺激ホルモン

### 1　体内動態

副腎皮質刺激ホルモン(adrenocorticotropic hormone；ACTH)は，視床下部の副腎皮質刺激ホルモン放出ホルモン(corticotropin-releasing hormone；CRH)によって下垂体前葉から分泌される(図12-5)．抗利尿ホルモン(後述)もCRHによるACTH分泌を増強するように働く．ACTHは，副腎皮質ホルモン(糖質コルチコイド，電解質コルチコイド，副腎アンドロゲン)の合成や分泌を制御する．コルチゾールが視床下部-下垂体-副腎のフィードバックループを形成しており，電解質コルチコイドや副腎アンドロゲンでは形成しない(図12-5)．ACTHによる電解質コルチコイド(アルドステロン)合成促進作用は一時的で，慢性的なACTH上昇による影響はほとんどない．そのため，ACTH分泌低下では糖質

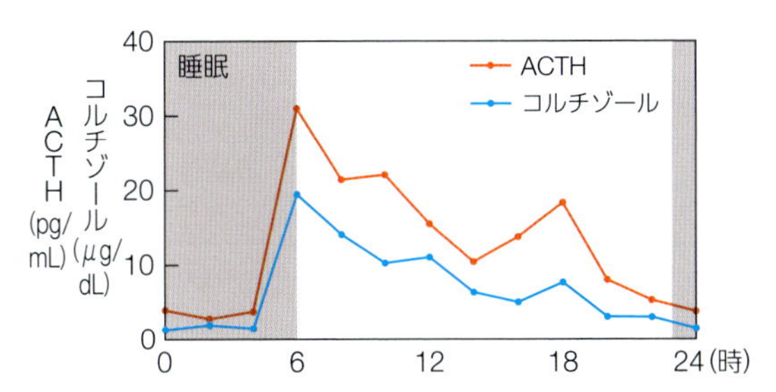


**図 12-6　ACTH とコルチゾールの日内変動(例)**

コルチコイドや副腎アンドロゲン合成は減少するが，電解質コルチコイド低下は通常では認められない．

ACTH が副腎皮質の ACTH 受容体に結合すると，コレステロールからプレグネノロンへの変換を促進する．この段階が副腎皮質ホルモン(ステロイドホルモン)合成の律速段階である．ACTH 受容体をもつ前駆細胞が副腎の外側から増殖しながら分化し，球状帯，束状帯や網状帯を形成し，それぞれの部位で別々の副腎皮質ホルモンを合成・分泌する．球状帯では電解質コルチコイド(アルドステロンや 11-デオキシコルチコステロンなど)，束状帯では糖質コルチコイド(主にコルチゾール)，網状帯では副腎アンドロゲン〔デヒドロエピアンドロステロン(dehydroepiandrosterone；DHEA)，DHEA の硫酸結合型(DHEA-S)，アンドロステンジオン〕である．

CRH-ACTH-糖質コルチコイド(コルチゾール)系は，ヒトが活動を始める頃，つまり午前 5 時から 9 時に活発に働く(図 12-6)．ACTH をパルス状に分泌し，コルチゾールを分泌することで絶食状態から活動するための血糖を事前に用意していると考えられている．この系は，食事，運動や精神的な要因などの生体の恒常性を乱すさまざまな刺激(ストレス)によって活性化する．ACTH の血中半減期は約 10 分と短く，血中濃度はストレス刺激により変動しやすい．ACTH が持続的に高ければ副腎皮質は肥大し，逆に低ければ萎縮するため，治療による糖質コルチコイドの長期間使用は ACTH を抑制し，副腎皮質の萎縮が生じる．

### 2 副腎皮質以外への作用

ヒトでは退化してしまった下垂体中葉で産生していた α メラノサイト刺激ホルモンは，ACTH の N 末端側 1～13 番目のペプチドに相当する．そのため，大量に ACTH が分泌されると，上皮のメラノサイトに作用し，メラニンが合成され，粘膜や皮膚に色素沈着を来す．

## B コルチゾール

糖質コルチコイド活性は主にコルチゾールであり，一部はコルチコステロンが担う．コルチゾールの電解質コルチコイド作用はアルドステロンの 1/3,000 と弱いが過剰に分泌される病態で問題となる．

### 1 体内動態

コルチゾールの 1 日合成量は 15～25 mg と比較的多い．血中では脂溶性のため 90% はコルチコステロン結合グロブリンに，6% はアルブミンと結合しており，生物活性のある遊離コルチゾールは約 4% である．遊離コルチゾールは代謝をうけずにそのまま尿中に排泄され，尿中への 1 日コルチゾール排泄量はコルチゾールの生体への作用量を反映する．その他は肝臓で代謝され，尿中に排泄される．その代謝産物のほとんどは 17-hydroxycorticosterone(17-OHCS)と呼ばれる 17 位が水酸化されたステロイドホルモンであり，尿中への 1 日排泄量はコルチゾール産生量をよく反映する．

コルチゾールは細胞質にある糖質コルチコイド受容体に結合して作用する．糖質コルチコイド受容体にはⅠ型の電解質(ミネラル)コルチコイド受容体(MR)とⅡ型の糖質(グルコ)コルチコイド受容体(GR)がある．MR が主に存在する腎臓，大腸，汗腺や唾液腺では，11β-HSD(11β-hydroxysteroid dehydrogenase)2 によってコルチゾールがコルチゾンに変換されるため，MR に結合できない．逆に肝臓，脂肪組織などでは，11β-HSD 1 によりコルチゾンからコルチゾールに変換されるため，GR を介する作用が増強される．正常では，早朝に高く，夕方から夜間に低くなる日内変動を示す(図 12-6)．

**表 12-6　Cushing 症候群と関連検査**

| 検査指標 | 正常 | 非 ACTH 依存 | ACTH 依存 | |
|---|---|---|---|---|
| | | 副腎腫瘍（Cushing 症候群） | ACTH 産生下垂体腫瘍（Cushing 病） | 異所性 ACTH 産生腫瘍 |
| ACTH | 正常レベル | 低値 | 高値（～正常レベル） | 高値（著高） |
| コルチゾール | 正常レベル | 高値 | 高値（～正常レベル） | 高値（著高） |
| デキサメタゾン抑制試験 | | | | |
| 0.5 mg 負荷後コルチゾール | 抑制（＋） | 抑制（－） | 抑制（－） | 抑制（－） |
| 8 mg 負荷後コルチゾール | 抑制（＋） | 抑制（－） | 抑制（＋）* | 抑制（－） |
| CRH 負荷試験 | | | | |
| 負荷後 ACTH | 1.5 倍以上 | 無反応（低値） | （正常～）過剰反応 | 無反応（高値） |

*低感度ながらも腫瘍がフィードバックを受け，前値の 1/2 程度になる．

## 2 生理作用

コルチゾールは，蛋白・脂質・糖代謝，水・電解質代謝，骨カルシウム代謝，炎症・免疫の制御にかかわって，実に多彩な作用を示す．このホルモンの生体での重要性が示唆される．コルチゾールの高値が持続する Cushing 症候群は，一般に，皮膚線条，皮膚の菲薄化，高血圧症，糖尿病，脂質異常症，骨粗鬆症，肥満症，精神症状を来す．コルチゾールが不足する Addison 病は，低血圧症，易疲労，精神症状，低血糖，体重低下を来す．

下垂体からの ACTH 分泌過剰が持続した場合，皮膚色素沈着が生じ，副腎皮質に異常がなければ副腎アンドロゲン（DHEA，DHEA-S など）の産生も増加する．女性では男性ホルモンの半分が副腎由来であり，多毛をはじめとする副腎アンドロゲン過剰の徴候が生じやすい．

コルチゾールは下垂体の黄体形成ホルモン（luteinizing hormone；LH），卵胞刺激ホルモン（follicle stimulating hormone；FSH）を抑制するため，女性では無月経，不妊，男性では性腺機能低下症が起こる．下垂体成長ホルモンもコルチゾールにより抑制されるため，小児に Cushing 症候群が発症したときには低身長になる．

# C 測定と考え方

ACTH とコルチゾールがしばしば同時に測定される．食事や運動，精神的ストレスの影響を受けるため，早朝空腹時に安静（30 分以上）にして検体を採取する．

血中コルチゾール値が 4 μg/dL 未満であれば，副腎皮質機能低下症を強く疑い，17 μg/dL 以上であれば，副腎皮質機能低下は否定的である．ただし，糖質コルチコイドの使用で低値になる．血中コルチゾール値が 17 μg/dL 未満の場合，迅速 ACTH 負荷試験を行う．1-24 ACTH（合成）250 μg を静注または筋注 30 分と 60 分後に血中コルチゾールを測定し，頂値が 18（あるいは 20）μg/dL 未満の場合は，副腎皮質機能低下症と診断する．軽度（潜在性）の副腎皮質機能低下症の診断には，少量の ACTH 負荷試験（1 μg）がより鋭敏である．

血中コルチゾールが高値であれば，自律的に分泌されているかどうかを確認する．Cushing 症候群はコルチゾールの自律性分泌のために日内変動が消失し，最も低くなる 23 時から午前 0 時でも血中コルチゾール濃度は >5 μg/dL を呈する．一晩少量試験では，前日深夜（夜 11 時）にデキサメタゾン（0.5 mg または 1 mg）を内服投与し，翌朝（午前 8～9 時）に正常なら高コルチゾール血症は抑制されるが，血中コルチゾール 3 μg/dL 以上で潜在性 Cushing 症候群を，5 μg/dL 以上であれば Cushing 症候群を疑う（表 12-6）．Cushing 病ではデキサメタゾン 1 mg でコルチゾールが抑制される場合（偽陰性）があり，スクリーニング検査としての感度を上げるために 0.5 mg が採用されている．ただし，コルチゾールの測定は遊離コルチゾールではなく，蛋白に結合したコルチゾールも測定しているため，総コルチゾール濃度となる．本来は甲状腺ホルモンのように活性型である遊離コルチゾールの増減を評価すべきである．海外では遊離コルチゾール濃度を反映している唾液コルチゾールを測定しているが，日本では未導入(保険適用外)である．24時間蓄尿を用いた17-OHCSの1日排泄量測定はコルチゾール産生量を反映しており，作用の過剰や不足は遊離型コルチゾール産生量を反映するコルチゾールの1日排泄量を用いることが多くなっている．いずれもスクリーニング検査として使用されるが，夜間採血は外来で行うことは難しい．

## D 異常値を示す場合

### 1 副腎皮質ホルモン(コルチゾール)異常を疑う検査所見(表12-7)

副腎皮質機能低下症に特異的な臨床検査の異常は少ないとされる．しかし，原発性副腎皮質機能低下症では低Na血症が一番頻度の高い検査異常であり，アルドステロン産生が低下するため，高K血症を呈することも比較的多い．

Cushing症候群に特異的な検査異常はないが，①満月様顔貌，②中心性肥満，③伸展性皮膚線条，④皮膚菲薄化・皮下溢血，⑤近位筋萎縮による筋力低下，⑥肥満を伴った成長遅延(小児)の身体所見を認めた場合に，表12-7のような検査所見が参考となる．血糖コントロールが難しい糖尿病や高Ca尿症による尿管結石，同症候群を疑ってみた場合に，スクリーニング検査を行うことがある．

**表12-7 副腎皮質機能異常で生じる血液検査値の異常**

| | 副腎皮質ホルモン低下症 | 副腎皮質ホルモン亢進症 |
|---|---|---|
| 血算 | 好中球相対的低下<br>リンパ球増加<br>好酸球増多(8%以上)<br>正球性正色素性貧血 | 好中球増加<br>リンパ球減少<br>好酸球低下 |
| 生化学 | 低血糖(70 mg/dL以下)<br>低コレステロール血症<br>(総コレステロール：150 mg/dL以下)<br>低ナトリウム血症<br>高カリウム血症 | 耐糖能異常<br>高コレステロール血症<br>VLDL, LDL, HDL増加<br>低カリウム血症<br>高カルシウム尿症 |

### 2 血中・蓄尿中コルチゾール高値，ACTH高値

Cushing病と異所性ACTH産生腫瘍(肺癌であることが多い)が代表的である．この両者を鑑別するために大量のデキサメタゾン抑制試験を行う．前日深夜に大量(8 mg)のデキサメタゾンを内服した翌朝(午前8～9時)の血中コルチゾール値がCushing病では前値の半分以下に抑制される．さらにCRH負荷試験では，投与されたCRHが直に作用して，下垂体からACTHが分泌されることを観察する．CRH(100 μg)を静脈投与し，0分(投与前)，投与後の15分，30分，60分，120分にACTHとコルチゾールを測定する．ヒトCRH静注後の血中ACTH頂値が前値の1.5倍以上に増加する(表12-6)．CRHの負荷のほかにも1-deamino-8-D-arginine-vasopressin(dDAVP，デスモプレシン)負荷試験があり，dDAVP(4 μg)静注後の血中ACTH値が前値の1.5倍以上を示すこともCushing病の診断に有用であるが，dDAVPは検査薬として使用できない(保険適用外)．

### 3 血中・蓄尿中コルチゾール低値，ACTH正常～高値

原発性副腎皮質機能低下症であるAddison病が代表的である．コルチゾールが基準値以下の際には急性副腎不全の場合がある．原発性副腎皮質機能低下症の場合，電解質コルチコイド(アルドステロン)や副腎アンドロゲン(DHEA，DHEA-Sなど)も低値を示すことが多い．

### 4 血中・蓄尿中コルチゾール高値，ACTH低下

血中ACTH 5μg/dLであれば副腎性のCushing症候群と診断する．副腎(皮質)腫瘍(Cushing症候群の一つ)が代表的である．

### 5 血中・蓄尿中コルチゾール低値，ACTH 低下〜正常

続発性副腎皮質機能低下症であり，視床下部性と下垂体性の鑑別を目的として，CRH 負荷試験を施行する．CRH 負荷試験で血中コルチゾールの頂値が 18 μg/dL 未満の場合は下垂体性，18 μg/dL 以上の場合は視床下部性を疑う．視床下部性が疑われる症例では，低血糖ストレスにより視床下部-下垂体-副腎系を活性化されるかどうか判定する目的でインスリン低血糖試験を施行する．下垂体前葉機能低下症（ACTH 単独欠損症のこともある．下垂体炎や下垂体虚血・卒中のような場合もある）が代表的である．

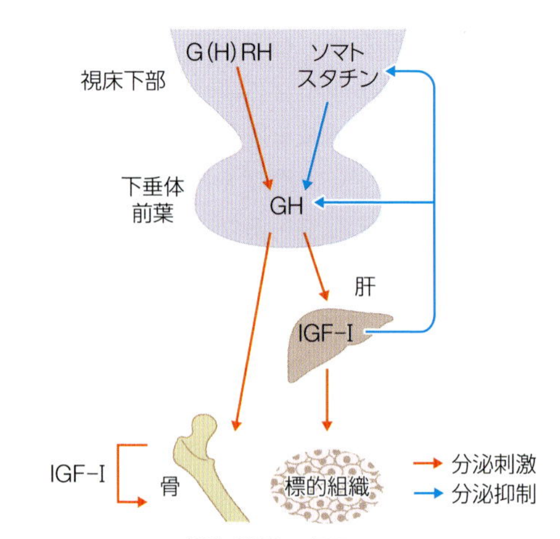


図 12-7　GH と分泌機構の概要

## 5 成長ホルモン

成長ホルモン（GH）は，小児では身体の成長・発育に，成人では代謝（蛋白，糖，脂質系）の調節に役割を果たす．

### A 成長ホルモンとインスリン様成長因子-I

#### 1 体内動態

視床下部からの成長ホルモン放出ホルモン（GH-releasing hormone；GHRH, GRH）によって，下垂体前葉から GH は分泌される（図 12-7）．ソマトスタチンは分泌抑制的に働く．肝臓の GH 受容体に結合し，インスリン様成長因子-I（insulin-like growth factor-I；IGF-I，ソマトメジン C）を産生して，視床下部-下垂体-末梢系のフィードバックループを形成する．IGF-I 産生には栄養状態も関与しており，栄養状態が悪ければ GH 分泌が十分でも，肝臓での IGF-I 産生は低下する．血液中の IGF-I の約 75% は肝臓由来であるため，その血中濃度も低下する．血中 IGF-I の約 99% は IGF 結合蛋白（IGFBP）に結合しており，実際に作用するのは遊離体である．IGFBP は 6 種類存在するが，血中の主要な IGFBP は IGFBP-3 であり，三量体を形成する acid labile subunit（ALS）とともに，その産生は GH に依存している．GH は末梢組織（細胞）に直接作用したり，局所で IGF-I 産生を増加させ，オートクリン/パラクリンとして作用したりする．肝臓で産生される IGF-I より局所で産生される IGF-I のほうが骨の発育には重要であり，エンドクリン型 IGF-I とオートクリン/パラクリン型 IGF-I では役割が異なる．

#### 2 生理作用

GH の半減期は約 20 分で，その作用は GH の直接作用と IGF-I を介する間接作用に分けられる．GH の直接作用には，インスリンに対する効果（初期：インスリン作用，慢性期：抗インスリン作用），脂肪の分解効果があり，GH 過剰分泌でそれぞれ耐糖能異常や脂質異常の原因となる．GH および一部 IGF を介して，骨の成長や腎臓での Na 再吸収を促進し，GH 過剰分泌で骨端線閉鎖前であれば高身長，閉鎖後であれば末端肥大を引き起こし，浮腫や高血圧を来す．血中 IGF-I の半減期は 15 時間と長く，名前のとおり GH とは逆にインスリン様作用をもつ．IGF-I のインスリン作用の力価は約 10% と低いが，血中濃度が高く，すべて遊離体であれば低血糖となる．しかし，そのほとんどは IGFBP3 に結合しており，遊離体を減少させることで活性が抑制されている．IGF-I は，インスリンでは弱いとされる細胞増殖作用や細胞分化機能ははるかに強力であり，GH（IGF-I）過剰分泌で臓器肥大や良性・悪

性腫瘍などの合併が多くなる．血中 IGF-Ⅰは，肝臓での IGF-Ⅰ産生だけではなく，例えば絶食，無蛋白食，異化を亢進させるグルカゴンや糖質コルチコイドの血中濃度上昇により IGFBP1 や IGFBP2 の産生が増加し，血液中での IGFBP3 への結合を阻害し，IGF-Ⅰの半減期を低下させることで血中濃度を下げる．つまり産生する IGFBP の種類を変化させることでも調整されるというように，その調整機構は非常に複雑である．そのため，GH 以外の因子で血中 IGF-Ⅰ値は大きく変化する．

## B 測定と考え方

一般的には，血中 GH の測定や血中 IGF-Ⅰの同時測定も実施される．

### 1 GH

正常では，早朝に高く，夕方に低くなる日内変動を示す．また，食事や運動，精神的ストレスの影響を受けるため，早朝空腹時に安静(30 分以上)にして検体を採取する．

健常人でも血中 GH 値は測定感度未満から 20 ng/mL 以上まで大きく変動し，先端巨大症患者でも 2～5 ng/mL と比較的低値を示すことがあり，GH の半減期が短いことから，1 回の測定で判断するのは困難である．

### 2 IGF-Ⅰ

健常人では GH パルス分泌により 1 日の多くの時間帯で血中 GH は検出感度未満となるが，先端巨大症では 1 日を通して 2～10 ng/mL である．血中 IGF-Ⅰは 24 時間の平均血中 GH 値に相関する．つまり総 GH 分泌量を反映し，絶食や安静臥床の制約なく採取できる．このため，1 回の測定でも高値を捉えることができるのでスクリーニング検査として極めて有用である．血中 IGF-Ⅰ値は年齢や性別によって基準値が異なり，これらを補正した IGF-Ⅰ標準偏差スコア(計算ソフトは web 上に公開されている)を使用する．

ただし，栄養障害，肝疾患，腎疾患，甲状腺機能低下症，血糖コントロール不良の糖尿病などが合併すると血中 IGF-Ⅰが高値を示さない(GH 分泌量に対して偽低値を示す)ことがあるため，注意が必要である

### 3 IGFBP3

IGF-Ⅰ同様に半減期が長く安定しているため，血中 IGF-Ⅰ同様 GH の間接的な指標として使用される．血中 IGFBP3 値も年齢と性別により基準値が異なる．IGF-Ⅰと比べると，栄養状態の影響を受けにくい，年齢による変動幅は小さい一方で低値領域での変動幅が大きいため，もともと低値を示す小児の GH 分泌不全の診断にはより有用である．

## C 異常値を示す場合

視床下部(中枢神経系)や下垂体の障害(腫瘍や炎症，あるいは外傷や手術によることが多い)は GH の分泌不全を来し，GH 産生腫瘍や GH 不応の病態は GH の分泌過剰を来す．GH が高値を示す場合として，先端巨大症，低栄養，GH 不応症〔Laron 症候群(GH 受容体遺伝子異常症で低身長を呈す)〕が代表的である．GH が低値を示す場合として，視床下部障害(頭蓋咽頭腫，神経下垂体部胚細胞腫のような腫瘍性の障害)，下垂体腫瘍，Sheehan 症候群，GH 分泌不全症〔低身長を呈す(Pit-1 異常症，抗 Pit-1 抗体症候群のような病態も含みうる)〕は代表的である．

血中の GH と IGF-Ⅰがともに低値ならば GH 分泌不全，ともに高値なら先端巨大症を疑う．GH が高値で IGF-Ⅰが低値なら低栄養，肝障害や GH 不応症を疑う．神経性食思不振症などによる低栄養では IGF-Ⅰ低値となり，ネガティブフィードバックが解除されるのに加えて，胃から分泌されるグレリンによって GH 分泌が刺激される．GH(や IGF-Ⅰ)の測定では診断は困難なことがあり，各種の負荷試験の実施も組み合わせて実施される．

## D 各種試験

### 1 75 g 経口ブドウ糖負荷試験(OGTT)

血中GH，IGF-Ⅰ高値など先端巨大症が疑われた際に，診断確定のために施行される．通常の75 gOGTTと同様の手順で，2時間安静とし，各採血にGHを追加する．血糖に対して正常のフィードバックが保たれていれば120分以内に0.4 ng/mL未満に抑制される．TRH負荷試験でのGH増加，ブロモクリプチン負荷でのGH減少などの奇異反応が先端巨大症の診断の参考にされるが，診断の感度は，75 gOGTTのほうが優れている．

### 2 GH分泌負荷試験

血中GHとIGF-Ⅰがともに低値でGH分泌不全が疑われた場合に，GH分泌試験を行う．GH負荷試験には，インスリン(低血糖)負荷試験，アルギニン負荷試験，グルカゴン負荷試験や成長ホルモン放出ペプチド-2(growth hormone releasing peptide-2；GHRP-2)負荷試験を行う．国際的にはインスリン(低血糖)負荷試験がゴールドスタンダードである．インスリン負荷試験は虚血性心疾患や痙攣発作などでは禁忌で，低血糖に備える必要があるが，GHRP-2負荷試験は検査時間が短く(60分)，安全に行える検査である．

① **インスリン(低血糖)負荷試験**：インスリン(速効型，0.1 U/kg)による低血糖は視床下部で感知され，GHRHの分泌(とソマトスタチンの抑制)を引き起こす．GH分泌を観察する標準法である．

② **アルギニン負荷試験**：アルギニン(0.5 g/kgまたは5 mL/kg)は視床下部のソマトスタチンを抑制してGH分泌を促す．

③ **L-ドーパ負荷試験**：視床下部で働くドパミンの前駆物質であるL-ドーパ〔500 mg(小児では100 mg/10 kg程度)〕は，GHRHの分泌を引き起こし，GHに対しては分泌促進性に作用する(PRLには下垂体での直接作用で抑制性)．先端巨大症では奇異反応としてGHの抑制が観察される．

④ **GHRH(GRH)負荷試験**：GHRH〔50 μg(小児では1 μg/kg)〕は下垂体のGH産生細胞に直に働き，GHの分泌が促される．

これらの負荷試験(①～④)では，0分(負荷前)，投与後の30分，60分，90分，120分にGHを測定する．

⑤ **グルカゴン負荷試験**：グルカゴン〔1 mg(小児では30 μg/kg)〕の一過性高血糖に反応した低血糖を誘因として，GHの分泌を観察する．0分(負荷前)，投与後の60分，120分，180(または150)分にGHを測定する．

⑥ **成長ホルモン放出ペプチド-2(growth hormone releasing peptide-2；GHRP-2)負荷試験**：下垂体で作用するGHRP-2(100 μg)を投与し，0分(負荷前)，投与後の15分，30分，45分，60分にGHを測定する．

⑦ **ブロモクリプチン負荷試験**：ブロモクリプチン(2.5 mg)はドパミン(D2)受容体作動薬であり，L-ドーパ負荷試験と同様にGHの分泌を促す．0分(負荷前)，投与後の2，4，6，8時間にGHを測定する．下垂体腺腫の一部では奇異反応としてGHの抑制が観察される．

# 6 プロラクチン

プロラクチン(prolactin；PRL)は，乳腺の発達と乳汁の産生に役割を果たす．

## A 体内動態と生理作用

下垂体から分泌されたPRLは乳腺だけではなく，視床下部のPRL受容体に結合し，ドパミン合成を増加させ，PRL分泌抑制的に働く．この結果，血中PRLが上昇すると下垂体からのPRL産生は減少し，逆に血中PRLが低下するとPRL分泌は増加し，血中濃度を一定に保つshort loop feedback機構が存在する(**図12-8**)．しかし，標的となる乳腺ではホルモンは分泌せず(内分泌)，分泌されるのは乳汁(外分泌)であるため，long loop feedback機構は存在しない(**図12-8**)．

妊娠中はエストロゲンの作用により，PRL分

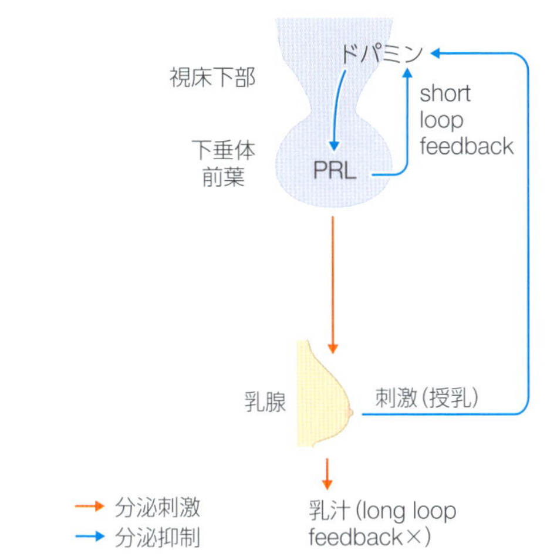


**図 12-8 PRL と分泌機構の概要**

泌が増加し，乳腺の発達や中枢神経に作用し母性の発現に重要な役割を果たす．出産後，授乳による乳頭からの刺激が感覚神経を経て視床下部に伝達され，ドパミン分泌抑制を介して下垂体前葉からの PRL 分泌(図 12-8)と下垂体後葉からのオキシトシン分泌が促進される．オキシトシンも視床下部のドパミン合成を抑制するため PRL 分泌がさらに上昇する．この結果，射乳(オキシトシン)と乳汁合成(PRL)が効率よく進行する．血中 PRL の過度な上昇は，視床下部のゴナドトロピン放出ホルモンのパルス状分泌を抑制し，LH や FSH 分泌も低下させて排卵や性周期を抑制する．そのため，授乳中は 6 か月程度，月経が発来しない．オキシトシンやエストロゲン以外に視床下部の TRH も PRL 放出因子(PRL releasing factor；PRF)であるが，生理的レベルで PRL の分泌調整に関与しているかどうかは不明である．生理的状態での PRF は同定されておらず，血中 PRL 値は抑制的に調整されているため，PRL 異常は PRL の高値を示すことが多い．

## B 測定と考え方

プロラクチンの作用はほぼ乳腺つまり産褥期の乳汁産生と分泌に限られているので，プロラクチン高値では乳漏や無月経といった症候を示すのに対し，プロラクチン値の低下はほとんど症候を示さない．

血中 PRL 値は性別によって基準範囲は異なり，また妊娠や授乳による変動をみる．排卵期と黄体期中期で高値となるため，採血は月経 7 日以内，起床後数時間で食事前の午前中(10～11 時)が望ましい．

手術のストレスや，食事・採血時間・月経周期，さらには採血のための血管の穿刺なども測定値に影響を与える可能性があるが，臨床的な取り扱いに大きく影響することはない．基準値(<15～20 ng/mL)をわずかに超えて判断に迷う場合は，日を変えて 2～3 回反復測定する．甲状腺機能低下により TRH 分泌が亢進するとプロラクチン分泌が増加するため，甲状腺機能も確認する．

PRL は単量体(23 kDa，60～90%)もしくは二量体(40～60 kDa，15～30%，big PRL)として血中に存在する．その他に，血管内で PRL と自己抗体が結合したマクロプロラクチン(150～170 kDa，big-big RRL)は，分子量が大きいため受容体と結合できず，生理的活性をもたないと考えられている．現在の測定法ではマクロプロラクチンも測定しており，マクロプロラクチンは腎でのクリアランスが低いため，その存在比率の上昇によって血中濃度が上昇する．臨床症状のない高 PRL 血症の場合には高マクロプロラクチン血症を疑い，polyethylene-glycol(PEG)負荷によるマクロプロラクチン除去後に測定することが望ましい．逆に，血中 PRL 測定値が低値であっても，乳汁分泌などの臨床症状を示す例があり，免疫活性が低くても生物活性の高い PRL 分子が存在していると考えられている．

## C 異常値を示す場合

高値となるのは，視床下部障害，下垂体腫瘍〔PRL 産生腺腫，GH 産生腺腫(先端巨大症)，TSH 産生腺腫〕，原発性甲状腺機能低下症(TRH 分泌亢進による)のある場合である．その他に PRL 受容体欠損症の場合もあるが，臨床症状は PRL 低下の症状である．薬剤〔例：ドパミン拮抗薬(向精神薬，降圧薬)，避妊薬〕による高 PRL 血症も知られている．他方で，低値になるのは，下垂体機能低下症の場合である．

高PRL血症の判断に迷う場合，PRL分泌刺激試験であるTRH負荷試験を，卵胞期初期に行う．TRH 500 μgを緩徐に静注し，15分，30分，60分後の血中PRL値を測定する．TRH負荷後の血中PRL値が70 ng/mL以上で，潜在性高PRL血症と診断する．

# 7 性腺刺激ホルモン，性(腺)ホルモン

## A 性腺刺激ホルモン

### 1 体内動態

黄体化ホルモン(黄体形成ホルモン，luteinizing hormone；LH)と卵胞刺激ホルモン(濾胞刺激ホルモン，follicle stimulating hormone；FSH)の両者を合わせて「性腺(gonado)に作用する(tropic)もの」という意味のゴナドトロピン(性腺刺激ホルモン)と総称される．視床下部からの性腺刺激ホルモン放出ホルモン〔ゴナドトロピン放出ホルモン(gonadotropin releasing hormone；GnRH)，黄体化(黄体形成)ホルモン放出ホルモン(luteinizing hormone releasing hormone；LHRH)とも呼ばれる〕は末梢血中ではペプチダーゼにより容易に分解されるため，GnRHの半減期は数分と極めて短く，下垂体からの性腺刺激ホルモン(ゴナドトロピン)との間でshort loop feedbackを形成する(図12-9)．しかし，GnRHを分泌するGnRHニューロンには性ホルモン(エストロゲン，アンドロゲン)の受容体が存在せず，long loop feedbackについては不明な点が多く存在していた．最近，GnRHニューロンに発現する受容体であるGPR54(キスペプチン受容体)に結合し強力にGnRHの分泌を促すキスペプチンが発見され，GnRHニューロンの上位にキスペプチンを分泌するキスペプチンニューロンが視床下部に存在することが明らかになった．

キスペプチンニューロンには性ホルモンの受容体が存在しており，視床下部の視索前野と弓状核(arcuate nucleus；ARC)の2か所に存在する．

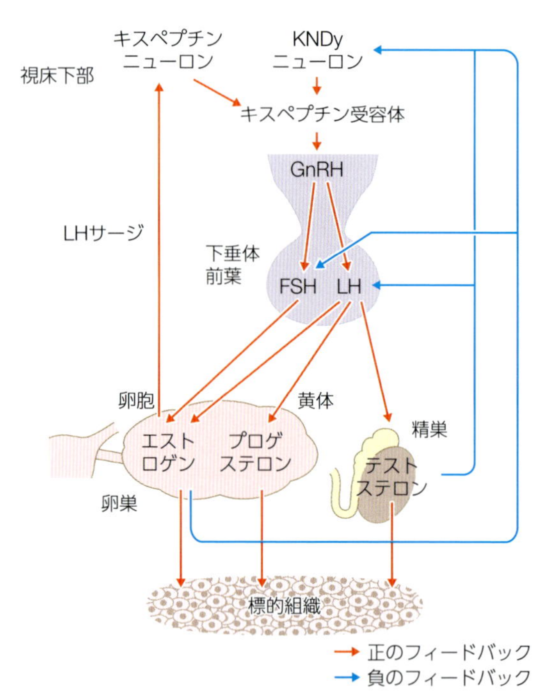


図12-9　LH，FSHと分泌機構の概要

視索前野に存在するキスペプチンニューロンは，GnRHニューロンの細胞体部に軸索を延ばし，エストロゲンの正のlong loop feedbackを受けキスペプチンの産生・放出を介してGnRHニューロンからのGnRH分泌を促進しLHサージを制御し排卵を起こすと考えられている．一方で，ARCにあるキスペプチンニューロンは，GnRHニューロンの軸索部に軸索を延ばし，エストロゲンの負のlong loop feedbackを受けキスペプチンの産生・放出を調節しGnRHニューロンを刺激しGnRHのパルス状分泌を起こし，LHパルスを制御し卵胞発育，性ステロイド合成，月経周期を制御していると考えられている(図12-9)．ARCのキスペプチンニューロンはニューロキニンBおよびダイノルフィンを共発現し神経細胞活動を制御していることが判明し，それぞれの頭文字をとりKNDyニューロンと呼ばれる．

LHによって，卵巣では排卵，黄体化の促進とプロゲステロンの合成が行われ，精巣ではテストステロンの合成・分泌が行われる(図12-9)．また，FSHによって，卵巣では卵胞の発育と成熟，エストロゲン，インヒビンの産生が促進され，また精巣ではアンドロゲン結合タンパク質の合成，精子の形成，インヒビンの産生が促進される．

GnRH がパルス状に分泌されると LH や FSH の分泌は促される．ただし，GnRH の持続的な分泌では下垂体の GnRH 受容体が脱感作され LH や FSH の分泌は抑制的になる．AVPV のキスペプチンニューロンはエストロゲン濃度が高まった際に発現が増加するため，エストロゲンの正のフィードバックを受け，一過性に分泌促進性にサージを促す．KNDy ニューロンは反対にエストロゲンが増加すると発現が減少することから，エストロゲンによって負のフィードバックを受けており，GnRH，LH や FSH のパルス状の分泌を抑制する．

卵巣や精巣にはインヒビンのような FSH 分泌抑制分子があることも知られている．女性では，卵胞のアクチビンが卵胞の FSH 受容体を誘導し，FSH の作用により卵胞の発育が進む一方で，FSH の作用によりインヒビンの産生が増加する．インヒビンは下垂体の FSH 合成を抑制し，FSH 分泌が減少する．最も発育した主席卵胞は FSH が低下しても十分にエストロゲンが産生されているため成熟卵胞に成熟できるが，それ以外の卵胞の発育は FSH に依存しているため発育が停止し閉鎖卵胞となる．つまり，最も発育した卵胞以外の発育を抑制する単一卵胞発育に関与している．

### 2 生理作用

女性の性周期は，LH や FSH の支配を受ける．LH と FSH が協調して卵胞を発育させ，卵胞が成熟して〔卵胞(成熟)期〕血中のエストロゲンが持続的高値状態になると，(正の)フィードバックによる LH(-FSH)サージ(FSH も多少の上昇を伴う)が生じ排卵(期)の引き金となる．卵胞は黄体化(黄体期)してエストロゲンの分泌に加えてプロゲスチンも多量に分泌されるようになり，子宮内膜は厚くなるとともに着床に適した状態となる．妊娠が成立しなければエストロゲンやプロゲスチン分泌は低下し萎縮後に月経が生じる．閉経すると，性ホルモンの低下から(負の)フィードバックで LH や FSH は高値を示す．負のフィードバックを形成する KNDy ニューロンは軸索を体温調節センターのある視索前野にも投射しており，更年期のホットフラッシュの症状に関与している．

## B 性(腺)ホルモン

エストロゲン受容体に結合して作用を発現する天然および合成物質を総称して卵胞ホルモン(エストロゲン：estrogen)という．生体内で産生されるエストロゲンには，エストロン(E1)，エストラジオール(E2)，エストリオール(E3)の 3 種が存在する．黄体ホルモンは総称してプロゲスチンと呼ばれるが，ヒトにおける代表的な黄体ホルモンはプロゲステロン(progesterone；P4)である．男性化作用を有するステロイドホルモンはアンドロゲンと総称され，主に副腎皮質から分泌される DHEA，DHEA-S，精巣で DHEA などから合成されるテストステロンは，標的細胞でテストステロンから合成される 5α-ジヒドロテストステロン(5α-dihydrotestosterone；5α-DHT)が含まれる．

### 1 エストロゲンとプロゲステロンの体内動態と生理作用

エストロゲンは 2 種類のエストロゲン受容体(ERα と ERβ)に結合することによって生理作用を発現する．子宮内膜の増殖，子宮平滑筋増殖，卵胞発育，精子の成熟などの性腺における作用だけではなく，乳腺発育や骨代謝にも重要な役割を果たす．エストロゲンの生理活性としては，E2 が最も高く，E1 は E2 の約 1/5，E3 では数百分の 1 にすぎない．性成熟期女性の主たるエストロゲンは卵巣顆粒膜細胞においてアロマターゼの作用によってテストステロンから変換され分泌される E2 であり，卵巣機能をよく反映する．E3 は E1，E2 の代謝産物であり，肝臓において産生される．妊娠中は，胎児副腎と胎盤で E3 が多量に産生分泌され，胎児副腎や胎盤機能を反映する指標になる．

プロゲステロンは黄体期に黄体で合成されるホルモンであり，黄体機能を反映する．妊娠 8 週以降は黄体が萎縮し，胎盤で産生される．プロゲステロン受容体(PR-A と PR-B)に結合し，着床と妊娠の維持，子宮内膜の分化，子宮筋収縮の抑制のほかに，乳腺発育や体温上昇などの作用もある．基礎体温が黄体期に高くなるのはプロゲステロンの影響であり，高温期の持続を確認するのは黄体機能評価に有用である．E2からE1への変換の促進やエストロゲン受容体産生抑制といった抗エストロゲン作用もある．

## 2 アンドロゲンの体内動態と生理作用

### ⓐ 副腎皮質

DHEAやDHEA-Sはコルチゾール同様にACTHの調整を受けるが，負のlong loop feedback作用はなく，いわゆるopen loopの形をとっている．弱いアンドロゲン活性(テストステロンの約5%)をもつため，副腎アンドロゲンと呼ばれる．DHEAはテストステロンやエストロゲンの前駆体であるため，特に女性でDHEA産生が増加する多嚢胞性卵巣症候群では，にきびや多毛などの男性化が生じる．その他に，コルチゾールの不活化，骨塩増加の作用もある．

### ⓑ 精巣

精巣のLeydig細胞ではLH刺激によってテストステロンが合成され，精巣内で作用し精子形成に極めて重要な役割を果たす．精巣内テストステロンはFSH刺激によってSertoli細胞で産生されたアンドロゲン結合蛋白に結合することで高い濃度を保っている．血中にも分泌され，性ホルモン結合蛋白やアルブミンに結合し，遊離型が全身作用を示す．遊離型テストステロンは細胞膜から細胞質に到達し，$5\alpha$還元酵素によって$5\alpha$-DHTに変換され，外生殖器の性分化，思春期における前立腺や陰茎の発達などに関与する．

# C 測定と考え方

## 1 エストロゲンとプロゲステロン

生殖年齢の女性で月経が規則正しく発来し，妊娠出産している場合は，ホルモン検査をするまでもなく卵巣機能は正常である．このため，無月経や不妊などの性腺機能異常を疑う症状を認める場合の病態把握や閉経の推定(更年期障害)を目的に，E2やプロゲステロンとLHやFSHを組み合わせて検査する．基本的にはLHとFSHで視床下部-下垂体病変の有無(障害部位)を確認し，E2で卵巣機能，プロゲステロンで黄体機能を評価する．閉経の推定(更年期障害)にはFSH，E2が測定されるが，閉経前後は大きく変動するため，必ずしも有用とはいえない．エストロゲンとプロゲステロンについては，年齢や性周期に依存した基準範囲が存在し，妊娠中の基準もその週数に依存するため，1回の測定による判定は困難であることが多く，複数回の測定が望ましい．プロゲステロンは月経中や卵胞期前期に分泌されないホルモンであり，基礎値を採血する意義はなく，排卵後5～7日目の黄体中期に測定する．

過去には尿中エストリオール(E3)が胎盤機能検査として使用されてきたが，超音波検査や胎児心拍図により胎盤機能が評価されるようになり，現在では用いられなくなった．その代わりに，母体血E3値が胎児副腎機能を反映するため，胎児染色体異常(21トリソミー，ターナー症候群など)や胎児のステロイド代謝疾患(胎児副腎低形成，先天性副腎皮質過形成など)のスクリーニングや診断に応用されている．

## 2 性腺刺激ホルモン(FSH，LH)

FSHとLHのそれぞれの絶対値だけではなく，LH/FSH比も診断の重要な情報となるので，原則として両者を測定する．LH，FSHおよびE2はホルモン基礎値として月経2～5日目頃に測定されるが，無月経や稀発月経など排卵障害が存在する場合は，月経の発来を待っていると基礎値測定のタイミングを逸するため，経腟超音波検査で10 mm以上の卵胞を認めない時期であれば採血を実施し，基礎値として評価する．

下垂体での性腺刺激ホルモン産生障害を正確に評価するためにGnRH負荷試験(LHRH負荷試験)が実施される．LHRH(100 $\mu$g)を投与して，0分(負荷前)，投与後の15分，30分，60分，90分，120分にLHとFSHを測定する．実臨床では負荷後30分，60分で検査を行うことが多い．性腺機能低下症では，視床下部型の場合，負荷前は正常から低値であり，LH-RHには良好に反応し，下垂体型では負荷前も負荷後も低値であり，卵巣型では，LH，FSHは負荷前に高値で，刺激により過剰反応を示す．多嚢胞性卵巣症候群では，LHの分泌能が亢進しており，LH-RHによる刺激にもLHだけが過剰反応を示す．

### 3 アンドロゲン

循環血液中のテストステロンは約95%が精巣由来である．特殊な状況を除き，男性性腺機能評価には血中テストステロンの測定のみで十分である．性腺機能低下症の診断を目的に測定する場合は午前中(朝7時～11時)の採血で評価することが推奨されているが，若年者ほど日内変動が失われやすく，必ずしも考慮されないことが多い．閉経前女性では，卵胞期初期で低く排卵期に高値を示すため，卵胞期の採血が推奨されている．血中総テストステロンは性ホルモン結合グロブリン(65～75%)分画，アルブミン(25～35%)分画および遊離型のすべてを測定しており，性ホルモン結合グロブリンの影響を受けやすい．テストステロンはアルブミンからは容易に離れるため，アルブミン結合型と遊離型をあわせて，生物活性のある(bioavailable)テストステロンと呼ぶ．性機能については，遊離型やbioavailable型テストステロンがよく反映しており，総テストステロンは生活習慣病の診断予測マーカーとなる．遊離型はfree androgen index(＝血清総テストステロン/血清性ホルモン結合グロブリン×100)とよく相関する．

血中DHEAは副腎由来であり，副腎皮質機能の評価に適しているが，半減期が短く日内変動を示すため，DHEA-Sが測定に用いられる．DHEA-Sの半減期は10～20時間と長く，日内や月経周期によって変動することはないため，随時採血で評価できる(異常値を示す場合は4 D，207頁を参照)．

アンドロゲンは複数のホルモンおよび代謝産物を含むので，分泌動態全体を把握するために，尿中17-KSの定量(蓄尿による1日量)が行われることがある．テストステロンとDHTは含まれないが，男性では17-KSのおよそ2/3が副腎皮質由来で1/3が精巣由来であるといわれている．副腎由来の変動は少なく，精巣におけるアンドロゲン分泌を反映している．女性ではほとんどすべてが副腎皮質由来であり，副腎皮質のアンドロゲン分泌をよく反映する．いずれも年齢や性別に依存した基準範囲が存在する．

## D 異常値を示す場合

### 1 エストロゲンとプロゲステロン

E2が高値を示す場合として，思春期早発症，エストロゲン産生卵巣腫瘍，先天性副腎皮質過形成が代表的である．他方で，低値を示す場合には，視床下部-下垂体機能障害(下垂体腫瘍，下垂体炎，Sheehan症候群)や卵巣機能障害(Turner症候群)，卵巣摘除が代表的である．

プロゲステロンが高値を示す場合として，副腎癌，先天性副腎皮質過形成，精巣間質細胞腫，多嚢胞性卵巣症候群がある．他方で，低値を来す場合として，視床下部-下垂体機能障害(下垂体腫瘍，下垂体炎)，黄体機能障害，排卵障害，無月経，胎盤機能障害がある．

### 2 性腺刺激ホルモン(FSH，LH)

LHとFSHが高値を示す病態としては性腺機能低下症，中枢性思春期早発症などがある．逆に低値を示す病態としては視床下部性性腺機能低下症，下垂体機能低下症が考慮され，視床下部性性腺機能低下症と下垂体機能低下症の鑑別をするためにGnRH試験を行う．通常であればFSH>LHであり，逆にLH>FSHとなる場合は多嚢胞性卵巣症候群を疑う．

### 3 テストステロン

テストステロンが高値を示す場合として，男性ホルモン産生腫瘍(性腺や副腎)，多嚢胞性卵巣症候群，先天性副腎皮質過形成がある．甲状腺機能亢進症，Turner症候群，ある種の薬剤〔例：テストステロン製剤，クロミフェン，ヒト絨毛性ゴナドトロピン(hCG)，リファンピシン〕でも高値となる．他方で，低値を示す場合として，性腺機能低下症，Klinefelter症候群，視床下部-下垂体機能障害(下垂体腫瘍，下垂体炎，Kallmann症候群)がある．ある種の薬剤(例えばイミダゾール誘導体)でも低値となる．

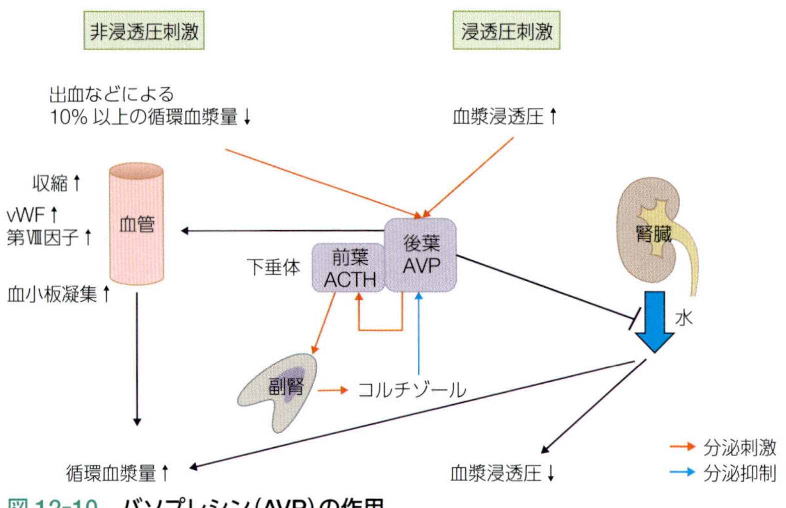


図 12-10　**バソプレシン(AVP)の作用**

vWF：von Willebrand 因子

# 8 抗利尿ホルモン

## A 生合成，体内動態，生理作用

抗利尿ホルモン〔antidiuretic hormone；ADH，バソプレシン(arginine vasopressin；AVP)〕は，下垂体後葉から分泌される．バソプレシンは血管(vaso)を収縮させる(press)，つまり昇圧作用(vaso＋press－in)に由来するが，生理的な濃度では尿濃縮させる，つまり尿量を減らすので抗利尿ホルモンとも呼ばれる．受容体には V1a，V1b，V2 の 3 種類があり，V1a は血管平滑筋や血小板などに存在して主に血管収縮や血小板凝集に，V1b は下垂体前葉に存在して主に副腎皮質刺激ホルモン(ACTH)分泌促進に，V2 は血管内皮や腎集合管などに存在して主に vWF 因子や第Ⅷ凝固因子の放出や水の再吸収促進などに関与する(図 12-10)．

AVP は視床下部の視索上核・室傍核で *AVP* 遺伝子から前駆体蛋白として産生され，最終的に AVP，コペプチン，ニューロフィジンⅡに切断され，下垂体後葉から血中に放出される．AVP は 9 個のアミノ酸からなる小分子で，生体内での半減期は 12 分程度である．

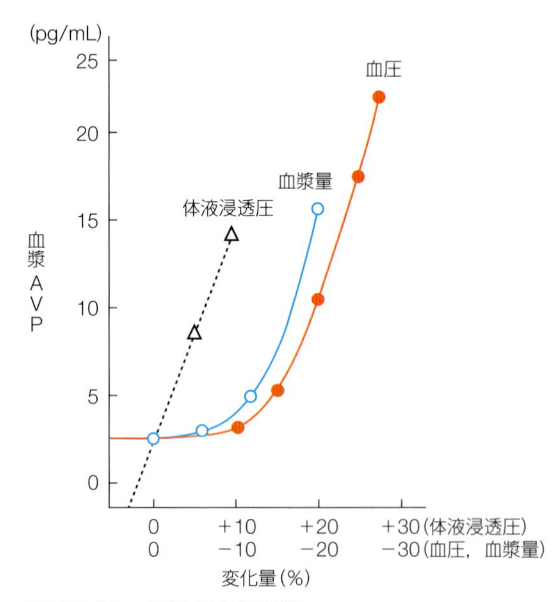


図 12-11　**AVP の分泌制御**

AVP は体液浸透圧のわずかな変化(数 mOsm/kg・$H_2O$)を感知し(図 12-11)，その分泌量が変化する唯一のホルモンであり，日々の食塩や水の摂取量が変化しても，血漿浸透圧の変動をわずか 1～2% に抑えている．血漿浸透圧が 280 mOsm/kg・$H_2O$ 程度から AVP 分泌が始まるのに対し，口渇感は 290 mOsm/kg・$H_2O$ 程度まで上昇しないと感じられない．AVP は血漿浸透圧が 280 mOsm/kg・$H_2O$ より上昇すると，腎集合管($V_2$)

受容体を介して，水の再吸収(アクアポリン 2 の発現)を促進し，尿を濃縮し血漿浸透圧を調整する(図 12-10)．一方で，血漿浸透圧が 280 mOsm/kg・$H_2O$ 未満では通常 AVP 分泌は 0 になる．

AVP は血管収縮作用や ACTH 分泌促進作用をもつため，浸透圧刺激(血漿浸透圧の上昇)以外の非浸透圧刺激，例えば，循環血漿(細胞外液)量の減少，嘔気・嘔吐，マラソンのような長時間の持久運動，疼痛やストレスでも分泌される(図 12-10)．ただし，循環血漿量が 10% 程度減少してはじめて AVP 分泌が増加するように(図 12-11)，あくまで循環血漿量を主に調整するのはレニン-アンジオテンシン-アルドステロン系であり，非浸透圧的刺激は他の調整系の補助的な作用である．その他に，喫煙，抗精神病薬や抗うつ薬の投与は AVP を上昇させ，フェニトインは ADH を低下させる．

## B 測定と考え方

AVP は小分子であるため，AVP に対する抗体作製は困難であり，2 種の抗体を用いるサンドイッチ法では抗体同士が干渉してしまうため，サンドイッチ法で測定するのも難しい．わが国で作製された最小検出感度 0.1 pg/mL まで測定可能であった極めて優秀な抗体が枯渇して以降，最小検出感度 0.5 pg/mL 程度を確保すべく努力が続けられている．このような経緯からわが国では高感度 AVP の測定が一般的であるが，欧米では AVP の代用マーカーとしてコペプチンの測定が一般的である．

測定に関する注意点として，血中 AVP の約 90% は血小板と結合しているため，採血後に検体を長時間放置すると血漿中に遊離し，みかけ上の高値になることがあげられる．また，採血後不安定となるため，速やかに冷却遠心分離，凍結保存を行う．

AVP の主作用は血漿浸透圧を感知し，腎臓からの水の排泄(尿の濃縮)，つまり浸透圧を調整している．そのため，AVP を測定する際は血漿浸透圧および尿浸透圧を同時に測定して，病態を把握する．尿素は有効浸透圧とはならず，また血糖も著明な高血糖の場合を除いては有効浸透圧刺激にはならないという考え方もあるので，血清ナトリウム(Na)で評価するほうが簡便である．

一般に，血漿浸透圧＞295 mOsm/kg・$H_2O$ を高張性，＜280 mOsm/kg・$H_2O$ を低張性，その間を等張性と定義することが多い．低張性低 Na 血症では，尿浸透圧≦100 mOsm/kg・$H_2O$ であれば AVP の分泌は抑制されており(心因性多飲症など)，逆に尿浸透圧＞100 mOsm/kg・$H_2O$ であれば AVP の分泌が生じており，水の排泄障害が存在すると考える〔代表例として ADH 分泌不適合症候群(syndrome of inappropriate secretion of antidiuretic hormone；SIADH)〕．AVP と同時に採血した血漿浸透圧が低張であれば，正常では AVP が感度以下となるため，AVP が測定されれば異常分泌と判断する．また，AVP が尿酸排泄を促進すると考えられており，尿酸(UA)排泄率($FE_{UA}$)が SIADH の診断に補助的に使用される．

高 Na 血症は渇中枢が正常であれば，意識障害や認知症などなければ水を摂取するため，血清 Na 濃度はそれほど上昇しない．一方，意識障害がなく水分を摂取できる状況下において血清 Na 濃度が 150 mEq/L を超える場合には，視床下部の病変による渇中枢障害が強く疑われる．高 Na 血症では，AVP の作用により，健常者では，尿浸透圧は最大で 1,000～1,200 mOsm/kg・$H_2O$ まで上昇するが，高齢者では腎臓での AVP の反応が減弱しているため，尿浸透圧が 500 mOsm/kg・$H_2O$ 以上あれば，AVP の分泌および腎臓での作用は比較的保たれているとみなされる．尿浸透圧が低い場合(300 mOsm/kg・$H_2O$ 未満)は尿崩症と診断でき，尿浸透圧が中間の場合(300～600 mOsm/kg・$H_2O$)には，浸透圧利尿または部分的尿崩症が疑われる．中枢性尿崩症では血漿 AVP が血漿浸透圧に比べて相対的に低下しており，腎性尿崩症では血漿 AVP が正常かむしろ上昇している(図 12-12)．中枢性と腎性尿崩症の鑑別のために AVP 負荷試験を行うこともある．合成 AVP であるピトレシン 5 単位を皮下注射し，30 分後と 60 分後に尿量と尿浸透圧を測定する．中枢性では尿量が減少し，尿浸透圧は 300 mOsm/kg・$H_2O$ 以上となるが，腎性では反応を

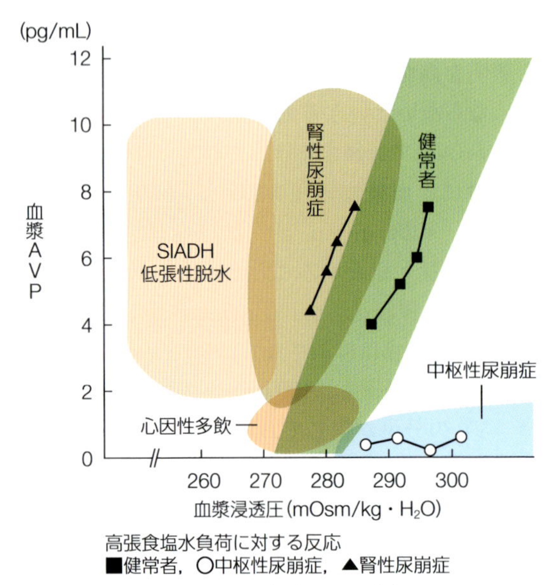


**図 12-12 血漿浸透圧と血漿 AVP 濃度**

認めない．

## C 異常値を示す場合

ADH が高値を示す場合として，ADH 分泌不適合症候群(syndrome of inappropriate secretion of antidiuretic hormone；SIADH)が重要である．ADH の分泌過剰(内因性 ADH 分泌亢進の病態や異所性産生腫瘍が主因)で発生する．血漿浸透圧は低下しているが，ADH の分泌は持続し，希釈性の低 Na 血症(低浸透圧血症)を来す．循環血漿量は軽度増加し，レニン-アンジオテンシン-アルドステロン系が抑制され，心房性 Na 利尿ペプチドの分泌が亢進し，高張尿も来す．過剰な AVP 分泌持続で腎集合尿細管における V2 受容体およびアクアポリン 2 のダウンレギュレーションが起こり，水利尿は軽度に回復する．腎性尿崩症では腎集合尿細管での ADH への不応で ADH は高値を示す．

他方で，ADH が低値を示す場合としては，中枢性尿崩症が重要である．ADH の分泌障害(特発性や遺伝性または続発性の病態)があり，多尿・多飲で低張尿を来す．尿崩症は通常は高 Na 血症を来さないが，自ら水を摂取できない乳幼児では高 Na 血症を来す．心因性多飲では，血漿浸透圧が低下して，ADH の分泌の抑制をみる．

# 9 レニン-アンジオテンシン-アルドステロン

レニン-アンジオテンシン-アルドステロン系(renin-angiotensin-aldosterone system；RAA 系)は，細胞外液量，血圧や糸球体濾過量(尿量)の維持にかかわる一連のホルモン群の総称である．

## A 体内動態

腎臓の輸入細動脈の傍糸球体細胞から分泌されたレニンは，肝合成されたアンジオテンシノーゲンをアンジオテンシンⅠに変換する．アンジオテンシンⅠは，肺などの血管内皮細胞に分布するアンジオテンシン変換酵素(angiotensin converting enzyme；ACE)によって，数秒のうちにアンジオテンシンⅡに変換される．アンジオテンシンⅡは副腎に作用して，アルドステロンの分泌を促す(図 12-13)．

レニンの合成と分泌は腎臓の輸入細動脈に存在する傍糸球体細胞で行われる．食塩(NaCl)の摂取が減少すると尿細管内を流れる原尿中$(Na^+)Cl^-$濃度が低下し，輸入細動脈(糸球体)に接する遠位尿細管の緻密斑のマクラデンサ細胞がそれを感知する．解剖学的に隣接している傍糸球体細胞にシグナルが伝わり，短時間のうちにレニン分泌が増加する．また，細胞外液の減少で，血圧が低下すると，交感神経の活性化と腎血流が低下による輸入細動脈の拡張が生じる．交感神経の刺激と輸入細動脈の拡張による傍糸球体細胞の圧受容体からの刺激で，傍糸球体細胞からのレニン分泌が増加する．アルドステロンではなくアンジオテンシンⅡが負のフィードバックを形成してレニン分泌を抑制する(図 12-13)．レニン分泌からアンジオテンシンⅡまでの経路は自動的に進行し，調整機構は存在しないため，レニン分泌の制御がアルドステロン分泌の制御に直接連動する．アルドステロンの分泌は，レニン以外に高カリウム血症や

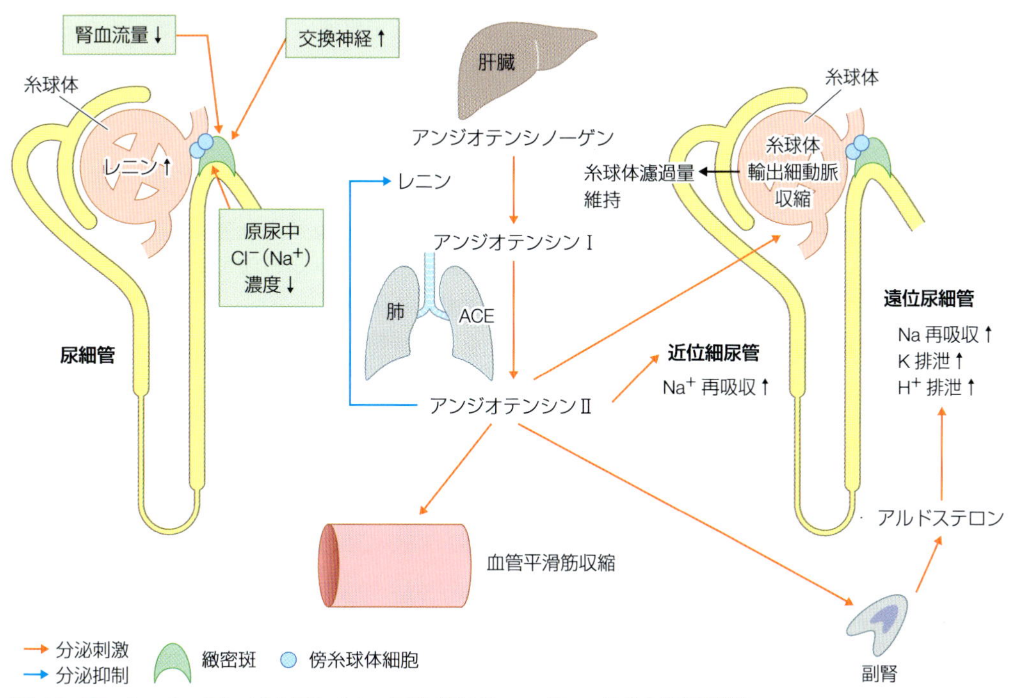


**図12-13　レニン-アンジオテンシン-アルドステロン(RAA)系の制御機構**

ACE：アンジオテンシン変換酵素

ACTH によって RAA 系とは独立して促進されるが，ACTH は生理的に大きな影響を与えない．ACTH の作用は一時的で，実際糖質コルチコイド投与によって ACTH の低下した状況でもアルドステロン分泌量は低下しない．

アンジオテンシンⅡはアンジオテンシナーゼや ACE2 によって直ちに分解され，その半減期は 1 分に満たない．アルドステロンは，ステロイドホルモンの中では例外的に血中で蛋白と結合せずに存在しているため，血中濃度は遊離型を反映しており，半減期は 10～20 分と短い．産生されたアルドステロンの 75% 以上は肝臓を通過する際にグルクロン酸抱合を受けて不活化される．しかし，肝硬変やうっ血性心不全(うっ血肝)ではこの不活化の効率が低下し，相対的にアルドステロン過剰となる．アルドステロンは標的細胞内の電解質コルチコイド受容体を介して生理作用を発揮する．電解質コルチコイド受容体はコルチゾールとも結合し，コルチゾールの血中濃度はアルドステロンの約 1,000 倍存在する．このため，腎臓や腸などの標的細胞ではコルチゾールを不活化し，コルチゾンに変換する 11β 水酸化ステロイド脱水素酵素 2 型(11βHSD2)が発現し，コルチゾールによってアルドステロン作用が現れるのを防いでいる．なお，ある種の薬剤(甘草を含む漢方薬が有名)の長期服用により 11βHSD2 が抑制されると，コルチゾールによるアルドステロン作用が出現し，血中アルドステロン濃度は低いのに高血圧症や低カリウム血症をはじめとする症候を呈する偽性のアルドステロン症が生じる．

## B 生理作用

RAA 系によって，陸上の食塩が少ない状況でも，細胞外液量や血圧を維持しながら，糸球体濾過量を保ち，尿への老廃物の排泄を最低限確保しているとされている．陸上では果物のようにナトリウムがほとんど含まれていない一方でカリウムが豊富な食材が多く存在するため，アルドステロンは陸上では少ないナトリウムを保持しつつ，カリウムの排泄を促す作用をもっている．

アンジオテンシンⅡは，腎近位尿細管において水素イオンと交換して，ナトリウムの再吸収を増加させ(Na$^+$/H$^+$交換輸送体3；NHE3)，ナトリウム再吸収増加に伴って水の再吸収を増加するため体液保持に働いている．全身では血管を収縮させることによって血圧を維持し，腎臓では腎血流が低下しても輸出細動脈を選択的に収縮させることで糸球体内圧を維持し，糸球体濾過量(原尿の産生)低下を防いでいる(図12-13)．さらにアルドステロンは，腎遠位尿細管に作用し，カリウムと水素イオンとを交換して，ナトリウムの再吸収を増強する．血中アルドステロンの高値が持続すると，細胞外液量が増加し，糸球体濾過量が増加する．その結果，尿細管におけるナトリウム再吸収が低下し，尿中にナトリウムが排泄されるようになり，体内への過度なナトリウム(体液)貯留が緩和されるため，浮腫を生じることは少ない．このように腎臓の自動制御機構が働き，過度のナトリウム(体液)貯留が防止されることをアルドステロン・エスケープ現象と呼ぶ．RAA系は，アンジオテンシンⅡが近位尿細管のNHE3活性化を介して重炭酸の再吸収を促進し，アルドステロンが遠位尿細管においてH$^+$排泄を増加させるため，体内を虚血による代謝性(乳酸)アシドーシスから守る(アルカローシスにする)方向に作用すると考えられる．

## C　測定と考え方

レニンと血漿アルドステロン濃度(plasma aldosterone concentration；PAC)の同時測定が勧奨されており，原発性アルドステロン症を含めた二次性(続発性)高血圧のスクリーニング検査として使用されることがほとんどである．レニンからアンジオテンシンⅡまでの経路は自動的に進行し，調整機構は存在しないため，アンジオテンシンⅠ・Ⅱを測定する必要性はない．

レニン測定は血漿レニン活性(plasma renin activity；PRA)から化学発光免疫測定(chemiluminescent immunoassay；CLIA)法を原理とした活性型レニン濃度(active renin concentration；ARC)へ，またアルドステロン測定は放射性同位元素(radioisotope；RI)を用いた測定法からARC同様，CLIA法を原理とした測定法へ移行しつつある．測定原理によって基準値が異なるため，測定法とその解釈に注意が必要である．

### 1 レニン測定

PRAは，血漿中の活性型レニンが単位時間当たりに産生するアンジオテンシンⅠの量をRIA(radioimmunoassay)法で測定する．レニンの基質であるアンジオテンシノーゲンが含まれる血漿を一定時間インキュベーションして産生されるアンジオテンシンⅠを，抗アンジオテンシンⅠ抗体を用いた競合法によって定量する．重度の心不全，肝硬変，糖尿病などのアンジオテンシノーゲンが変動する疾患ではPRAの濃度も増減するが，ARCではその影響は小さい．ARCは，レニンの活性部位を特異的に認識するモノクローナル抗体を使用した抗体サンドイッチ法により，活性型レニンを直接測定する．PRAとARCは良好な相関関係があり，単位は異なる(ARC：pg/mL，PRA：ng/mL/時)が，レニン活性の5倍の値が活性型レニン濃度と概算できる．

低レニン血症の基準は，PRA＜1.0 ng/mL/時，ARC＜5 pg/mLであり，脱水や立位，利尿薬，Cushing症候群，褐色細胞腫，腎血管性高血圧などのレニン増加を起こす要因がなければ，PRA≧1.0 ng/mL/時やARC≧5 pg/mLの場合，原発性アルドステロン症はほぼ除外できる．

### 2 アルドステロン測定

PAC測定は，RIA法による測定が一般的であったが，2021年4月よりキットの供給が停止されたため，CLIA法による測定のみとなっている．RIA法とCLIA法では同一検体でも測定結果が異なるため，CLIA値から換算式でRIA値に変換する．

世界共通の高アルドステロン血症の判定基準は存在しない．わが国では，暫定的にPAC(RIA法)≧120 pg/mL，あるいはPAC(CLIA法)≧60 pg/mLを基準にしている．

### 3 アルドステロン/レニン比

原発性アルドステロン症では，低レニン性高アルドステロン血症を呈するため，PACをPRAで割るつまりアルドステロン/レニン比(aldoste-

表 12-8　RAA 系に影響を与える降圧薬

| 薬剤 | レニン活性 | アルドステロン | A/R 比 |
|---|---|---|---|
| アンジオテンシン変換酵素阻害薬 | ↑ | ↓ | ↓ |
| アンジオテンシンⅡ受容体拮抗薬 | ↑ | ↓ | ↓ |
| Ca 拮抗薬 | ↑ | ↓ | ↓ |
| β 遮断薬 | ↓ | ↓ | ↑ |
| スピロノラクトン | ↑ | ↑ | ↓ |



rone renin ratio；A/R 比)が上昇する．RIA 法で測定した A/R 比(RIA)≧200 pg/mL／ng/mL/時がスクリーニングの判定基準として推奨されてきたが，CLIA 法では同様の基準を用いると A/R 比(CLIA)≧200 は A/R 比(RIA)≧260～480 に相当するため，偽陽性は減少するが偽陰性も増加する．偽陰性，つまり軽症例を見逃さないために，A/R 比(CLIA)100～200 も暫定的に陽性としている．また，PRA を ARC で代用する場合は，A/R 比 40 をカットオフとし，A/R 比 20～40 を境界域とする．

二次性高血圧のスクリーニング検査で使用する場合に，高レニン性高アルドステロン血症であれば腎実質性高血圧，甲状腺機能亢進症，そして観血的治療で治癒が可能な腎血管性高血圧や褐色細胞腫を疑う契機になる．一方，低レニン性低アルドステロン血症は，甘草による偽性アルドステロン症の診断にも有用である．しかし，A/R 比値のみではこれらの二次性高血圧を予測することは困難であるため，PAC と PRA または ARC の測定値を確認する必要がある．

### 4 採血条件

体位(坐位や立位)の変化にも影響を受けるので，午前中安静臥位または安静坐位 15 分以上維持，可能なら安静臥位(30 分)後体位を変えず，検体を採取することが勧奨されている．現在用いられている降圧薬には RAA 系に影響する薬剤が多い(表 12-8)ので，測定に加えて評価には薬剤服用歴の確認が重要である．

### 5 負荷試験

原発性アルドステロン症の確定診断のため，負荷試験によるアルドステロン分泌動態評価は必須である．レニン分泌が上昇するような状況にしてもレニン分泌が抑制されていることを確認するカプトプリル試験やフロセミド立位試験とレニン分泌を抑制するような状況にしてもアルドステロン分泌が抑制されないことを確認する生理食塩水負荷試験，経口食塩負荷試験の計 4 種類があり，いずれかの 1 種類でも陽性であれば，原発性アルドステロン症と診断する．経口食塩負荷試験では 24 時間蓄尿を行い，アルドステロンの 1 日排泄量で評価する必要がある．

### 6 異常値を示す場合

レニンが低値でアルドステロンが高値を示す場合には，原発性アルドステロン症(アルドステロン産生腫瘍，特発性・家族性アルドステロン症)が代表的であり，レニンが低値でアルドステロンが低値を示す場合には，先天性副腎過形成(副腎性器症候群)の 11β-17α-ヒドロキシラーゼ(水酸化酵素)欠損症，11-デオキシコルチコステロン(deoxycorticosterone；DOC)産生腫瘍，Liddle 症候群，偽性アルドステロン症が考慮される．レニンが高値でアルドステロンが高値の場合には，腎血管性高血圧，悪性高血圧，レニン産生腫瘍，Bartter 症候群が考慮される．レニンが高値でアルドステロンが低値の場合には，Addison 病，先天性副腎過形成の 21-ヒドロキシラーゼ欠損症が考慮される．

# 10 カテコールアミン

## A 体内動態

カテコール骨格をもつアドレナリン，ノルアド

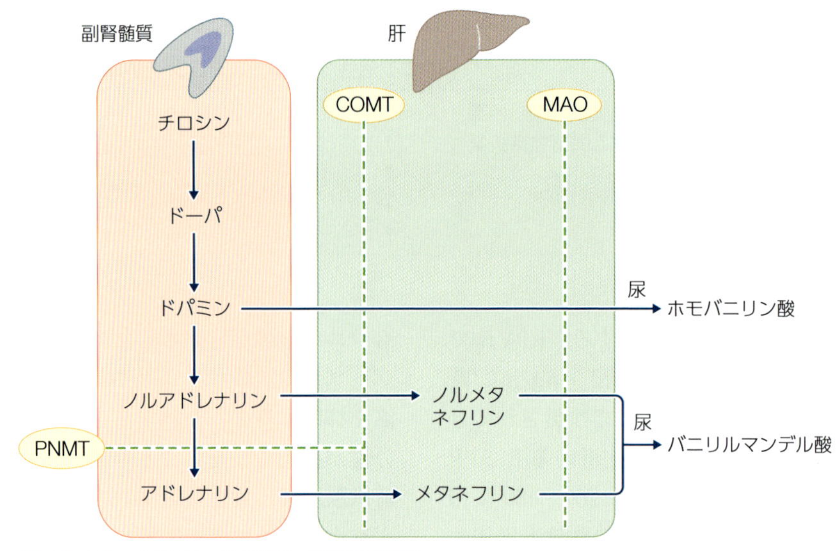


**図 12-14　カテコールアミン代謝の概要**

PNMT：フェニルエタノールアミン-*N*-メチルトランスフェラーゼ（交感神経にはなく副腎髄質のみに存在），COMT：カテコール-*O*-メチルトランスフェラーゼ，MAO：モノアミンオキシダーゼ

レナリン，ドパミンをカテコールアミンと呼ぶ．交感神経節後線維細胞と副腎髄質細胞は細胞内にチロシンを能動的に取り込み，酵素の働きによってドパミン，ノルアドレナリンの順に転換し，副腎髄質ではさらにアドレナリンが生合成される．フェニルエタノールアミン-*N*-メチルトランスフェラーゼは副腎髄質にしか存在しないため，アドレナリンは副腎髄質のみで生合成される（図12-14）．ドパミンは腎臓の近位尿細管細胞などの局所でも産生され，腎臓で産生されたドパミンは遊離型のまま尿中に排泄される．副腎髄質から血中に分泌されたカテコールアミンは生体内に広く分布するフェノールスルホトランスフェラーゼ（phenolsulfotransferase；PST）により，速やかに硫酸抱合され尿中に排泄される．このため，血中・尿中カテコールアミンは遊離型と抱合型（硫酸抱合）があるが，遊離型が生理活性を示す．アドレナリンとノルアドレナリンが肝臓や腎臓のカテコール-*O*-メチルトランスフェラーゼ（catechol-*O*-methyltransferase；COMT）によってメチル化された（不活化）中間代謝産物がメタネフリンとノルメタネフリンである（図12-14）．メタネフリンならびにノルメタネフリンもカテコールアミンと同様にPSTにより速やかに硫酸抱合され尿中に排泄される．バニリルマンデル酸（vanillylmandelic acid；VMA）は，モノアミンオキシダーゼ（monoamine oxidases；MAO）によって代謝されたアドレナリンならびにノルアドレナリンの最終産物である．ホモバニリン酸（homovanillic acid；HVA）はドパミンの最終代謝産物である．

交感神経末端や副腎髄質細胞はカテコールアミンの再取り込み機構があり，特に交感神経から分泌されたカテコールアミンは大部分が再び交感神経終末端に取り込まれ，貯蔵顆粒中に貯蔵される．この取り込みおよび貯蔵機能を利用したのが，MIBGシンチグラフィである．

カテコールアミンは，安静時でも少量ずつ持続的に分泌されているが，交感神経の活性化に伴って急激かつ大量に副腎髄質から血中に分泌される．コルチゾールはドーパからドパミン，ドパミンからノルアドレナリンの生合成を増加させるため，副腎皮質機能低下時にはカテコールアミン合成が低下する．また，身体に対するあらゆるストレス刺激（例として疼痛，運動，出血，低酸素，低血糖や驚愕）はカテコールアミン分泌刺激となる．

**表 12-9 カテコールアミン受容体の組織分布**

| 組織 | 受容体 | 効果 |
|---|---|---|
| 心筋 | $\beta_1$ | 収縮力増大，心拍数増加 |
| 血管（冠動脈，骨格筋） | $\beta_2$ | 拡張 |
| 血管（皮膚，粘膜） | $\alpha_1$，$\alpha_2$ | 収縮 |
| 腎臓 | $\beta_1$ | レニン分泌増加 |
| 腸管平滑筋 | $\alpha_2$，$\beta_2$ | 弛緩 |
| 膵臓（ラ島細胞） | $\alpha_2$ | インスリン・グルカゴン分泌抑制 |
| | $\beta$ | インスリン・グルカゴン分泌増加 |
| 肝臓 | $\alpha_1$，$\beta_2$ | グリコーゲン分解促進，糖新生増加 |
| 肺（気管支平滑筋） | $\beta_2$ | 弛緩 |
| 子宮 | $\alpha_1$ | 収縮 |
| | $\beta_2$ | 弛緩 |
| 皮膚 | $\alpha_1$ | 発汗 |
| 中枢神経系 | $\alpha_1$ | 快活さ，恐れ・不安の増大 |
| 骨格筋 | $\beta_2$ | グリコーゲン分解促進 |
| 脂肪組織 | $\beta_1$，$\beta_3$ | 脂肪分解促進 |

## B 生理作用

カテコールアミンは中枢神経系における神経伝達物質としての作用をもつ．末梢においては交感神経終末からノルアドレナリンやドパミンが神経伝達物質として分泌され，副腎髄質からアドレナリンとノルアドレナリンがホルモンとして血中に分泌される．腎近位尿細管で生成されたドパミンは，局所ホルモンとして腎尿細管の Na 輸送系に直接作用し，Na 利尿を促す．カテコールアミンは，標的組織に存在する特異的受容体（$\alpha_1$，$\alpha_2$，$\beta_1$，$\beta_2$，$\beta_3$，$DA_1$，$DA_2$ 受容体）に結合し，表 12-9 に示すような多様な生理作用がある．アドレナリンは $\alpha$，$\beta$ 両受容体を強力に刺激するが，低濃度では $\beta$ 刺激作用，高濃度では $\alpha$ 刺激作用が主となる．ノルアドレナリンはもっぱら $\alpha$ 受容体に作用する．褐色細胞腫・パラガングリオーマ（pheochromocytoma・paraganglioma；PPGL）では，腫瘍から分泌されるカテコールアミンがアドレナリン優位かノルアドレナリン優位かによって異なる臨床像を示す．末梢でのドパミンの作用は主に血管拡張であり，ドパミン産生性 PPGL は高血圧を呈さないことが多い．

**表 12-10 褐色細胞腫の診断における各種生化学マーカーの感度と特異度**

| | 感度(%) | 特異度(%) |
|---|---|---|
| 血中遊離メタネフリン 2 分画 | 99 | 89 |
| 血中カテコールアミン | 84 | 81 |
| 蓄尿中メタネフリン 2 分画 | 97 | 69 |
| 蓄尿中バニルマンデル酸 | 64 | 95 |

〔Eisenhofer G, et al: Front Horm Res 31: 76-106, 2004 より引用〕

## C 測定と考え方

PPGL が疑われる場合に検査を実施することがほとんどであり，血中および尿中のカテコールアミン濃度とその代謝産物を測定し，過剰産生・排泄を証明する．PPGL 腫瘍組織内でカテコールアミンは常時分泌されているわけではなく，PPGL でも血中カテコールアミン 3 分画は異常高値とならない場合がある．一方で，代謝産物である遊離メタネフリンおよびノルメタネフリンは PPGL 腫瘍組織内に COMT が高濃度に発現しているために，常に漏出しており，血中遊離メタネフリンおよびノルメタネフリンの 90% 以上は腫瘍由来である．そのため，スクリーニング検査や診断には血中遊離メタネフリン 2 分画や尿中メタネフリン 2 分画が有用である．血中カテコールアミンの 3 分画はストレス（例えば興奮や疼痛），体位や食事で変動しやすく，基準上限値の 2 倍程度までは上昇する．

カテコールアミンやメタネフリン測定値を増加させる薬剤（ドーパのような薬剤はカテコールアミンを上昇させ，レセルピン，クロニジンのような薬剤は低下させる）や食品（バナナや柑橘類は測定に影響する）に留意する必要がある．

### 1 血中カテコールアミン 3 分画と遊離メタネフリン 2 分画

いずれも遊離型を測定しており，硫酸飽和型と遊離型の総和を測定する尿検査と区別される．PPGL では，血中カテコールアミン 3 分画は血中遊離メタネフリン 2 分画と比べると感度・特異度ともに低い（表 12-10）．血中遊離メタネフリン 2

分画が2019年に保険適用となり，今後，PPGLのスクリーニング検査の第一選択になると考えられている．

採血は，ストレスによる上昇を抑えるため仰臥位で20〜30分安静にしたのちに採血する．特にカテコールアミン3分画では穿刺のストレスのみで増加するため，正確を期すために肘静脈に留置針をあらかじめ血管に確保した後に安静にする．

### 2 尿中カテコールアミン3分画と遊離メタネフリン2分画

いずれも硫酸飽和型と遊離型の総和を測定している．まず，随時尿中メタネフリン＋尿中ノルメタネフリン＞0.5 mg/gCrを陽性と判定する．機能診断には，特異度の高い24時間蓄尿によるメタネフリン2分画や尿中カテコールアミン3分画測定を行う．尿検査は腎機能が悪化している場合には実施できない．尿中ドパミンについては，食塩摂取によって腎臓からの遊離ドパミン排泄が増加する．

## D 異常値を示す場合

高値を示す場合には，褐色細胞腫，傍神経節細胞腫，神経芽細胞腫がある．発作性の上昇もみられ，数回の測定を要する．

# 11 ナトリウム利尿ペプチド

ナトリウム利尿ペプチド(natriuretic peptide；NP)には，主に心房から分泌される心房性ナトリウム利尿ペプチド(atrial natriuretic peptide；ANP)，心室から分泌される脳性ナトリウム利尿ペプチド(brain natriuretic peptide；BNP)，血管内皮細胞から主に分泌されているC型ナトリウムペプチドがある．この中で，現在，臨床検査で測定されているのはANPとBNPである．

## A 体内動態

体液量増加による心房の伸展(心房負荷)によって生物学的活性のあるANP($\alpha$ANP)分泌が増加する．心不全では，心室からのANP分泌が重症度に応じて増加するが，生物学的活性の低いANP($\beta$ANPやproANP)分泌が相対的に増加する．BNPは心室の伸展により，心筋においてその前駆体であるproBNPからfurinなどの酵素によって切断され，生物学的活性を有するBNPと生物学的活性のないN端フラグメント(N-terminal pro-BNP；NT-proBNP)が生成され分泌されるが，前駆体であり，活性をほとんど有さないproBNPも分泌されている(図12-15)．心不全ではproBNPのN末端の糖鎖修飾が増加し，furinによる切断効率が低下するために，proBNPの分泌は相対的に増加する．

ANPやBNPは標的臓器(主に心臓や腎臓)のクリアランス受容体(C型ナトリウム利尿ペプチド受容体；NPR-C)と腎臓や肺などに存在する中性エンドペプチダーゼ(分解酵素)のネプリライシンによって血中から除去される(図12-15)．NT-proBNPはNPR-Cに結合しないため，BNPの半減期が約20分であるのに対して約120分と長く，より安定している．肥満ではネプリライシンが脂肪細胞に発現することで，BNPやANPの分解が促進され，血中濃度が低下する．また，肥満によって心臓周囲脂肪が増加すると心筋は拡張しにくくなり，心臓内圧上昇に対して心筋が伸展にくくなるため，BNPやNT-proBNPの血中濃度は上昇しにくい．BNPやNT-proBNPは糸球体から濾過され，尿に排泄される(腎排泄)．特に腎排泄に依存しているNT-proBNPは腎機能低下で血中濃度が上昇しやすい．

## B 生理作用

ANPやBNPは，血管や腎臓に存在するA型ナトリウム利尿ペプチド受容体(NPR-A)に結合し，ナトリウム利尿や静脈系を含む血管の拡張作用を示す．その他に，交感神経系の活性抑制，レ

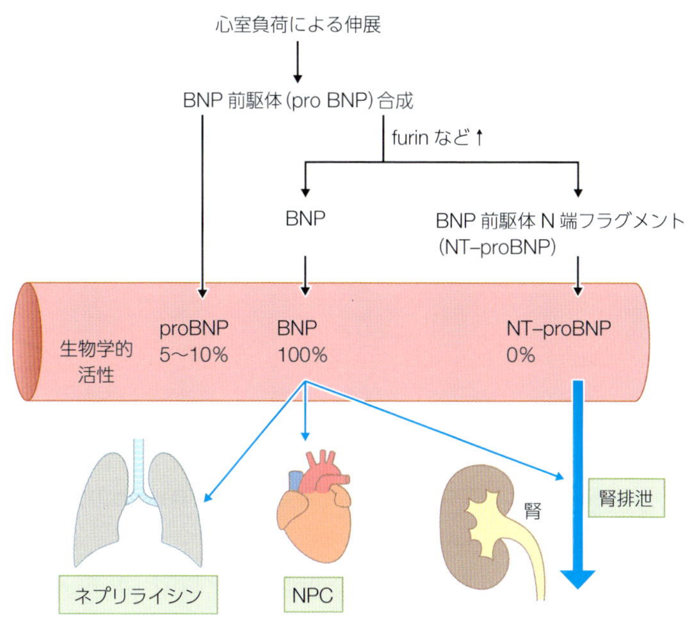


図 12-15 ナトリウム利尿ペプチドの体内動態



ニン-アンジオテンシン-アルドステロン(RAA)系の分泌抑制をもつと考えられている．つまり，ナトリウム利尿ペプチドは，RAA 系および交感神経系と機能的に拮抗しながら循環系の恒常性維持に働いている．心不全では，主に心臓でネプリライシンの発現・活性や NPR-C の発現が増加しており，生物活性のある ANP や BNP の分解が亢進し，標的臓器での生理作用が低下する．

## C 測定と考え方

ANP が高値の場合には心房負荷や循環血漿量の増加を来す病態が示唆され，血液透析での体液量評価や心不全の診断目的に測定されてきた．しかし，ANP，BNP の末梢での血中濃度比は，正常では約 6：1 であるが，心不全の重症度が増すにつれて BNP の増加は ANP の増加を上回り，重症例では血中 BNP 濃度が ANP 濃度を大きく凌駕するため，心不全では鋭敏に重症度を反映する BNP のほうが測定されるようになった．NT-proBNP は，BNP と同様に心不全において有用性が認められるようになり，BNP の測定では血漿での検体採取を求められていたが，NT-proBNP は血清を用いて測定もでき，臨床現場で利用しやすい．現在わが国で使用されている BNP あるいは NT-proBNP の測定法では BNP あるいは NT-proBNP と proBNP を区別することができないため，いずれの測定法でも proBNP の血中濃度が BNP あるいは NT-proBNP 濃度に反映されている．ANP 測定法も $\alpha$ANP，$\beta$ANP および proANP を区別できないため，これらを合計した総 ANP 濃度を測定している．つまり，心不全のように前駆体(proANP や proBNP)が血中に増加する病態では，血中濃度が生物学的活性を反映しなくなる．

## D 異常値を示す場合

BNP や NT-proBNP は，心不全の臨床的指標(早期発見，診断，治療経過把握)として用いられる．心不全診断のカットオフ値は BNP≧100 pg/mL，NT-proBNP≧400 pg/mL 程度とされている．その他，高血圧症，慢性腎不全，Cushing 症候群，甲状腺機能亢進症では高値を示す．ネプリライシン阻害薬・アンジオテンシンⅡ受容体であるサクビトリル・バルサルタンは理論上 ANP および BNP の血中濃度を上昇させる可能性があり，実際に服用後血中 ANP は上昇する．このため，同薬剤の服用の有無を確認することは必要である．

# 副甲状腺ホルモン

## A 体内動態

副甲状腺は，通常甲状腺の上下極の高さで左右に1個ずつ(計4個)あるが，5～15%の頻度で5腺以上の過剰腺を認める．副甲状腺から分泌された副甲状腺ホルモン(parathyroid hormone；PTH)は84個のアミノ酸からなるポリペプチドである．PTH(1-84)の血中半減期は2～4分と短く，副甲状腺内や肝臓，腎臓で代謝されてさまざまなフラグメントに切断される．そのため，血中にはPTH(1-84)以外にN末端部，C末端部，中間部を含む断片分子といった何種かが存在するようになる．PTH(1-84)とN末端部のみが活性を有して骨や腎臓に作用するが，その割合は10～30%と少ない．そのほかは生物活性をもたないフラグメントであるが，PTH(7-84)はPTHと拮抗する作用をもつ．C末端部は腎排泄性であり，腎機能が低下した場合，蓄積して血中濃度が上昇する．

PTHは血中カルシウムイオン濃度に依存し，副甲状腺のカルシウム感知受容体(Ca-sensing receptor：CaSR)を介して，秒～分単位でPTH分泌量を変動させ，血清カルシウム濃度は狭い範囲内に維持している．つまり，PTHはカルシウム代謝の鍵となるホルモンである．PTHは腎臓での活性型ビタミンD産生増加やリン再吸収量低下を介して血清リン濃度調整に関与しているが，主に血清リン濃度を調整しているのは線維芽細胞増殖因子23(fibroblast growth factor 23；FGF23)である．FGF23は，PTH同様腎臓でのリンの再吸収を抑制するが，活性型ビタミンD産生は逆に抑制する．

悪性腫瘍に随伴して高カルシウム血症を来すことがある．この原因として，腫瘍細胞から産生される副甲状腺ホルモン関連蛋白(PTH-related protein；PTHrP)が知られている．PTHrPは139，141，173個のアミノ酸からなる3つのアイソフォームが生成され，N末端の13個のアミノ酸がPTHと相同性を有するため，PTHと共通のPTHR1受容体を活性化する．PTHrPは副甲状腺をはじめ，内分泌組織，皮膚，乳腺，骨・軟骨，血管，中枢神経系や胎盤などほぼすべての細胞で産生されており，近傍のPTHR1受容体を介してパラクリン的に作用しているので，PTHが内分泌的に作用するのとは対照的である．細胞内で合成されたPTHrPは変換酵素によりPTHrP(1-36)(N末端PTHrP)，PTHrP(38-94)(中間部PTHrP)，PTHrP(107-139)(C末端PTHrP)の少なくとも3つに断片化され，血中に分泌される．C末端PTHrPは20歳の成長期では高値になり，腎機能の低下で排泄が遅延し，高値を呈する．

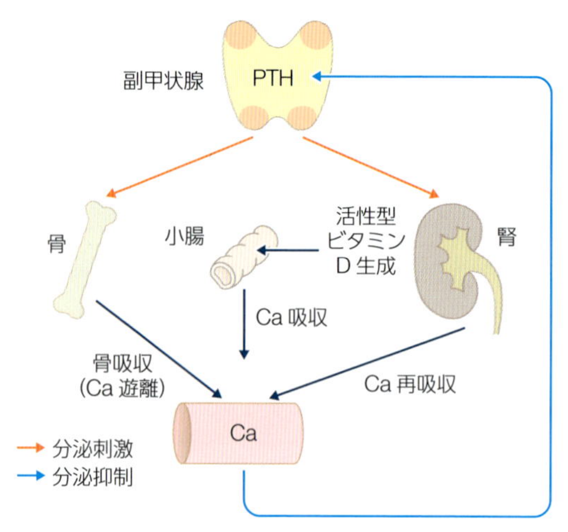


**図12-16　PTHとカルシウム(Ca)代謝の概要**

## B 生理作用

PTHは，破骨細胞に働き，骨吸収を促す(図12-16)．骨はハイドロキシアパタイトでありカルシウムとリンが含有されているため，骨吸収が進むと血中のカルシウムとリンが上昇する．また，PTHは腎にも働き，カルシウムの再吸収(遠位尿細管)を促し，リンの再吸収(近位尿細管)を抑える．さらに，PTHは腎で活性型ビタミンD〔1,25(OH)$_2$D〕の生成を促し，このビタミンDが腸管からのカルシウムとリンの吸収を促す．

**表 12-11 血中カルシウム(Ca)濃度異常を示す疾患の鑑別診断**

| | 血中 Ca | 血中 P | 尿中 Ca | 尿中 P | PTH |
|---|---|---|---|---|---|
| 原発性副甲状腺機能亢進症 | ↑ | ↓ | ↑ | ↑ | ↑ |
| 異所性 PTH 産生腫瘍 | ↑ | ↓ | ↑ | ↑ | ↑ |
| 家族性低 Ca 尿症性高 Ca 血症 | ↑ | ↓ | ↓ | → | ↑ |
| 悪性腫瘍の骨転移 | ↑ | → | ↑ | → | ↓ |
| PTHrP 産生悪性腫瘍 | ↑ | → | ↑ | ↑ | ↓ |
| サルコイドーシス | ↑ | → or ↑ | ↑ | ↓ | ↓ |
| ビタミン D 中毒症 | ↑ | ↑ | ↑ | ↓ | ↓ |
| 副甲状腺機能低下症 | ↓ | ↑ | ↓ | ↓ | ↓ |
| 偽性副甲状腺機能低下症 | ↓ | ↑ | ↓ | ↓ | ↑ |
| 偽性偽性副甲状腺機能低下症 | → | → | → | → | → |
| 慢性腎不全 | ↓ | ↑ | ↓ | ↓ | ↑ |
| ビタミン D 欠乏症，くる病 | ↓ | ↓ | ↓ | ↑ | ↑ |

PTHrP は，多くの正常組織で分泌され，軟骨，毛髪や乳腺の発生，成長期では軟骨細胞の肥大化抑制，平滑筋弛緩，乳腺形成，分娩後の女性では骨から乳汁へのカルシウム移行に関与するなどさまざまな生理作用も有している．健常者の一部や授乳中の女性でも高値を呈することがある．

## C 測定と考え方

血清カルシウム値に異常を認めた際に測定する．病態の推定には血清カルシウムとリンの同時測定，機能評価として活性型ビタミン D，尿中カルシウムとリン，骨代謝マーカー(後述)測定による総合判断も勧められる．PTH と血中・尿中カルシウム，リンの各種疾患での変動を表 12-11 に示した．また，カルシウム代謝においては食事(カルシウム摂取)や投与薬剤(ビタミン D 製剤)の影響も受けることに留意を要する．PTH は夜間に上昇(日内変動)するので，採血時間の一定化に努める．

### 1 副甲状腺ホルモン・副甲状腺ホルモン関連蛋白

以前に用いられていた高感度 PTH の測定原理は，測定の容易な C 末端側や中間部を認識する方法に基づいており，腎機能障害の影響を受けやすい．また，intact PTH は生物活性のある PTH(1-84 アミノ酸の完全分子)を検出していると考えられてきたが，N 末端に対する抗体は 1-34 ではなく 7-34 を認識することが明らかとなり，実際には PTH(1-84)作用と拮抗する PTH(7-84)などの断片も同時に測定してしまい，腎不全では見かけ上高値になる．whole PTH は，N 末端(1-4)に対する抗体を用いて測定されているため，ほぼ PTH(1-84)のみが測定される．これまで intact PTH が広く用いられてきたこともあり，原発性副甲状腺機能亢進症の臨床では intact PTH が標準的に用いられている．実際に，副甲状腺腫瘍除去後の intact PTH の低下をみれば，除去の成否が判定できる．一方，慢性腎不全，特に透析では，whole PTH のほうが続発性副甲状腺機能亢進症の評価に適しているという意見もある．

PTHrP 測定には，C 端部を測定する PTHrP-C と，全長分子を測定する PTHrP がある．正常では，PTHrP-C は血中に分泌される C 末端 PTHrP を測定できるが，PTHrP は血中にはほとんど分泌されないため，測定感度以下である．通常用いられるのは PTHrP である．

### 2 骨代謝マーカー

骨を評価することは，骨粗鬆症や骨腫瘍をはじめとする骨関連疾患の病態を推定したり，治療効果をモニタリングしたりすることに役立つ．骨は，骨芽細胞による形成(新しい骨を造成すること)と破骨細胞による吸収(古い骨を壊すこと)の代謝からなる．この骨代謝を検査で推定できる．大別して骨吸収マーカーと骨形成マーカーがある．原発性副甲状腺機能亢進症では骨回転が亢進しており，骨形成と骨吸収マーカーはいずれも高値を示す．

① **骨吸収マーカー**：破骨細胞に特異的に由来する酵素の酒石酸抵抗性酸性ホスファターゼ(tartrate-resistant acid phosphatase-5b；TRACP-5b)，骨基質のコラーゲン分解産物(破骨細胞由来酵素による分解)のデオキシピリジノリン(deoxypyridinoline；DPD)やⅠ型コラーゲン架橋N-テロペプチド(type Ⅰ collagen cross-linked N-telopeptide；NTx)，Ⅰ型コラーゲンC末端テロペプチド(cross-linked carboxyterminal telopeptide of type Ⅰ collagen；ⅠCTP)，βクロスラプス(β-isomerized C-terminal telopeptide of type Ⅰ collagen；βCTx)が知られる．骨粗鬆症の治療の効果をβCTxで判定することも行われている．

② **骨形成マーカー**：骨芽細胞に由来する酵素の骨型アルカリホスファターゼ(bone specific alkaline phosphatase；BAP)，石灰化調整因子のオステオカルシン(osteocalcin；OC，骨Gla蛋白)，コラーゲン前駆体断片のⅠ型プロコラーゲンN末端プロペプチド(aminoterminal propeptide of type Ⅰ procollagen；PⅠNP)がある．OCが機能するにはビタミンKの作用下でのグルタミン酸残基のGla(γ-カルボキシグルタミン酸)化が必要であるが，ビタミンKの不足下ではOCがGla化されない低カルボキシル化オステオカルシン(undercarboxylated osteocalcin；ucOC)として放出され，血中で高値を示す．骨のビタミンK不足の指標となり，骨粗鬆症でのビタミンK2薬の選択に用いられたり，骨折の発生リスクの検討に用いられたりする．

## D　異常値を示す場合

PTHの高値では，PTH分泌過剰となる場合(原発性副甲状腺機能亢進症，異所性PTH産生腫瘍，家族性低カルシウム尿性高カルシウム血症)，低カルシウム血症による続発性高PTH血症を来す場合(慢性腎不全，ビタミンD不足，偽性副甲状腺機能低下症)がみられる．PTHの低値では，PTH分泌不足となる場合(特発性・続発性副甲状腺機能低下症，副甲状腺形成不全，副甲状腺摘除後)，高カルシウム血症による続発性低PTH血症を来す場合(PTHrP産生腫瘍，多発性骨髄腫や転移性骨悪性腫瘍，ビタミンD中毒症，サルコイドーシス)がみられる．

家族性低カルシウム尿性高カルシウム血症はCaSRの機能喪失型変異による遺伝性疾患で，血中カルシウムイオン濃度を適切に感知できないため，PTH分泌抑制機構がうまく働かず，副甲状腺ホルモン合成分泌が亢進し，軽度の高カルシウム血症となる．原発性副甲状腺機能亢進症では，腎尿細管においてカルシウム再吸収を促進するが，それを上回る量のカルシウムが骨および間接的に腸管から吸収されるため，尿中カルシウム排泄は増加する．一方で，CaSRは尿中カルシウム排泄促進作用も有するため，家族性低カルシウム尿性高カルシウム血症では，尿中カルシウム排泄は通常多くない．

原発性副甲状腺機能亢進症とPTHrP産生腫瘍による高カルシウム血症の鑑別に，①～③のような相違点も参考になる：①PTH高値では尿細管における重炭酸再吸収が低下し，代謝性アシドーシスを示すことが多いのに対して，PTHrP高値では，C末端PTHrP独自の作用で尿細管における重炭酸イオンの再吸収が増加し，代謝性アルカローシスを示す．②PTHrPの活性型ビタミンD産生促進作用が弱く，PTHrP高値では活性型ビタミンD濃度が増加しにくい．③PTHrPは骨形成抑制作用があり，PTHrP高値では骨吸収促進および骨形成低下が顕著となる．

低カルシウム血症でPTH高値，低リン血症や腎不全を認めず，PTH作用不足が疑われる場合，Ellsworth-Howard試験(負荷試験)を行う．Ellsworth-Howard試験は，PTHが腎尿細管に作用して生じる，①尿細管細胞内のcAMP産生増加を反映した尿中cAMP排泄増加，②尿細管でのリン再吸収低下によるリンの尿への排泄増加を指標として用いる．外因性にPTH(100単位)を投与し，1時間ごとに尿中のcAMPとリン排泄量を測定して，腎での受容体を介したPTHの働き(活性)を観察する．活性のない場合に，偽性副甲状腺機能低下症の診断に寄与する．

# 13章 尿・便・分泌液検査



## 1 総論

### A 尿の生成

尿(urine)は腎臓で作られ，尿路を通って体外に排泄される．尿の生成に関与している最小機能単位がネフロン(nephron)で，左右の腎にそれぞれ約 100 万個存在するが，日本人は約 67 万個であり，個人差・人種差が大きい．図 13-1 のように，血漿成分の糸球体基底膜での濾過および尿細管による再吸収と分泌によって尿が作られる．生成された尿は腎盂→尿管→膀胱→尿道を順次通過して体外に出る．

#### 1 糸球体基底膜での濾過

心臓を出た血液(4 L/分程度)は，大動脈から左右の腎動脈に分枝し，両腎に 1 分間に 1 L(血漿成分 600 mL)の割合で流入するが，それは心拍出量の約 25% に相当し，体内の血液全量が腎を通過するのに 4～5 分しかかからない．腎臓の内部に入ると葉間，弓状，小葉間，輸入細動脈を経て糸球体に至り，輸入と輸出細動脈の圧較差を利用して血漿成分の約 20%(糸球体濾過量 120 mL/分)が濾過される．糸球体基底膜のサイズバリアとチャージバリアのため，血球と大部分の血漿蛋白を除く他の血漿成分が基底膜を通過して濾過される．

#### 2 尿細管による再吸収と分泌

糸球体から濾過された原尿中には大部分の血漿蛋白を除いた血漿成分が含まれており，当然ながら体に必要な成分も含まれている．したがって，体に必要な成分(水，電解質，グルコースなど)は

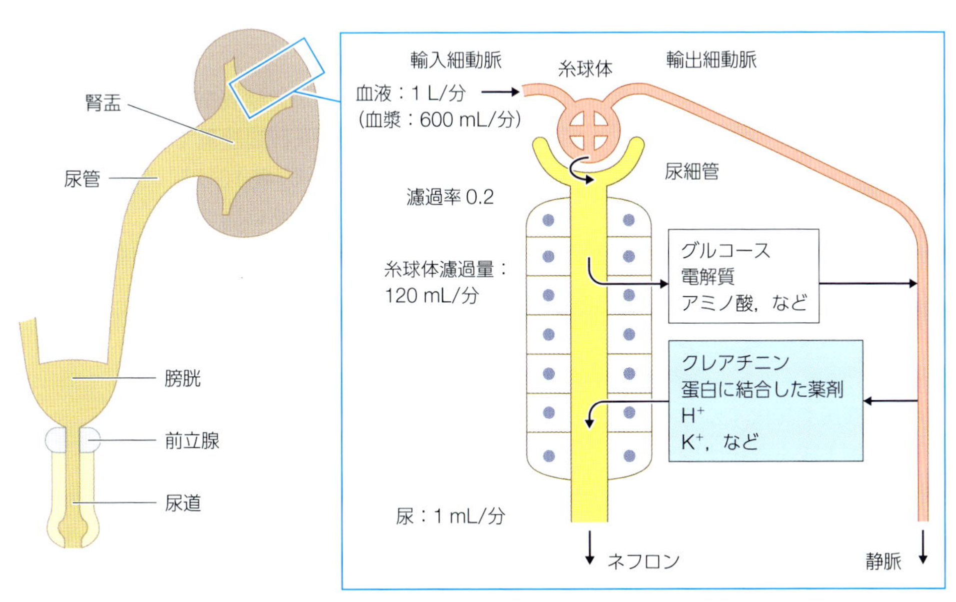


図 13-1 男性の泌尿器とネフロンの模式図(原図・河合)

もとより，尿細管の排泄・再吸収機構に必要な成分(尿素など)が尿細管上皮から再吸収される．

クレアチニン，カリウムイオン($K^+$)，水素イオン($H^+$)，色素，蛋白に結合した薬剤などのように尿細管上皮から尿中に分泌される成分もある．最終的には，主に老廃物を含有し，体内の水(体液)・電解質・酸塩基平衡が一定になるように調整された尿が，1分間に約1 mLの割合で生成される．

### 3 尿路の通過

尿は腎盂から尿管に移行し，下部尿路を通過して体外に排泄される．その途中で，上皮成分が混入したり，外性器からの分泌物が混入する．もし，性器分泌物の混入を避ける必要があるときは，カテーテル尿や膀胱穿刺尿を採取する．

## B 尿のサンプリングと尿検査のピットフォール

### 1 尿の種類

尿のサンプリングは，採尿時期と採尿方法に分類されている(表13-1)．通常外来や職場の定期検診で行う尿検査は，特に指示がなければ随時尿・中間尿が使用される．推奨されているのは安静(基本的に臥位)状態で，食事の影響が少なく，酸性に傾き濃縮されている早朝第1尿・中間尿であるが，膀胱貯留時間が長く，有形成分の崩壊や蛋白の分解が起こりうる．中間尿は，尿道や外陰部の成分(常在菌も含めた)の混入が少ないため多くの検査に適している．尿細菌培養検査を実施するときは，あらかじめ混入を防ぐため外陰部を清拭する必要がある．尿の化学成分の定量検査には日内変動などを考慮すると24時間尿を用いるのが原則となるが，蓄尿は煩雑であり随時尿などのスポット尿を用いて推定することが多くなっている．

尿検査は医療機関で採尿することが多いが，外来の場合，早朝第1尿を評価するなどの事由で自宅採尿を行う場合がある．しかし自宅採尿の場合，時間の経過に伴い尿中の有形成分は容易に崩壊変形し，多くの化学成分も変化してしまうため，検査結果を評価する際は十分な注意が必要である．蓄尿は，保存によって変化する成分の検査には適していない．また蓄尿容器中では細菌が増殖するため，入院の場合は院内感染の原因となることに注意を払うが必要である．

表13-1　尿の種類

| 採尿時期による尿の種類 | |
|---|---|
| **種類** | **使用目的** |
| 早朝第1尿 | 安静時における腎・尿路系の状態の評価 |
| 早朝第2尿 | 比較的活動時における腎・尿路系の状態の評価 |
| 随時尿 | 任意の活動度での腎・尿路系の状態の評価 |
| 負荷後尿 | 運動負荷や体位性負荷，イヌリンクリアランスなど<br>負荷前後の腎・尿路系の状態の評価 |
| 蓄尿(時間尿) | 1日排泄量など定量検査が必要な場合やクレアチニンクリアランスなどの測定が必要な場合 |
| **採尿方法による尿の種類** | |
| **種類** | **使用目的** |
| 自然尿 | |
| 1. 全部尿(全尿) | 蓄尿 |
| 2. 部分尿 | |
| ① 初尿 | 尿道炎など |
| ② 中間尿 | 多くの尿検査，細菌培養検査など |
| ③ 分杯尿 | 尿道炎など |
| カテーテル尿 | 細菌培養検査など |
| 膀胱穿刺尿 | 細菌培養検査など |

### 2 運搬

採尿後速やかに検査室に提出するのが大原則である．排尿後長時間放置すると，尿中の成分が速やかに変化する(表13-2)．どうしても採尿後速やかに検査できない場合には，容器に入れて密閉し，冷蔵庫に保存すれば3〜4時間程度ならば検査結果に大きな変化はない．

## C 尿検査の種類

尿を使って行う検査，いわゆる尿検査(urinalysis)には，一般定性検査，尿沈渣，生化学的定量検査，細菌検査，細胞診の5つがある．そのうち最も高頻度に行われるのが一般定性検査である．

表 13-2 排尿後放置による尿成分の変化

| 項目 | 注意すべき変化 |
|---|---|
| 色調 | ウロビリノゲンがウロビリンに酸化されて濃褐色化 |
| 混濁 | 塩類析出，細菌増殖による混濁増強 |
| 臭気 | 細菌による尿素分解によりアンモニア臭 |
| 比重 | 濃縮により軽度増加 |
| pH | 細菌増殖によりアルカリ性化 |
| グルコース | 分解と細菌増殖により減少・陰性化 |
| 蛋白 | ほぼ変化なし |
| 潜血 | はじめは溶血により軽度増加，その後陰性化 |
| ケトン体 | 揮発により減少・陰性化 |
| ウロビリノゲン | 酸化により減少・陰性化 |
| ビリルビン | 酸化により減少・陰性化 |
| 亜硝酸塩 | 還元促進により減少・陰性化 |
| 白血球 | 破壊により陰性化 |
| 細菌 | 増殖により著しく増加 |
| 尿沈渣 | 細胞成分は破壊され検査不能 |

その理由として，検体採取が容易で患者への負担が少ないこと，検査方法が簡便で大掛かりな設備を必要としないこと，などがあげられている．それにもまして重要なことは，腎尿路系疾患のみならず，多くの全身的疾患においても，疾患の初期から鋭敏に尿検査の異常を示すことが多いためである．

## 1 尿試験紙法が広く普及

1956 年に尿糖検査に試験紙法が採用されてから，現在では pH，比重，蛋白，グルコース，潜血，ケトン体，ビリルビン，ウロビリノゲン，亜硝酸塩，白血球，アスコルビン酸，食塩(クロル)，アルブミン，クレアチニンなどが検査できる(表 13-3)．いろいろな会社から製造・販売されており，同じ項目であっても，反応原理，検出感度，表示濃度が異なることがあるので，日常使用している製品の性質を十分に知って，使用説明書に従って使用する必要がある．日本臨床検査標準協議会(Japanese Committee for Clinical Laboratory Standards；JCCLS)による標準化活動により，2006 年以降の製品については尿蛋白(30 mg/dL)，ブドウ糖(100 mg/dL)，潜血(ヘモグロビン濃度：0.06 mg/dL，赤血球数：約 20 個/μL)の 3 項目の 1+についてはほぼ一定の濃度となった．

表 13-3 尿試験紙法による項目と測定原理

| 項目 | 測定原理 |
|---|---|
| pH | 複合指示薬法 |
| 比重 | 陽イオン抽出法<br>リン酸緩衝液による方法<br>メタクロマジー法 |
| 蛋白 | pH 指示薬の蛋白誤差法 |
| グルコース(ブドウ糖) | ブドウ糖酸化酵素法 |
| 潜血 | ヘモグロビンのペルオキシダーゼ様反応 |
| ケトン体 | ニトロプルシド Na 法<br>ランゲ反応の応用 |
| ビリルビン | ジアゾカップリング法 |
| ウロビリノゲン | Ehrlich アルデヒド法<br>ジアゾカップリング法 |
| 亜硝酸塩 | Griess 反応 |
| 白血球 | エステラーゼ活性検出 |
| アスコルビン酸 | インドフェノール法 |
| 食塩(クロル) | 塩化銀法 |
| アルブミン | 指示薬の蛋白誤差反応<br>色素結合法 |
| クレアチニン | 銅-クレアチニン結合体のペルオキシダーゼ様反応<br>キレート結合法 |

尿蛋白，尿糖，尿妊娠反応検査については，一般検査(over the counter；OTC)薬として広く市販されており，患者自身で検査結果を持ってくる場合があるので，結果の乖離した場合には十分に納得するような説明が必要になる．厚生労働省の尿蛋白，尿糖一般検査薬についての製造基準を表 13-4，5 に示した．

## 2 尿試験紙の使い方

製品によって使い方は若干異なるが，基本的には次のように使用する．①尿をよく撹拌する．②尿に試験紙部分を完全に浸し，ただちに引き上げる．③試験紙に着いた余分な尿を，尿容器の縁などで取り除く．④試薬流出による他判定部位への汚染を避けるため，試験紙を水平に保ちながら，1,000 ルクス程度の明るい場所で，判定時間を守って試験紙の呈色度合いを色調表で比色判定する．

判定は目視判定と自動機器による読み取りで判定する方法がある．目視判定は習熟を要し，個人内，個人間のばらつきを少なくするのは，現実的には難しい．そのため，できるかぎり尿分析機器

**表13-4 一般検査薬としての尿蛋白試験紙の判定と説明の例示**（厚生労働省による）

| 各社が設定する色調表の数値 | 判定 | 説明（表現は各社統一とするが同等の表現可） |
|---|---|---|
| <30 mg/dL | 今回の検査ではほとんど尿蛋白は検出されませんでした | 採尿の時間（運動後）や薬剤の服用などが検査値に影響することがあります．早朝尿（起床時直後）でもう一度検査することをおすすめします |
| 30 mg/dL≦，<100 mg/dL | 今回の検査では少し尿蛋白が検出されました | 早朝尿（起床直後）でもう一度検査し，2つの検査結果の記録を持って医師にご相談ください |
| 100 mg/dL≦ | 今回の検査では多めの尿蛋白が検出されました | |

**表13-5 一般検査薬としての尿糖試験紙の判定と説明の例示**（厚生労働省による）

| 各社が設定する色調表の数値 | 判定 | 説明（表現は各社統一とするが同等の表現可） |
|---|---|---|
| <100 mg/dL | 今回の検査ではほとんど尿糖は検出されませんでした | 採尿の時間（食事の前後）や薬剤の服用などが検査値に影響することがあります．食後（1～2時間）にもう一度検査することをおすすめします |
| 100 mg/dL≦，<150 mg/dL | 今回の検査では少し尿糖が検出されました | 食後（1～2時間）にもう一度検査し，2つの検査結果の記録を持って医師にご相談ください |
| 150 mg/dL≦ | 今回の検査では多めの尿糖が検出されました | |

で測定することが望ましい．

### 3 試験紙の保存方法

試験紙は湿気，直射日光および熱を避けて密封した状態で保存する．試験紙は吸湿すると試薬間の反応が起こり，高温や光によっても変質して感度が低下する．そのため，試験紙は使用直前に取り出しただちに密栓する，保存する容器には乾燥剤を入れる，結露するため冷蔵保存はしない，有効期限を守るなどの注意が必要である．多数の試験紙が同一の容器に保存されている場合，開封後は特に劣化しやすいのでコントロール尿での反応感度を確認するようにする．

## 2 尿の観察

尿は一般的には患者自身で採取するが，介助を必要とする患者については医療介助者が採取することが多い．そのため，特に医師は尿について自ら排尿状態や尿の外観の確認を怠りがちである．しかし，主治医は，看護師による報告または看護日誌を参考にするだけではなく，担当する患者の排尿状態（urination）を聴取し尿の外観を肉眼的に確認するよう努める．

### A 排尿状態

排尿の頻度，排尿障害の有無などを確認する．通常より排尿回数が多い場合を頻尿と呼び，膀胱粘膜の刺激（急性膀胱炎など），膀胱容量の減少（機能的：前立腺肥大など，器質的：間質性膀胱炎など）や排尿反射の亢進（痙性神経因性膀胱など）などでみられるが，必ずしも尿量増加を伴うわけではないので，尿量（後述）を確認する．

泌尿器科的疾患では，排尿状態を詳しく知ることにより前立腺肥大または前立腺癌の診断に多くの重要な情報が得られる．詳しくは，泌尿器科学書を参照のこと．

### B 尿の外観

#### 1 尿臭

食事（例えば，アスパラガスなど）や服薬（例えば，ビタミン$B_1$など）によって特有のにおいを発するが，一般的にはわずかな香りをもっている．尿路感染症の場合，採尿後放置された尿では，細菌によって尿素が分解され，アンモニアが生じるため，強いアンモニア臭を発する．

表 13-6 尿の色調とその原因

| 色調 | 病的意義のある場合 | 服用薬物による場合 |
|---|---|---|
| ほぼ無色 | 多尿，低比重尿(尿崩症，萎縮腎，糖尿病) | |
| 黄褐色 | ビリルビン尿(泡の着色に注意)<br>ウロビリン尿(肝疾患，溶血性疾患)<br>濃縮尿(熱性疾患，脱水症) | ニトロフラン類，カスカラサグラダ，スルホンアミドなど |
| 赤色尿*1 | 血尿，ヘモグロビン尿，ミオグロビン尿，ポルフィリン尿*2 | 酸性尿で発色：アンチピリン，サルファ剤，アミノピリン，など<br>アルカリ尿で発色：大黄，センナ，フェニトイン，フェノールスルホンフタレインなど |
| 黄色尿 | 胆汁色素 | ビタミン $B_2$(蛍光を発する)，ビタミン $B_{12}$ |
| 黒色尿 | メトヘモグロビン尿，アルカプトン尿，メラニン尿(メラノーマ) | L-ドーパ，ナフトール類，フェノール類，ピロガロールなど |
| 緑色尿 | ビリベルジン尿，細菌尿(特に緑膿菌など) | インドシアニングリーン，フェノール類，ピロガロールなど |
| 青色尿 | 特になし | エバンスブルー，メチレンブルー，インジゴカルミン，ニトロフラン類 |
| 乳白色 | 膿尿，乳び尿 | |

*1 ⑤ **尿潜血と血尿**，240 頁を参照.
*2 稀なポルフィリン・ヘム合成系の先天性異常であるポルフィリン症で認められるが，成書を参照のこと.

## 2 尿混濁

⑪ **尿亜硝酸塩と白血球反応**，257 頁を参照.

## 3 尿の色調

正常尿は濃縮の程度によって淡黄色から淡褐色を呈するが，その色は主として排泄された胆汁色素またはその分解産物による．尿の希釈や濃縮，薬物，細菌の酵素による変化などによる病的意義に乏しい場合と，表 13-6 に示すようなさまざまな病的着色尿もあり，診断上重要な意義を有している場合がある．

# C 尿量

## 1 調節メカニズム

③ **尿比重と尿浸透圧**，次頁も参照.

正常な腎機能を有する成人は最大 1,200 mOsm/kg・$H_2O$ まで尿濃縮力をもっている．体重 60 kg の成人では，代謝の結果として 1 日約 600 mOsm の溶質が体外に排泄される必要があり(溶質負荷)，そのためには最大濃縮力を発揮したとして最低 500 mL の尿量(urine volume)を確保する必要がある．つまり，正常では尿量が 400～500 mL 以下に低下すると溶質の排泄が不十分となり，蓄積するようになる．仮に尿濃縮機能が低下して等張(血球と蛋白成分を除いた血清浸透圧に相当し，比重として 1.010)を維持したまま溶質負荷を排泄するためには最低 2,000 mL の尿量が必要となる．尿濃縮を調節しているのは主として腎髄質組織の連続的浸透圧勾配と抗利尿ホルモン(antidiuretic hormone；ADH)である．

## 2 基準範囲

留置カテーテルによる採尿では正確な尿量が得られるが，患者自身による蓄尿ではすべての尿を採取するように説明する必要がある．特に，排便時自覚的には少量と思い込んで，つい蓄尿しないことが多いので注意する．やむを得ない場合には，1 日のクレアチニン総排泄量がほぼ一定していることから，クレアチニン濃度を測定し，クレアチニン 1 g 当たりの尿量で判断することがある．

尿量は飲食物の摂取や不感蒸泄，発汗などによって大きく影響されるが，通常の生活環境下では 1 日 800～1,600 mL と考えてよい．

## 3 減少する場合

1 日約 100 mL 以下は無尿(anuria)，1 日約 400 mL 以下は乏尿(oliguria)と呼ばれる．腎後性無尿・乏尿を尿閉(ischuria)と呼び，尿道または両側尿管閉塞(結石，炎症，腫瘍，前立腺肥大など)により起こる．

乏尿は，腎前性乏尿，腎性乏尿，腎後性乏尿に分けられる．腎性乏尿は，重篤な腎実質性障害(腎皮質壊死，ネフローゼ症候群など)で認められる．腎前性乏尿は，全身性の循環不全(脱水症，出血，心筋梗塞など)，腎局所性の循環不全(腎動・静脈血栓症，薬物などによる腎循環自己調節機能障害など)で認められる．

無尿を乏尿と区別して扱う理由は，無尿が両側尿管・尿道の完全閉塞，高度の虚血による腎皮質壊死など特殊な場合に限られ，乏尿の原因鑑別の参考となるからである．また，無尿に近い状態のときは血清クレアチニン値の上昇が2.5 mg/dL/日(0.1 mg/dL/時)以上であり，早期に対処する必要がある．

### 4 増加する場合

1日3L以上の多尿(polyuria)には，尿浸透圧により300 mOsm/kg・$H_2O$以上の溶質利尿と，300 mOsm/kg・$H_2O$(尿比重1.005)以下の水利尿に大きく分けられる．1日10Lを超える高度の多尿の場合は，中枢性尿崩症，心因性多尿症および腎性尿崩症が考えられる．

溶質利尿による多尿は，糖尿病(多量のブドウ糖の存在)，マンニトールなどの浸透圧利尿薬点滴，慢性腎不全，利尿薬投与などで認められる．

水利尿による多尿は，①ADHに反応する場合(中枢性尿崩症，頭部外傷，脳炎，髄膜炎，心因性多尿症，低張性輸液など)，および②ADHに反応しない場合(腎性尿崩症など)がある．

# 3 尿比重と尿浸透圧

## A 尿比重と尿浸透圧の違い

両者はいずれも尿中に排泄されている溶質の量を反映している．しかし，尿浸透圧は溶質の分子数によって左右されるのに対して，尿比重は溶質分子数のみならず，それらの性状によっても影響される．例えば，蛋白や造影剤のような高分子物質では浸透圧に対してあまり影響しないが，比重には著しい影響を及ぼす．したがって，尿比重と尿浸透圧の間には厳密な意味での相関性はない．尿比重は簡単でどこの検査室でも測定しうる利点はあるが，尿浸透圧のほうがより適切に腎機能を反映すると考えてよい．

## B 検査法

### 1 尿比重測定(urine specific gravity)

尿屈折計(refractometer)を使う方法と試験紙法とがある．元来，尿比重計を使っていたが，現在ではほとんど使用されない．屈折計は，尿屈折率が尿比重とほぼ比例することを利用して，ノモグラムにより，屈折率との対応から尿比重が求められる．食塩や尿素では比重と屈折率に及ぼす度合が異なり，尿組成の個人差が大きいため，尿屈折計と比重計による測定値にかなりの乖離がみられることが少なくない．そのため，日本臨床検査医学会が国内での統一基準化をはかるため，1979年に日本臨床病理学会ノモグラムを発表した．

現在は，尿試験紙法(比色法)が普及している．試験紙には高分子電解質(メトキシエチレン無水マレイン酸共重合体)とpH指示薬(ブロムチモールブルー)が含まれており，尿中イオン濃度に対応し高分子電解質から水素イオンが放出される．その結果，主として尿中電解質濃度に比例して青色から緑色を経て黄色に変化し，1.000から1.030まで0.005の幅で7段階に比色提示される．ただし，尿比重の重要な成分である尿素がイオン化しないため測定されないなどの問題がある．

尿比重は15℃の規定温度に補正して表現することになっている．15℃を基準としておおよそ3℃ごとに0.001増減させればよいとされている．

### 2 尿浸透圧測定(urine osmotic pressure；$U_{Osm}$)

浸透圧計(氷点降下法)が広く実施されている．水溶液の氷点(凍り始める温度)は水溶液のモル濃度に比例して低下し，1 mOsm/kgの水溶液は純水1 kgの氷点を1.858℃降下させる．そのため，浸透圧の単位はmOsm/kg・$H_2O$が用いられることが多い．

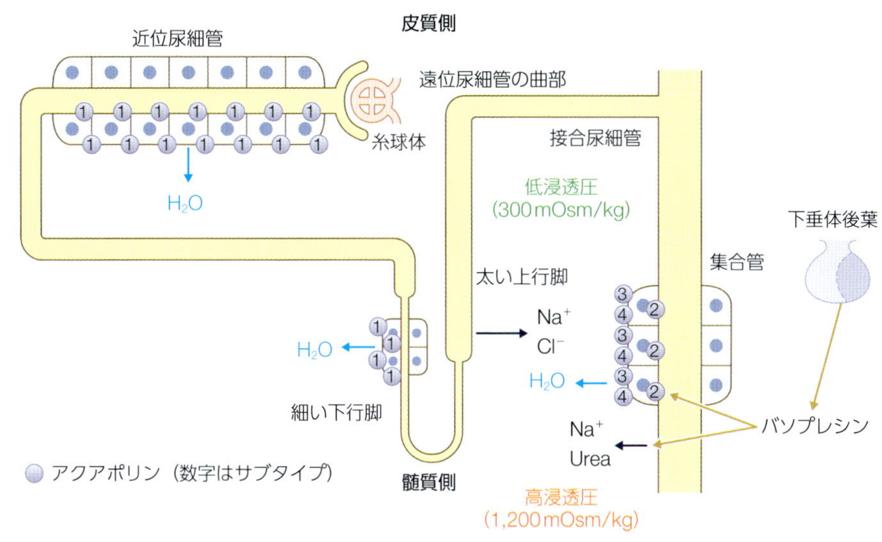


図 13-2 腎臓での尿濃縮機構



## C 尿濃縮の起こり方

血清比重の基準範囲は 1.024～1.029 で，血清蛋白成分を除くと約 1.010 程度となり，血清浸透圧の基準範囲は 275～290 mOsm/kg である．糸球体では血球と大部分の血漿蛋白を除く他の血漿成分が基底膜を通過して濾過されるため，糸球体濾液の比重は，1.010，浸透圧は約 285 mOsm/kg となる．

血清浸透圧のほとんどは $Na^+$, $K^+$, $Cl^-$, $HCO_3^-$, リン酸塩などによる電解質によるもので，尿素やブドウ糖は約 10 mOsm/kg，蛋白質はわずかに 2 mOsm/kg にすぎない．血清浸透圧（Posm）は，以下の式で簡易的に計算できる．

$$血清浸透圧 = 2\times[\mathrm{Na\,(mmol/L)}] + \frac{グルコース\mathrm{(mg/dL)}}{18} + \frac{尿素窒素\mathrm{(mg/dL)}}{2.8}$$

尿の濃縮には ADH と腎髄質の浸透圧勾配が必要である．糸球体濾液の水の約 80～90% は近位尿細管および細い下行脚でほぼ等張性に再吸収され，ほとんど尿の濃縮も希釈も起こらない（等張性再吸収）．残りの約 10～20% は下垂体後葉ホルモンの一つである ADH（バソプレシン）の制御を受けて，選択的に集合管で水が再吸収される（図 13-2）．水の再吸収には，アクアポリン（aquaporin；AQP）という水だけを透過させる膜蛋白が重要な役割を果たす．近位尿細管から細い下行脚では常に尿細管の内腔側と血管側に AQP1 が発現しているため，水は容易に再吸収される．上行脚，遠位尿細管の曲部，接合尿細管では水は再吸収できず，最終的に集合管で再吸収される．集合管では，常に血管側に AQP3 と AQP4 が発現しているが，内腔側の AQP2 の発現は ADH に依存している．太い上行脚からの $Na^+$ と $Cl^-$ の再吸収と ADH により促進される集合管での $Na^+$ と尿素（Urea）の再吸収により，腎髄質の浸透圧勾配が形成される．水分不足状態では血漿浸透圧が上昇し，ADH 分泌が増加する．集合管内腔側の AQP2 発現増加により水透過性が増加し，最終尿の浸透圧は 1,200 mOsm/kg 程度までに高くなる．このように，尿濃縮に影響する因子としては，腎髄質の高浸透圧性，ADH の分泌，集合管の ADH 反応性がある．

## D 随時尿検査でわかること

上記のように，尿の比重および浸透圧は生理的な水分摂取量によって大きく変動するので，随時尿 1 回のみの測定値によって病的状態を推定することは困難な場合が多い．しかし，次の場合には意味がある．

**表 13-7　日本人健常者の尿濃縮機能** (単位：mOsm/kg)

| | 男性 | | 女性 |
|---|---|---|---|
| | 夏季 | 冬季 | |
| 第1尿 | 1,108.2±82.4 | 982.8±102.4 | 911.8±172.5 |
| 第2尿 | 1,342.7±100.3 | 943.2±92.9 | 1,000.0±124.2 |
| 第3尿 | 1,349.3±101.9 | 940.2±96.3 | 941.3±144.2 |

〔日大・慈大・東大例から引用〕

### 1 一回尿で比重が 1.025 以上 1.030 未満

温度，蛋白量，グルコース量で補正しても 1.025 以上(浸透圧にして約 850 mOsm/kg 以上)ならば尿濃縮力は正常であろう．

### 2 一回尿の著しい高比重(1.030 以上)

脱水症，異常物質の混入(蛋白質，糖，造影剤など)，測定の誤り，などを考える．

### 3 一回尿の著しい低比重(1.005 以下)

水分過剰摂取，利尿薬の投与，腎性尿崩症，中枢性尿崩症を考える．

### 4 繰り返し 1.010 前後に固定している場合(等張尿)

蛋白や糖について補正した後 1.010 前後(浸透圧にして 290 mOsm/kg 程度)を持続する場合，等張尿(isosthenuria)では腎機能低下の末期状態を考える．

### 5 多尿の鑑別

尿浸透圧と血漿浸透圧を比較する．尿浸透圧＞血漿浸透圧であれば溶質利尿，尿浸透圧＜血漿浸透圧であれば水利尿を考える(❷ C 4，234 頁も参照)．

溶質利尿であれば，負荷になっている溶質を推定するため尿中電解質検査を行う．尿の溶質は，電解質と尿素でほぼ半分ずつより構成され，以下の関係が成り立つ．

$$\text{尿浸透圧} = 2\times〔\text{尿 Na(mmol/L)}+\text{尿 K(mmol/L)}〕+\frac{\text{UN(mg/dL)}}{2.8}$$

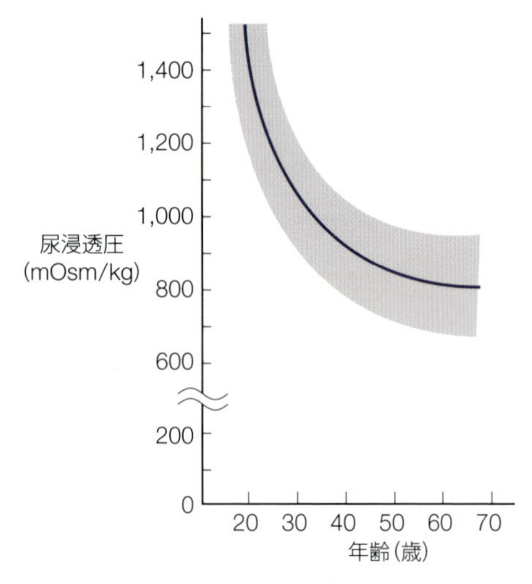


**図 13-3　年齢による尿浸透圧の低下**

紫色部分は変動幅を示す．

そこで，2(尿 Na＋尿 K)/尿浸透圧が 0.6 以上であれば Na の過剰負荷，0.4 以下では尿素の過剰負荷が考えられる．そのため，患者に減塩と低蛋白食を勧める．尿素(UN/2.8/尿浸透圧)も 0.4 以下であれば，その他の溶質負荷を考える．

## E 尿濃縮試験

日本人健康成人の基準範囲は表 13-7 のとおりで，男性は女性より 30% 程度高い．高齢になるに従って 60〜70% まで低下する(図 13-3)．夏に比して冬で 30% 程度低めに出るという．

尿濃縮試験(urine concentration test)は，水分制限することで尿をどれだけ濃縮できるかを調べる検査である．つまり水分制限によって内因性に ADH 分泌を増加させ，腎の尿濃縮機構の反応性を検査しようとするものである．ただし，本試験は特に腎不全，尿崩症などでは脱水を来す危険性があり，現在はほとんど行われない．

### 1 飲水制限試験

多尿の鑑別で，水利尿が疑われる場合，心因性多飲症か否かを鑑別する．体重の 3〜5% 減を目標として，ただし脱水に注意しながら 7〜12 時間水制限を行う．心因性多飲症では尿が濃縮されて，尿浸透圧/血漿浸透圧＞2 となる．一方，尿

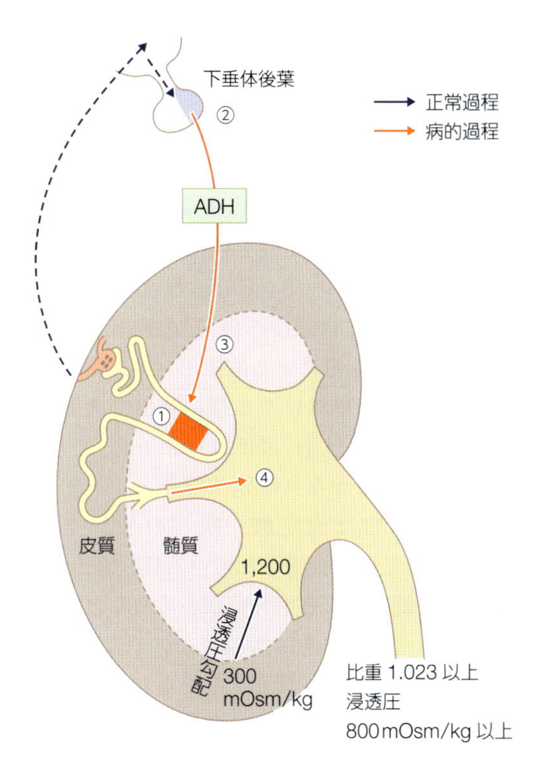


**図 13-4 尿濃縮機構と病態**(原図・河合)

① 腎実質障害(特に腎髄質機能障害), ② 尿崩症, ③ 腎性尿崩症, ④ 浸透圧性利尿, 夜間多尿

崩症では尿濃縮は起こらず尿浸透圧/血漿浸透圧 <2 となる.

水制限後にバソプレシン負荷(水溶性ピトレシン 5 単位皮下注後, 30 分ごとに 2 時間採尿)を行うと, 中枢性尿崩症では尿浸透圧が 50% 以上上昇するのに対して, 腎性尿崩症では尿浸透圧の変化がないとされている.

### 2 Fishberg 濃縮試験

前日昼食後, 水を制限し, 夕食は乾燥食として以後試験終了まではいっさいの飲食を禁止する. 就寝前に完全排尿し, 翌朝 6 時頃第 1 尿を採取し, 以後 1 時間ごとに 2 回採尿する. 温度, 蛋白, 糖の補正を行った尿比重が 1 回でも 1.025 以上を超えているまたは尿浸透圧で 850 mOsm/kg 以上まで上昇したら尿濃縮力は正常とみなしてよい. しかし, 成人男子では 900 mOsm/kg 以上とするほうがよいといわれており, また高齢者では 700 mOsm/kg までは正常と考えてよい. 3 検体とも尿比重が 1.020(尿浸透圧 700 mOsm/kg)以下の場合は尿濃縮力の低下と判断する.

### 3 尿濃縮試験で低値を示す場合

① **腎実質障害**(図 13-4 の①): 腎実質を広範に障害する慢性糸球体腎炎, 腎髄質を主として障害する腎盂腎炎, 水腎症, 嚢胞腎などでは尿濃縮力が低下する.

② **尿崩症**(図 13-4 の②): 下垂体後葉からの ADH 分泌が不足し, ADH による抗利尿作用が低下し, 尿量が増加する.

③ **腎性尿崩症**(図 13-4 の③): 下垂体後葉からの ADH 分泌はあるが, 尿細管上皮の機能異常があって, ADH に反応しないために生じる.

④ **その他**(図 13-4 の④): 心不全によって夜間の多尿がある場合, 浮腫の減退期, 糖尿病などで浸透圧性利尿がある場合にも低値を示す.

## 4 尿 pH (尿水素イオン濃度)

### A 検査法

尿 pH を測定するには, 一般的には試験紙法が使用されており, 正確な結果を得る場合には $H^+$(水素イオン)濃度を pH メーターにより電気的に測定する. 試験紙法ではブロムチモールブルーとメチルレッドを混合して試験紙に滲み込ませてあるので, 幅広い範囲にわたって pH(5～9)を測定することができる. 試験紙を被検尿につけて一定時間(30～60 秒程度)の後に判定表の色調と比較する.

### B 体内における水素イオンの動態

健康人の尿は非常に広い範囲内を変動し, 食物や運動などの生活習慣により pH にして 5～8.5 くらいまでのさまざまな数値を呈しうる. 睡眠中は, 肺換気が低下するために二酸化炭素($CO_2$)が蓄積されて, 尿は酸性に傾く. 食物から $H^+$ そのものはほとんど体内に移行しないため，体内の$H^+$のほとんどすべては栄養素の代謝の結果生じる．糖質や脂質は完全に代謝されると，水と$CO_2$になる．このようにして産生される炭酸ガスは約500 gにも達し，濃塩酸に換算して1 Lにも相当する．他方，蛋白代謝により蛋白分子に含まれる硫黄(S)やリン(P)は酸化されて最終的には硫酸，リン酸となり，糖代謝によって乳酸，ピルビン酸などの有機酸が生じる．これらの細胞代謝による酸の1日産生量は1 mEq/kg/日であり，量的には$CO_2$の1/100にすぎない．

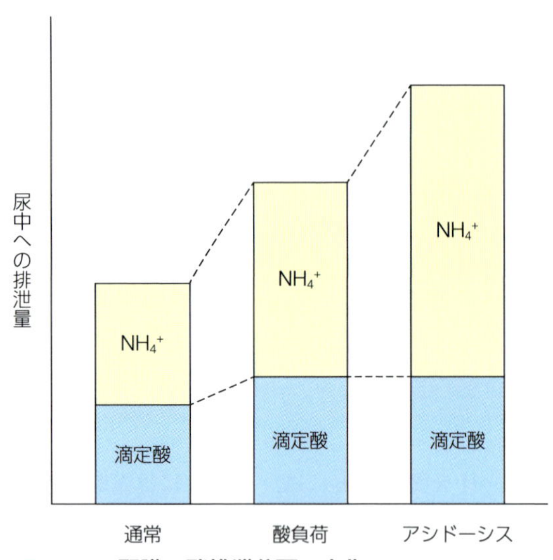


**図13-5　腎臓の酸排泄分画の変化**
酸負荷に応じてアンモニアの尿排泄は増加する．

組織で産生された$CO_2$は，75%が重炭酸塩として，5%が血液に溶解し，20%は蛋白質とカルバミノ結合を作って肺に運ばれる．肺で1日に13,000 mmolもの$CO_2$が呼吸を通じて大気へ排泄される．また，通常状態では硫酸，リン酸，有機酸は$CO_2$と違って揮発性ではない(不揮発性酸)ため，腎臓から60～70 mEq/日程度尿中に排泄される．具体的には尿中への$H^+$の排泄，リン酸イオンなどの滴定酸による酸排出，アンモニウムイオン($NH_4^+$)の排出による酸の排出である．尿pH 4.5のときでさえ$H^+$濃度は$<$0.1 mEqであり，$H^+$の排泄能力はかなり限定的である．通常状態では，1/3～1/2は滴定酸，残りの1/2～2/3は$NH_4^+$によって酸が排泄されている(図13-5)．肉類などの過剰摂取など酸負荷が多くなると，ある程度まで滴定酸の排泄は増加するが，滴定酸は酸排出能力からすると影響が少なくなり，腎臓からの酸排泄増加のほとんどは$NH_4^+$の排泄が行うようになる(図13-5)．つまり，滴定酸はその量は一定であるが，近位尿細管でのグルタミンからアンモニア($NH_3$)への変換を増加させることにより，酸排出能を増強させることができる．$NH_4^+$は太い上行脚で吸収されたのち集合管で分泌され，アンモニウム塩を形成して尿中に排泄される(図13-6)．集合管における$H^+$の排泄は，アルドステロンによる$Na^+$の再吸収が関与している．

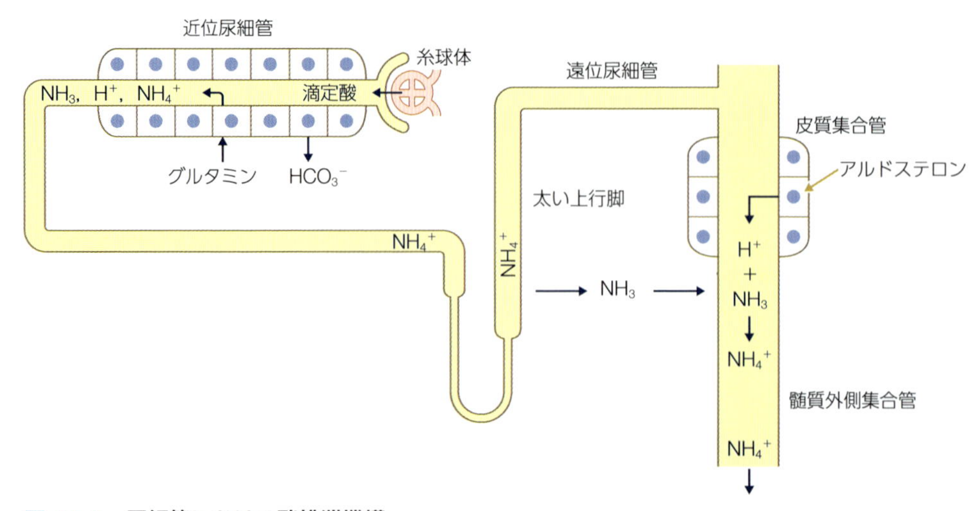


**図13-6　尿細管における酸排泄機構**

## C 低下する場合(酸性尿)

### 1 代謝性・呼吸性アシドーシス

腎臓の尿細管機能が正常な状態での代謝性アシドーシス，つまり体内において酸の産生が病的に亢進している場合と，肺換気が低下し，$CO_2$ の排泄が十分でなく，体内に蓄積する結果，炭酸つまり $H^+$ が増加する呼吸性アシドーシスの場合，尿中への $H^+$ 排泄が代償的に増加し，酸性尿(aciduria)となる．酸の産生が亢進する病態として，ショックなどで嫌気性代謝となり乳酸の産生が増加する乳酸アシドーシス，糖尿病，大量のアルコールや飢餓などによりケトン体が増加するケトアシドーシスなどがある．

### 2 酸性食品摂取

肉類などの過剰摂取による有機酸の増加．

### 3 薬剤の摂取・投与

塩化アンモニウム，酸性リン酸ナトリウム，アルギニン塩酸塩，馬尿酸などの投与．

## D 上昇する場合(アルカリ尿)

### 1 代謝性・呼吸性アルカローシス

細胞外液の $H^+$ が，細胞内または体外への喪失または $HCO_3^-$ の増加により相対的に減少する代謝性アルカローシスと，過換気により $CO_2$ が必要以上に排泄される結果，$Pa_{CO_2}$ の低下，炭酸の減少，したがって $H^+$ が減少する呼吸性アルカローシスがある．いずれの場合も $H^+$ の尿中排泄が減少し，アルカリ尿(alkaluria, alkalinuria)となる．

### 2 尿路の細菌感染症

細菌，特に変形菌などは尿中の尿素を分解し，$NH_3$ を産生するためアルカリ性に傾く．

### 3 長時間放置した尿

汚染した細菌が増殖し尿素を分解し，$NH_3$ を生成するためにアルカリ性となる．したがって，新鮮尿を用いて検査することが絶対に必要である．

### 4 アルカリ性食品摂取

野菜や果物などの過剰摂取．

### 5 薬剤の摂取・投与

重炭酸ナトリウム，クエン酸ナトリウムやクエン酸カリウムなどの投与．

## E 尿細管性アシドーシス

尿細管性アシドーシス(renal tubular acidosis；RTA)は，尿細管機能異常によって引き起こされるアシドーシスであり，酸の排泄障害による遠位型(Ⅰ型)，低アルドステロン症(Ⅳ型)と $HCO_3^-$ の再吸収障害による近位型(Ⅱ型)に分類される．広義には慢性腎臓病における近位尿細管障害による $NH_3$ 産生障害も含まれる．

酸の排泄障害，つまり $NH_4^+$ の排泄障害であり，尿中 $NH_4^+$ 排泄が低下する．尿中 $NH_4^+$ は尿アニオンギャップ(尿 Na＋尿 K－尿 Cl)で間接的に推定することが可能性である．アシドーシスを認める際に，例えば下痢による代謝性アシドーシスでは，尿中 $NH_4^+$ 排泄が増加し(図 13-7 の①)，尿アニオンギャップが負になるが，一方，酸排泄障害があると代謝性アシドーシスであっても尿中 $NH_4^+$ が増加せず(図 13-7 の③④)尿中アニオンギャップは正となる．Ⅰ型 RTA は，代謝性アシドーシスであっても尿 pH>5.3 が持続する(図 13-7 の③)．代謝性アシドーシスを合併しない不完全型尿細管性アシドーシスが疑われる，つまりリン酸カルシウム結石による尿管結石を繰り返しているが代謝性アシドーシスを認めない場合は，塩化アンモニウム負荷試験を施行する必要がある．Ⅱ型 RTA は，尿 pH は血漿重炭酸イオン濃度に依存しており，初期で血漿重炭酸イオン濃度が比較的保たれている場合，尿細管での重炭酸イオンの再吸収閾値を超えているため尿 pH>7.0 となるが，末期または酸負荷(塩化アンモニウム 0.1 g/kg 体重)で血漿重炭酸イオン濃度が低下した場合，尿細管での重炭酸イオンの再吸収閾値を超えないため尿 pH<5.3 となる[1)](図 13-7 の②)．

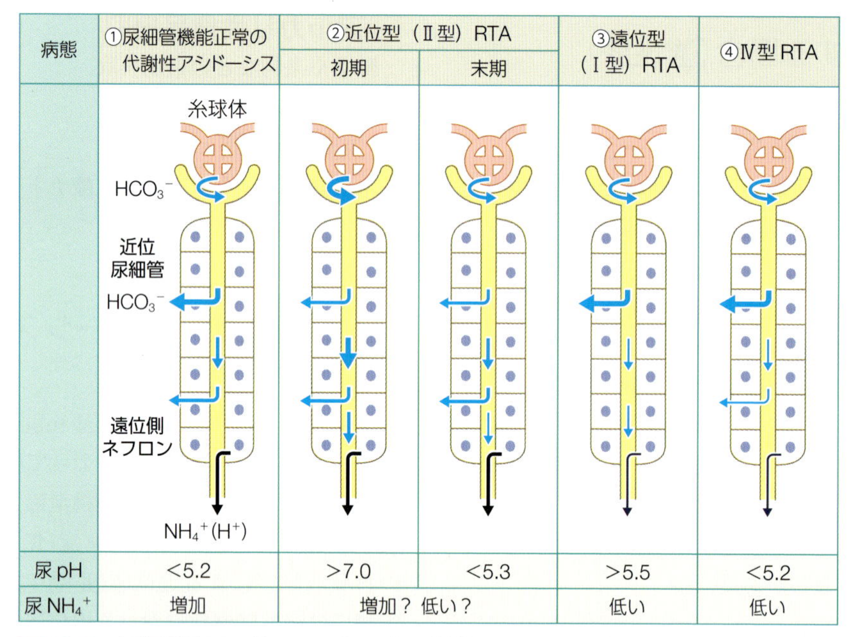


**図 13-7　尿細管性アシドーシス（RTA）の病態と尿 pH の関係**

尿細管機能が正常であれば，近位尿細管および遠位側ネフロンにおける $HCO_3^-$（青矢印）の再吸収により尿中重炭酸イオン排泄はほとんどなく，遠位側ネフロンでの $NH_4^+$（黒矢印）の排泄が増加するため尿 pH は酸性に傾く（①）．近位型 RTA は遠位側ネフロン機能は保たれており，糸球体で濾過される $HCO_3^-$ で尿中 pH が異なる（②）．遠位型 RTA は，遠位側ネフロンの $NH_4^+$ に加えて $HCO_3^-$ の再吸収が障害されており，尿 pH はアルカリ側となる（③）．Ⅳ型 RTA は，$NH_4^+$ 産生障害が主因であり，遠位側ネフロンの $HCO_3^-$ の再吸収は比較的保たれているため，尿 pH は酸性に傾く（④）．

## F　臨床的意義

尿 pH は健康人でもいろいろな因子によって幅広く変動するので，ただ 1 回の検査ではなく，繰り返し検査を実施して持続的にアルカリ性または酸性に強く傾いていることを確かめなければならない．また，尿 pH のみの検査成績では多くのことをいえないので，関連した医学情報（問診，診察によるものも含めて）と合わせて判断する必要がある．

治療の指標として，次のようにある一定の pH の維持が必要な場合には尿 pH の測定は極めて重要である．

### 1 尿を常にアルカリ性にしておく場合

・酸性尿を伴う尿路結石の治療（シュウ酸 Ca，尿酸，シスチンによる結石）
・尿路感染症のためストレプトマイシンの投与時（アルカリ性でのみ有効）
・輸血時（アルカリ性でヘモグロビンがより溶けやすい）

### 2 尿を常に酸性にしておく場合

・アルカリ尿を伴う尿路結石の治療（リン酸 Ca，炭酸 Ca，リン酸 Mg アンモニウム結石）
・尿素分解菌（変形菌など）による尿路感染症の治療

# 5　尿潜血と血尿

## A　血尿の検査法の長所と短所

### 1 肉眼的観察

尿に大量の血液が混入し，赤色やコーラ色などを呈する状態を肉眼的血尿と呼んでいる．時間が経過すると赤血球は沈降し，管底に血球層を認めることができる．肉眼的に血尿を認めうるためには，およそ尿1,000に対して血液が1の割合で混入していることが必要である．

### 2 顕微鏡的観察

鏡検によって赤血球の混入を確認すれば診断は確実となる．肉眼的には血尿とわからないほどの軽い血尿でも確認でき，このような状態を顕微鏡的血尿と呼んでいる．正常男性でも尿1 mL中に約1,000個程度の赤血球が含まれており，顕微鏡的には400倍強拡大数視野に1個程度の所見に相当し，多くても毎視野4個までである．血尿の基準は世界的に，顕微鏡下で毎視野5個(5/high power field；HPF, 400倍)以上とすることが多い．

本法の欠点としては，時に白血球，結晶，気泡などを赤血球と誤認することである．また，検体採取，沈渣標本の作製から鏡検までに時間がかかり，尿検体の状態によって溶血すると赤血球の存在を確認できない．さらに規定の遠心力(500 G, 5分)では沈渣成分にならない上清中の浮遊赤血球は，カウントできない．多くの尿検体では，実際より少なめに判定される傾向がある．しかし，遠心の必要がなく，標本作製の必要のないフローサイトメトリー(flow cytometry；FCM)法では，無遠心尿でおよそ20個/$\mu$L以上を血尿とする．

赤血球形態所見が血尿の起こっている部位の推定に役立ち，糸球体型赤血球(変形赤血球)と非糸球体型赤血球(均一赤血球)に分類される．均一赤血球では，尿沈渣中のほとんどの赤血球形態がほぼ均一単調で，ヘモグロビン色素に富む．変形赤血球では，こぶ状，断片状，ねじれ状，標的状など多彩な形態を示し，大小不同や小球状を示す．なお，JCCLSから「尿沈渣検査法」指針提案JCCLS GP1-P4(2010年)が公表されている．FCMでは尿中赤血球数が少ない場合や，尿の性状(高度の酸性尿や低張尿)や混在する成分により，必ずしも明確に分類できない場合があるので，必ず鏡検により確認する．

### 3 尿潜血反応 (urine occult blood reaction)

試験紙法はヘモグロビンのペルオキシダーゼ様作用を利用しているため，還元作用のある物質が存在すると偽陰性(偽低値化)となる．潜血反応は，一般に尿1 mL中に約1万個以上の赤血球が混入していれば陽性となる．すなわち，血液が5万～10万倍に希釈された状態ですでに陽性を示すことになる．

本法の欠点としては，ヘモグロビン(Hb)・ミオグロビン(Mb)尿と血尿との鑑別ができないこと，試験紙は不適切な保存によって容易に変質しやすいことなどがある．また，サプリメントとして還元性物質であるアスコルビン酸(ビタミンC)を大量に服用したり，アスコルビン酸を含有する清涼飲料水や医薬品を服用したりして，アスコルビン酸が尿中に多量に排泄される場合は偽陰性となることがある．摂取したアスコルビン酸は，約4～6時間後に排泄が最大となり，約24時間後にはすべて排出される．アスコルビン酸を検出する尿試験紙で，偽陰性反応の存在を推定しうる．

## B 血尿とヘモグロビン尿，ミオグロビン尿の病態生理

### 1 血尿

尿路系は完全に上皮細胞によって覆われているために，正常の状態では赤血球の混入はほとんどみられない．しかし全身性出血傾向(ワルファリンなどの抗凝固剤の効きすぎなど)，悪性腫瘍(腎・尿路上皮・前立腺癌)，腎血管異常，腎実質性障害および尿路の病変のために尿中に出血を来した場合に血尿(hematuria)となる．

糸球体性血尿では色調が褐色調を帯びることが多いが，糸球体性血尿でも変形赤血球を認めず，色調も赤色系を示す場合もある(表13-8)．肉眼的血尿は，小児や25歳以下の若年者を除くと，泌尿器疾患の場合がほとんどである．下部尿路のいずれの部位から出血しているかを推定するため，分杯尿の検査が役に立つことがある．排尿初期のみに血尿がみられるときには外尿道括約筋以下の尿道疾患，終末期のみ血尿がみられるときは

**表 13-8　糸球体性血尿と非糸球体性血尿の鑑別点**

| | 糸球体性血尿 | 非糸球体性血尿 |
|---|---|---|
| 肉眼的血尿の色調 | 赤褐色，緑褐色 | ピンク，赤 |
| 凝血塊 | なし | ときにあり |
| 変形赤血球 | あり | なし |
| 赤血球円柱 | ときにあり | なし |
| 疼痛 | なし | ときにあり |

〔血尿診断ガイドライン改訂委員会(編集)：血尿診断ガイドライン 2023．ライフサイエンス出版，2023 より〕

膀胱頸部，後部尿道疾患が考えられる．いずれの分杯尿とも血尿がみられるときは膀胱，尿管，腎からの出血を疑う．

### 2 ヘモグロビン尿(Hb 尿)

ヘモグロビン尿(Hb 尿，hemoglobinuria)は図 13-8 に示すように，生体内において血管内溶血が起こった結果，遊離の Hb が尿中に排泄される病態で，輸血の副作用，新生児溶血性疾患，自己免疫性溶血性貧血，重症感染症などで認められる．血管内で遊離した Hb は血液中のハプトグロビン(Hp)とただちに結合し，Hp-Hb 複合体を形成する．Hp-Hb 複合体は分子量が大きいために排泄されず，網内系に取り込まれて分解される．血清中の Hp の結合能力を超える Hb が遊離し，そのまま尿中に排泄される．尿中の Hb は尿細管上皮に取り込まれてヘモジデリンとなる．したがって，Hb 尿の場合には，尿が明らかな赤色を呈する以前に，尿沈渣中に鉄染色により脱落した尿細管上皮などにヘモジデリンを証明することができる．

### 3 ミオグロビン尿(Mb 尿)

筋肉から遊離したミオグロビン(Mb)が糸球体を通過して尿中に排泄される状態で，種々の筋肉疾患，外傷による筋肉の損傷が原因で認められる．心筋梗塞など心疾患でも少量の Mb が尿中に排泄されるが，尿が赤色に着色するほど多量の Mb が認められることは極めて稀である．Mb は Hb よりも分子が小さく，しかも血清中に特異的に結合する血清蛋白が存在しないために，そのまま尿中に速やかに排泄される．

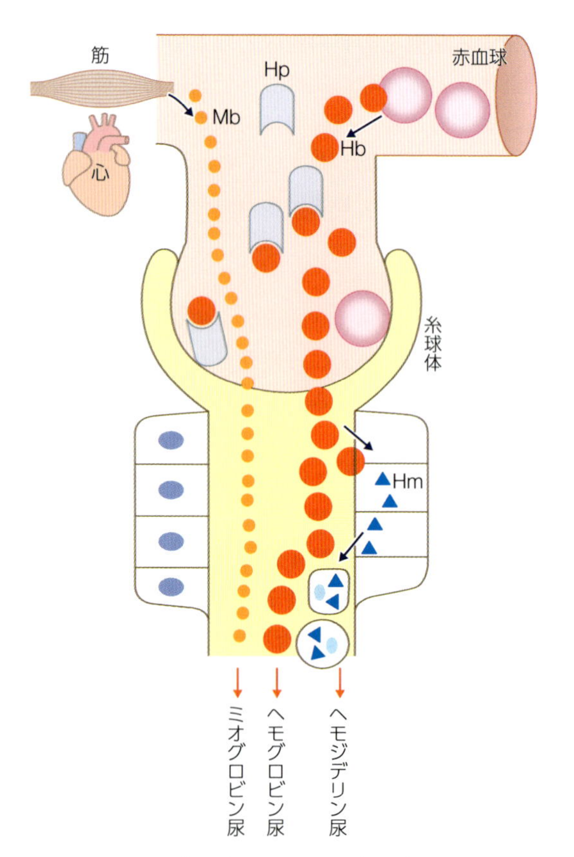


**図 13-8　ヘモグロビン尿・ミオグロビン尿の発生機序**(原図・河合)

Hb：ヘモグロビン，Mb：ミオグロビン，Hm：ヘモジデリン，Hp：ハプトグロビン

## C 血尿と Hb 尿，Mb 尿の鑑別

血尿，Hb 尿および Mb 尿はいずれも肉眼的に赤色を呈しているために，一見鑑別が困難である．尿沈渣中に赤血球が認められない場合は，Hb 尿または Mb 尿である．ただし，血球が膀胱内または採尿後，長時間貯留または経過したため溶血を起こしていないことを確認する必要がある．尿沈渣に鉄染色を行い，ヘモジデリンが陽性であれば Hb 尿であることが確かとなる．肉眼的 Hb 尿は Hp-Hb 複合体を形成するため血漿が赤色調を帯びているが，Mb は尿中に速やかに排泄されるため Mb 尿であれば血漿に赤色調はないので，尿と同時に採取した患者血漿の色を観察する

**表 13-9　尿蛋白定性試験法の比較**

| | 試験紙法 | スルホサリチル酸法 |
|---|---|---|
| 検出感度 | 25 mg/dL 程度 | 約 5 mg/dL |
| 操作 | より簡便，迅速 | 簡便 |
| 検体 | 微量 | 約 3 mL |
| 誤差要因 | ① Hb, BJP に鈍感<br>② アルカリ尿(pH 8 以上)で偽陽性<br>③ 採光条件により誤判定の可能性 | ① X 線造影剤・トリブタミド代謝産物により偽陽性<br>② アルカリ尿で偽陰性<br>③ 採光条件により誤判定の可能性 |

BJP：Bence Jones 蛋白

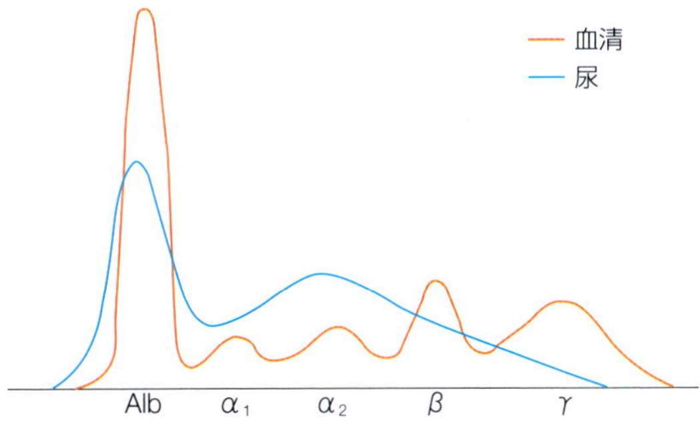


**図 13-9　正常血清および尿のセルロースアセテート膜電気泳動法による蛋白分画像**



ことが大切である．Mb 尿は，尿 Mb を検出する試験紙法または定量検査を行い，確定する．

血尿は，赤血球形態で糸球体型赤血球，蛋白尿，なかでも尿沈渣中に赤血球円柱を認める場合は，糸球体疾患を含む腎実質性障害などを疑う．赤血球形態で非糸球体型赤血球を認め，蛋白尿を認めない場合は成人では泌尿器疾患を疑い，小児ではナットクラッカー現象などを疑う．詳細については，血尿診断ガイドライン 2023(https://jsn.or.jp/medic/data/ketsunyoushindanguideline2023_pubkome.pdf) を参照されたい．

# 6 尿蛋白総論

## A 検査法

現在最も広く使われている尿蛋白(urine protein)定性試験は，試験紙法とスルホサリチル酸法であるが，原理も鋭敏度も異なるので，それぞれの長所，短所をよく知って使い分ける(表 13-9)．試験紙法は，pH 指示薬の蛋白誤差を利用して比色により判定する方法で，医療用のみならず，一般検査薬(OTC 薬)として薬局で自由に市販されている．比色には肉眼的判定と機器判定があり，わが国の医療機関のうち多くは機器判定を採用している．試験紙法は主にアルブミンを検出しているため，Bence Jones 蛋白や低分子蛋白，Tamm-Horsfall 糖蛋白などに対して極めて鈍感であり，アルブミンに検出感度が 15 mg/dL であるのに対して，Tamm-Horsfall 糖蛋白や Bence Jones 蛋白に対する検出感度は約 100 mg/dL と低い．つまり試験紙法はアルブミン以外の検出に向かない．

## B 正常尿の蛋白組成と由来

健康人の尿中にも 1 日に 50〜150 mg の蛋白が排泄されている．尿蛋白定性試験ではほとんどが陰性となり，スルホサリチル酸法でも 1 日に 100 mg 以上の蛋白が出ないと検出できない．

正常尿中に含まれる蛋白をセルロースアセテート膜電気泳動法で分画すると図 13-9 のような蛋白分画像が得られる．すなわち，アルブミン分画が約 40% を占め，グロブリン領域の分離が悪く，$\alpha_2$ と $\beta$ の領域に一つのなだらかなピークを形成している．これらの正常尿中の蛋白の由来を図示すると図 13-10 のようになる．

約 40% の正常尿蛋白は主として尿細管に由来する Tamm-Horsfall 糖蛋白(ウロモジュリン)などの蛋白で占められており，セルロースアセテート膜電気泳動像で $\alpha_2$〜$\beta$ 領域の幅広いバンドを形成する．

残りの約 60% は血液に由来する血清蛋白で，正常の糸球体基底膜を通過した低分子蛋白である．そのうちアルブミンが最も多く，約 2/3 を占め，その他比較的分子量の小さな $\alpha_1$ および $\alpha_2$ 糖

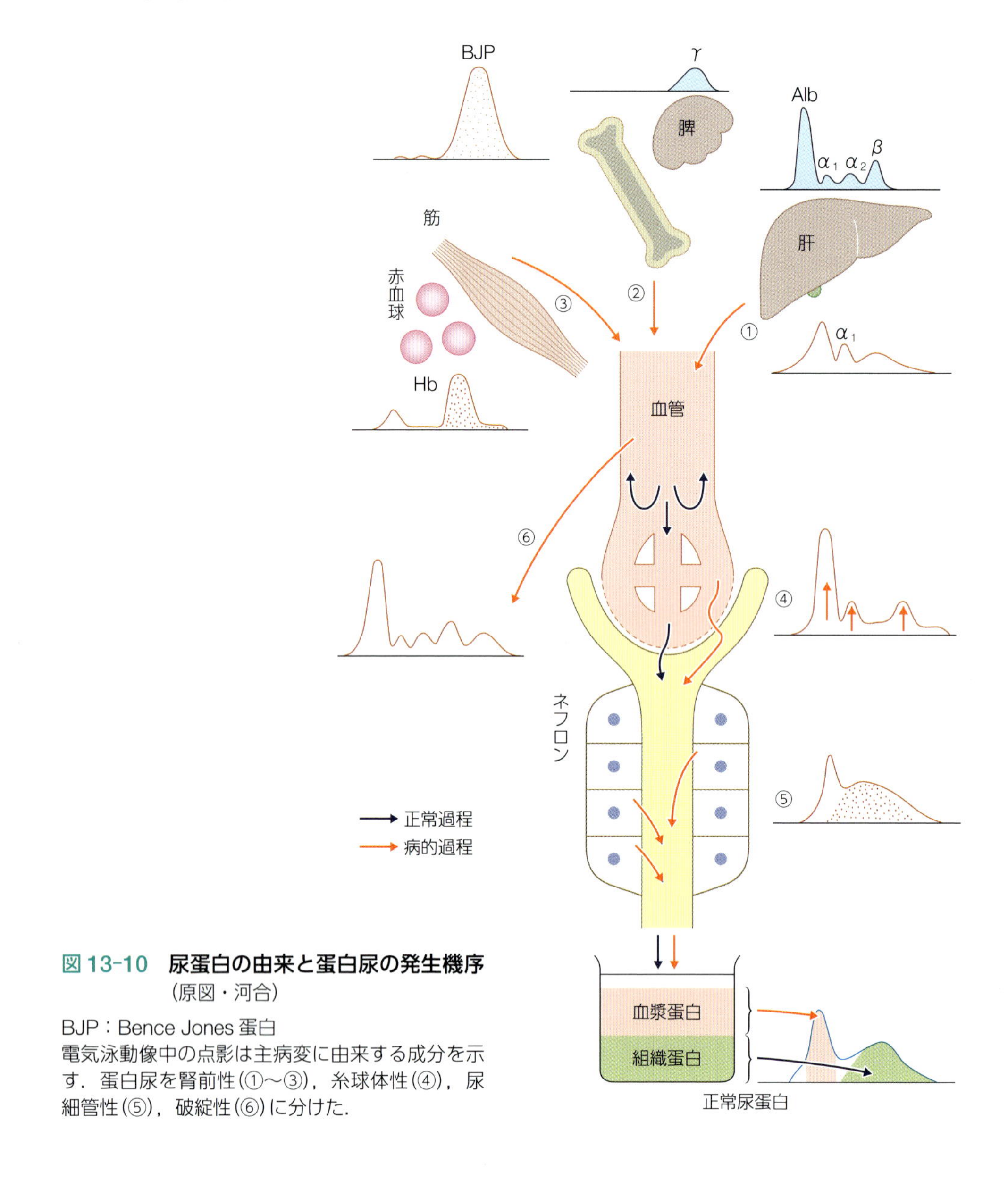


**図13-10　尿蛋白の由来と蛋白尿の発生機序**
（原図・河合）

BJP：Bence Jones 蛋白
電気泳動像中の点影は主病変に由来する成分を示す．蛋白尿を腎前性（①～③），糸球体性（④），尿細管性（⑤），破綻性（⑥）に分けた．

蛋白，β位のトランスフェリンが次いで多い．その他，分子量4万以下のいわゆる低分子蛋白成分も少量含まれている．

## C　発生機序からみた蛋白尿の分類

蛋白尿の分類にはいろいろな立場があるが，一般的には，腎前性蛋白尿（prerenal proteinuria），糸球体性蛋白尿（glomerular proteinuria），尿細管性蛋白尿（tubular proteinuria），腎後性蛋白尿（postrenal proteinuria）に分けられる．しかし，臨床的にはいろいろな機序が合併したかたちで認められる場合が少なくない．

### 1　腎前性蛋白尿（図13-10の①～③）

腎そのものには病変はないが，糸球体濾過以前の部分によって蛋白尿がみられる場合がある．血清アルブミンよりも小さな蛋白成分が血漿中に増加すると，正常糸球体を容易に通過して尿中に移行する．由来臓器からさらに3つに分けることができる．

① 急性および慢性感染症，悪性腫瘍，膠原病の

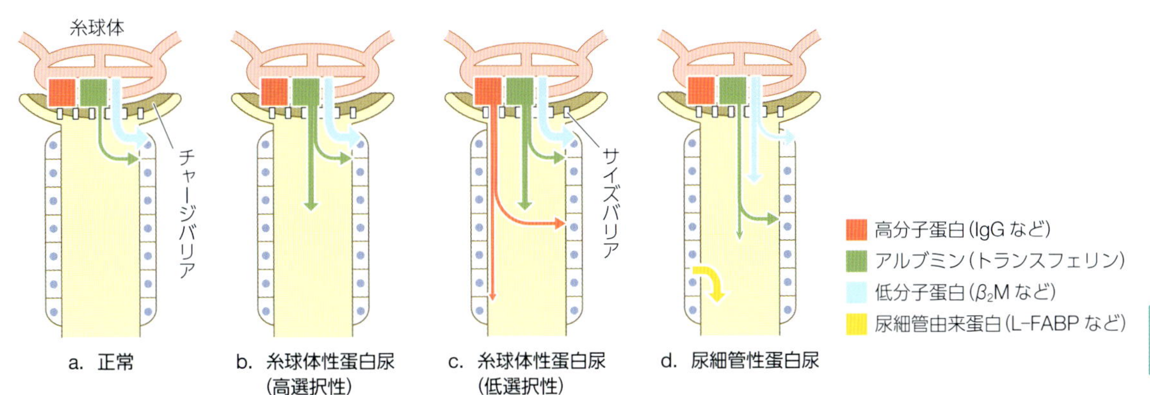


**図 13-11 糸球体基底膜のバリア**

$\beta_2$M：$\beta_2$-ミクログロブリン，L-FABP：L 型脂肪酸結合型蛋白



活動期などで，主に肝臓での $\alpha_1$ および $\alpha_2$ 糖蛋白産生が亢進し，血中に増加してくる．これらの蛋白の多くは分子量がアルブミンとほぼ等しいか，むしろ小さいので，腎合併症がなくても軽度の蛋白尿の原因となりうる．

② 多発性骨髄腫などで低分子量の M 蛋白である Bence Jones 蛋白が血中に放出されると，そのまま糸球体を容易に通過して尿中に排泄される．そのため，Bence Jones 蛋白は，血中では検出されず尿中のみで検出される場合が多い．

③ 生体内溶血で生じた大量の遊離ヘモグロビンはそのまま尿中に排泄され(ヘモグロビン尿)，電気泳動では $\beta$ 位に幅の狭いバンドとして観察される．その他，筋組織が広範囲に破壊される病態ではミオグロビン尿がみられる．

## 2 糸球体性蛋白尿(図 13-10 の④)

糸球体性蛋白尿が日常臨床において最もよく遭遇し，しかも非常に多量の蛋白を尿中へ失い，低蛋白血症の原因となる．糸球体性蛋白尿は，糸球体基底膜がいろいろな病変によってさまざまな程度に粗くなることにより，血中に大量に存在する血清蛋白が多量に漏れ出す．正常な状態では，分子量が 10 万以上の高分子蛋白は糸球体基底膜のサイズバリアによりほとんど通過できず，10 万未満でも例えば 69,000 のアルブミンはサイズバリアを通過できるが陰性荷電をもったチャージバリアはほとんど通過できない．ただし，5 万以下の低分子蛋白は自由に糸球体を通過できる(図 13-11 の a)．

糸球体基底膜のチャージバリアのみが障害され，サイズバリアが保たれている場合は，セルロースアセテート膜電気泳動像ではアルブミン分画がほとんど大部分を占めているためにアルブミン尿とも呼ばれる(図 13-11 の b)．その他，分子量の比較的小さなトランスフェリンが多くなるので，$\beta$ 分画が著明である．しかし，分子量の大きな $\alpha_2$ 分画や $\gamma$ 分画はほとんど認められない．ところが，糸球体基底膜の破綻がサイズバリアに及ぶと，基底膜の「ふるいの目」が粗くなり，選択的透過性を失って，大きな $\gamma$ 分画の蛋白成分まで尿中に移行しやすくなる(図 13-11 の c)．

このような糸球体性蛋白尿の選択性を推測するのに用いられるのが，selectivity index(SI)である．選択性の高いときに尿中に出現するアルブミンとほぼ同じ動態を示すトランスフェリン(Tf)と，選択性の低いときに出現する分子の大きな IgG を用いて，両者のクリアランス比から算出する．計算式は以下のとおりである．

$$\mathrm{SI}=\frac{\text{IgG クリアランス}}{\text{Tf クリアランス}}=\frac{\text{尿 IgG(mg/dL)}\times\text{血清 Tf(mg/dL)}}{\text{血清 IgG(mg/dL)}\times\text{尿 Tf(mg/dL)}}$$

一般に，SI が 0.2 以下を高選択性，0.2 を超えるものを低選択性としている．臨床的には，特発性ネフローゼ症候群や慢性糸球体腎炎などのステロイドの治療効果を予測するために用いられ，SI

が低いほどステロイドの反応性がよい．また，糖尿病性腎症のようなSIが高い(低選択性である)腎疾患ほど腎予後が悪い．

その他，腎静脈血栓症あるいはうっ血性心不全などのように，糸球体内の血流が停滞し糸球体内圧の増加が加わって，糸球体濾液への血清蛋白の移行が増加する．

起立性あるいは体位性蛋白尿の機序は完全に解明されたわけではないが，尿蛋白分画像では糸球体性の特徴を示す．したがって，体位の変換によって糸球体の内圧が増加し，正常より多くの血清蛋白が尿中に移行するためと考えられる．

### 3 尿細管性蛋白尿(図13-10の⑤)

尿細管性蛋白尿は，糸球体病変ではなく，主として尿細管上皮の病変が強いときに認められる．正常の糸球体を容易に通過する分子量の小さい正常血清蛋白成分，例えば，$\beta_2$-ミクログロブリン($\beta_2$M)，レチノール結合グロブリンなどは，正常ではほぼ100％近位尿細管に取り込まれ分解されてしまう．しかし，尿細管障害により再吸収能が低下すると，$\beta_2$Mの尿排泄が増加し，尿細管細胞から*N*-アセチルグルコサミニダーゼ(*N*-acetyl-$\beta$-D-glucosaminidase；NAG)などの尿中への逸脱やL型脂肪酸結合型蛋白(liver type fatty acid binding protein；L-FABP)などの発現亢進による排泄が増加する(図13-11のd)．そのため，尿細管性蛋白尿の場合，電気泳動像ではアルブミンに加え，$\alpha_2$～$\beta$分画が増加する．これらの蛋白成分は免疫化学的方法で分析でき，診断に有用である．

尿細管性蛋白尿は，尿細管間質性腎炎，薬剤性腎障害，骨髄腫腎などの疾患でみられる．特殊なものとして，運動後，寒冷にさらされた場合などにみられる生理的蛋白尿がある．その機序は明確ではないが，尿蛋白分画像からは尿細管性蛋白尿の特徴を備えている．

### 4 腎後性蛋白尿

腎後性蛋白尿では，尿路感染症などで炎症に伴う蛋白尿が漏出することがある．

## 7 尿中蛋白定量

健常成人では，1日に50～150 mgの蛋白質が尿中に排泄されている(詳細は243頁を参照)．尿中蛋白の精密定量として，広く日常診療で使用されているのは，腎前性蛋白尿ではBence Jones蛋白，ミオグロビン，糸球体性蛋白尿ではアルブミン，尿細管性蛋白尿では$\alpha_1$-ミクログロブリン($\alpha_1$M)，$\beta_2$Mと尿細管由来のNAGやL-FABPである．ただし，例えばアルブミンは近位尿細管で再吸収されるため，近位尿細管障害による再吸収障害でも増加し，$\beta_2$Mも炎症や悪性腫瘍などで血中濃度が上昇すれば尿中への排泄が増加するため，病態によってアルブミンは糸球体性に加え尿細管性蛋白尿，$\beta_2$Mは尿細管性に加え腎前性蛋白尿の要素も考慮する必要がある．つまり，厳密には，腎前性，糸球体性，尿細管性蛋白尿に分類することはできない．

### A 尿蛋白

尿蛋白定量検査の基本測定法は，色素比色法(ピロガロールレッド法)であり，普及率が高く，標準物質としてヒト血清アルブミンを用いることで高い正確度が得られる．しかし，日本では，純度99％ヒト血清アルブミンを一次標準物質として用いる高速液体クロマトグラフィ法(HPLC)，紫外部検出法が尿蛋白測定法として勧告されている．

尿蛋白定量検査として24時間蓄尿法がゴールデンスタンダードであるが，煩雑であり不完全蓄尿が多いなどの事由から随時尿による測定が現在では推奨されている．特に小児期は起立性蛋白尿鑑別のため一度は早朝第1尿を測定すべきである．尿中成分は，水分摂取，発汗などの影響を受け，濃縮や希釈され，そのため尿中の濃度は変動しやすい．クレアチニン(Cr)は高度に腎機能が低下した状態を除き，比較的一定の割合で排泄されるため，尿蛋白定量と尿クレアチニンを同時に測定し，尿中Crで補正した量〔尿蛋白/Cr比(g/

g Cr)〕で評価する．

蛋白尿は，さまざまな腎疾患の進展，心血管イベント発症リスクが関連している．しかし，尿蛋白は尿に含まれるさまざまな蛋白成分の総和であるため，以下に述べる尿蛋白成分を測定するほうが臨床的意義は高い．

## B Bence Jones 蛋白（腎前性蛋白尿）

Bence Jones 蛋白(Bence Jones protein；BJP)は，英国の内科医 Henry Bence Jones によって，骨髄腫患者の尿中に出現する特有の熱凝固性を有する蛋白として発見された．すなわち，56℃で加熱すると白色沈殿し，100℃付近まで煮沸すると再溶解する．その後，単一クローン性の免疫グロブリンL鎖からなることが判明した．その基本構造は，L鎖の二量体を示すことが多く，時に単量体，ごく稀に四量体を示すこともある．単量体と二量体のBJPは分子量が小さいために容易に尿中に排泄されてBJP尿となる．BJPは尿細管細胞に取り込まれ直接障害するとともに，管腔内で円柱を形成し，尿細管機能異常を含めた腎機能障害の原因となる．尿BJPの検査法には，免疫電気泳動法，免疫固定法やL鎖抗原測定法があり，詳細は4章❼D **Bence Jones 蛋白**，87頁を参照のこと．

## C 尿アルブミン（糸球体性蛋白尿）

### 1 尿アルブミンの由来

健常成人では，アルブミンが尿中に1日に20〜30 mg程度排泄されている(表13-10)．これらの由来については明確ではないが，糸球体基底膜から少量漏れ出し，ほとんどは近位尿細管上皮細胞の管腔側に存在するエンドサイトーシス受容体である，メガリンとキュビリンを介して取り込まれるが，一部はそのまま尿中に排泄されてくると考えられる．

**表13-10　尿中微量アルブミンの基準範囲**

| | | 平均値±SD |
|---|---|---|
| アルブミン排泄比(μg/分) | | 3.8±1.6 |
| 1日排泄量(mg/日) | | 5.7±2.6 |
| アルブミン指数(mg/gCr) | 早朝尿 | 4.1±2.1 |
| | 随時尿 | 4.8±2.6 |
| アルブミン濃度(mg/L) | 早朝尿 | 7.3±5.9 |
| | 随時尿 | 6.9±5.1 |

### 2 尿アルブミンの測定法

定性検査は，試験紙法による蛋白定性検査と同様pH指示薬の蛋白誤差を利用して比色により判定する方法である．定量検査は，抗原抗体反応の原理に基づく，免疫比濁法，酵素免疫測定法やラテックス凝集免疫測定法などを用いた，自動分析装置での測定が主流である．検出感度は，定性検査で約20〜30 mg/L，定量検査で通常2 mg/Lで，上限は600〜800 mg/Lである．定量検査はほぼ標準化されている．臨床的にわが国では，主に糖尿病性腎症の早期診断を含めた病期診断に使用されている．尿アルブミンも測定値を尿Cr値で除して，補正値を求める．

### 3 臨床的意義—高値を示す場合

随時尿でアルブミン排泄量が30〜299 mg/gCrの範囲を微量アルブミン尿(microalbuminuria)，300 mg/gCr以上を顕性アルブミン尿として病的所見と考えられている(表13-11)．

#### ⓐ 糖尿病性腎症

糖尿病性腎症早期診断基準を示す(表13-11)．さらに厚生省糖尿病調査研究に基づき糖尿病性腎症合同委員会によりⅡ型糖尿病性腎症の病型分類が定められた．

早期腎症，つまり微量アルブミン尿の病期では，主に糸球体血行動態の異常によると考えられている．したがって，微量アルブミン尿の段階では糖尿病性腎症は適切な治療により可逆的であることが多い．

尿中Ⅳ型コラーゲンも，糖尿病性腎症早期診断基準の参考事項に記載されている(表13-12)．糖尿病性腎症では，Ⅳ型コラーゲンが存在する糸球体基底膜の肥厚やメサンギウム基質の増加を主病

**表 13-11　糖尿病性腎症病期分類 2023**(注1)

| 病期 | 尿中アルブミン・クレアチニン比(UACR, mg/g)<br>あるいは<br>尿中蛋白・クレアチニン比(UPCR, g/g) | 推算糸球体濾過量<br>(eGFR, mL/分/1.73 $m^2$)(注3) |
|---|---|---|
| 正常アルブミン尿期(第1期)(注2) | UACR 30 未満 | 30 以上 |
| 微量アルブミン尿期(第2期)(注4) | UACR 30〜299 | 30 以上 |
| 顕性アルブミン尿期(第3期)(注5) | UACR 300 以上あるいは UPCR 0.5 以上 | 30 以上 |
| GFR 高度低下・末期腎不全期(第4期)(注6) | 問わない(注7) | 30 未満 |
| 腎代替療法期(第5期)(注8) | 透析療法中あるいは腎移植後 | |

注1：糖尿病性腎症は必ずしも第1期から順次第5期まで進行するものではない．また評価の際には，腎症病期とともに，付表を参考として慢性腎臓病(CKD)重症度分類も併記することが望ましい．
注2：正常アルブミン尿期は糖尿病性腎症の存在を否定するものではなく，この病期でも糖尿病性腎症に特有の組織変化を呈している場合がある．
注3：eGFR 60 mL/分/1.73 $m^2$ 未満の症例は CKD に該当し，糖尿病性腎症以外の CKD が存在しうるため，他の CKD との鑑別診断が必要である．なお血清クレアチニンに基づく eGFR の低下を認めた場合，血清シスタチン C に基づく eGFR を算出することで，より正確な腎機能を評価できる場合がある．
注4：微量アルブミン尿を認めた患者では，糖尿病性腎症早期診断基準(糖尿病 48：757-759, 2005)にしたがって鑑別診断を行ったうえで，微量アルブミン尿期と診断する．微量アルブミン尿は糖尿病性腎症の早期診断に必須のバイオマーカーであるのみならず，顕性アルブミン尿への移行および大血管障害のリスクである．GFR 60 mL/分/1.73 $m^2$ 以上であっても微量アルブミン尿の早期発見が重要である．
注5：顕性アルブミン尿の患者では，eGFR 60 mL/分/1.73 $m^2$ 未満から GFR の低下に伴い腎イベント(eGFR の半減，透析導入)が増加するため注意が必要である．
注6：CKD 重症度分類(日本腎臓学会，2012 年)との表現を一致させるために，旧分類の「腎不全期」を「GFR 高度低下・末期腎不全期」とした．
注7：GFR 30 mL/分/1.73 $m^2$ 未満の症例は，UACR あるいは UPCR にかかわらず，「GFR 高度低下・末期腎不全期」に分類される．しかし，特に正常アルブミン尿・微量アルブミン尿の場合は，糖尿病性腎症以外の CKD との鑑別診断が必要である．
注8：CKD 重症度分類(日本腎臓学会，2012 年)との表現を一致させるために，旧分類の「透析療法期」を腎移植後の患者を含めて「腎代替療法期」とした．
〔糖尿病性腎症合同委員会・糖尿病性腎症病期分類改訂ワーキンググループ：糖尿病性腎症病期分類 2023 の策定．糖尿病 66(11)：801，2023 より〕

変としており，正常アルブミン尿の段階でもこれらの病変を認める場合があり，より早期から上昇してくると考えられている．ただし，同じ糸球体基底膜が肥厚する膜性腎症などでも尿中Ⅳ型コラーゲンが増加するため，他の腎疾患との鑑別は必要となる．

糖尿病患者で正常アルブミン尿や微量アルブミン尿であっても eGFR が低下する症例が多数存在するため，糖尿病性腎症病期分類第4期では尿アルブミン尿の有無は問わないとされた．これには近年増加している腎硬化症の合併や糖尿病性腎症に対する治療の進歩により病態が修飾されていることなどが関与している．

### b 糖尿病以外の腎障害

アルブミン尿はわが国の保険診療では糖尿病性腎症に限って測定が認められているため，糖尿病性腎症のイメージが強い．しかし，糸球体疾患では共通してアルブミン尿を認め，わが国以外では尿蛋白ではなく尿アルブミンが慢性腎臓病の重症度の指標として用いられている．その他，高血圧，運動負荷，尿路感染症，心不全など，生理的蛋白尿を来す状態のほか，さまざまな病態や疾患でも認められることがある．したがって，患者の病歴，現症，検査所見を十分に参考にして鑑別しなければならない．

表 13-12 主な低分子蛋白とその性状

| 蛋白成分 | 分子量(Da) | 糖質(%) | 生物学的性状 |
|---|---|---|---|
| $\beta_2$-ミクログロブリン | 11,000 | 0 | 構造蛋白・HLA の L 鎖 |
| リゾチーム | 15,000 | 0 | 消化殺菌酵素 |
| レチノール結合蛋白 | 20,000 | 0 | ビタミン A 結合蛋白 |
| 免疫グロブリン L 鎖 | 22,000 | 0 | 構造蛋白 |
| $\alpha_1$-ミクログロブリン | 30,000 | 20 | 結合蛋白 |
| $\alpha_1$-酸性糖蛋白 | 44,000 | 38 | 急性相蛋白 |
| アルブミン | 67,000 | 0 | 膠質浸透圧維持・担送機能 |



## D 尿中低分子蛋白〔$\beta_2$-ミクログロブリン($\beta_2$M)と $\alpha_1$-ミクログロブリン($\alpha_1$M)(尿細管性蛋白尿)〕

一般的に，血清アルブミン(分子量約 67,000)よりも小さな蛋白成分，すなわち分子量が約 5 万以下のものを低分子蛋白と呼んでいる．腎糸球体基底膜を容易に通過するため，尿中の低分子蛋白の大部分は血漿に由来する．糸球体濾液に移行した低分子蛋白は，健常人では近位尿細管で約 95% が再吸収されアミノ酸に分解されるために，ごく少量のみが尿中に排泄される．表 13-12 に，主な尿中低分子蛋白とその性状をまとめた．

### 1 尿中低分子蛋白の測定法

#### a 尿検体の保存と安定性

現在最も広く使われている $\beta_2$M については，特に酸性尿(pH 6.0 以下)を室温に放置すると容易に分解されるので，尿を保存・運搬する必要のある場合には十分に留意が必要である．しかし，$\alpha_1$M は比較的安定であって，取り扱いが容易である．

#### b 微量定量法

特異的抗体試薬を用い，抗原抗体反応を利用して免疫化学的に定量する．一般的には，免疫比濁法，免疫比ろう法，ラテックス凝集免疫測定法，酵素免疫測定法，ラジオイムノアッセイなどが用いられている．

表 13-13 腎障害部位と障害部位を反映する尿中マーカー

| 糸球体 | |
|---|---|
| 1. 構造的変化 | Ⅳ型コラーゲン |
| 2. 基底膜の選択性 | |
| ① 選択性が高い | アルブミン<br>トランスフェリン |
| ② 選択性が低い | 免疫グロブリン<br>(主に IgG) |
| **尿細管(近位)** | |
| 1. 再吸収低下 | $\alpha_1$-ミクログロブリン<br>$\beta_2$-ミクログロブリン |
| 2. 尿細管障害 | |
| ① ストレスなどによる産生増加 | L-FABP，NGAL |
| ② 逸脱酵素 | NAG |

L-FABP：L 型脂肪酸結合型蛋白，NGAL：尿中好中球ゼラチナーゼ結合性リポカイン，NAG：*N*-acetyl-*β*-D-glucosaminidase

### 2 尿中低分子蛋白が増加する場合

近位尿細管が障害され，低分子蛋白の再吸収ができなくなると，尿中への低分子蛋白の排泄量が増加する(表 13-13)．ただし，アルブミンのように大量に尿中に排泄されることは少なく，ほとんどの場合は 1 g/日以下で，多くても 1～2 g/日程度である．

表 13-12 のなかで臨床的に腎機能検査として広く利用されているのは，$\beta_2$M と $\alpha_1$M の 2 つである．$\beta_2$M の正常排泄量は 0.1 mg/日以下であり，$\alpha_1$M では 5 mg/日以下である．両蛋白の尿中排泄の増加は，さまざまな腎疾患，特に特発性膜性腎症では治療反応性と腎不全への進展の指標となる．

## E　尿細管由来蛋白（尿細管性蛋白尿）

尿細管障害により尿細管細胞から尿中へ逸脱する蛋白（NAGなどの酵素）と尿細管での発現亢進により尿中への排泄が増加する蛋白〔L-FABP, NGAL（neutrophil gelatinase-associated lipocalin：尿中好中球ゼラチナーゼ結合性リポカリン）〕がある．

NAGは分子量11万～15万と比較的大きく，近位尿細管や前立腺を含めた生体内に広く分布する有核細胞のリソソーム内加水分解酵素の一つである．L-FABPは物質輸送に大量のエネルギーを必要とする肝臓，腸管，腎臓の近位尿細管の細胞質に豊富に存在する分子量約14,000の低分子可溶性蛋白である．L-FABPは細胞内の脂肪酸と結合し，ミトコンドリアなどの細胞内小器官に脂肪酸を輸送する（β酸化されエネルギーに変換される）ことで，細胞内の脂肪酸の恒常性を保っていると考えられている．NGALは好中球だけでなく腎を含め多くの組織で発現している分子量25,000の低分子蛋白である．感染，炎症，虚血などのストレス時に，例えば腎臓では尿細管上皮細胞での発現が亢進し，細菌増殖阻害や上皮細胞増殖誘導などの作用を示す．いずれも血液中に存在するものの，糸球体基底膜を中分子蛋白であるNAGは通過できないが，低分子蛋白であるL-FABPやNGALは通過し，糸球体濾液中に排泄される．

### 1 測定法と影響因子

NAGの測定には，6-メチル-2-ピリジル-*N*-アセチル-1-チオ-β-D-グルコサミニド（MPT-NAG）など各種合成基質が用いられている．尿中酵素活性は4℃で1，2か月，室温で1週間で失活する．前立腺炎の症例や精液の混入でも高値となり，注意が必要である．pH 8以上のアルカリ尿およびpH 4以下の酸性尿では酵素活性が失活するため見かけ上低値となる．

L-FABPやNGALは抗原抗体反応を利用して免疫化学的に定量され，酵素免疫測定法などが使用されている．

NAG，L-FABPやNGALについても，随時尿では尿濃縮の程度が大きく異なるため，尿中Cr濃度で補正した指数を用いるのが一般的である．

### 2 臨床的意義：高値を示す場合

近位尿細管障害により尿中へ逸脱するが，障害時に合成が増加し，糸球体にも分布しているので糸球体病変でも増加する．Fanconi症候群やWilson病のように近位尿細管の機能異常のみでとどまっている段階では，$\beta_2$Mや$\alpha_1$Mは尿中で増加するが，尿細管障害ではないのでNAGは増加しない．慢性腎不全では近位尿細管が減少した結果，低分子蛋白の再吸収量は低下し尿中$\beta_2$Mや$\alpha_1$Mは尿中で増加しても，尿細管障害がactiveでなければNAGは増加しない（**表13-14**）．ただ，微小変化型ネフローゼ症候群などの糸球体病変でもNAGが増加し，糸球体疾患の蛋白尿の程度と相関する．酵素尿の測定は鋭敏であり，NAGがアルブミン尿出現以前に増加する腎疾患もあり，腎疾患の早期診断法や障害の程度を反映する臨床指標として有用である．

血液中の遊離脂肪酸は99%以上がアルブミンと結合しており，糸球体で濾過され，近位尿細管でアルブミンとともに再吸収されている．糸球体濾液中のアルブミンの増加は，近位尿細管へのアルブミン再吸収増加は脂肪酸負荷と同じであり，その結果，尿細管障害を来す．その他，脂肪酸は虚血などによる酸化ストレスなどで容易に過酸化され，細胞障害性のある過酸化脂質となる．L-FABPは過酸化脂質や過剰な脂肪酸と結合し，尿中に排出することで，細胞内の脂肪酸レベルを一定にしている．L-FABP，NGALは尿細管障害が生じると数時間で尿中への排泄が著明に上昇し，上昇に応じて急性腎障害を発症する可能性が高くなる．つまり，NAGとは異なり，尿細管障害にいたる前のストレスの段階で増加してくる（**表13-13**）．L-FABPやNGALは，早期診断や障害の程度を反映するNAGとは異なる指標として有用である．ただ，血中にも存在する低分子蛋白のため，尿細管吸収障害でも増加する可能性がある．さらにNGALは細菌感染では白血球由来のNGALにより血中濃度が上昇し，腎障害にかかわらず尿中排泄量は増加し，尿路感染では特に尿NGALが増加する．

$\beta$-D-グルコース ＋ 酸素(空気中) —GOD→ $\delta$-D-グルコノラクトン ＋ $H_2O_2$ → $H_2O_2$ ＋ 指示薬 —POD→ $H_2O$ ＋ 色素

**図 13-12 尿グルコースの検出法の原理(酵素法)**
GOD：グルコースオキシダーゼ，POD：ペルオキシダーゼ



# 8 尿糖(尿グルコース)

尿糖といえば，尿中に出現する糖を総称しているが，特に指定されていない限りは尿グルコース(ブドウ糖，glucose)を意味する．

## A 検査法

一般に広く用いられているのは酵素法を利用した試験紙法である(図 13-12)．すなわち，グルコースがグルコースオキシダーゼの触媒作用で空気中の酸素と反応して生じる過酸化水素を，ペルオキシダーゼの触媒作用により生じる酸化呈色物質で検出する方法である．酵素法(グルコースオキシダーゼ法)には，ペルオキシダーゼの基質としてオルトトリジンやヨウ素複合体などを用いる種々の変法がある．この方法は，グルコースを特異的に検出するが，他の還元糖の存在を検出することはできない．アスコルビン酸などの還元物質によって，ペルオキシダーゼが阻害され偽陰性になることがある．

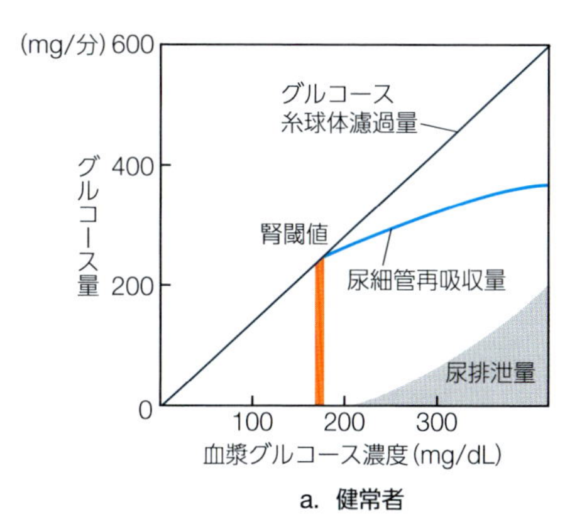

a. 健常者

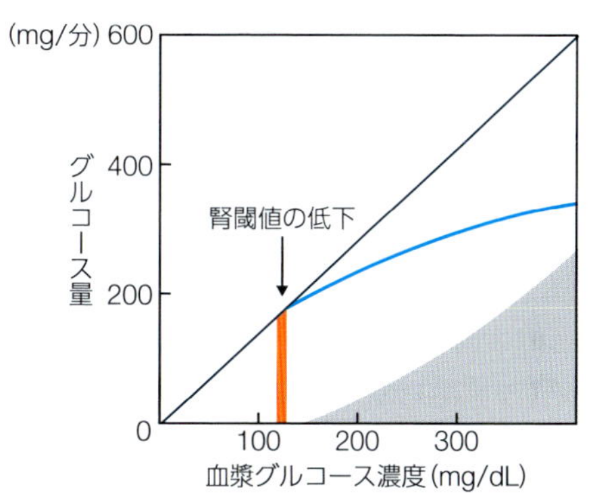

b. 腎閾値の低下した場合

**図 13-13 グルコースの腎糸球体濾過量と尿細管再吸収能との関係**

## B 血中グルコースの動態

血中のグルコースはさまざまな末梢組織に運ばれてエネルギー源として消費され，一部はグリコーゲンとして貯蔵される．腎に運ばれたグルコースは，図 13-13 の a のように，糸球体基底膜を自由に通過して糸球体濾液に移行する．動脈血中グルコース濃度が 100 mg/dL で，糸球体濾過量(GFR)が 120 mL/分の正常状態では毎分 120 mg の割合で糸球体濾液に移行する計算になる．この程度のグルコース量は，正常では，近位尿細管の $Na^+$/グルコース共役輸送担体(sodium glucose cotransporter；SGLT)からほとんどすべて再吸収されて循環血中に戻る．

したがって，正常尿中にはほとんどグルコースが排泄されない．早朝尿ではたかだか 15 mg/dL 以下のごく微量のグルコースが存在するにすぎない．このような微量のグルコースは試験紙法で陰

性となる．

近位尿細管では，まずSGLT2により約90%が再吸収され，残り約10%はSGLT1により再吸収される．SGLT2とSGLT1を合わせた最大グルコース再吸収能力が約350 mg/分程度であって，これを$Tm_G$(tubular transport maximum for glucose：グルコース尿細管最大輸送量)と呼んでいる．これ以上のグルコースが糸球体濾液に移行すると，再吸収されずに残ったグルコースが尿中に排泄されて糖尿となる．正常な腎では血糖値が170～180 mg/dL以上になると，$Tm_G$を超えて糖尿が認められ，これを腎閾値(renal threshold)と呼んでいる．

糖尿病がある場合にはSGLT2機能が亢進して$Tm_G$が増加する．その結果，尿へのグルコース排泄が減少し，2型糖尿病では高血糖を増悪させている可能性がある．妊娠により一過性に尿糖が陽性となり，ほとんどは出産後正常に戻るが，妊娠を契機に糖尿病を発症する場合もある．

**表13-14　尿糖を来す病態**

**食餌性尿糖(一過性の食後高血糖)**
1. 胃切除後
2. 甲状腺機能亢進症
3. 肝硬変などの肝疾患
4. 肥満症
5. 過剰なグルコース摂取(200g以上)など

**特発性一過性尿糖**
1. 精神的ストレス
2. 副腎皮質ステロイドの過剰投与
3. てんかん
4. 脳出血
5. 頭部外傷など

**持続性尿糖**
Ⅰ. 糖尿病
Ⅱ. 二次性糖尿病
 1. 膵疾患：慢性膵炎，膵癌，膵切除後
 2. 内分泌疾患：グルカゴン産生腫瘍，Cushing症候群，先端巨大症，褐色細胞腫など
 3. 薬剤性：副腎皮質ステロイド，インターフェロンなど
Ⅲ. 腎性糖尿
 1. 先天性：Fanconi症候群，Wilson病，ガラクトース血症など
 2. 後天性：妊娠，慢性カドミウム中毒，尿細管間質性腎炎など
 3. 薬剤性：ナトリウム・グルコース共役輸送体2阻害薬

## C 尿グルコースが増加する場合(糖尿)

### 1 高血糖の場合

前述のように，$Tm_G$が正常である場合には，血糖が170～180 mg/dL以上になれば，どのような原因(表13-14)で高血糖を来すときでも糖尿(glycosuria, glucosuria)が認められる．

### 2 腎閾値が低下する場合(腎性糖尿)(図13-13のb)

腎性糖尿(renal glycosuria)には，いろいろな定義はあるが，血糖値が正常であるにもかかわらず，尿中に病的な尿糖排泄(500 mg/日/1.73 $m^2$以上)が認められる尿細管異常をいう．家族性腎性糖尿は，SGLT1，SGLT2いずれの異常によっても生じる．SGLT1の遺伝子変異によるものは小腸と腎近位尿細管の双方での吸収障害が出現し，重篤な下痢と脱水により放置すると死亡することがある．一方，近位尿細管に特異的に発現するSGLT2の遺伝子異常に起因するものは腎性糖尿以外目立った臨床的異常を来さない．そのため，現在糖尿病の治療薬としてSGLT2阻害薬が使用されており，服用中は当然尿糖が陽性となる．

# 尿ケトン体

ケトン体(ketone body，またはアセトン体acetone body)とは，アセトン，アセト酢酸，および$\beta$-ヒドロキシ酪酸を総称したものである．

## A 検査法

尿ケトン体の検出にはニトロプルシド反応が用いられている．このニトロプルシド反応に関与するのはアセトンとアセト酢酸であって，$\beta$-ヒドロキシ酪酸は反応しない．また，アセト酢酸のほ

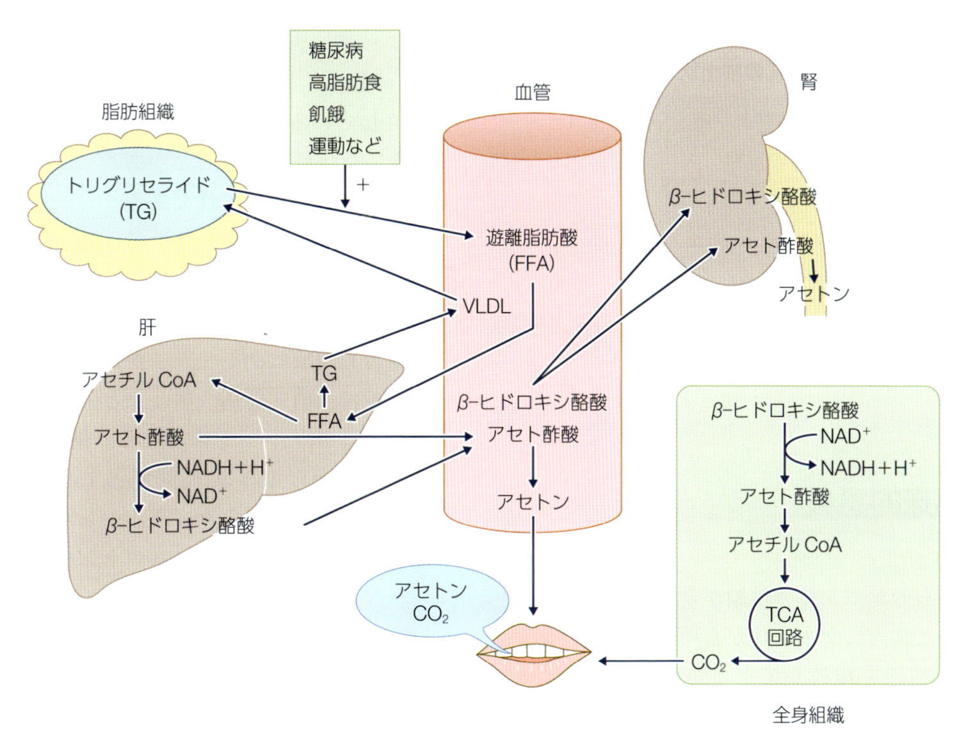


**図 13-14 ケトン生成過程とケトーシスの病態**

うがアセトンより約 10 倍強く反応する．実際には，ニトロプルシド反応はアセト酢酸を検出していることなる．そのため，ケトアシドーシスの診断，特に初期診断には，血中ケトン体定量や分画の測定が必要な場合もある．

アセト酢酸は急速にアセトンに変わり，アセトンは揮発性のため容易に失われる．凍結保存しても分解が避けられないので，新鮮な検体を用い，ただちに検査すべきである(少なくとも排尿後 2～3 時間以内)．ちなみに凍結保存 1 週間では約 30%，2 週間で約 50% は分解されてしまう．セフェム系抗菌薬，エパルレスタットやブシラミンなどで偽陽性を示すことがある．

## B 体内での動態

ケトン体は，脂肪の分解やケト原性アミノ酸(ロイシン，リシン)などによって生成される．脂肪組織から放出された遊離脂肪酸が血流にのって肝臓に運ばれると，肝細胞内に取り込まれる．遊離脂肪酸は β-酸化によってアセチル CoA となり，アセト酢酸が生成され，アセト酢酸(酸化型)は酸化還元反応により NADPH 依存性に β-ヒドロキシ酪酸(還元型)に変化し，血液中に放出される．血液や尿中のアセト酢酸は不安定で容易に不可逆的反応でアセトンに分解される．アセトンは揮発性であり呼吸中または尿中に排泄される(図 13-14)．

ケトン体は，脳，心筋，骨格筋，腎臓などいろいろな臓器のエネルギー源として利用される．すなわち，β-ヒドロキシ酪酸はアセト酢酸に変換され，アセト酢酸はアセチル CoA となり，TCA 回路に入って代謝される(図 13-14)．

血清ケトン体は平均して 0.15 mmol/L 程度であって，β-ヒドロキシ酪酸：アセト酢酸：アセトンの濃度比率はそれぞれ 1.2：1.0：0.5 程度であり，β-ヒドロキシ酪酸が最も多く含まれている．その理由の一つとして，尿中へのアセト酢酸排出量が相対的に多いためと考えられている．すなわち，尿細管での再吸収については，β-ヒドロキシ酪酸のほうが良好と知られている．

**表13-15　種々の昏睡状態における尿ケトン体および尿グルコースの検出状況**

| 病態 | 尿ケトン体 | 尿グルコース |
|---|---|---|
| 糖尿病性ケトーシス | 多量 | 多量 |
| 高浸透圧性昏睡 | — | 多量 |
| 乳酸アシドーシス | — | 多量 |
| 低血糖性昏睡 | —，少量 | —，少量 |
| その他の昏睡* | — | —，少量 |

* 尿毒症，劇症心筋梗塞，脳卒中，薬物中毒，急性アルコール中毒などを含む．

## C　臨床的意義

肝臓からのケトン体の供給が全身組織での利用を上回ると体内にケトン体が蓄積し，ケトン体が増加する病態を総称してケトーシス(ketosis)と呼ぶ．体内に過剰に蓄積したアセトンを除くケトン体は比較的強い酸であるためアシドーシスを招き，ケトアシドーシス(ketoacidosis)と呼ばれている．このような病態は，図13-14に示すように，インスリン欠乏やストレスによって脂肪組織から遊離脂肪酸の動員が亢進し，肝でのケトン体生成の増加が起こるためである．具体的には，糖尿病，高脂肪食，飢餓(または絶食)，運動，外傷，大手術および熱発などで認められる．要するに，ケトーシスが存在するときは，生体がエネルギー補給のために，糖質よりも脂質を利用していることを意味している．

### 1 糖尿病患者の経過観察

尿ケトン体陽性の場合，インスリン欠乏による糖利用障害,絶食やSGLT(sodium glucose cotransporter)2阻害薬内服などによる脂質利用亢進を表している．血糖管理不良時は，糖尿病性ケトアシドーシスの存在を疑う必要がある．ケトアシドーシスのとき最も増加する$\beta$-ヒドロキシ酪酸は，尿試験紙法では反応しないため，ケトアシドーシスの診断，特に初期診断には，血中ケトン体定量や分画の測定が必要な場合もある．

糖尿病患者が昏睡に陥った場合，必ずしも糖尿病性ケトアシドーシスとは限らない．したがって，尿糖とともに尿ケトン体を同時に検査することによって，表13-15のように，鑑別が可能である．例えば，高齢者の糖尿病で，特に脱水状態を合併している場合に血糖が著しい高値となり，高浸透圧性昏睡となることがある．このような病態では尿ケトン体は陰性である．

### 2 飢餓状態の推定

高脂肪食ではケトーシスに傾くが，逆に飢餓状態の場合も鋭敏にケトーシスが認められる．糖尿病以外では，消化器病，嘔吐などのため食事摂取が不能となりケトーシスとなる．絶食した場合，最後の食事から16～36時間経過すると尿中にケトン体が証明されるようになる．したがって，食事摂取の様子を知るうえにもケトン体検査は役立つ．

小児の場合は，嘔吐などによって，成人よりも速やかに，しかもより高度のケトアシドーシスが起こって危険な状態になりうるので，特に注意が必要である．

### 3 アルコール性ケトアシドーシス(alcoholic ketoacidosis)

多くの長期アルコール依存患者は，原因は不明な点も多いが，重篤な糖質不足を含めた栄養障害を合併しているため，脱水などを契機にケトアシドーシスを来しやすい．

## 10 尿胆汁色素

尿中に排泄される胆汁色素としては，可溶性の直接ビリルビン(抱合型ビリルビン)とウロビリノゲンがある(図13-15)．血中のビリルビン増加と密接に関連しているので，3章 ❼ **血清ビリルビン**(68頁)を参照のこと．

ビリルビン尿は，黄褐色～赤褐色を呈し，濾過すれば濾紙を黄染する．尿を長く空気中に放置すると，ビリルビンが酸化されてビリベルジンになる．ウロビリノゲンは無色だが，体外では酸素により酸化されて褐色のウロビリンになる．

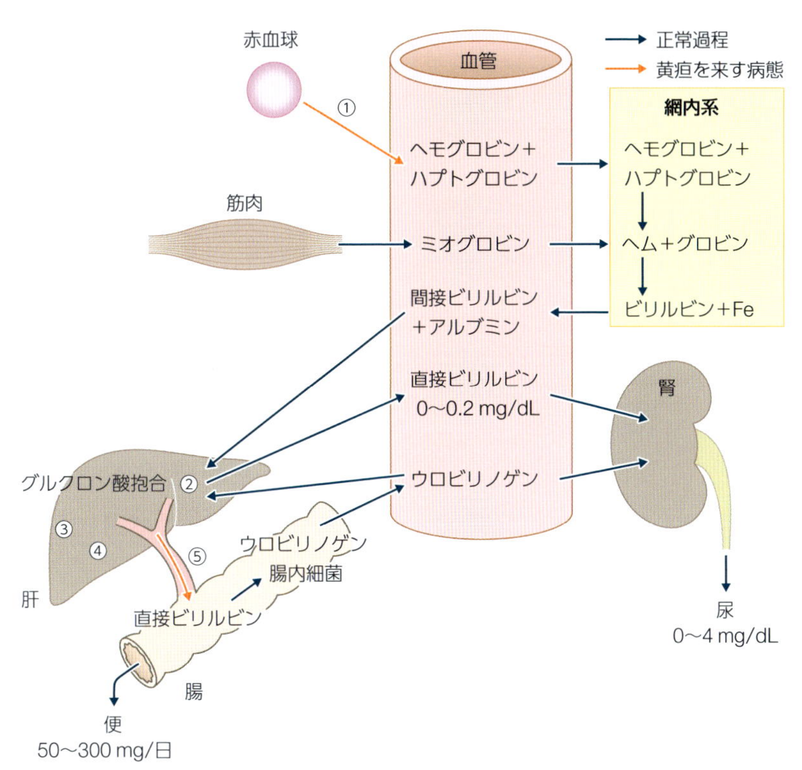


**図 13-15 胆汁色素の体内動態と病態**（原図・河合）

① 溶血，② 抱合異常（Gilbert 病），③ 肝実質性障害，④ 胆汁への排泄障害（Dubin-Johnson 症候群），⑤ 胆管閉塞



## A 尿ビリルビン

検査法には酸化法もあるが，ジアゾ反応を応用した試験紙法が普及しており，0.2〜0.5 mg/dL 程度のビリルビンを特異的に検出しうる．エトドラク服用にてフェノチアジン代謝産物が尿中に排泄され偽陽性を呈することがあり，アスコルビン酸で偽陰性になる場合がある．

ビリルビンは不安定な物質で，特に室温で光線にさらすと急速に分解して，ジアゾ反応で検出しがたくなる．尿ビリルビン（urine bilirubin）検査はできるだけ速やかに実施し，採尿後 1〜4 時間以内に検査を終える必要がある．

## B 尿ウロビリノゲン

尿ウロビリノゲン（urine urobilinogen）の定性検査は Ehrlich のアルデヒド反応が広く使われてきたが，最近はジアゾ反応を利用した試験紙が普及している．この反応では，おおよそ 0.4 mg/dL 以上のウロビリノゲンを検出しうる．日光にさらされたり，長時間放置すると酸化されてウロビリンに変化し，ジアゾ反応で検出できなくなるため，新鮮な尿について，できるだけ速やかに検査する．

## C 尿ビリルビンが増加する場合（ビリルビン尿）

尿中に排泄されるのは水溶性の抱合型ビリルビンのみである．したがって，尿中にビリルビンが検出されたならば，血中の直接ビリルビンが高値を示していることを意味し，表 13-16 のように黄疸の鑑別の簡単な方法として有用である．一般的には，血中の直接ビリルビン濃度が 1 mg/dL 程度に上昇すると，すでにビリルビン尿（biliru-

表 13-16　尿検査による黄疸の鑑別

| ウロビリノゲン | ビリルビン | 黄疸の病態(原因) |
|---|---|---|
| + | + | 肝実質性障害 |
| ±〜+ | + | 閉塞性黄疸<br>Dubin-Johnson 症候群 |
| − | + | 完全閉塞性黄疸<br>肝炎の極期(一過性) |
| + | − | 溶血性貧血<br>肝炎の回復期<br>新生児黄疸 |
| − | − | Gilbert 症候群 |

binuria)が検出しうる．ビリルビン尿の検出は初期の黄疸の鑑別に有用な検査法である．

## D　尿ウロビリノゲンが低下する場合

試験紙法では感度の問題で(−)を検出できず，(±)が基準値となるので，判定の際には注意が必要である．

ウロビリノゲンは腸内細菌により直接ビリルビンが還元されて作られ，再吸収されて循環系に入り，その一部が尿中に排泄される．そのような腸肝循環経路のどの部分に異常が存在しても，尿中排泄に影響することになる．尿ウロビリノゲンの排泄低下は以下のような病態で認められる．

### 1 腸へのビリルビン排泄が起こらない場合

胆道の完全閉塞，急性肝炎の極期(一過性)，胆道にチューブを挿入して胆汁が体外に排出されるような状態では直接ビリルビンが腸内に到達しないため，ウロビリノゲンの生成が停止する．

### 2 腸内でのウロビリノゲン生成が減少する場合

抗菌薬の経口投与によって腸内細菌が変わり，そのためにビリルビンからウロビリノゲンへの変換が低下することによる．

### 3 その他

酸性尿では尿細管でのウロビリノゲンの再吸収が増加し，尿中排泄量が低下傾向となる．

## E　尿ウロビリノゲンが増加する場合

### 1 ビリルビンの胆汁中への排泄量が増加する場合

溶血性黄疸，肝炎の回復期，シャント高ビリルビン血症などでは肝機能が正常である限り，多量のビリルビンが胆汁を通して腸内に移行するので，それだけウロビリノゲンの生成量が増加し尿中への排泄量も増える．

### 2 ウロビリノゲンの腸における吸収が増加する場合

小腸内への細菌侵入があって，小腸でのウロビリノゲン生成が促進されると，それだけ迅速にウロビリノゲンが再吸収されることになる．

### 3 その他

肝機能低下により肝細胞でのウロビリノゲン処理能が低下すると血中にうっ滞して尿中への排泄が増加する．アルカリ尿では，酸性尿とは逆に尿中排泄が増加する．

## F　試験紙法のピットフォール

現在ではより陽性率の高い精密な肝機能検査が広く利用され，尿ウロビリノゲン検査が従来からいわれているほど診断的に有用な肝機能検査とは考えがたく，臨床的意義は限られている．また，試験紙法には次のようなピットフォールがある．

① 従来の Ehrlich 反応による試験管法のように病的陰性は検出できない．

② 排尿後ただちに検査する必要があり，経口抗菌薬による偽陰性が少なくない．

③ 便秘による吸収の増加や不眠や疲労などでも一過性にしばしば陽性となるため，尿ウロビリノゲン陽性がすなわち肝障害ではない．

# 尿亜硝酸塩と白血球反応

尿路感染症のほとんどは直腸常在菌の上行性感染によるもので，特に女性に圧倒的に多い．結婚，妊娠，出産はいずれも危険因子となりうる．その他，糖尿病，SGLT2 阻害薬内服中，痛風，尿路結石，先天性泌尿器疾患なども危険因子として重要である．腎盂腎炎の誘発因子の代表的なものを表 13-17 に示した．尿路感染症の診断には，尿検査が必須であり，表 13-18 に示した簡便なスクリーニング検査がある．そのなかで尿亜硝酸塩と白血球反応が細菌尿と膿尿の指標として用いられる．

表 13-17　腎盂腎炎の誘発因子

1. 尿流停滞による細菌増殖の促進
① 機械的閉塞・狭窄：尿路結石，腫瘍，尿路の圧迫，嚢胞腎，尿路奇形
② 機能的閉塞・狭窄：神経性排尿障害，腎盂尿管運動異常
2. 腎の感染抵抗の減弱：糸球体腎炎などの腎疾患，高血圧，糖尿病，痛風，K 欠乏
3. 全身感染抵抗の減弱：消耗性疾患，免疫不全症候群
4. 細菌の移入：尿路カテーテル挿入，直腸-膀胱瘻

## A　尿亜硝酸塩検査

正常尿では亜硝酸塩が検出されない．しかし，硝酸塩は通常食物を介して体内に吸収され，尿中に排泄されている．この硝酸塩が細菌により分解されて亜硝酸塩となるので，尿中に亜硝酸塩が検出されるときは硝酸塩還元菌が増加していることがわかる．硝酸塩還元菌としては，大腸菌，変形菌，*Klebsiella*，*Aerobacter* の他，一部の腸球菌，ブドウ球菌，および緑膿菌がある．もちろん，硝酸塩を還元しえない細菌感染では，本試験は陽性とならない．

### 1 検査法

試験紙法で行われ，尿中の亜硝酸塩濃度に応じて赤紫色のアゾ色素が形成され着色する(Griess 反応)．亜硝酸塩に特異的であって，100 mL 尿中の 0.03 mg 亜硝酸塩まで検出可能である．

### 2 検査上の注意点

早朝第 1 尿あるいは 4 時間以上膀胱内に貯留した尿を用いる．膀胱内での尿の貯留時間が短い場合には膀胱内での硝酸塩から亜硝酸塩への還元反応が不十分であり偽陰性を呈してしまう．また，硝酸塩が十分に摂取されない場合は，亜硝酸塩の形成される量が少ないため本試験は偽陰性を示すことがある．例えば，嘔吐，空腹(飢餓)，腸管外

表 13-18　細菌尿のスクリーニング検査所見と長所，短所

| 検査 | 所見 | 長所 | 短所 |
|---|---|---|---|
| 尿の臭い | 尿素分解菌によるアンモニアの発生 | 迅速，器具不要 | 不明確，鈍感，偽陰性が多い |
| 尿 pH | 尿 pH 7.5(尿素分解菌の場合) | 迅速，簡便 | 非特異的，偽陽性・偽陰性多い |
| 尿混濁 | 腎盂腎炎：少ない<br>膀胱炎：著しい | 迅速，器具不要 | 非特異的，鈍感，偽陽性・偽陰性多い |
| 尿亜硝酸塩 | 陽性 | 迅速，簡便，偽陽性が少ない | 菌によっては鈍感，または検出不能，偽陰性あり |
| 白血球反応 | 陽性 | 融解白血球も検出，検体採取後長時間経過しても検出可能 | 無顆粒球症で偽陰性，高比重尿では偽陰性，好中球や単球以外には反応しない |
| 尿沈渣 | 白血球 5/HPF 以上 | 迅速，偽陽性少ない | 比較的鈍感．偽陰性が多い |

栄養補給，乳児(母乳栄養)などで硝酸塩の排泄が減少する．尿は細菌にとって優れた自然培地であり，尿に硝酸塩還元菌が混入すると偽陽性になる可能性があるため，採尿後ただちに検査しなければならない．遅くとも2時間以内に検査することが絶対必要である．冷蔵庫に保管すれば2日間ぐらいは著しい細菌数の増加はない．ちなみに，好適な条件下では，大腸菌では2時間後には60倍，4時間後には約4,000倍，5時間後には実に10万倍まで増菌されることになる．

### 3 臨床的意義

偽陽性は少なく，陽性であればほぼ細菌尿，つまり$10^5$ CFU/mL以上と判定できる．つまり，細菌尿のスクリーニング検査となる．ただし，細菌の種類，食事内容，尿の貯留時間などにさまざまな因子の影響を受けるため，亜硝酸塩の陽性結果と細菌数とは必ずしも一致しない．

正常尿は本来無菌であるが，尿道や外性器から上行してくる細菌によって汚染されるため，通常の方法により排尿された試料では少数の細菌を混入している．このような正常尿にみられる以上に多数の細菌の検出される場合を細菌尿と呼ぶ．細菌尿が疑われるか，臨床的に尿路感染症が疑われる場合には必ず塗抹検査や定量培養検査といった細菌学的検査により確認しなければならない．

## B　白血球反応

尿路感染に伴い尿中に白血球(顆粒球)が増加する膿尿のスクリーニングに役立つ．

### 1 検査法

試験紙法で，白血球，主に好中球より遊出されたエステラーゼ活性をみることにより，間接的に尿中白血球量を判定することができる．検出感度は各試験紙メーカーにより若干の差があるが，尿中白血球数10〜25/μLとなっている．

### 2 検査上の注意点

試験紙法は，白血球，長時間放置などにより崩壊した白血球，白血球円柱のいずれも検出できる．好中球エラスターゼは尿中で極めて安定で，1日保存後も検出可能である．500 mg/dL以上の蛋白，300 mg/dL以上のグルコースを含む尿および高比重尿では偽陰性になる場合がある．また，テトラサイクリン系やセファロスポリン系抗菌薬でも偽陰性になる場合があり，抗菌薬治療の判定時には注意する．

**表13-19　尿試験紙法と尿沈渣の判定法**

| | | 尿白血球反応 | |
|---|---|---|---|
| | | 陰性 | 陽性 |
| 尿沈渣白血球 | 陰性 | 異常なし | 崩壊した白血球の存在<br>長時間放置した尿<br>ホルマリン<br>見落とし |
| | 陽性 | 好酸球の増加<br>高張尿<br>高濃度の蛋白/ブドウ糖<br>抗菌薬<br>誤認<br>試験紙の劣化 | 病的好中球(単球)増加 |

### 3 臨床的意義

健常人でも1日に約60万〜100万個の白血球が尿中に排泄され，尿沈渣では1〜2個多くとも4個/HPF程度である．つまり，尿沈渣で≧5個/HPF，遠心なしで≧10個/μLの白血球を認めれば，膿尿となる．試験紙法では陽性であれば膿尿と判断できる．ただ，試験紙法は好中球・単球には特異的に反応するが，他の白血球つまり好酸球には反応しないなど偽陰性の可能性があり，尿沈渣を行い，表13-19のように判定することが望ましい．無顆粒球症の患者尿では細菌尿があっても陽性とならない．

# 12 尿沈渣(尿中有形成分測定を含む)

尿は，血液と同じように，液体成分と有形成分とに分けられる．液体成分を測定するには種々の物理化学的方法が応用されているが，有形成分については主として形態学的方法で検索しなければならないので，尿沈渣成分(urinary sediments)の検査が行われる．

## A 検査法

### 1 尿沈渣のルーチン検査

新鮮尿をよくかきまわし，10 mL および 0.2 mL に正確な目盛りがついた先端が尖ったポリアクリルスチレン製スピッツに尿を 10 mL 入れる．一定条件下(遠心力 500 G，5 分)で遠沈した後，遠心管内の尿上清をそのまま静かに捨て，0.2 mL にする．スポイトなどでよく混ぜて再浮遊されたものを一滴スライドグラス上に落とし，カバーグラスをのせて鏡検する．鏡検順序は通常，弱拡大(low power field；LPF，100 倍)で全視野(whole field；WF)を観察後，強拡大(high power field；HPF，400 倍)で最低 10 視野以上 20～30 視野を無染色で鏡検する．簡単な検査であるが，正しく行わないと正しい結果が得られない．尿沈渣の同定には熟練が必要であり，誤差が生じやすい(JCCLS 尿沈渣検査法指針提案 GP1-P4，2010 を参照のこと)．

一般的には，尿沈渣標本で観察し，1 視野(強拡大視野 400 倍)に何個認められるかを表現する．

### 2 尿沈渣の特殊染色検査

染色法は溶血作用や希釈誤差が生じるため原則は無染色であるが，確認および同定が必要な場合に用いる．尿沈渣と染色液の比率を 4：1 程度で使用する．通常は，Sternheimer-Malbin 染色法(S-M 染色法)または Sternheimer 染色法(S 染色法)が用いられる．特殊染色として，ヘモジデリン顆粒の有無を確認するため，プルシアンブルー染色が用いられ，沈渣中の脂肪滴を観察するのに Sudan Ⅲ染色法などが用いられる．

### 3 フローサイトメトリーによる尿中有形成分測定

自動尿中有形成分測定装置(フローサイトメトリーによるスキャッタグラム解析と画像解析を利用)により，非遠心尿をそのまま使用，簡易・迅速に測定し，測定者の技能による差がなく，しかも定量的な結果(個数/μL)を得ることが可能である．わが国では 2006 年から保険診療にも適用された．円柱と粘液糸，結晶の区別など詳細な成分分類，細胞，円柱の詳細な区分などは，鏡検が必須であり，スクリーニング検査として位置づけられている．

## B 尿沈渣成分のできかた

正常でも，赤血球(1～4/HPF)，白血球(1～4/HPF)，上皮細胞(<1/HPF)，硝子円柱のような少数の有形成分を含んでいる．ただ，男性では精液，前立腺分泌液が尿道で混入しうるし，女性では尿道口付近で外性器分泌液，便などの混入の危険が大きい．

### 1 細胞成分

赤血球，白血球，腫瘍細胞は，病巣の部位によって，腎から尿道までのどの部位からでも尿中に混入しうることになる．

上皮細胞成分は尿細管上皮細胞，移行上皮細胞，扁平上皮細胞が主なもので，尿細管上皮細胞は腎に由来し正常尿では認められない．しかし，扁平上皮細胞は，尿道，外陰部，時に膀胱に由来するもので，正常尿でも認められる．

### 2 円柱成分

腎尿細管内腔で，尿中蛋白(特に Tamm-Horsfall 糖蛋白)がゲル状になり，その他の成分が混入して主に遠位尿細管および集合管で形成されるため，尿細管の鋳型ということになる．それが，尿流に押し流されて尿中に排泄される．したがって，細長い円柱は遠位尿細管で作られ，太い円柱は集合管で作られたものである．正常では，基質成分のみからなる硝子円柱が認められる場合がある(図 13-16)．円柱形成のメカニズムを理解すると，例えば赤血球円柱は集合管以前の出血を意味することがわかる．

### 3 結晶成分

糸球体濾液中へ移行または排尿後，血漿あるいは糸球体濾液中水分に溶解している成分であって

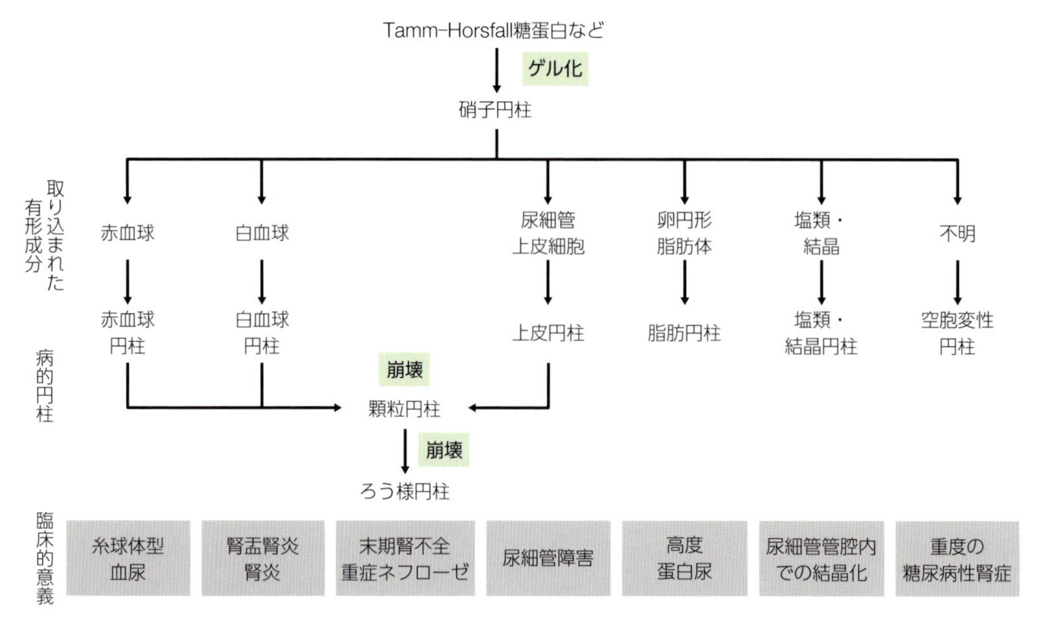


**図 13-16　円柱の種類と病的意義**

円柱の幅が 60 μm 以上の円柱を幅広円柱といい，円柱の種類と同時に報告する．急性と慢性腎障害の鑑別に役立ち，代償的な尿細管肥大を表すとされ慢性腎障害を示唆する．

**表 13-20　尿沈渣異常所見の臨床的意義**

| 沈渣成分 | 糸球体腎炎 | 尿細管障害 | ネフローゼ | 尿路感染症 | | 悪性腫瘍 | 結石 | 薬物・代謝異常 |
|---|---|---|---|---|---|---|---|---|
| | | | | 腎盂腎炎 | 下部尿路感染症 | | | |
| 赤血球 | なし～多数 | なし～多数<br>糸球体型 | なし～多数<br>糸球体型 | なし～多数<br>糸球体型 | なし～多数<br>糸球体型 | なし～多数<br>非糸球体型 | 少数～多数<br>非糸球体型 | なし<br>非糸球体型 |
| 白血球 | なし～少数 | 少数～多数<br>(薬剤性：好酸球) | なし～少数 | 多数 | 多数 | なし～多数 | なし～少数 | なし |
| 細胞 | | 尿細管上皮細胞 | 卵円形脂肪体 | 尿細管上皮細胞 | 扁平上皮細胞 | 異型細胞 | 移行上皮細胞 | なし |
| 円柱 | 赤血球円柱<br>顆粒円柱 | 上皮円柱<br>顆粒円柱 | 脂肪円柱<br>ろう様円柱 | 白血球円柱 | なし | なし | 結晶円柱 | 結晶円柱 |
| 結晶 | なし | なし | なし | なし | なし | なし | なし～あり | あり |
| 微生物 | なし | なし | なし | あり | あり | なし | なし | なし |

も，尿の pH，尿の塩濃度，濃縮，膀胱での貯留時間，検査までの放置時間，外気温度などの変化によっては析出してくるものがある．それが尿沈渣中の結晶である．

## 4 外来性成分

細菌，真菌，原虫などの微生物はほとんどすべて上行性に尿道および尿道口周辺部より侵入し，尿中に混入する．時に造影剤やさまざまな異物が故意または無意識のうちに添加される場合がある．

# C 尿沈渣に異常を示す場合

尿沈渣成分が病的に変動する場合の主な病態をまとめたのが表 13-20 である．このうち，血尿については 240 頁，膿尿については 258 頁で取り上げているので除き，他の異常所見についてまとめる．

## 1 円柱の増加（円柱尿）

円柱は，形態学的に次のような種類が区別されている．すなわち，硝子円柱，赤血球円柱，白血球円柱，上皮円柱，脂肪円柱，塩類・結晶円柱，顆粒円柱，ろう様円柱などである(図13-16)．また，ヘモグロビン尿やビリルビン尿など時に色素により着色している場合もある．円柱を形成する際に尿細管腔内に存在する有形成分が取り込まれると，図13-16のような病的円柱となる．例えば，尿細管上皮細胞が剝離し，円柱に取り込まれれば上皮円柱である．細胞性円柱つまり上皮，赤血球，白血球円柱は，尿細管を下降するにつれて崩壊し，顆粒円柱からろう様円柱となる．どの時点で排尿されるかは腎の障害度と尿流によって規定される．つまり，腎障害が悪化するほどろう様円柱がみられる．顆粒円柱は，上皮円柱と顆粒円柱の移行型が数多く観察されることから，ほとんど上皮円柱由来と考えられる．

円柱は，図13-16に示すようにさまざまな腎内部の病態を正確に反映しており，円柱尿(cylinduria)を正しく解釈することは，腎疾患の病態を把握するうえでは極めて重要である．円柱は，細胞成分とともに，腎・尿路系疾患の鑑別に重要な情報を提供してくれる(表13-21)．

### 2 病的細胞成分

糸球体，尿細管，尿管，膀胱や尿道の障害で，それぞれの部位由来の，ポドサイト(足細胞)，尿細管上皮細胞，移行上皮細胞，扁平上皮細胞が出現し，障害部位の推定に役立ち，その数の増加は障害の程度を表している．卵円形脂肪体は，大量の蛋白が近位尿細管細胞上皮細胞に再吸収されたことにより脂肪変性を来し，尿中に剝離したものであり，ネフローゼ症候群において出現する．マルベリー小体は渦巻き状構造の脂肪球で，マルベリー細胞はマルベリー小体が詰まった桑の実状の上皮細胞で，Fabry病で観察される．

### 3 病的結晶の出現

正常尿でも，多数の結晶がみられるので，アルカリ尿や酸性尿でどのようなかたちでみられるか知っておく必要がある．シスチンは尿酸塩と間違われやすいが，確認されればシスチン尿症が疑われる．2,8-ジヒドロキシアデニン結晶は，黄～黄褐色で大小不同の球状結晶で，先天性アデニンホスホリボシルトランスフェラーゼ欠損症でみられ，マルベリー小体同様診断の契機となるが，尿中の結晶は診断学的にあまり重要ではないことが多い．

## 13 尿電解質

尿中電解質や尿素窒素の測定は，主に1日摂取量の推定，輸液の際の水・電解質バランスの評価，電解質酸塩基平衡異常の病態解析と鑑別診断などに利用されている．測定方法は血液中電解質や尿素窒素と同じであり，それらの項(56頁)を参照されたい．

### 1 1日摂取量の推定

24時間蓄尿を行い，尿中濃度×尿量で1日排泄量を計算できる．Na，K，Clは腎機能正常者では，経口摂取量がほとんどそのまま尿中に排泄されるため，1日の経口摂取量とみなしてよい．しかし，Ca，Mg，Pは，腸管での吸収率がおおよそCa 20%，Mg 40%，P 60%であることから，経口摂取量を反映していないことに注意が必要である．臨床では，主に食塩と蛋白摂取量の推定に使用されており，計算式を以下に示す．

推定塩分摂取量(g/日)
＝尿中Na排泄量(尿中Na濃度×尿量)(mEq/日)÷17

推定食事摂取蛋白量(g/日)
＝[尿中尿素窒素排泄量(尿中尿素窒素濃度×1日尿量)(g/日)＋0.031×体重(kg)]×6.25*＋1日尿蛋白量(g/日)

*Maroniの式．この式は窒素出納が平衡状態であることを前提しているため，蛋白質不足やエネルギー不足，ステロイド療法などによって体の蛋白質異化が亢進している場合には，実際の摂取量より過大評価してしまう．

蓄尿で行うのが大原則であるが，蓄尿は煩雑で外来診療では蓄尿ができないことも多い．そのため，尿蛋白などと同様，1日のクレアチニン排泄量がほぼ1gであることを利用して，1日排泄量

**表 13-21　電解質と水分のイン・アウトバランス**

**1 日の水分バランス**
イン＝経口摂取量(飲水量＋食物由来)＋代謝水
アウト＝尿量＋不感蒸泄(＋異常排泄)

**1 日必要水分量の計算**
尿量＋不感蒸泄(＋異常排泄)－代謝水
＝尿量＋10 mL/kg(＋異常排泄)

**1 日の電解質バランス**
イン＝経口摂取量(飲料水＋食物由来)(×腸の吸収率)
アウト＝尿中排泄(＋異常排泄)

代謝水＝5 mL/日/kg，不感蒸泄＝15 mL/日/kg，異常排泄＝発汗，嘔吐，下痢，ドレーン排液など

を推定する．これをグラムクレアチニン補正と呼び，mEq/g･Cr あるいは mg/g･Cr などと表記する．1 日尿クレアチニン排泄量は筋肉量に比例するので，女性，高齢者では 1 日 1 g 以下のことが多いが，同一患者での短期間の比較については非常に信頼性が高い．

## 2 輸液時

電解質のイン・アウトバランスは水分と異なり，通常ではインは経口摂取のみであり，アウトは尿中排泄のみである(表 13-21)．絶飲食時，主に中心静脈栄養を行う際は，インは輸液のみとなる．経口摂取のように例えば血漿浸透圧が上がれば口渇中枢を刺激し，飲水が増えるといった自己調節機構が働かないため，血液中電解質濃度に加えて尿量や尿中電解質排泄量を定期的に評価し，輸液メニューを調節する必要がある．

## 3 電解質酸塩基平衡・尿酸異常の病態解析と鑑別診断

水電解質代謝異常の鑑別のためのアプローチの方法は，次の 5 つに集約される．

① 尿の電解質濃度と排泄量の測定．
② 排泄率を計算して腎でのハンドリング(再吸収・排泄)の検討．
③ バランスを計算し，イン，アウト，シフトの 3 因子の関与の検討．
④ 体液状態の評価．
⑤ 鑑別した原因が実際に存在しうるか否か検討する．

ここでは，排泄率についてのみ記載する．詳細

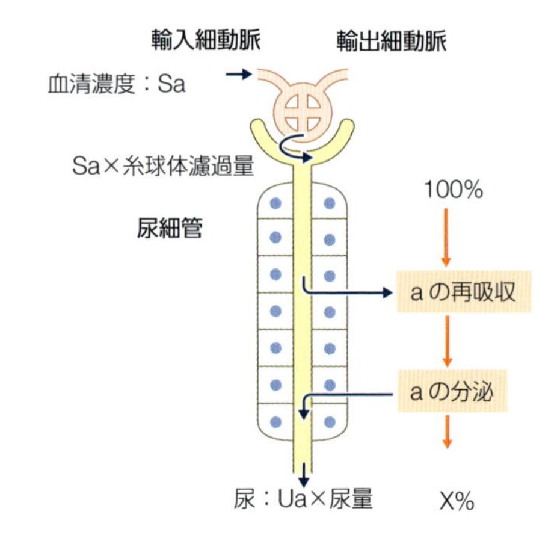


$$\mathrm{FEa}(\%)=\frac{\text{排泄量}}{\text{濾過量}}=\frac{\mathrm{Ua}\times\text{尿量}}{\mathrm{Pa}\times\text{糸球体濾過量}}$$

GFR をクレアチニンクリアランスで代用すると

$$\mathrm{FEa}(\%)=\frac{\mathrm{Ua}\times\mathrm{Scr}}{\mathrm{Sa}\times\mathrm{Ucr}}=\mathrm{X}\%$$

**図 13-17　電解質 a の排泄率の概念と計算式**

**表 13-22　電解質の排泄量と排泄率(FE)**

| | 1 日排泄量(/日) | FE(%) |
|---|---|---|
| Na | 150～200 mEq | 1～2 |
| K | 40～80 mEq | 10～20 |
| Ca | 100～200 mg | 2～4 |
| Mg | 100～200 mg | 2～3 |
| P | 400～600 mg | 10～20 |
| 尿素窒素 | 5～10 g | 40～60 |
| 尿酸 | 200～400 mg | 7～14 |
| $HCO_3^-$ | — | 3 以下 |

〔内田俊也：水電解質異常，日腎会誌 44：18-28，2002 より引用改変〕

については，専門書を参照されたい．

### a 排泄率

排泄率(fractional excretion；FE)とは，糸球体で濾過された電解質などの物質が，尿細管を通過しているうちに再吸収や排泄され，最終的に何％が排泄されたかを示す指標である．実際には各電解質クリアランスをクレアチニンクリアランス(糸球体濾過量)で除して，算出する(図 13-17)．

尿中排泄量と排泄率の参考値を表 13-22 に示す．この値は，腎機能正常者における通常の食事

**表 13-23 電解質 a の異常の病態解釈**

| | |
|---|---|
| ① 血清 a 濃度↑，FE↑ | 摂取過剰 |
| ② 血清 a 濃度↑，FE↓<br>(尿細管からの分泌低下または吸収増加) | 腎からの排泄低下 |
| ③ 血清 a 濃度↓，FE↑<br>(尿細管からの分泌増加または吸収低下) | 腎からの排泄亢進 |
| ④ 血清 a 濃度↓，FE↓ | 摂取不足 |

摂取状態での参考値であり，例えば低カリウム血症の場合，カリウム排泄率が 18% であれば，一応参考値範囲内であるが，本来であれば排泄率が低下すべきであるため不適切に排泄が亢進していると解釈すべきである．電解質異常を認めた場合，血清値と排泄率の組み合わせで，表 13-23 のように病態が明らかにできる．

ただし，腎機能低下つまり糸球体濾過量が減少すると計算上排泄率は高くなる．これは，同じ量を排泄するために残存ネフロンが適応した結果であるが，腎機能低下時の排泄率の基準値がないため，その解釈には注意が必要である．

# 14 尿アミノ酸

## A 尿アミノ酸

アミノ酸は，カルボキシ基(-COOH)とアミノ基($-NH_3$)の両方を有する有機化合物で，動物界では両者が同一の炭素原子に結合している $\alpha$-アミノ酸で，構造の違いから表 13-24 のような 5 群に分類される．生体内では，蛋白質，非蛋白窒素化合物の合成に利用され，一部は分解してアンモニアとなり，最終的に尿素となる．血中アミノ酸は，腎糸球体を容易に通過し糸球体濾液に移行するが，近位尿細管において構造が似ているアミノ酸同士が別々の 5 種類の輸送系で能動的に再吸収され，再び体内で利用される．正常では尿中にほとんど排泄されないが，一般にグリシン，ヒスチジン，セリン，リシン，アラニンなどはごく少量排泄される．病的にアミノ酸の尿中排泄が増加する病態をアミノ酸尿と呼んでおり，多くは先天性代謝異常に合併する．先天性代謝異常症のマススクリーニングは，現在では濾紙血液を試料とした高速液体クロマトグラフィ法による検査が行われており，尿中アミノ酸分析を行うのは限られた状況のみとなってきている．

**表 13-24 転送機構の違いによるアミノ酸の分類**

| | |
|---|---|
| 第Ⅰ群 | monoamino-monocarboxylic acids<br>アラニン，セリン，スレオニン，バリン，ロイシン，イソロイシン，フェニルアラニン，チロシン，トリプトファン，アスパラギン，グルタミン，ヒスチジン，システイン，メチオニン，シトルリン |
| 第Ⅱ群 | dibasic amino acids<br>リシン，アルギニン，オルニチン，シスチン |
| 第Ⅲ群 | dicarboxylic amino acids<br>グルタミン酸，アスパラギン酸 |
| 第Ⅳ群 | amino acids and glycine<br>プロリン，ヒドロキシプロリン，グリシン |
| 第Ⅴ群 | $\beta$-amino acids<br>$\beta$-アラニン，$\beta$-アミノイソ酪酸，タウリン |

### 1 検査法

尿中アミノ酸分析のゴールデンスタンダードは蓄尿での測定である．従来はアミノ酸の測定として，スルホン化ポリスチレン樹脂への吸着とニンヒドリン反応を利用した比色法が用いられてきたが，近年，高速液体クロマトグラフィ法による個々のアミノ酸同時分析が実施されている．シスチン尿症では，ニトロプルシド試験がスクリーニング検査として使用されている．ただ，乳幼児期では尿細管でのアミノ酸再吸収が未熟であり，健常者でも陽性となるので，検査は 2 歳以上で行うことが推奨されている．

### 2 増加する場合(アミノ酸尿)

アミノ酸尿(aminoaciduria)は，特定のアミノ酸が排泄される特異的アミノ酸尿と全般的にアミノ酸排泄が増加する汎発性アミノ酸尿の 2 種類に分けて考えることができる．特異的アミノ酸尿，例えば，シスチン尿症の卵の腐ったような尿臭，フェニルケトン尿症のネズミの尿臭，メープルシロップ尿症のメープルシロップの尿臭や高チロシン血症のゆでたキャベツの尿臭などでは，特有のにおいを発する場合がある．

アミノ酸尿は，その発生機序の違いから，overflow type（溢流型）と renal type（腎型）の２つに分けられる．

溢流型アミノ酸尿は，特定のアミノ酸代謝経路の障害により血中濃度が上昇し，そのまま腎閾値を超えて尿中に排泄される場合である．この型に属するが，特殊なものとして，無閾性アミノ酸尿（non-threshold type）がある．すなわち，生理的に尿細管での再吸収転送機構が存在しない中間代謝産物については，尿中排泄の増加があっても，血中濃度の増加がほとんど認められない．例えば，ホモシスチン尿症などがある．腎型アミノ酸尿は，腎尿細管における再吸収転送機構が障害されて生じる場合である．この場合には血中アミノ酸増加はなく尿中排泄のみが増加する．この型には，特定のアミノ酸群（アミノ酸トランスポーター）の輸送障害例えば中性アミノ酸トランスポーター異常による Hartnup 病や二塩基アミノ酸トランスポーター異常によるシスチン尿症などがある．Hartnup 病ではアラニンやグルタミンなどの中性アミノ酸の尿中排泄が 5～20 倍増加するが，汎アミノ酸尿で増加するプロリンは増加していない点が鑑別上重要となる．シスチン尿症では，正常な尿シスチン排泄量は 30 mg/日以下であるのに対して，ホモ接合体の症例では 400 mg 以上の増加を示す．重金属，薬剤，M 蛋白などによる近位尿細管障害の場合，汎発性アミノ酸尿症となる．

# 15 尿妊娠反応検査（尿排卵予知検査を含む）

## A 妊娠の診断

妊娠の診断は，問診により性行為の有無，月経の状況を聞き，できれば基礎体温の変化を確かめることから始まる．次に，婦人科的内診と検査を行い，総合的に判断する．検査としては，免疫学的妊娠反応（いわゆる妊娠検査薬）と超音波検査法がある．

## B ヒト絨毛性ゴナドトロピン

通常，卵管で受精した卵は，子宮内膜に着床して成長し，母体側から発達する絨毛組織からヒト絨毛性ゴナドトロピン（human chorionic gonadotropin；hCG）が分泌され，それが尿中に移行する．したがって，妊婦の尿中に hCG が多量に存在すれば妊娠診断が可能であり，抗原抗体反応を利用した免疫学的妊娠反応が用いられている．

hCG は，分子量が約 38,000 の糖蛋白であって，$\alpha$-サブユニットと $\beta$-サブユニットからなっている．これらのサブユニットは，いずれも単独ではホルモン活性を表さず，両方のサブユニットが結合して初めて活性を示すようになる．$\alpha$-サブユニットのほうは，下垂体から分泌される黄体化ホルモン（luteinizing hormone；LH），卵胞刺激ホルモン（follicle stimulating hormone；FSH），甲状腺刺激ホルモン（TSH）と類似しているために，以前の抗 hCG 抗血清では，これらのホルモンとも交差反応が見られた．$\beta$-サブユニットのほうは，LH とのみ相似しているにすぎないために，抗 hCG-$\beta$ 抗血清は，ごく一部 LH とのみ交差反応を示す．hCG-$\beta$ サブユニットにのみ反応するモノクローナル抗体が作られるようになってから，LH との交差反応が認められなくなった．

## C ヒト絨毛性ゴナドトロピンの免疫学的測定法

hCG に対する特異抗血清を作製して，抗原抗体反応を利用して測定する方法である．妊娠反応として，特別な製品を除けば，初期のものでは検出感度が 1,000 IU/L であった（表 13-25）．その後，モノクローナル抗体の作製技術が導入されるようになり，さらに酵素免疫測定法（EIA）やイムノクロマト法が簡易化されるようになって，測定感度が著しく改善されて，20～50 IU/L となった．最近では，もっぱら高感度の簡易測定キットが利用され，OTC 薬も薬局で販売されている．さらに微量の血中濃度（1～5 IU/L）を定量するための高感度 hCG 定量法には，ラジオイムノアッ

表 13-25 免疫学的妊娠反応の測定原理と測定感度

| 測定原理 | 所要時間(分) | 測定感度(IU/L)* | | | |
|---|---|---|---|---|---|
| | | 20 | 50 | 200 | 1,000〜 |
| ラテックス凝集阻止反応(LAIR) | 2 | | | | ● |
| 赤血球凝集阻止反応(HAIR) | 120 | | | | ● |
| ラテックス凝集反応(LAR) | 2〜3 | | | ● | ● |
| ゾル粒子免疫測定法(SPIA) | 30 | | | ● | |
| 金ゾル粒子呈色反応 | 3 | | | ● | |
| 赤血球凝集反応(HAR, RPHA) | 120 | | ● | | |
| 酵素免疫測定法(EIA) | 2〜15 | ● | ● | | |

*おおよその測定感度で，製品によって多少異なる.

セイ(radioimmunoassay；RIA)，EIA が応用されており，絨毛性疾患，例えば胞状奇胎や絨毛癌などの治療効果や予後の判定に使用されている.

## D 妊娠反応の臨床的意義

妊娠反応は次の 4 つを目的として，臨床的に使われる.

### 1 妊娠の早期診断

図 13-18 には，正常妊娠における主な検査法による陽性所見出現時期の関係をまとめた．尿中 hCG は，平均的に妊娠 3 週後半で 25 IU/L，4 週前半で 50 IU/L，4 週後半から 5 週めには 1,000 IU/L に達する．現在では医家向けの妊娠反応キットも OTC 薬も尿中 hCG が 25 IU/L から検出が可能であり，妊娠 4 週でほぼ 100% の陽性率を示す．逆にいえば，現在の妊娠反応キットでは妊娠 2 週までは陰性であり，妊娠反応が陰性であるからといって妊娠は否定できない．早期に陽性反応が得られるようになり，予定月経の始まる以前にも陽性を示すことになるため，超音波検査法による胎嚢(gestational sac；GS)の確認ができず，基礎体温の確実な変化以外には，臨床的には妊娠の証拠は得られない.

### 2 異常妊娠の補助診断

最近，尿中 hCG の 25 IU/L と 1,000 IU/L の 2 ポイントを同時に測定するタイプの妊娠検査薬が使用可能となった．すなわち，正常妊娠であれば，尿中 hCG が 1,000 IU/L 陽性の場合，経腟超音波断層法により子宮内に GS を認めることが多い．これに対し 1,000 IU/L 陽性にもかかわらず胎嚢を認めない場合は，異所性妊娠，流産を疑う．ただ，流産，異所性妊娠などの異常妊娠の場合には，絨毛組織の発達が不完全のために，hCG の分泌が，正常妊娠よりも減少する．特に異所性妊娠では，初期ならびに妊娠を経過しても，期待されるほどの強陽性にならないので注意が必要である．したがって，予定月経日が過ぎても弱陽性を示す場合も，異常妊娠を疑って精査する.

### 3 絨毛性疾患の管理

胞状奇胎や絨毛性腫瘍では，著しい hCG の増加を示し，妊娠反応は強陽性となるが，抗原過剰により反応が起きないことがある(地帯現象)．胞状奇胎の治療経過の観察には血中 hCG の測定が有用である．これらの場合には，通常，hCG の高感度定量が行われるが，高感度妊娠反応も半定量的に使われる.

胞状奇胎の内容除去後，血中 hCG 値が，5 週で 1,000 IU/L，8 週で 100 IU/L，24 週でカットオフ値の 3 点を結ぶ線を判定線とし，いずれもこの線を下回る場合を経過順調型とし，いずれか一つ以上の時期でこの線を上回る場合を経過非順調型に分類する.

### 4 異所性 hCG 産生腫瘍のモニター

hCG は本来，正常絨毛組織から産生されるホルモンであるが，絨毛性疾患以外でも，異所性に卵巣癌，子宮頸癌，胃癌，肺癌などでも産生される．そのような症例では，腫瘍マーカーとして妊娠反応または hCG 定量検査が有用となる.

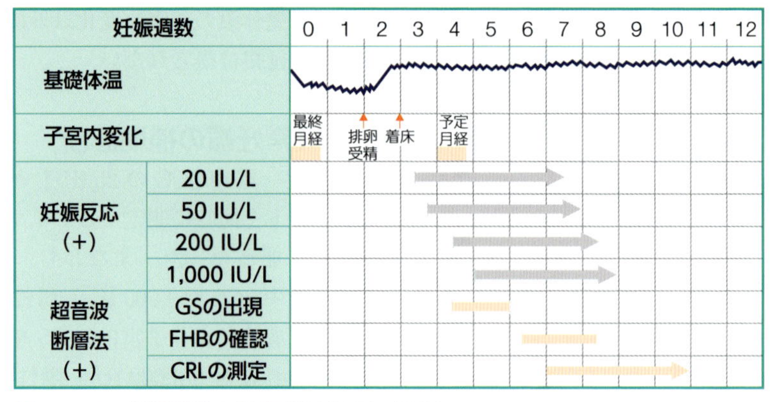


図 13-18 **妊娠週数と検査所見**（原図・河合）

GS：胎嚢（gestational sac），FHB：胎児心拍動（fetal heart beat），CRL：頭殿長（crown rump length）

表 13-26 **妊娠反応で判定を誤りやすい要因**

| 妊娠しているのに陰性または疑陽性と判定されやすい主な原因 | 非妊娠であるのに陽性または疑陽性と判定されやすい主な原因 |
|---|---|
| 1. 月経予定日の計算ミスや妊娠のごく初期で尿中 hCG 量が十分でない場合<br>2. 異所性妊娠などで絨毛が十分に発育していないため尿中 hCG 量の排泄が少ない<br>3. 胎児の異常：胎内死亡，稽留流産<br>4. 妊娠中期以降<br>5. 胞状奇胎などの異常妊娠<br>（4・5：尿中に多量の hCG が排泄され測定範囲を超えてしまう）<br>6. 室温が低く試薬の感度の低下した場合<br>7. 飲水量が多く，尿が希釈され，濃度が低下した場合 | 1. 性腺刺激ホルモン剤の投与を受けている場合<br>2. 閉経期において下垂体性の性腺刺激ホルモンの排泄が多い場合<br>3. 高度の蛋白尿，糖尿の場合<br>4. 絨毛上皮腫のような悪性腫瘍の場合<br>5. 胞状奇胎などの異常妊娠の場合<br>（4・5：病的に尿中に hCG が排泄される）<br>6. 室温が高すぎた場合 |
| 操作手順を間違った場合 | |

## E 妊娠反応結果判定上の注意

妊娠反応の結果が妊娠の診断に直結すると考えるのは間違いであって，表 13-26 に示すような，さまざまな要因を十分考慮して使用しなければならない．

## F 尿中黄体化ホルモン

下垂体前葉から分泌される黄体化ホルモン（LH）量に比例して尿中に LH が排泄される．

### 1 女性の月経周期と卵巣機能

卵巣の主たる機能として，①卵胞の成熟，排卵，黄体形成と退縮，および②女性ホルモン（エストロゲン，プロゲステロン）の産生分泌があり，視床下部・下垂体前葉との間にあるフィードバック機能により調節されている．卵胞期には，主として LH と卵胞刺激ホルモン（FSH）により卵胞が成熟し，卵胞膜からはエストロゲンが分泌される．エストロゲンは排卵直前に最高値を示し，視床下部へフィードバックされて下垂体前葉からの LH 分泌が急激に増加し（LH サージ），排卵が誘発される（図 13-19）．排卵後は黄体が形成されてプロゲステロン，エストロゲンが分泌され，黄体の退縮により女性ホルモンの産生は減少する．

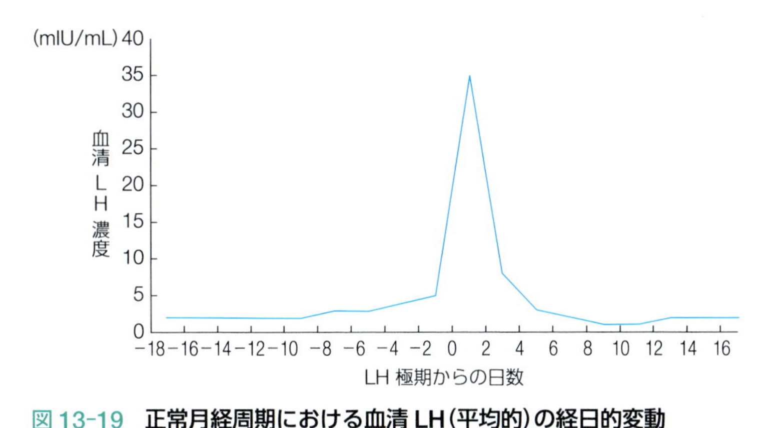


図 13-19　**正常月経周期における血清 LH(平均的)の経日的変動**

表 13-27　**女性の血中 LH の基準範囲**

| | 基準範囲 |
|---|---|
| 思春期前 | ≦1.4 |
| 月経周期 | |
| 卵胞期 | 2.4～12.6 |
| 排卵期 | 14.0～95.6 |
| 黄体期 | 1.0～11.4 |
| 妊娠時 | ≦0.2 |
| 閉経後 | 7.7～58.5 |

(mIU/mL)



### 2 LH の測定法と基準範囲

LH は，α-および β-サブユニットからなる分子量約 29,000 の糖蛋白である．β サブユニット特異的抗体による RIA，EIA，イムノクロマト法により定量または半定量する．基準範囲は男女，年齢によって異なるばかりでなく，更年期前の成人女性では性周期により大きく異なり(表 13-27)，思春期では特に律動的変動がみられるので，基礎値を確認するには数回の繰り返し検査結果により判断することが望ましい．

### 3 異常値を示す場合

病的に高値を示すのは原発性性腺機能低下症，低値を示すのは下垂体機能低下症，視床下部性性腺機能低下症である．詳細については専門書を参照のこと．

### 4 尿排卵予知検査

排卵予知のための尿簡易検査法(イムノクロマト法)が開発され，OTC 薬としても市販されている．次回月経開始予定日の 17 日前より毎日，同じ時間帯の尿について検査する．正常では，陽性を示した時刻から 36 時間以内に排卵が起こると考えられる．しかし，陽性カットオフ値は，測定キットにより 20，25，50 mIU/mL と異なるので，説明書を十分に参照して判断する．一般的に，排卵後の卵子の受精可能時間は 6～24 時間，精子で約 3 日と考えられていることから，排卵 3 日前から排卵後 1 日の約 5 日間が妊娠の確率が高い．しかし，こうした判断は厳密なものではないので，本検査を避妊の目的に使用することはできない．前述の病的異常を示す病態または更年期後の女性にとっては，本検査の結果を排卵予知の目的に使用することはできない．

# 16 便潜血検査

糞便(または便，feces)は，口から摂取された飲食物に胆汁や消化液が混入し，胃腸管において消化・吸収された後の残渣からなる．胃腸管に病変があれば，その病巣からの滲出物や組織片も混入する．したがって，胃腸管およびそれに関連した外分泌臓器(膵・肝など)の疾患が疑われる場合には糞便検査が行われる．

## A 消化管出血

消化管内に多量の出血があれば，吐血または下血として，肉眼的に容易に診断しうる．しかし，少量の出血では，消化されたり，便塊中に埋没して，肉眼的に診断することは困難である．その場合には，便潜血検査が行われる．ただ，固形食品などによって口腔内や胃腸管の粘膜が傷つけられて生じる生理的な消化管内出血を検出する可能性がある．

a. 抗原抗体反応のみによる検査法

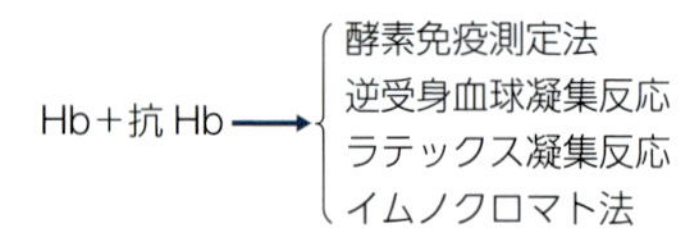


b. 抗原抗体反応と化学的反応を併用する検査法

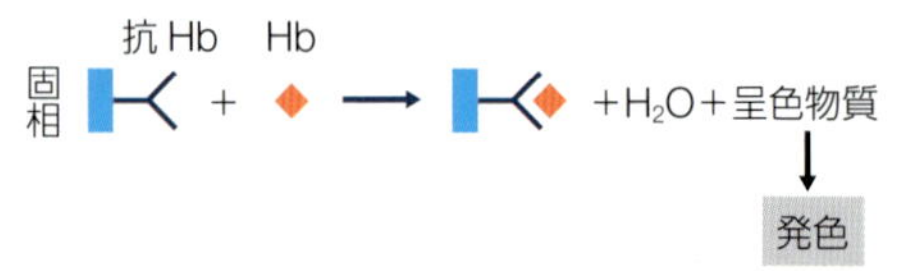


図 13-20　糞便中ヘモグロビンの免疫学的方法の原理

## B 検査法の種類と特徴

現在でも海外では，化学的方法と免疫学的方法がスクリーニング目的に広く使用されている．一方わが国では，化学的方法の試薬が販売中止となり，ほとんどヒトのヘモグロビン(Hb)に対する特異抗体を用いた免疫学的方法だけになっている．

### 1 便潜血反応（化学的方法）

Hb(ヘマチン)の有するペルオキシダーゼ様活性を利用して，過酸化水素($H_2O_2$)によりフェノール性物質をキノン型物質に変えて，青色発色をみる．したがって，Hbにのみ特異的な反応ではなく，Hbやヘム類似化合物を含む動物性蛋白食品，生鮮野菜，乾燥肝末や甲状腺末などの臓器製剤，緩下剤，鉄剤や天然ケイ酸アルミニウムなどの薬剤の服用などでも陽性となる．また，還元物質であるビタミンC内服では偽陰性となることがある．そのため，原則として潜血食を3日間続け，4日目と5日目の便について検査しなければならない．消化液や細菌などによる変性を受けた変性Hbにも反応するため，口から肛門まで消化管内すべての出血を検出できる．

主にオルトトリジン法とグアヤック法の2つが日常検査でよく用いられてきたが，近年はほとんど行われない．オルトトリジン法は感度に優れているが偽陽性が多く，グアヤック法は感度に劣るが特異性が高いため，オルトトリジン法陰性なら便潜血陰性，グアヤック法陽性なら便潜血陽性と判定されていた．

表 13-28　便潜血検査法の比較

| | 化学的方法 | 免疫学的方法 |
|---|---|---|
| 特異度 | 低い | 高い |
| 感度 | 高い | 比較的低い(特に上部消化管) |
| 偽陽性 | 多い | ほとんどない |
| 検出できる出血部位 | 口腔～肛門 | 主に下部消化管 |
| 食事制限 | 必須 | なし |
| 採便方法と保存状態の影響 | 小さい | 大きい |
| 技術 | 容易である | 繁雑なものもある |
| 検査時間 | 短い | やや長い～長い |
| 使用目的 | ほとんど使用されていない | 外来診療，健康診断 |
| エビデンスレベル(大腸癌) | 高い | 低い |

### 2 糞便中ヘモグロビン（免疫学的方法）

ヒトHbは，他の動物種のHbとは異なる特有な抗原性を有している．そこで，ヒトHbに対する抗体を用い，抗原抗体反応によって糞便中の微量の出血を検出しようとする方法で，2種類の方法に大別される(図13-20)．

すなわち，抗原抗体反応を酵素免疫測定法(EIA，ELISA)，逆受身血球凝集反応，ラテックス凝集反応，またはイムノクロマト法として観察する方法と，もう一つは固相(ペーパー)面で抗原抗体結合を起こさせてHbのペルオキシダーゼ様活性による化学的反応を組み合わせた方法である．後者は抗原抗体反応の特異性を利用し，従来の化学的方法による手技を生かした方法である．検査結果の判定にも目視法と機械判定法がある．

免疫学的方法は，豚，牛あるいは魚類の血液には反応せず，直接ヒトHbを検出するため，従来の化学的方法に比して偽陽性がほとんどなく，食事制限(潜血食)を必要としない．胃液や消化液，腸内細菌などによる分解あるいは変性によりHbの抗原性を失うと，免疫学的方法では陰性となるため，上部消化管出血の検出に不向きであり，陽性であることは下部消化管出血が強く疑われる．そのため，腸内細菌などによる抗原性低下がより少ない糞便中ヒトトランスフェリンを同時に検出して，陽性率を改善する方法もある．また，測定法によっては鋭敏すぎて生理的出血も検出してしまう難点があり，市販の検査試薬ではカットオフ値が調節されている．

表 13-28 に化学的方法と免疫学的方法の違いをおおよそまとめた．

## C 採便と保存方法

### 1 採便

持続的出血があれば別として，間欠的に少量出血している場合には便中に均等に血液が混入しているとは限らない．そこで，通常少なくとも 2 回連続して検査することが行われている．また，同一の便試料でも，便柱内部と外側の粘液性の部分から数か所採便して行うことが推奨されている．特に，下部大腸の病変では便柱の外側に血液が付着していることが多い．そのためにも，便の肉眼的所見に注意すべきである．ただし，大量下血時に用いると，抗原過剰で偽陰性となる(地帯現象)．

もちろん肛門部の出血があれば，当然陽性になるので，痔出血についての既往歴，訴えとともに視診が必要である．また，歯肉からの出血や鼻出血によっても，特に化学的方法では陽性反応を呈することがある．

専用の排便器具を備えた測定キットも多く市販されているので，製品説明書に忠実に従う必要がある．採便はほとんど被検者自身により行われるので，正しい採便法を説明することが重要である．最も留意すべきこととして，洗剤に含まれる界面活性剤で Hb の抗原性が低下するため，便器に残っている洗剤やトイレ洗浄剤を含む水と接触しない工夫をする．

### 2 保存方法

免疫学的方法では，採便後容器に入れて室温で放置する(特に高温，高湿で)と，細菌や消化液などの影響でヘモグロビンの抗原性が低下し，陽性度は 1〜2 日で低下または陰性化してしまう．すぐに検査できない場合は，懸濁後であっても，低温で保存する必要がある．化学的方法では，便放置による影響は少ないが，グアヤック法では乾燥便では感度が著明に低下する．

## D 大腸癌スクリーニング

近年，わが国でも大腸・直腸癌の症例が増加しており，健康診断のなかに便潜血検査を取り入れる場合が多くなっている．グアヤック法(主に 3 日法)による便潜血検査は複数の無作為化比較対象試験やメタ解析で大腸癌死亡率低下効果が証明されているが，1 日法の有効性は完全に否定されている．免疫学的便潜血検査を用いた RCT は実施されていないが，大腸癌死亡を抑制するという症例対照研究やコホート研究が集積し，精度が同等以上であることから免疫学的便潜血検査 2 日法が推奨されている．この場合，2 日のうち 1 回でも陽性であれば陽性と判断する．カットオフ値によっても異なるが，免疫学的便潜血検査による検出率は，進行癌で 60〜75%，早期癌では 30〜40% 程度で，2 日連続検査法を行えば，それぞれの癌で 10〜15% 検出率が向上するとされている．ただ，感度が低く再発診断に用いるべきではない．

# 17 糞便の寄生虫・原虫

寄生虫は核膜を有する真核生物のうち運動性のあるものである．単細胞性真核生物である原虫と，多細胞性の蠕虫に分けられる．原虫はさらに根足虫類(赤痢アメーバなど)，鞭毛虫類(ランブル鞭毛虫など)，胞子虫類(クリプトスポリジウムなど)，繊毛虫類に，蠕虫はさらに吸虫類(日本住血吸虫，肝吸虫など)，条虫類(日本海裂頭条虫など)，線虫類(回虫，蟯虫，糞線虫，アニサキスなど)などに分けられる．

糞便中には多くの寄生虫卵，嚢子，オーシストと虫体が検出される．嚢子とオーシストは原虫の卵のようなものである．多く蔓延していた 1950 年代に比べると，現在は著しく減少したとはいえ，ほとんどの症例は途絶えることなく散見される．世界に目を向ければ，腸管寄生虫には世界の人口の 1/3 近くが感染しており，寄生虫感染症は common disease である．また，近年の国際交流

**表 13-29 糞便中で検出される主な寄生虫，原虫卵**

| | | |
|---|---|---|
| 寄生虫 | 吸虫 | 横川吸虫卵，肝吸虫卵，ウェステルマン肺吸虫卵，日本住血吸虫卵など |
| | 条虫 | 無鉤条虫卵，有鉤条虫卵，広節裂頭条虫卵，日本海裂頭条虫卵，大複殖門条虫卵など |
| | 線虫 | 回虫卵，鉤虫卵，東洋毛様線虫卵，糞線虫卵，糞線虫幼虫など |
| 原虫 | | 赤痢アメーバ(主に栄養体)，ランブル鞭毛虫(栄養体)<br>クリプトスポリジウム(オーシスト)，イソスポーラ(オーシスト)など |

が進むなかで輸入感染，食品由来感染などの増加が予想されることから，決してないがしろにできない日常検査の一つである．

## A 由来

糞便中で観察される主な寄生虫卵と原虫を表 13-29 にまとめた．

虫卵が糞便中に放出されるのは，①消化管内に雌または雌雄同体の成虫が寄生する場合(回虫など)，②腸管壁に寄生した吸虫から壊死組織とともに排出される場合(日本住血吸虫などの腸管住血吸虫)，③肺に寄生した虫体が産卵して，それが痰を経て消化管に達する場合(肺吸虫)である．消化管またはそれに連結している胆道系に寄生する寄生虫・原虫の虫体が栄養型，嚢子，または断片として糞便中に排出されることがある．ヒトが中間宿主になる場合(エキノコックスなど)や幼虫移行症(アニサキスなど)では糞便検査はできないので，免疫診断または生検が必要となる．

## B 検査法

糞便は乾燥を避けるために蓋つきの容器に採取する．採取後ただちに検査を行うのがよいが，できない場合には通常寄生虫は4℃，原虫は30℃で保存する．原虫の栄養体では排便後 30 分以内に行う必要がある．

検査法には，虫体，虫卵検出法，虫卵孵化培養法があり，虫卵検出法には，直接塗抹法，集卵法(沈殿法，浮遊法)がある．便検査は主に顕微鏡的観察による．虫卵は 200 倍，原虫は 100 倍率で鏡検する．同時に接眼ミクロメータでサイズを計測して鑑別の目安とする．

### 1 虫体検出法

糞便中には蟯虫・回虫の虫体や条虫の片節などが自然に排泄される．大型条虫・回虫などのような虫体は容易に発見されるが，鉤虫のような小さな虫体はふるいなどを用いて残った沈渣を検索する．

### 2 虫卵検出法

#### a 直接塗抹法

直接塗抹法には，少ない糞便を扱う薄層塗抹法や，やや多めの糞便を扱う厚層塗抹法がある．薄層塗抹法はスライドグラス上に生食を 1 滴落として糞便と混和，カバーグラスをかけ鏡検する．回虫卵，赤痢アメーバ(栄養体)，ランブル鞭毛虫(栄養体)などが検出されやすい．産卵数の少ない寄生虫や糞便中の虫卵数が少ない場合には検出感度は低くなる．厚層塗抹法は WHO も推奨しているセロファン厚層塗抹法(加藤氏法)が広く用いられている．カバーグラスの代わりにセロファン紙が用いられている．ただ，教科書的な形態と異なるため習熟が必要である．

蟯虫検査ではセロファンテープを早期起床時に肛門周囲に付着して集卵する(肛門周囲法)．主に学校健診で使用されてきたが，学校健診における「寄生虫(蟯虫)検査」は削除されたため，今後はほとんど行われなくなるかもしれない．

#### b 集卵法

浮遊法は，硫酸マグネシウム食塩浮遊液などの高比重液の中に便を溶解させる方法で，比重の低い鉤虫卵や東洋毛様線虫卵は液表面に浮上してくるのでこれを集卵観察する．逆に比重の高い日本住血吸虫では，エーテルなど比重の低い液体を加えて遠心分離し沈渣を集めて鏡検する．すべての虫卵，原虫シストの観察ができるのはホルマリン・エーテル法(MGL 法)で，糞便を生理食塩液に溶解後ガーゼで濾過，ホルマリン，エーテルを加えて遠心し沈渣を集める．安全性，保存性にも優れた方法であり，虫体などを教科書で示されているとおりに観察できる．

### 3 虫卵孵化培養法

虫卵または幼虫に含む糞便を培養し，幼虫を遊出させる方法である．適応は鉤虫，東洋毛様線虫，糞線虫に限定されるが，簡便正確で，虫卵検出法より検出率が高い．

#### 参考文献

1）Soleimani M, Rastegar A：Pathophysiology of renal tubular acidosis：Core curriculum 2016. Am J Kidney Dis 68(3)：488-498, 2016.

# 14章 穿刺液・髄液検査

## 1 総論

体内にはいくつかの体腔が存在し，これらの体腔はすべて(女性の腹膜腔は例外)外界から完全に遮断されている．これらの体腔は内臓を覆い，臓器同士の摩擦を防ぎ，外界の激しい振動による臓器の損傷を防ぐためにあり，少量の体液が存在して潤滑油の役割を果たしている．それらのうち，主なものは漿膜，脈絡膜および滑膜に分けられ，それぞれ漿液(漿膜腔液)，脳脊髄液(髄液)および滑液(関節液)を作っている(図14-1)．

これらはいずれもほぼ同じ構造をもっており，分化した分泌腺をもたず，疎性結合組織を基礎に毛細血管に富む．漿膜は単層の扁平な中皮細胞層(中胚葉由来)，脈絡膜は単層の立方形の脈絡膜細胞層(上皮細胞由来)，滑膜は滑膜細胞層により覆われている．これらの膜は単純な構造をもっているために，そこから産生される体液は，毛細血管から漏出してくる血漿成分が主成分をなしている．しかも，毛細血管から結合組織を通過してくる途中に分子篩(ふるい)効果が作用して，比較的小さな成分のみが通過し，分子量の大きな巨大分子は通過しにくいことになる．そのほかに，周囲組織が産生する物質も混入することは当然で，例えば正常の脳脊髄液ではグルタミンが多く，滑液ではヒアルロン酸が多く含まれる．また，癌や炎症のような病的組織があると，そこからの成分も混入することになる．

## 2 漿液検査

### A 漿液の生成

漿膜(serosa, serous membrane)は単層の扁平な中皮細胞により覆われ，疎性結合組織の薄い層からなっているため，漿液は血漿成分の濾過されたものと考えてよく，正常の状態では組織由来の物質はほとんど混入していない．それゆえ漿液の産生は毛細血管の透過性，血漿膠質浸透圧および組織の静水圧によって左右される．もちろん一部の漿液は漿膜面から吸収されており，正常の体腔

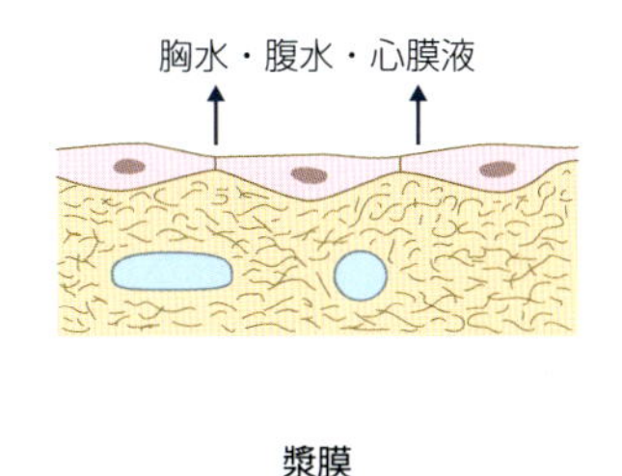


脳脊髄液

脈絡膜

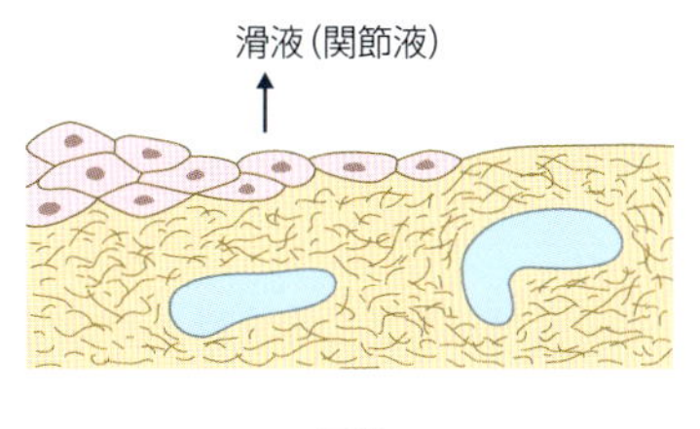


**図14-1 体腔を覆う代表的な細胞と体腔壁の構造**(原図・河合)

水色は毛細血管を示す．疎性結合組織からなり，漿膜は扁平な中皮細胞により覆われる．脈絡膜は立方形の脈絡細胞により覆われている．滑膜は滑膜細胞により覆われている部分と結合織が露出している部分がある．いずれも血漿成分が漏出しやすい構造になっている．

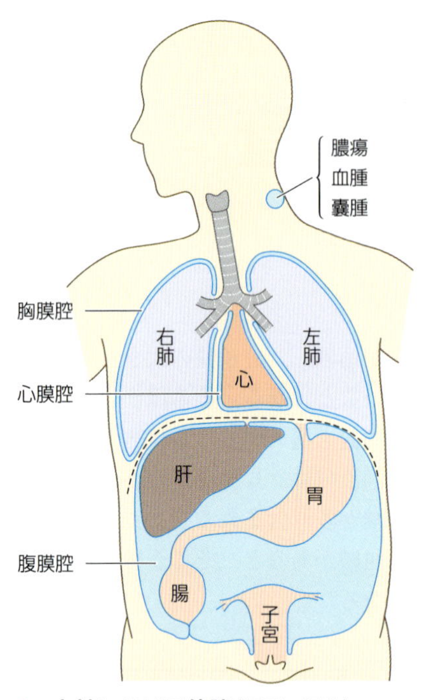


**図 14-2　女性における体腔**(原図・河合)
青色の線は漿膜を示し，外界から隔絶された体腔(胸膜腔，腹膜腔，心膜腔)を形成している．病的に生じる膿瘍，血腫，嚢腫についても，必要であれば穿刺する．

**表 14-1　穿刺液の主要な検査一覧**

1. 一般検査
   ① 穿刺液の量，外観，異物の有無
   ② 比重
   ③ 細胞数の算定，細胞の種類
   ④ 蛋白量
   ⑤ Rivalta 反応
2. 微生物検査
3. 細胞診
4. 生化学的検査：LD，腫瘍マーカーなど

**表 14-2　漏出液と滲出液の鑑別点**

| 鑑別項目 | 漏出液 | 滲出液 |
|---|---|---|
| 凝固 | 凝固しないのが普通 | しばしば凝固 |
| 比重 | 1.014 以下 | 1.022 以上 |
| 蛋白量 | 2.5 g/dL 以下 | 3 g/dL 以上 |
| Rivalta 反応 | 陰性 | 多くは陽性 |
| 細胞数(胸水) | 1,000/μL 以下 | 1,000/μL 以上 |
| 細胞数(腹水) | 100/μL 以下 | 100/μL 以上 |

にはごく少量の漿液が貯留しているにすぎない．

主な漿膜腔は，図 14-2 に示すように，胸膜腔，腹膜腔および心膜腔でそれぞれ少量の胸水，腹水および心膜液(心嚢液)を入れている．血管内の静水圧上昇(肝硬変による門脈圧亢進症など)，血清膠質浸透圧低下(ネフローゼ症候群など)，血管透過性亢進(心膜炎など)やリンパ管閉塞などによって生成と吸収のバランスが崩れ，病的に多量の漿液が貯留した場合は穿刺針を体腔に刺入し，無菌的に吸引して，表 14-1 のような検査が行われる．

## B　漿液が貯留する場合

漿膜腔に病的に貯留する漿液は，次の 2 種類がある．

① **漏出液**(transudate)：漿膜に特に明らかな病変がなくて，多くは全身的な原因(うっ血性心不全やネフローゼ症候群など)で，主として流体静力学的平衡の異常により増加する．

② **滲出液**(exudate)：漿膜の炎症や腫瘍によって増加する場合で，貯留液の生化学的検査，微生物検査，細胞診などの所見が重要なデータを提供してくれる．

両者の鑑別に役立つ主要な検査所見は表 14-2 に示したごとくであるが，明確な結果が得られない事例も少なくない．滲出性胸水を示す最も正確な指標は①Light の基準(胸水蛋白/血清蛋白>0.5 か胸水 LD/血清 LD>0.6 か胸水 LD>2/3 血清 LD 正常上限値)，②胸水コレステロール>55 mg/dL，③胸水 LD>200 U/L，④胸水コレステロール/血清コレステロール>0.3 である．腹水では血清アルブミン-腹水アルブミン濃度差(serum-ascites albumin gradient；SAAG)を計算し，SAAG≧1.1 g/dL では門脈圧亢進などの静水圧が上昇する病態(漏出性)を疑う．

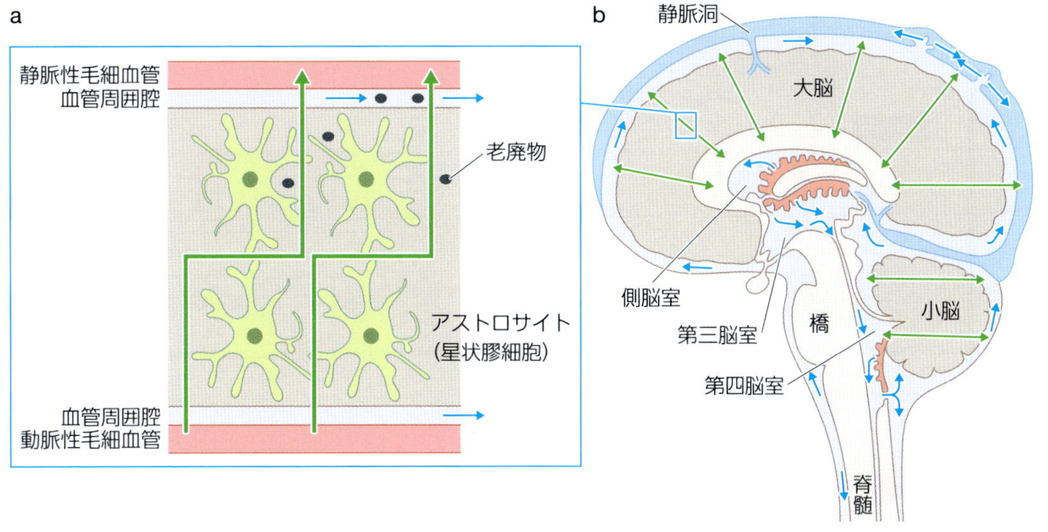


**図 14-3 髄液の循環を示す模式図**

a：脳動脈性毛細血管から間質液が産生され，脳白質内を移動し，主に静脈性毛細血管などから急速に再吸収されるが(緑矢印)，一部は血管周囲腔を通り髄液となる(青矢印).
b：青矢印は髄液の流れる方向を示す．髄液は主として脈絡膜層(赤色部分)で作られ，側脳室→第三脳室→中脳水道→第四脳室→くも膜下腔→くも膜絨毛→静脈洞と移動する.



# 3 髄液検査

## A 髄液の生成

中枢神経組織には血液との物質交換を厳密に制御する関門(中枢関門)があり，機能維持に必要な物質を循環血液から取り込み，異物や脳内で産生される不要な老廃物質を循環血液中へ排出する働きがある．中枢関門には，脈絡叢上皮細胞が担当している血液脳脊髄液関門(blood-cerebrospinal fluid barrier；BCSFB)，脳毛細血管内皮細胞が担当している血液脳関門(blood-brain barrier；BBB)，くも膜上皮細胞が担当している血液くも膜関門(blood-arachnoid barrier；BAB)や脊髄毛細血管内皮細胞が担当している血液脊髄関門(blood-spinal cord barrier；BSCB)の計4つがある．髄液(正確には脳脊髄液 cerebrospinal fluid；CSF)は脳室に14%，くも膜下腔に82%存在している．脳室とくも膜下腔は離れており，それぞれの部位の中枢関門がCSF濃度を調整している．そのため，採取部位によってCSF濃度は大きく異なり，脳室から採取したCSFは主としてBCSFBの輸送系の機能を反映するが，腰椎から採取したCSFはBCSFB，BAB，BSCBの輸送系の機能を反映する.

CSFは，図14-3のように主として側脳室，第三・第四脳室にある脈絡叢(choroid plexus)で作られる．限られた臓器にのみ発現しているKlotho蛋白が腎臓以外では脈絡叢に存在するなど，脈絡叢には腎臓と似た機構が多く存在しており，脳の腎臓と呼ばれている．腎尿細管では血管側(basolateral membrane)にNaポンプ($Na^+$/$K^+$ ATPase)が存在し尿細管腔から血管側への流れが(図14-4のa)，逆に脈絡叢ではNaポンプが髄液側(apical membrane)に存在し血管側から髄液側への流れが作られている(図14-4のb)．Naポンプ，炭酸脱水酵素，アクアポリン1やNa-K-2Cl共輸送体などが髄液量の産生量調整に重要な役割を果たしている．例えばアクアポリン1を調整する抗利尿ホルモンの髄液濃度は血漿の10倍程度であり，局所で産生され血液側ではなく髄液側から作用し，産生量を調整していると想定されている．髄液の産生量は明らかではないが，正

a. 腎尿細管

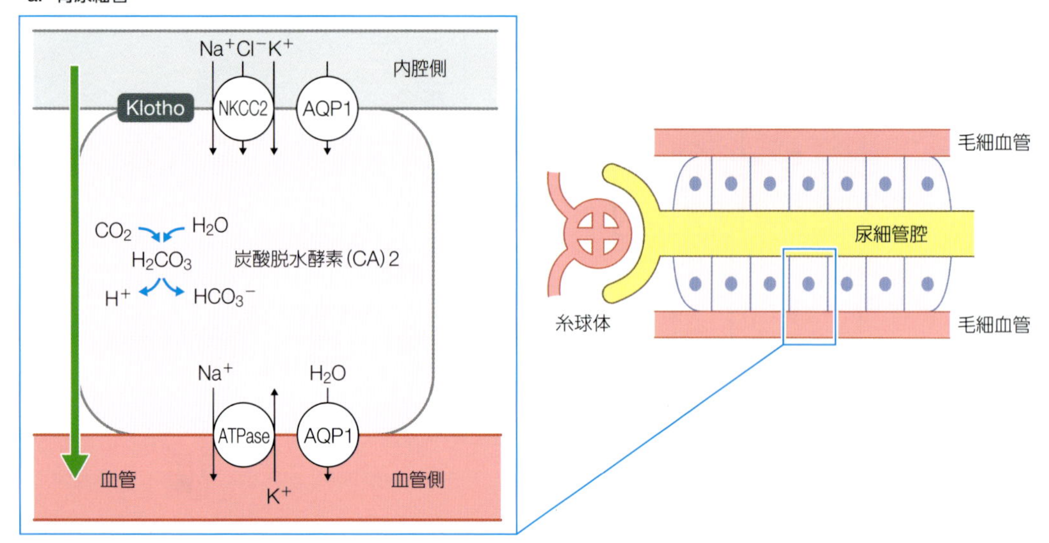


b. 脈絡叢

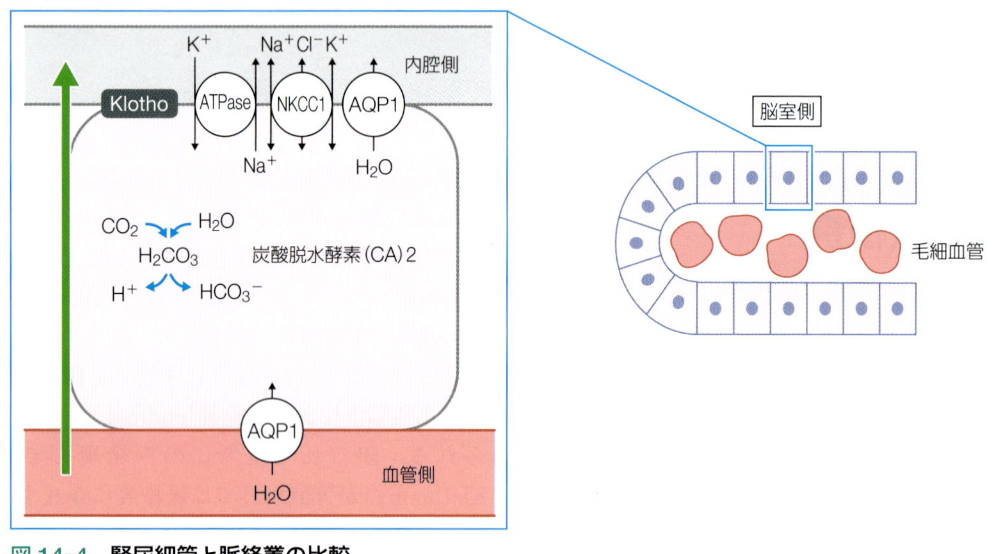


**図 14-4　腎尿細管と脈絡叢の比較**

AQP1：アクアポリン1，NKCC：Na-K-2Cl 共輸送体

常では1時間に20 mL程度と考えられており，病的には400 mLにも及ぶとされている．髄液の総量は，健常成人で90～150 mL程度である．つまり，髄液は1日に3回程度入れ替わっている．

脈絡叢から産生される髄液にはさまざまなホルモンやサイトカインなどが含まれ，脳室内に接する神経核に作用して，自律神経・概日リズム・ストレス反応などの恒常性維持に重要な役割を果たしている．

髄液は，側脳室から室間孔(Monro孔)を通じて第三脳室に入り，中脳水道から第四脳室に入る．中央の正中孔(Magendie孔)と左右一対の外側孔(Luschka孔)を通ってくも膜下腔に出て，上方と下方に流れて脳表面，脊髄表面や神経根を循環する(図14-3のb青矢印)．髄液の吸収は主としてくも膜絨毛から硬膜静脈洞へと行われる．近年，髄液は脈絡叢以外にも脳細胞(脳毛細血管)から産生・吸収され(図14-3のa緑矢印)，一部が

**表 14-3　髄液の主要な検査一覧**

1. 一般検査
   ① 髄液の色調，混濁，浮遊物の有無
   ② 細胞数の算定，細胞の種類
2. 生化学的定量検査
   ① 蛋白，グルコース，酵素など
   ② 電解質(Cl)
   ③ 髄液蛋白分画とオリゴクローナルバンド
   ④ IgG 定量と IgG インデックス
   ⑤ ミエリン塩基性蛋白
   ⑥ リン酸化タウ蛋白，総タウ蛋白
   ⑦ その他の特殊成分：IL-6，IFN-$\alpha$，アミロイド$\beta$蛋白 42 など
3. 微生物検査
4. 血清検査(主に梅毒血清反応)
5. 細胞診

**表 14-4　くも膜下出血と穿刺による出血の鑑別(3 本試験管法による)**

| 髄液所見 | くも膜下出血 | 穿刺による出血 |
|---|---|---|
| 液圧 | 増加 | 正常 |
| 外観 | 3 本の試験管がすべて血性である | 最初と最後が 1 本だけ血性である |
| 上清の着色 | キサントクロミー | 無色 |
| 赤血球数，Ht 値 | 3 本とも同じ値である | 試験管によって異なる |
| 白血球数 | 赤血球数とほぼ並行する．後になって多くなる | 赤血球数と並行する |
| 凝血塊 | なし | みられることがある |
| より頭側で再穿刺 | 最初の穿刺とほぼ同じ | 通常，無色 |

脳室とくも膜下腔に排出される循環経路の存在が示唆され(図 14-3 の b 緑矢印)，睡眠中に稼働する glymphatic clearance pathway と呼ばれる(図 14-3 の a)．この経路は脳の老廃物を排泄する役割を果たしていると考えられている．脳神経系は唯一リンパ系が存在しない組織であると考えられていたが，髄膜中にリンパ管が発見され髄液中の蛋白質を吸収していることが明らかとなっている．

通常，脳圧が異常に上昇していないかを確認後，第 3，4 腰椎間腔に針を刺して行う腰椎穿刺によって髄液を採取する．髄液採取中に液圧の測定と頭蓋内の静脈とくも膜下腔が正常に交通しているかどうかを確認するために Queckenstedt 試験を行い，そのほか表 14-3 に示すような検査が行われる．

## B　髄液の外観と液圧の上昇

正常髄液は水様透明で，比重も 1.006～1.009 である．細胞成分が混入していると混濁し血液が混入すると血性となる．ただ，穿刺時の血管損傷による出血とくも膜下出血とを慎重に鑑別しなければならない(表 14-4)．

液圧は，正常でも体位などで変化するが，側臥位で 50～200 $mmH_2O$(8 mmHg まで)程度である．液圧が著しく高くなると，脳脊髄実質を圧迫し，重篤な症状を呈する．液圧が高くなる場合としては，髄液の産生量が多くなるか，灌流が悪くなってうっ滞する場合であり，くも膜下腔への出血があっても液圧は高くなる．

## C　髄液の細胞成分が増加する場合

正常髄液では，1 $\mu$L 中に 0～5 個のリンパ球を含むに過ぎない．くも膜下出血では血球，主として赤血球が著しく増加する．一般に，細胞数が 10 個/$\mu$L 以上ならば明らかな増加であって，主として中枢神経系の炎症を意味し，細胞の種類によって炎症の性質の鑑別に役立つ．例えば化膿菌感染では好中球が主体をなし，ウイルス・寄生虫・トレポネーマなどの感染ではリンパ球が主にみられる．また，中枢神経系の腫瘍が髄液の通路に露出すると(髄膜への癌転移，白血病など)，髄液中に腫瘍細胞が検出される．

## D　髄液中の病原微生物

中枢神経系の感染症では，病原体の分離・同定が診断の決め手になる．しばしば検索の対象となる病原体を表 14-5 に示す．ただし，梅毒の診断

には梅毒血清反応が広く行われて，陽性ならば中枢神経梅毒がほぼ確実となる．ヘルペス，サイトメガロウイルスなどのウイルスや結核菌の同定に核酸同定検査が行われる．

## E　髄液中の化学的成分の増減

前述のとおり，髄液には主として血漿成分が移行し，漏出液としての性状をもっている．表14-6には，健常者の髄液中の化学的成分の平均的測定値と血漿濃度との関係をまとめた．血液-髄液関門があって，クロルを除いては血漿濃度とほぼ同じか，低値を示すものがほとんどである．

**表 14-5　髄液から検出される主な病原体**

| | |
|---|---|
| 1. 細菌 | 2. スピロヘータ |
| ① 髄膜炎菌 | ① 梅毒トレポネーマ |
| ② 結核菌 | ② レプトスピラ |
| ③ ブドウ球菌 | 3. 真菌 |
| ④ レンサ球菌 | ① クリプトコッカス |
| ⑤ 肺炎球菌 | 4. 原虫 |
| ⑥ その他 | ① トキソプラズマ |
| | 5. ウイルス |

関門を通過しやすいものから，水，電解質(非結合性)，蛋白質となっている．通常，蛋白と結合しているカルシウムや脂質などは極めて低値を示す．一方で蛋白と結合していないカリウムや無機リン(測定原理上，蛋白に結合していない無機リンを測定している)も低値であり，髄液中に腎臓でそれらの排泄量を調整している線維芽細胞増殖因子(FGF)23やアルドステロンが存在し，脈絡叢にFGF23の共受容体であるKlothoが存在している(図14-4)ことから，髄液中の電解質濃度を調整する機構の存在が示唆される．血ガスでは，$H^+$，$HCO_3^-$のようなイオンよりも$CO_2$ガスのほうがより容易に関門を通過するため，血液よりも0.1程度pHが酸性側に傾いており，酸塩基平衡異常の場合の中枢神経症状を考えるうえで十分に考慮しておかなければならない．クロルが相対的に高値を示すのは，主として蛋白性陰イオンの低値を代償するためと考えられている．

髄膜に炎症性病変があると，血液脳脊髄液関門の透過性が増して，多くの成分が血漿濃度に近くなる．ただグルコースは逆に低下する．その理由は不明であるが，主として細胞成分，病原体などによる消費が増加するためと考えられている．一

**表 14-6　健常者の髄液中の化学的成分の平均的測定値**

| 項　目 | 基準平均濃度 | 血漿濃度との比(CSF/serum) |
|---|---|---|
| マグネシウム | 2.5 mEq/L | → |
| ナトリウム | 143 mEq/L | → |
| カリウム | 2.5 mEq/L | ↓↓(0.5) |
| カルシウム | 2.4 mEq/L | ↓↓(0.5) |
| 無機リン | 1.6 mg/dL | ↓↓(0.5) |
| クロル | 124 mEq/L | ↑↑(1.2) |
| 重炭酸塩 | 23 mEq/L | →(血漿より 0.5 mEq/L 低い) |
| 炭酸ガス分圧 | 48 mmHg | ↑(動脈血より 9 mmHg 高い) |
| pH | 7.31 | ↓(動脈血より 0.1 低い) |
| ビリルビン | 0 | ↓ |
| グルコース | 50〜80 mg/dL | ↓↓(0.7) |
| 乳酸 | 20 mg/dL | → |
| アミノ酸窒素 | 2.3 mg/dL | ↓↓(0.5) |
| 尿素窒素 | 13 mg/dL | → |
| 尿酸 | 1.5 mg/dL | ↓↓↓(0.25) |
| 総蛋白 | 14〜45 mg/dL | ↓↓↓(0.006) |
| フィブリノゲン | 0 | ↓↓↓ |
| 総脂質 | 1.25 mg/dL | ↓↓↓(0.002) |
| 総コレステロール | 0.4 mg/dL | ↓↓↓(0.002) |

→ほぼ同じ濃度，↑高い，↓低い，(　)CSF/serum 濃度比

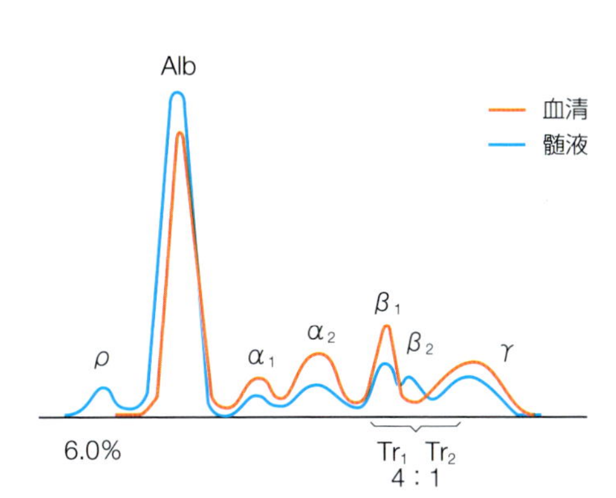


図 14-5 **血清と髄液の蛋白分画像の比較**

ρ はプレアルブミン，Tr はトランスフェリンで，β 分画が二峰性となる．

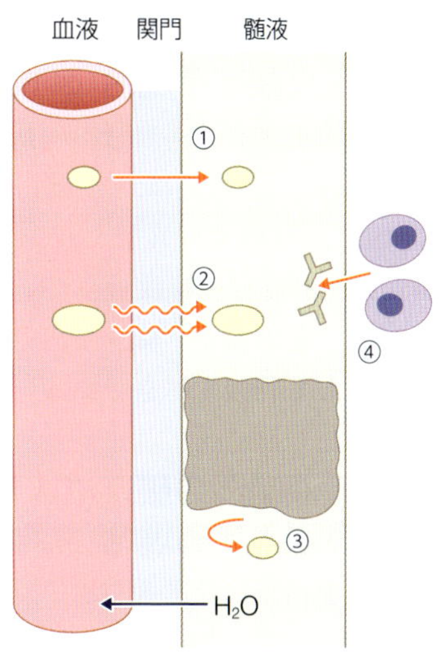


図 14-6 **髄液蛋白が増加する病態**（原図・河合）

① 血漿蛋白の病的変化が髄液に反映された場合
② 血液-髄液関門の破壊により血漿蛋白が混入する場合
③ くも膜下が機械的閉塞を起こし，髄液がうっ滞する場合
④ 免疫グロブリン局所産生が増加する場合



般に，特殊な場合を除いて，日常診療では髄液の蛋白とグルコースの検査が行われる．

## F 髄液蛋白と検査法

髄液中には中枢神経組織に由来する蛋白と血漿に由来する蛋白が存在する．総蛋白濃度は血液脳脊髄液関門の存在によって 14～15 mg/dL と血漿の 1/170 にすぎず，巨大分子であるフィブリノゲンはほとんど存在しない．量的には約 80％が血漿に由来するが，種類は中枢神経組織由来の蛋白質が約 60％ を占めている．近年，中枢神経組織由来のさまざまな小分子のペプチド成分の変化が注目されている．

従来行われてきた Nonne-Apelt 反応，Pandy 反応などの定性検査に代わって，総蛋白量定量，電気泳動法による蛋白分画，IgG 免疫グロブリン定量のようなより特異的な検査法が行われるようになった．ただ，総蛋白濃度が低いので，髄液蛋白分画および免疫電気泳動分析には，あらかじめ髄液を適宜濃縮しなければならない．

### 1 正常髄液蛋白分画像の特徴

図 14-5 に示すように，血清蛋白分画像に比して，次の 3 つの特徴をもっている．

① **プレアルブミン分画の存在**：健常成人では，腰椎穿刺髄液で，総蛋白の約 6％ を占め，脳室では 13～20％ にも及ぶ．プレアルブミン（別名トランスサイレチン）はアルブミンと同じ分子量をもつが，球形に近い分子であるため脈絡層を通過しやすいためともいわれるが，その理由は不明である．

② **二峰性 β 分画の存在**：β-グロブリン分画比（％）は血清よりもやや高く，$\beta_1$（または β）と $\beta_2$（または γ）の 2 つの亜分画に分かれ，その比率はおおよそ 4：1 である．$\beta_2$ は脳型トランスフェリンで，脈絡叢上皮細胞で産生され，髄液とともに分泌されているため，脳型トランスフェリンは髄液産生の指標となる．

③ **γ-グロブリン分画の相対的低値**：γ-グロブリン分画比が低く，CSF/血清比が 0.6～0.8 程度である．

## G 髄液蛋白が増加する場合

いろいろな病態でみられるが，電気泳動法による髄液蛋白分画像から，次の 4 型に分けられる（図 14-6）．

### 1 血液脳脊髄液関門が正常で，血漿蛋白異常を反映する場合（図 14-6 の①）

中枢神経疾患と関係なく，血漿中の蛋白変化が髄液にも認められる．例えば，M 蛋白血症，ネフローゼ症候群，肝硬変，異型アルブミン血症（allo-albuminemia）などの特徴的パターンが髄液にも認められる．それゆえ，髄液蛋白分画は血清蛋白分画と比較して判読すべきである．

### 2 血液脳脊髄液関門の破壊により，血漿蛋白が混入する場合（図 14-6 の②）

髄液蛋白像が血清蛋白像に近づき，巨大分子であるフィブリノゲンなども検出しうるようになる．このような変化を示すのは，髄液または脈絡層の毛細血管の透過性が増加する場合，例えば髄膜炎，頭蓋内腫瘍，脳卒中などがある．

### 3 くも膜下に機械的な閉塞がある場合（図 14-6 の③）

その部分か末梢にうっ滞する髄液に前項に記したと同様の変化が見られる．

近年，髄液の脳が産生するアミロイド β 蛋白などの老廃物を洗い流す作用が注目されつつある．ニューロン周囲の髄液の流れを制御しているアストロサイト（星状膠細胞）の足突起に多く存在している水チャネルであるアクアポリン 4（AQP4）に対する抗体（抗 AQP4 抗体）は，多発性硬化症の亜型と考えられてきた視神経脊髄炎の患者血清で高率に検出される．

### 4 局所産生増加による場合（図 14-6 の④）

中枢神経組織に浸潤する免疫グロブリン産生細胞によって産生された免疫グロブリンが髄液中に移行するためと考えられ，血清蛋白分画像に比して著しく γ 分画が増加し，総蛋白の 60% を超えることもある〔脳炎・髄膜炎（特に慢性），神経梅毒，感染後多発神経炎，多発性硬化症（MS），亜急性硬化性全脳炎（SSPE），神経 Behçet 病，脳腫瘍〕．IgG の増加に加えて，IgM の増加を認めることもある（トリパノソーマ症，神経梅毒，ウイルス性髄膜炎など），また，2 個以上の M 蛋白成分（オリゴクローナル成分，oligoclonal components）が出現することがある（多発性硬化症，亜急性硬化性全脳炎，Guillain-Barré 症候群，細菌性髄膜炎の一部，中枢神経系への放射線照射後，脳腫瘍など）．

多発性硬化症では，髄液総蛋白が増加しているのは患者の半数以下にのみ認められ，100 mg/dL を超えることは少ない．しかし，約 75% の症例で γ-グロブリン分画/総蛋白比が 0.12 以上，約 85% の症例で IgG/アルブミン比が高く〔または CSF IgG インデックス＝（CSF IgG× 血清アルブミン）/（血清 IgG×CSF アルブミン）≧0.73〕，約 95% の症例で 2 個以上の M 成分が検出されるので，画像診断などで診断困難な症例では重要な診断所見となる．このほか IL-6 や IFN-α などの測定も試みられており，特に髄液中 IL-6 は神経 Behçet 病で増加するのに対して多発性硬化症では増加しないとされている．

中枢神経系の腫瘍に対して，さまざまな腫瘍マーカー検査が試みられている．また，種々の重要な中枢神経系疾患でさまざまな神経ペプチドなどが測定されている．例えば脱髄性疾患でしばしば増加するミエリン塩基性蛋白（myelin basic protein；MBP），Alzheimer 病で脳内アミロイド β 蛋白（Aβ）の蓄積を反映する Aβ1-42，Creutzfeldt-Jacob 病，Alzheimer 病や髄膜炎などによる神経変性・障害を反映する総タウ蛋白やリン酸化タウ蛋白などがある．

## 4 関節液検査

### A 関節の構造と関節液の生成

関節の基本的な構造は，図 14-7 に示すように，相対する骨の両端が接するわずかな空間を完全に覆う密な線維性結合組織からなる．骨端同士の可動性を一定範囲内に規制して，骨格系が筋肉系と協調して合目的的な運動を可能にしている．それぞれの骨端は硝子軟骨組織によって覆われて，衝撃をある程度吸収するとともに滑らかに動くようになっている．それを完全に包んでいるのが関節包で，内面は軟骨面を除いてすべて滑膜に

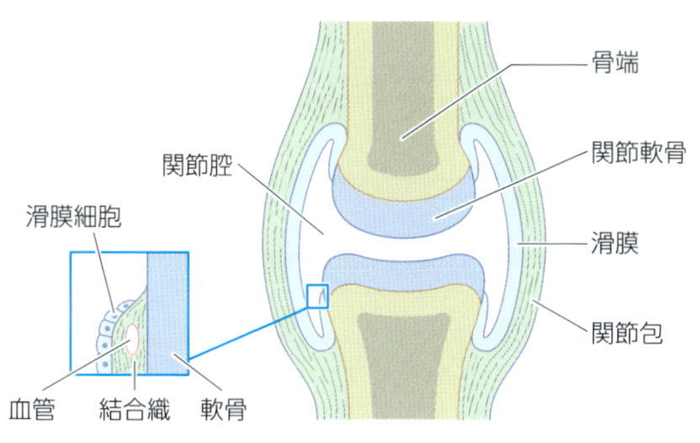


図 14-7 関節の構造

表 14-7 関節液の一般検査

**一般性状**
外観，透明性，量，粘稠度
**顕微鏡検査**
細胞数の算定，細胞の種類，結晶(湿潤標本について偏光顕微鏡による)
**微生物学的検査**
細菌，真菌，寄生虫，ウイルスなど
**免疫学的検査**
リウマトイド因子，補体成分(C3，C4)，補体価など
**生化学的検査**
臨床化学検査，関節マーカーなど



より覆われ，それによって形成される内腔を関節腔と呼んでいる．成人の関節軟骨には血管や神経，リンパ管は存在しないため，その物質代謝は関節包という限られた環境の中で血管やリンパ管が豊富な滑膜組織と関節液を通じて行われる．関節によっては，可動性を制限するための靱帯，関節円板，関節半月などをもっている．

滑膜(synovial membrane)を被覆する滑膜細胞は粘稠な滑液(synovia，synovial fluid)を分泌し，関節内に少量貯留した関節液(articular fluid)は潤滑油の働きをする．関節液には，血漿に由来する低分子成分と滑膜に由来する成分が含まれる．関節，とりわけ滑膜に炎症などにより滲出液が混入し血漿中の蛋白成分が多く漏れ出すと，関節液の膠質浸透圧の上昇が水分の関節腔への移動を促し，関節液が増すことになる．

関節軟骨は主にⅡ型コラーゲンで構成される基本骨格にアグリカンがコア蛋白を介して多数結合し形成された水和ゲル体が沈着し，軟骨細胞を取り囲む軟骨マトリックスを形成している．変形性関節症によって軟骨マトリックス分解亢進などが生じる過程では，軟骨細胞と滑膜組織の間で炎症サイトカインを含めたさまざまな物質代謝が行われている．

関節液検査として一般に行われる検査は，表 14-7 に示すとおりである．

## B 関節液の外観と有形成分

関節液の外観は，通常，透明，淡黄色で粘稠な液状である．出血があると血性または橙色となり，炎症の強い偽痛風では黄白色となる．炎症があるとリゾチームによりヒアルロン酸が分解され粘稠性が低下し混濁する．痛風では尿酸結晶を，偽痛風ではピロリン酸カルシウム結晶を認める．好中球などの細胞内へ結晶の貪食像を認めた場合，結晶が原因で炎症が生じている証拠となる．細胞数が 50,000/$\mu$L 以上で，細胞分画で多核球が 80% を超える場合は化膿性関節炎が最も疑わしい．関節液中の細胞数の解釈は，人工関節の有無で異なり，例えば膝関節では 1,100/$\mu$L 以上で人工関節感染症を疑う必要がある．表 14-8 に各種関節疾患での関節液の所見をまとめた．

## C 関節液の生化学的検査

関節液の一般的検査については，粘稠なままの検体でよいが，生化学的または免疫学的検査を実施する場合には，採取後ただちに遠心分離した上清液を冷蔵(4℃で約 1 週間)または凍結(－20℃または－80℃)保存する．また，必要に応じて，粘稠を除くためにヒアルロニダーゼにより前処理する．

血液中の低分子成分は，ほぼそのまま関節液中に移行してほぼ同様な濃度を示す．ただし，グルコースについては，炎症細胞が存在すると消費されて血中濃度よりも明らかに低値を示す．血漿蛋白成分については，分子量の大きいほど低値を示すが，炎症性関節疾患では比較的大きな蛋白分子も検出される．

表 14-8 各種疾患における関節液の外観と性状

| | 正常 | 非炎症性 | 炎症性 | 細菌性 |
|---|---|---|---|---|
| 外観 | 透明，淡黄色 | 透明，黄色 | 不透明～半透明，黄色 | 不透明，黄(緑)色 |
| 粘稠度 | 高い | 高い | 低い | いろいろ |
| 白血球数(/μL) | 200 以下 | 200～2,000 | 2,000～100,000 | 100,000 以上 |
| 多形核白血球 | 25% 以下 | 25% 以下 | 50% 以上 | 75% 以上 |
| グルコース | 血中とほぼ同じ | 血中とほぼ同じ | 血中より低い | 血中より著明に低い |
| 関連疾患 | | 変形性関節症<br>外傷(血性のことあり) | 関節リウマチ<br>各種膠原病<br>結晶性関節炎<br>(痛風，偽痛風)<br>急性リウマチ熱 | 細菌感染 |

## D 関節マーカー検査と臨床的意義

関節組織(滑膜組織や軟骨)が破壊または修復される過程で，組織成分やその合成・分解に関与する酵素，サイトカインが関節内または血中，尿中に増加する．これらの成分を関節マーカーと呼び，関節内の代謝を推定し，病態や疾病の鑑別に役立つことがある．

### 1 関節マーカー(滑膜炎と軟骨マーカー)

関節リウマチや変形性関節症における軟骨破壊に大きな役割を果たしているのは，マトリックスメタロプロテイナーゼ(MMP，173 頁も参照)やセリンプロテアーゼである．そのうち，MMP-3 はストロムライシン-1 とも呼ばれ，血中濃度の測定は関節リウマチの炎症性滑膜増殖の指標となる．MMP などにより軟骨マトリックスを形成しているアグリカンが切断され，ケラタン硫酸などのフラグメントを生じる．関節液中ケラタン硫酸濃度は変形性関節症病期の進行に伴う関節軟骨の残存量の減少と軟骨代謝回転低下を反映して減少する．軟骨の支持基盤であるⅡ型コラーゲンと結合している軟骨オリゴマーマトリクス蛋白は，Ⅱ型コラーゲンの損傷に先行して分解遊離されて関節液から血液中に移行することから，変形性関節症の病態を反映する軟骨マーカーとなると期待されている．

# 15章 感染症の検査

## 1 総論

### A 感染症とは

感染症とは病原性微生物(細菌，ウイルス，真菌，寄生虫など)が宿主の体内に侵入することで引き起こされる疾患の総称である．一般的には症状が明らかな顕性感染のことを指すが，症状が軽微であったりほとんど現れない不顕性感染も感染症と考えられる．病原性微生物が体内に侵入すると，さまざまな経過をたどる(図 15-1).

### B 感染経路

ヒトの健常な皮膚は強固な表皮により覆われるため，病原性微生物の侵入に対して，物理的なバリアとなっている．病原性微生物が体内に侵入するためには，この強固なバリアを越える必要がある．一方，創傷部位は健常な皮膚というバリアに覆われていないため，病原性微生物の侵入が容易となる．損傷がなくとも，何らかのデバイス(点滴ラインやドレーン)が留置されている場合には，デバイスが皮膚のバリアを突き抜けていること，さらには人工物という病原性微生物が付着しやすいものがあることから，感染症のリスクは高くなる．また，粘膜は感染防御機構が備わってはいるものの，皮膚に比べると物理的に脆弱であり，病原性微生物の侵入が起こりやすいといえる．

つまり，一般的に感染症が成立しやすい部位は体外との直接交通があり，かつ粘膜で覆われている部位といえる．具体的には，呼吸器系，消化管系，泌尿器/生殖器系であり，さらに眼，鼻，咽頭なども侵入門戸となりやすい．

### C 感染の成立

病原性微生物が皮膚のバリアや粘膜を通過して体内に侵入してもすぐに感染が成立するわけではない．ヒトの感染防御機構を病原性微生物の毒性

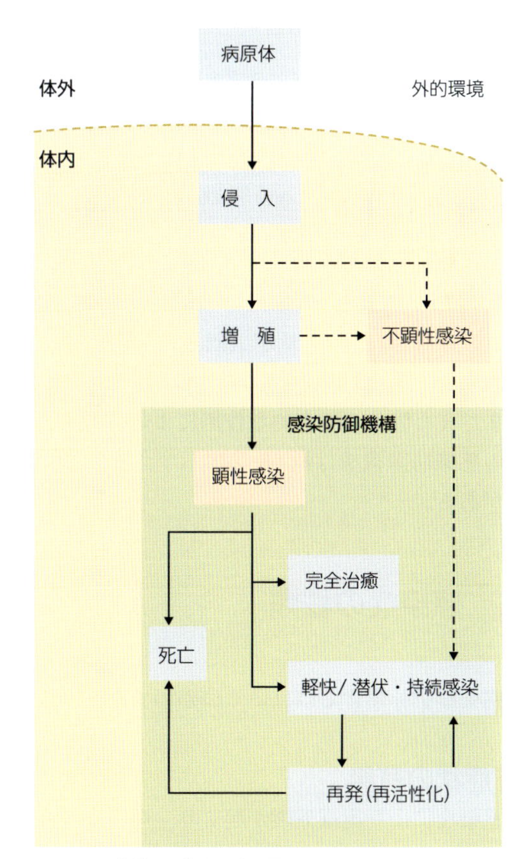


図 15-1　**感染の成立と経過**

病原体側と宿主側のいろいろな要因が関与して，感染とその後の経過が決定される．

**表 15-1　病原体の毒性を規定する諸因子**

| 要因 | 簡単な説明 |
|---|---|
| 付着性 | 粘膜細胞のレセプターに病原体のアドヘジン(付着因子)が結合し，線毛を介する場合とそうでない場合がある．病原性大腸菌の一部では，“attaching and effacing”と呼ばれる特殊な様式をとる． |
| 定着性 | 病原体が増殖しながら宿主粘膜に定着(colonization)するなかで，病原体がムコ多糖体を分泌してバイオフィルムを形成し，宿主の攻撃作用に抵抗する．さらに強固な莢膜(capsule)をもっていると，抗貪食作用を示す． |
| 運動性 | 鞭毛をもっていると病原性が増す． |
| 細胞内侵入性と増殖性 | 好中球やマクロファージの貪食作用に抵抗して，偏性細胞内寄生性細菌や通性細胞内寄生性細菌は，細胞内に侵入し増殖し続ける． |
| 毒素産生性 | 病原体が体外に分泌する外毒素(exotoxin)と，体外に分泌されない内毒素(endotoxin)がある．細菌の種類により異なる外毒素(神経毒素，細胞毒素，腸管毒素)が産生される．これらの毒素が宿主にさまざまな症状をもたらす． |
| 酵素の産生 | 特に蛋白分解酵素は周辺の組織を破壊し，侵入を容易にする． |
| その他 | 芽胞(spore)形成など |

**表 15-2　宿主の感染抵抗性に関与する因子**
(生体防御機構)

**非特異的防御機構**
1. 物理的防御機構(睫毛，呼吸器線毛，鼻毛，蠕動など)
2. 化学的防御機構(涙，唾液，気管支分泌液，汗，粘液，胃酸など)
3. 貪食作用
4. NK(natural killer)細胞活性
5. 補体系

**特異的防御機構**
1. 液性免疫
2. 細胞性免疫

および菌量/ウイルス量が上回った場合に感染が成立する．病原性微生物の毒性は表 15-1 に示すさまざまな因子の総合的な作用による．他方，宿主の感染防御機構は表 15-2 に示すさまざまな因子がある．

## D　感染症の種類

感染症を分類するにはいくつかの方法がある．

### 1 症状の有無

感染症により組織破壊が起こり，明らかな症状が出現した場合を顕性感染(apparent infection)，感染が成立していても組織破壊が限定され臨床的に症状を表さない場合を不顕性感染(inapparent infection)と呼ぶ．顕性感染を起こしやすい感染症としては麻疹や水痘がある．一方，日本脳炎やポリオなどはほとんどが不顕性感染である．

### 2 感染経路

感染が成立するためには病原性微生物と接触することが必要である．

ヒトからヒトに感染する場合には，その経路によって接触感染，飛沫感染，空気感染に分けることができる．接触感染は主にヒトの手指を介して生じる．飛沫感染は咳やくしゃみの際の飛沫が粘膜に接触することで感染が成立する．空気感染は飛沫から水分が抜け落ちた粒子である飛沫核(droplet nuclei)を肺に吸い込むことで感染が成立する．ただし，水分がなくなった飛沫核の状態で感染性を有する微生物は限られている．病原性微生物が水分をまとった状態でもしばらくは空気中を浮遊した状態をエアロゾル(aerosol)と呼び，飛沫感染をする病原性微生物の一部(SARS-CoV-2，インフルエンザウイルスなど)で直接飛沫が粘膜に触れる状態以外でもエアロゾルを吸い込むことで感染が成立することが指摘されている．

ヒトからヒトへの感染以外の感染経路として，動物から病原性微生物が伝播する人畜共通感染症(zoonosis)や，汚染された食物による経口感染，環境に存在する病原性微生物が創部から侵入する経皮感染も重要である．

感染経路は感染対策をするうえで重要になる．

### 3 感染宿主の免疫状態

古典的(正統)感染症は病原性の強い微生物により発症する．これらは通常は市中感染症(community-acquired infection)と呼ばれる．しかし，近年では医学技術の進歩により，化学療法や自己免疫抑制療法による抵抗力の低下した易感染性宿主(compromised host)が増加し，病原性の強い微生物のみならず，通常は病原性がほとんどない，または弱毒性の微生物によって発症する日和見感染症(opportunistic infection)が注目されている．これらの感染症は医療による曝露により起こることから，そのほとんどが医療関連感染症(healthcare-associated infection)である．

市中感染症では病原性微生物は特定の臓器に感染を起こし，また単一微生物による感染症がほとんどである．一方，日和見感染症では罹患臓器と感染の原因となった微生物とが必ずしも1対1の関係が明確ではない．つまり，同じ微生物が複数の臓器に感染症を起こしたり，また繰り返し感染症を起こす．一方，複数の微生物により同時に感染症を発症することもある．

### 4 輸入感染症，新興・再興感染症

わが国に従来から存在していた感染症と，その他の感染症を分類することができる．輸入感染症(imported infectious disease)は，わが国において従来はほとんど認められなかった感染症が，グローバル化に伴い国内に発生した感染症である．従来は問題とされていなかった感染症が1980年代になって公衆衛生上問題となってきたもので，新たに病原性微生物の同定がされたものを新興感染症(emerging infectious disease)と呼ぶ(表15-3)．他方，過去においては蔓延したが，公衆衛生対策の結果，いったんは著しく減少または消滅したものが，近年になって再び流行しているものを再興感染症(re-emerging infectious disease)と呼ぶ(表15-4)．

## E 感染症新法

近年の感染症事情の変化に対応するため，1897(明治30)年に制定された「伝染病予防法」を見直し，新たに1998(平成10)年「感染症の予防及び感染症の患者に対する医療に関する法律」(感染症新法)を制定，1999(平成11)年4月から施行されている．その後，新興・再興感染症に対応するため，何度かの変更がされている．2023年の時点では対象疾患数は113疾患(新型インフルエンザ等感染症を含む)となっている(表15-5)．なお，一類～四類感染症はただちに，五類感染症(全数把握)は7日以内に(麻疹，侵襲性髄膜炎菌感染症はただちに)，診断した医師が保健所に届出を行わなければならない．感染症新法は状況の変化に対応して変更されるため，詳細は「感染症法に基づく医師の届出のお願い」(厚生労働省Webサイト)を参照のこと．

## F 感染症の検査

感染症の検査の目的は，大きく分けると感染症の診断のための検査と，感染症の治療のための検査，感染症の治療効果を判定する検査に分けられる．もちろん，はっきりとした線引きはできず，例えば細菌培養検査は診断のためにも治療のためにも必要な検査である．

### 1 感染症の診断のための検査

感染症の診断のためには，まずは感染症が存在するのかどうかを判断しなければならない．まずは感染症の存在を疑うことが第一歩となる．感染症の存在を疑うためには，病歴や臨床症状が重要であることはいうまでもない．そのうえで，感染症の存在および原因となっている病原性微生物を確定するためには血液検査，塗抹検査(グラム染色，抗酸菌染色など)，培養同定検査，抗原検査，遺伝子検査が必要になる．なお，病原体の遺伝子核酸を検出する検査を，本章では遺伝子検査と呼ばずに核酸検査と呼ぶことにする．

血液検査では白血球数の変動，好中球の左方移動の有無，炎症マーカーの上昇，障害臓器の推定が行える．その他の検査では，病原性微生物の存在を確認することにより感染症の診断の助けとなる．例えば，血液や髄液などの無菌検体から細菌が培養されれば診断は確定する．その一方で，無

**表15-3　新興感染症の主症状と感染経路**

| 疾病 | 病原体（類型*，発見年） | 主症状 | 潜伏期 | 感染経路 |
|---|---|---|---|---|
| ラッサ熱 | ラッサウイルス（一類，1969） | 発熱，頭痛，腹痛，下痢，咳，難聴など | 5～21日 | ネズミの排泄物とその汚染物 |
| ロタウイルス感染症 | ロタウイルス（1973） | 乳児下痢症 | 2～3日 | ヒト糞便からの感染 |
| ライム病 | ライム病ボレリア（四類，1977） | 遊走性紅斑，インフルエンザ様症状 | 数日～数週間 | マダニにより媒介 |
| エボラ出血熱 | エボラウイルス（一類，1976） | 突発的，出血，重症インフルエンザ様症状 | 2～21日 | 患者の血液，分泌物 |
| レジオネラ肺炎 | *Legionella pneumophila*（四類，1976） | 発熱，頭痛，咳，肺炎 | 2～10日 | エアロゾル吸入，汚染水の誤嚥 |
| 腎症候性出血熱 | ハンタウイルス（四類，1978） | 発熱，出血傾向，腎障害 | 4～42日 | げっ歯類の糞尿 |
| 成人T細胞白血病 | HTLV-1ウイルス（1980） | 白血病，リンパ腫，花弁状リンパ球 | 不明 | ヒトからの感染？ |
| 腸管出血性大腸菌感染症 | 腸管出血性大腸菌（三類，1982） | 出血性大腸炎，溶血性尿毒症症候群 | 2～14日 | ウシやヒトの糞便からの経口感染 |
| 後天性免疫不全症候群 | HIV（五類全，1983） | 重症日和見感染 | 2～4週間 | ほとんど性的接触 |
| ヘリコバクター感染症 | *Helicobacter pylori*（1982） | 胃潰瘍，胃癌 | 不明 | 経口感染 |
| 日本紅斑熱 | *Rickettsia japonica*（四類，1984） | 発熱，頭痛，マダニによる刺し口 | 2～10日 | マダニにより媒介 |
| 突発性発疹 | ヒトヘルペスウイルス6（五類定，1986） | 高熱後の斑丘疹 | 約10日 | 患者唾液による水平感染 |
| E型肝炎 | E型肝炎ウイルス（四類，1989） | 発熱，黄疸 | 3～8週間 | 患者や動物の糞便からの経口感染 |
| C型肝炎 | C型肝炎ウイルス（五類全，1989） | 発熱，黄疸 | 1～2か月 | 輸血や汚染注射器 |
| 変異型Creutzfeldt-Jakob病 | プリオン（五類全，1996） | 人格変化，小脳失調 | 2～30年 | ウシ海綿状脳症ウシからの経口感染など |
| 高病原性鳥インフルエンザ | 鳥インフルエンザ（四類，1997） | 発熱，肺炎 | 1～3日 | 感染鳥からの飛沫・接触感染 |
| ニパウイルス脳炎 | ニパウイルス（四類，1998） | 発熱，インフルエンザ症状 | 4～18日 | コウモリから豚を介して感染？ |
| 重症急性呼吸器症候群（SARS） | SARS-CoV-1（二類，2002） | 発熱，呼吸困難，肺炎 | 2～7日 | ヒトからの飛沫・接触感染 |
| 南米出血熱 | アレナウイルス（一類，2007） | 発熱，リンパ節腫大出血 | 7～14日 | ネズミの排泄物とその汚染物 |
| 新型インフルエンザ | インフルエンザH1N1（新型インフルエンザ等，2009） | 発熱，肺炎 | 1～3日 | 飛沫感染 |
| 重症熱性血小板減少症候群 | SFTSウイルス（2011） | 発熱，消化器症状 | 6～14日 | マダニにより媒介 |
| 中東呼吸器症候群（MERS） | MERSコロナウイルス（二類，2012） | 発熱，肺炎 | 2～14日 | 不明（ヒトコブラクダが保有），濃厚接触でヒトから？ |
| 新型コロナウイルス感染症（COVID-19） | SARS-CoV-2（五類定，2020） | 発熱，肺炎 | 1～14日 | 飛沫感染，接触感染 |

* 類型の後の「全」は全数把握，「定」は定点把握を表す．

**表 15-4 主な再興感染症**

| 細菌感染症 | ウイルス感染症 |
|---|---|
| 1. 劇症型 A 群溶血性レンサ球菌感染症 | 1. 黄熱病 |
| 2. 結核 | 2. 狂犬病 |
| 3. コレラ | 3. デング熱 |
| 4. サルモネラ症 | **原虫感染症** |
| 5. ジフテリア | 1. マラリア |
| 6. 百日咳 | 2. エキノコックス症 |
| 7. ペスト | 3. トキソプラズマ症 |
| | 4. リーシュマニア症 |

**表 15-5 感染症法の対象疾患**(2023 年)

| 類型 | 疾患 |
|---|---|
| 一類:7 種類 | エボラ出血熱,クリミア・コンゴ出血熱,痘そう,南米出血熱,ペスト,マールブルグ病,ラッサ熱 |
| 二類:7 種類 | 急性灰白髄炎,結核,ジフテリア,重症急性呼吸器症候群(病原体が SARS コロナウイルスであるものに限る),中東呼吸器症候群(病原体が MERS コロナウイルスであるものに限る),鳥インフルエンザ(H5N1),鳥インフルエンザ(H7N9) |
| 三類:5 種類 | コレラ,細菌性赤痢,腸管出血性大腸菌感染症,腸チフス,パラチフス |
| 四類:44 種類 | E 型肝炎,ウエストナイル熱,A 型肝炎,エキノコックス症,黄熱,オウム病,オムスク出血熱,回帰熱,キャサヌル森林病,Q 熱,狂犬病,コクシジオイデス症,サル痘,ジカウイルス感染症,重症熱性血小板減少症候群(病原体が SFTS ウイルスであるものに限る),腎症候性出血熱,西部ウマ脳炎,ダニ媒介脳炎,炭疽,チクングニア熱,つつが虫病,デング熱,東部ウマ脳炎,鳥インフルエンザ(H5N1 および H7N9 を除く),ニパウイルス感染症,日本紅斑熱,日本脳炎,ハンタウイルス肺症候群,B ウイルス病,鼻疽,ブルセラ症,ベネズエラウマ脳炎,ヘンドラウイルス感染症,発しんチフス,ボツリヌス症,マラリア,野兎病,ライム病,リッサウイルス感染症,リフトバレー熱,類鼻疽,レジオネラ症,レプトスピラ症,ロッキー山紅斑熱 |
| 五類(全数把握):27 種類 | アメーバ赤痢,ウイルス性肝炎(E 型肝炎および A 型肝炎を除く),カルバペネム耐性腸内細菌科細菌感染症,急性脳炎(ウエストナイル脳炎,西部ウマ脳炎,ダニ媒介脳炎,東部ウマ脳炎,日本脳炎,ベネズエラウマ脳炎およびリフトバレー熱を除く),クリプトスポリジウム症,Creutzfeldt-Jakob 病,劇症型溶血性レンサ球菌感染症,後天性免疫不全症候群,ジアルジア症,侵襲性インフルエンザ菌感染症,侵襲性髄膜炎菌感染症,侵襲性肺炎球菌感染症,水痘(入院例に限る),先天性風しん症候群,梅毒,播種性クリプトコックス症,破傷風,バンコマイシン耐性黄色ブドウ球菌感染症,バンコマイシン耐性腸球菌感染症,風しん,麻しん,薬剤耐性アシネトバクター感染症 |
| 五類(定点把握):27 種類 | RS ウイルス感染症,咽頭結膜熱,A 群溶血性レンサ球菌咽頭炎,感染性胃腸炎,水痘,手足口病,伝染性紅斑,突発性発しん,百日咳,ヘルパンギーナ,流行性耳下腺炎,インフルエンザ(鳥インフルエンザおよび新型インフルエンザ等感染症を除く),新型コロナウイルス感染症〔病原体がベータコロナウイルス属のコロナウイルス(令和 2 年 1 月に中華人民共和国から世界保健機関に対して,人に伝染する能力を有することが新たに報告されたものに限る)であるものに限る〕,急性出血性結膜炎,流行性角結膜炎,クラミジア肺炎(オウム病を除く),細菌性髄膜炎(インフルエンザ菌,髄膜炎菌および肺炎球菌を除く),マイコプラズマ肺炎,無菌性髄膜炎,感染性胃腸炎(病原体がロタウイルスであるものに限る),性器クラミジア感染症,性器ヘルペスウイルス感染症,尖圭コンジローマ,淋菌感染症,ペニシリン耐性肺炎球菌感染症,メチシリン耐性黄色ブドウ球菌感染症,薬剤耐性緑膿菌感染症 |

新しい類型として「新型インフルエンザ等感染症」が制定され,「新型インフルエンザ」および「再興型インフルエンザ」に分類指定されている.その他,指定感染症,疑似症を制定している.

菌ではない検体から細菌が検出された場合には，その解釈が重要となる．

なお，広義には画像検査も感染症の検査となるが，本書では扱わない．

### 2 感染症の原因微生物特定と治療のための検査

感染症の治療のためには，感染症の原因となった病原性微生物を確定しなければならない．塗抹検査や抗原検査，核酸検査は検査結果が確定するまで比較的短時間(時間の単位)であり，治療方針の決定のために有用である．しかし，塗抹検査では原因となる病原性微生物の推定は可能であるが，確定は難しい．抗原検査は微生物の存在は確認できるが，感染症を起こしているのか確定はできず，さらに薬剤感受性は判断できないため補助診断の役割となる．核酸検査は検査にかかる時間は培養検査に比べると短く，また薬剤耐性遺伝子を検査することで薬剤感受性がわかることもあるが，マンパワーやコストに問題があり，ルーチンでの検査は難しい．

培養検査は検査結果が出るまでに比較的時間がかかる(日の単位)ため，検査結果が出るまで治療を待つことはできない．その一方で培養検査を行うことで微生物の確定や薬剤感受性試験を行うことができる．それぞれの検査の長所短所を理解したうえで検査を行い，結果を解釈することが重要である．

### 3 感染症の治療経過を判定する検査

感染症の治療経過を判定するためには，血液検査などの経過を追うことが必要である．白血球数やCRPといった炎症反応の推移だけではなく，酸素化の改善，逸脱酵素の低下，腎機能の改善なども感染症の治療経過の判定に利用できる．また塗抹検査でも，もともと細菌が多くみられた検体で，細菌数が減っていたり，細菌の形態が変化していたりすることを確認することができる．同様に培養検査でも治療効果判定が可能である．

# 細菌感染症

## A 診断検査

### 1 検体採取

検体は，疑われている感染症に応じて適切な部位から採取する必要がある．

また検体の採取には細心の注意を払う必要がある．例えば，肺炎を疑った際の検体は喀痰である．しかし口腔内は常在菌が存在するため，提出された喀痰から培養された細菌が肺炎の原因菌か判断が難しい．可能であれば喀痰採取前にうがいをして口腔内常在菌を減らす，また気道の深いところから喀出した検体を採取することが望ましい．同様に，尿路感染症を疑っている場合の尿培養は中間尿を，可能であれば膀胱カテーテル尿を提出する．

どこから採取した検体であっても原則として無菌的に扱い，他の菌のコンタミネーションを起こさないようにすることが重要である．

### 2 塗抹検査

塗抹検査は，推定する細菌によって染色法を選択する．一般細菌ではグラム染色が最も有用である．その他，結核を含む *Mycobacterium* 属による感染を疑った場合には抗酸菌染色を行う．

#### ⓐ グラム染色

グラム染色は細菌の細胞壁の構造の違いにより，細菌を区別する検査である．染色性の違いからグラム陽性菌とグラム陰性菌に，また染色された細菌の形態から球菌と桿菌に分けられる．

表15-6にグラム染色の利点と欠点を示す．検査自体は標本の作製から鏡検まで含めて30分以内である．表15-7に示すように，グラム染色の所見から原因菌の推定が可能である．細菌以外に好中球や上皮細胞もグラム染色で確認できるため，検体が適正かどうか判断できる．さらに好中球による細菌の貪食像が確認できれば感染症として有意な所見である．細菌によっては，抗菌薬に

**表 15-6 グラム染色の利点，欠点**

| 利点 | 欠点 |
|---|---|
| 結果が迅速に出る | 培養検査に比べ感度が低い |
| 細菌の推定ができる | 確認者の熟練度により結果が変わる |
| 細菌以外の情報が得られる | 染まりにくい，もしくは染まらない |
| 治療効果判定に利用できる | 微生物がある |
| 安価である | |

**表 15-7 グラム染色で推定できる微生物**

| 菌種 | 染色上の特徴 |
|---|---|
| *Staphylococcus* spp. | ぶどうの房状に群がったグラム陽性球菌 |
| *Streptococcus pneumoniae* | ランセット型のグラム陽性双球菌．周囲が莢膜で白く抜けることがある |
| *Streptococcus* spp. | 連鎖状配列のグラム陽性球菌 |
| *Enterococcus* spp. | 連鎖状配列のグラム陽性球菌 |
| *Corynebacterium* spp. | 棍棒状のグラム陽性桿菌．N，Y，V 字状配列 |
| *Cutibacterium* spp. | 棍棒状のグラム陽性桿菌．N，Y，V 字状配列 |
| *Listeria* spp. | グラム陽性球桿菌または短桿菌 |
| *Clostridium* spp. | まっすぐなグラム陽性桿菌．時にグラム陰性に染色 |
| *Bacillus* spp. | 長方形状のグラム陽性桿菌 |
| *Nocardia* spp. | 長い，分岐したグラム陽性桿菌．時にグラム陰性に染色 |
| *Candida* spp. | 細菌より大きい，グラム陽性で楕円形の菌体 |
| *Neisseria* spp., *Moraxella* spp. | グラム陰性双球菌 |
| *Haemophilus influenzae* | 小さなグラム陰性短桿菌 |
| *Acinetobacter* spp. | グラム陰性球菌状または短桿菌．時にグラム陽性に染色 |
| *Campylobacter* spp. | S 字状のグラム陰性短桿菌．染色が弱い |
| *Helicobacter* spp. | S 字状のグラム陰性短桿菌．染色が弱い |
| *Klebsiella pneumoniae* | グラム陰性短太桿菌．周囲が莢膜で白く抜けることがある |

よる治療開始後に細菌の速やかな消失，菌体の変形(延長，バルジ化)を確認できれば治療効果判定の一助となる．

グラム染色による細菌の検出限界は$\geqq 10^5$/mLといわれており，それより少ない菌量では確認できない．鏡検を行う者の熟練度によっては有意な所見の見落としや，推定菌の誤認が起こりうる．*Mycoplasma* や *Legionella* など，グラム染色で染色されない，もしくは染色されにくい微生物も存在するが，グラム染色で細菌が確認できないことも有意な所見となる場合がある．

### b 抗酸菌染色

*Mycobacterium* 属菌を染色する方法である．通常の塩基性色素染色を行い光学顕微鏡で観察するZiehl-Neelsen 染色法と，蛍光色素を用いて蛍光顕微鏡で観察する蛍光法が用いられる．Ziehl-Neelsen 染色は 1,000 倍で観察するため，感度は低いが特異度が高い．一方の蛍光法は 200 倍で観察するため，感度は高いが偽陽性がありうる．通常は蛍光法でスクリーニングを行い，Ziehl-Neelsen 染色で確認を行う．

空気感染を起こす可能性があるため，検査の際には十分な安全管理が必要である．

## 3 培養，同定検査

培養検査の目的は，病巣から感染の原因菌を分離し，菌名を同定することにある．そのためには検体や推定される原因菌に応じて，適切な培養検査を行う必要がある．一つの培地ですべての細菌を培養することはできないため，培地や培養条件を選択する(表 15-8)．

細菌の同定にはグラム染色所見，各種培地での発育性や培養条件，コロニーの性状，生化学的性

**表 15-8　特殊な培養条件と培地を必要とする主な細菌類**

| |
|---|
| *Neisseria gonorrhoeae*, *N. meningitidis* |
| *Campylobacter jejuni* |
| *Helicobacter pylori* |
| *Bordetella pertussis* |
| *Yersinia enterocolitica* |
| *Legionella pneumophila* |
| *Mycobacterium* 属 |
| 嫌気性菌 |
| 酵母様真菌 |

状(細菌が産生する酵素), 塩基配列などにより行う. 近年, 質量分析法による新しい同定方法も行われている.

### ⓐ 血液培養

血液培養は細菌感染症, 特に重症細菌感染症を疑った際に最も重要な検査の一つである.

一般的に血液培養が陽性となった場合には血流感染症(bloodstream infection)と呼ぶ. 血液は本来無菌検体であり, 血液培養が陽性となった場合には血流感染症と診断できる. しかし, 採血の際には皮膚の穿刺が行われるため, 皮膚常在菌によるコンタミネーションは避けられない. コンタミネーションを減らすためには, 穿刺前の消毒が重要となる. 使用する消毒薬は施設によって異なるが, 皮膚表面の物理的な有機物の除去と, 消毒薬に応じた十分な消毒時間が重要である.

血液培養は通常2セット以上の採取が望ましい. これには2つの理由がある. 1つめの理由は, 血流感染症を起こしている際にも, 血中の菌量は極めて少ないため, 採取血液量を増やすことで検査感度を上げることができる. 2つめの理由は血液培養が陽性となった場合に, それが血流感染症の原因菌なのか, 皮膚常在菌のコンタミネーションなのかの判断材料となる. 血液培養1セットのみ陽性であればコンタミネーション, 2セット陽性であれば血流感染症の原因菌と判断できればわかりやすいのだが, 実際には異なる. 検出された菌種によって, コンタミネーションを起こしやすい細菌と, 起こしにくい細菌とに分けられる(表 15-9). 血液培養から検出された場合に, コンタミネーションである頻度が低い細菌が1セットでも陽性になれば, 血流感染症の原因菌と判断できる. 一方, コンタミネーションの頻度が高い細菌であっても, 2セットが陽性になった場合には血流感染症の原因菌と判断してよいことが多い. また, 一般的にコンタミネーションの場合には, 血液培養が陽性になるまでの時間が長い傾向にある.

細菌感染症において, 血液培養が陽性になる頻度は, 感染臓器によって異なる. 各臓器における血流量, 感染防御機構, 閉塞機転の有無が影響する(表 15-10). 血液培養が陽性になりにくい感染症でも, 血液培養が陽性になったときのメリットは大きいため, 抗菌薬投与前に血液培養を採取することが重要である.

**表 15-9　血液培養の検出菌**

| |
|---|
| **汚染菌の頻度が高い微生物** |
| *Cutibacterium* spp. |
| *Bacillus* spp. |
| *Corynebacterium* spp. |
| coagulase-negative *Staphylococci* |
| **汚染菌の頻度が低い微生物** |
| *Streptococcus pneumoniae* |
| *Listeria monocytogenes* |
| *Klebsiella* spp. |
| *Stenotrophomonas maltophilia* |
| *Bacteroides* spp. |
| *Pseudomonas aeruginosa* |
| *Candida* spp. |

**表 15-10　感染症ごとの血液培養陽性頻度**

| |
|---|
| **血液培養が陽性になりやすい感染症** |
| 髄膜炎 |
| 閉塞性胆管炎 |
| 腎盂腎炎 |
| 壊死性筋膜炎 |
| 感染性心内膜炎 |
| カテーテル感染 |
| **血液培養が陽性になりにくい感染症** |
| 蜂窩織炎 |
| 感染性腸炎 |
| 肺炎 |

**表 15-11 特殊な微生物の培養**

| 微生物 | 必要な培地 |
|---|---|
| *Legionella pneumophila* | B-CYE 培地, WYO 培地 |
| *Mycoplasma pneumoniae* | PPLO 培地 |
| 抗酸菌 | 小川培地, 液体培地 |
| 糸状菌 | Sabouraud 培地 |

### ⓑ 喀痰培養

喀痰培養は肺炎の診断目的に行われる. 臨床症状および画像所見などから肺炎が疑われた患者の喀痰から, 肺炎の原因菌として有意な細菌が培養された場合には肺炎の診断根拠となる. その一方で, 喀痰培養から細菌が検出されただけでは肺炎の診断根拠にはなりえない. これは口腔内には無数の常在菌が存在すること, また上気道においても患者によっては細菌を保菌しているため, これらの細菌が培養結果に影響するためである.

喀痰培養検査の感度・特異度を上げるためには, 常在菌のコンタミネーションを減らす必要がある. 検体採取前にうがいをする, 気管挿管患者では気管チューブ内から痰を吸引する, 必要に応じて気管支鏡を用いて気管支肺胞洗浄を行うなどの方法が考えられる.

重症肺炎の原因菌には特殊な培地でないと培養できない微生物も存在する(表 15-11). これらの培地はルーチン検査で使用されないこともあるため, 臨床的に疑った場合には検査室への連絡が必要となる.

### ⓒ 尿培養

一般に膀胱内は無菌とされている. しかし, 尿培養採取時の皮膚常在菌のコンタミネーションは避けられない. そのため, 尿培養では尿中菌量を定量する. 一般的には $10^4$〜$10^5$ CFU/mL 以上が有意な細菌尿とされている. ただし, (留置ではなく新規に挿入して)カテーテル採尿した場合にはより少ない菌量(>$10^2$ CFU/mL)でも有意となる. さらに尿管閉塞などのある場合では, 腎盂腎炎であっても尿中に細菌が流出しにくいため, より少ない細菌量でも有意となる場合がある. 一方, 膀胱留置カテーテルが挿入されている場合には, 尿中の菌量が多くても, 無症候性細菌尿の可能性を考えなければならない.

培養された菌量が少ない場合には, 細菌検査室でコンタミネーションとされ詳細な検査は行わない. 病態によっては事前に細菌検査室に連絡をし, 菌量が少なくても検査を進めることが必要である.

尿は細菌の増殖に適した培地であるため, 検体採取から提出までに時間がかかった場合には, 検体内で細菌が増殖し, 菌量は多く検出される. すぐに提出できない場合には冷蔵保存が必要である. *Neisseria gonorrhoeae* を疑う場合には冷蔵で菌が死滅することも注意が必要である.

### ⓓ 髄液培養

髄液は通常無菌であり, また髄液検査は清潔操作で行われるため, 髄液培養で細菌が検出された場合には細菌性髄膜炎の原因菌と考えられる. その一方で, 細菌性髄膜炎の際の髄液培養の感度は70〜85% であるため, 髄液培養が陰性だからといって細菌性髄膜炎の否定はできない. 抗菌薬使用後の場合にはさらに感度が下がるが, 髄液検査には時間がかかることもあるため, 抗菌薬使用前の血液培養採取が必須である.

細菌性髄膜炎は緊急性の高い疾患であるため, 髄液グラム染色が重要となる(図 15-2, 3). 特に抗菌薬使用後でも, グラム染色で病原性微生物が確認できることがある. 年齢に応じて細菌性髄膜炎の原因菌が異なるため(表 15-12), 年齢とグラム染色から原因菌の推定が可能になる.

結核性髄膜炎を疑った場合には, 抗酸菌染色, 小川培地や液体培地での培養を追加する. 細菌性髄膜炎に比べ, 塗抹・培養のいずれも感度は低いため, 臨床的に疑わしい(亜急性の経過, 髄液糖の低下, 細菌培養陰性)場合には, 可能であれば結核菌 PCR を行う.

### ⓔ カテーテル先端培養

血管内留置カテーテル感染症(catheter-related bloodstream infection; CRBSI)は入院中に発生する血流感染である. その診断のためにカテーテル先端培養を行うが, カテーテルは皮膚に刺入し留置されているため, 皮膚常在菌の曝露が避けら

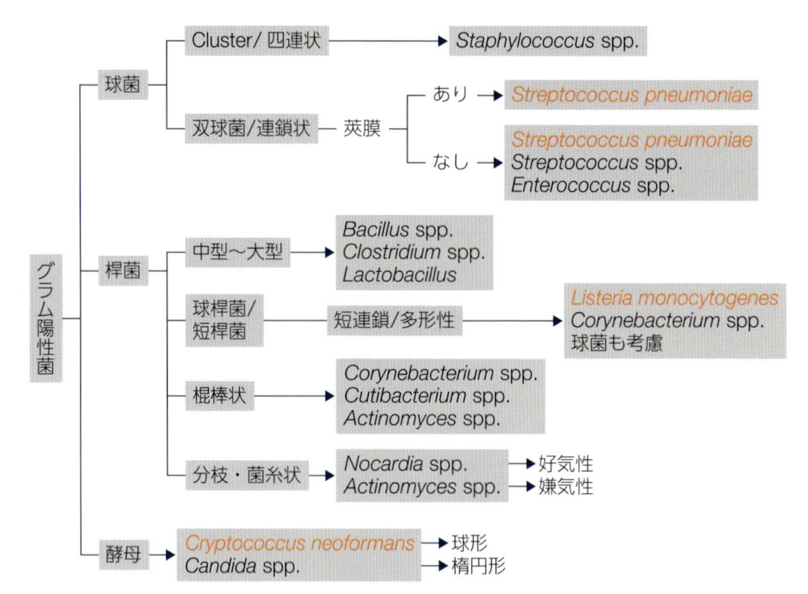


**図 15-2　市中発症例を対象とした髄液のグラム染色標本によるグラム陽性菌の推定**
赤字は菌種の推定が可能.

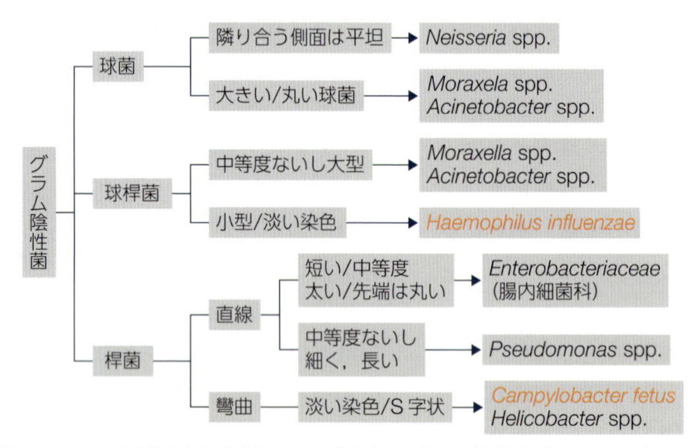


**図 15-3　市中発症例を対象とした髄液のグラム染色標本によるグラム陰性菌の推定**
赤字は菌種の推定が可能.

**表 15-12　年齢による細菌性髄膜炎の原因菌**

| 年齢 | 原因菌 |
|---|---|
| 3か月未満 | *Streptococcus agalactiae*, *Escherichia coli*, *Listeria monocytogenes* |
| 3か月から6歳 | *Streptococcus pneumoniae*, *Haemophilus influenzae* |
| 6歳から50歳 | *Streptococcus pneumoniae*, *Neisseria meningitidis* |
| 50歳以上 | *Streptococcus pneumoniae*, *Listeria monocytogenes*, GNR |
| 脳神経外科術後 | *Staphylococcus epidermidis*, *Staphylococcus aureus*, GNR |

GNR：グラム陰性桿菌

れない．つまり，カテーテル先端の培養結果は常にコンタミネーションの評価を行わなければならない．CRBSIを疑っていない場合に，不必要にカテーテル先端培養を行わないことも重要である．

CRBSIの診断には，カテーテル先端培養からの検出菌と，末梢血による(カテーテルからの採血ではない)血液培養の検出菌が一致することが必要である．つまり，CRBSIを疑ってカテーテル先端培養を提出する場合には，同時に血液培養2セットが必要となる．この際に，血液培養のうち1セットはカテーテルからの採血を行うことにより，CRBSIの補助診断となる．カテーテルからの血液培養が末梢血からの血液培養より2時間以上早く陽性になった場合には，CRBSIの可能性が高いとされている．ただし，採血量の影響もあるため，同時に同量の採血が必要となる．

カテーテル先端培養と末梢血の血液培養がそれぞれ陽性となり，原因菌が一致した場合であっても，その感染症がCRBSIなのか，他の感染症からの血流感染症の結果なのか判断をしなければならない．皮膚からカテーテルに感染症を起こしたCRBSIの場合では，一般的には皮膚常在菌が原因菌となる．ただし，皮膚常在菌が原因菌となる他の細菌感染症(皮膚軟部組織感染症，感染性心内膜炎など)の場合にはCRBSIとは限らない．他の感染症が存在し，その原因微生物とカテーテル先端培養が一致した場合には，血流感染症からの二次性のカテーテル感染と判断される．

### ⓕ 質量分析法による同定

マトリックス支援レーザー脱離イオン化飛行時間型質量分析(matrix-assisted laser desorption ionization-time of flight mass spectrometry；MALDI-TOF MS)は質量分析法の一種である．マトリックスで処理をした細菌にレーザー照射し，この衝撃により細菌の蛋白を真空管内で飛行させる．その飛行時間の違いから構成蛋白の質量の分布をマススペクトルとし，データベースとマッチングさせることで細菌を同定する．今後，微生物同定検査の中心になると考えられる．

MALDI-TOF MSによる細菌同定は，分離培養されたコロニーから5分程度で菌名の同定が可能である．従来法に比べ1日以上短縮されている．ただし，菌名が同定された時点では薬剤感受性が不明であることが多いため，従来に比べ菌名からの抗菌薬選択やアンチバイオグラムの利用といった感染症診療の知識がより重要になる．

分離培養されたコロニーからに限らず，血液，尿，髄液などの検体に含まれる細菌の直接同定法も近年可能になっている．ある程度の菌量が前提となるが，直接同定法によりさらに細菌の同定までの時間が短縮される．血液培養を例にとると，陽性になった血液培養ボトルから血液を採取し，遠心などの処置を行うことで，血液培養陽性から30分程度で原因菌の同定が可能となる．しかし，複数菌が原因菌の場合，すべての細菌を同定できないこともあり，薬剤感受性も判明しないため，グラム染色や二次培養の重要性は変わらない．また，薬剤感受性については，β-ラクタム系抗菌薬について質量分析法を用いた検討が行われている．分離菌株と抗菌薬を含む培養液を一定時間培養後に，抗菌薬が加水分解されるとマススペクトルの波形が変化することを利用して，β-ラクタマーゼ産生の有無を判定する方法である．ESBL産生やカルバペネマーゼ産生を短時間で評価することができれば，より早期の抗菌薬適正化につながる．

## 4 抗原検査，抗体検査

### ⓐ 抗原検査

細菌検査で原因菌を同定する場合に最も信頼が高い検査は培養検査である．直接細菌を増やしたのち，菌の集落を用いて各種検査を行い，菌を同定する．細菌を直接検査する以外の方法として，抗原検査があげられる．それぞれの細菌に特異的な抗体を用いて，抗原抗体反応を利用することにより特異的に病原体を同定できる．

現在，最も利用されている抗原検査はイムノクロマト法である．感染症の原因と考えられる細菌の表面抗原に対する標識抗体を用いる．抗原を含む検体を試薬デバイスに滴下すると毛細管現象により検体がメンブレン上を移動する．その際に検体中の抗原と標識抗体および補足抗体により免疫複合体が形成される．その標識物の集積を目視で確認する検査である．

イムノクロマト法は細菌検査では肺炎球菌尿中抗原検査やレジオネラ尿中抗原検査，A群溶連菌迅速検査などで利用されている．イムノクロマト法の最大のメリットは，検査が迅速であることといえる．また手技が簡便なため，細菌検査室のない施設でも検査可能である．問題点としては，検査感度が不十分であったり，検査によっては非特異反応による偽陽性が報告されている．また，肺炎球菌尿中抗原検査では肺炎球菌ワクチンの影

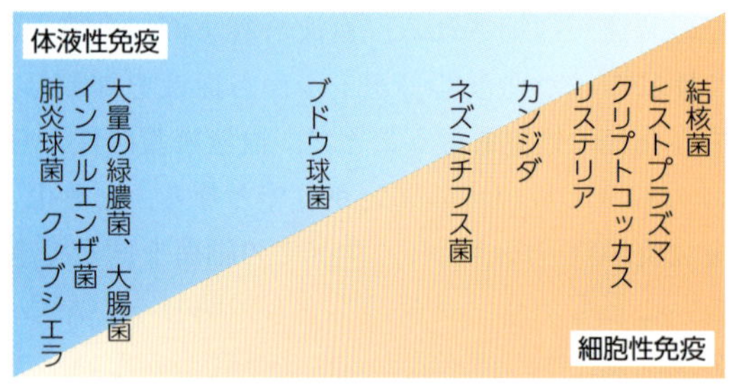


図 15-4　**免疫による感染防御の部分を取り上げた体液性免疫と細胞性免疫との相対的比重（マウス実験感染）**（原図・野本）

表 15-13　**細菌検査における核酸検査の利点，欠点**

| |
|---|
| 利点 |
| 　検査の感度，特異度が高い |
| 　培養困難な微生物の同定が可能 |
| 　死菌も検出できる |
| 　培養に時間がかかる微生物を短時間で同定可能 |
| 　特定の遺伝子の有無を検査できる |
| 　菌種だけでなく，株の違いも評価できる |
| 欠点 |
| 　検査コストが高い |
| 　手技が煩雑 |
| 　非特異反応がありうる |

響でワクチン接種後に陽性になることがあるので注意が必要である．

### ⓑ 抗体検査

病原体の侵入に対し働く宿主の生体防御作用には，自然免疫と獲得免疫が存在する．獲得免疫に関与するのは血中抗体（B細胞系）と感作リンパ球（T細胞系）であり，病原体の種類によってその関与の度合いが異なる（図 15-4）．例えば肺炎球菌やインフルエンザ菌といった莢膜をもつ細菌は好中球の貪食に抵抗性があるため，液性免疫が重要である．結核菌などの細胞内寄生菌に対しては，細胞内に抗体が届かないため，細胞性免疫が重要となる．これらの特異的な免疫機構により産生された抗体を測定するのが抗体検査である．

生体が病原性微生物に曝露すると，一定の時間が経ってから抗体が血中に産生される．その後，抗体量は急速に増加し最高に達するが，感染症が治癒すると抗体価は低くなる．抗体価が非常に高い場合は別として，1回の抗体価の検査で特定の微生物による感染を評価することは困難である．抗体価が経時的に上昇すれば感染があったと考えられるため，通常は抗体価が上昇していない発病初期と，発病2～3週間後とで抗体価を測定し，明らかな上昇があれば感染症があったと診断できる．通常はペア血清で4倍以上の抗体価の上昇があれば有意と判断する．

## 5 核酸検査

ゲノム解析技術が進歩し，ほとんどの病原性微生物の遺伝子が解析されている．その結果，通常の培養検査では同定ができない細菌の同定が核酸増幅法を用いることで同定可能になっている．また，核酸検査には，検査迅速性や感度，特異度が高いといった利点がある（表 15-13）．いくつかの核酸検査は，保険適用にもなっており，今後さらに検査の範囲が拡大すると考えられる．

核酸増幅法による細菌検査は特定の遺伝子を増幅する検査と，細菌に共通の遺伝子領域を増幅する検査に分けられる．また，感染対策目的の分子疫学的な解析にも利用される．

### ⓐ 特定の遺伝子を増幅する検査

ポリメラーゼ連鎖反応（polymerase chain reaction；PCR）法は特定のプライマーを用いることで，目的の核酸を増幅させる方法である．細菌からDNAの抽出を行い，特異的な遺伝子配列をPCRで増幅し，ポジティブコントロールと比較することで目的の遺伝子の有無を調べる．

PCRで増幅する遺伝子が細菌の同定に関与する場合には，検体中の特定の細菌の存在が評価できる．例えば，喀痰の中に結核菌がいるかいないかについて，結核菌に特異的な遺伝子配列をPCRで増幅し，その遺伝子が増幅されたか否かで結核菌の存在を評価することができる．結核菌以外にも *Mycoplasma* や *Legionella* で同様の検査が行われる．

近年，同様の手法を用いて，複数のプライマーを用いることで，一度のPCRで複数の病原体の検出が可能になっている．マルチプレックスPCRと呼ばれ，淋菌とクラミジアといった組み合わせや，複数の呼吸器細菌感染症の原因菌の同時検索が実用化されている．

PCRは細菌の同定だけではなく，特定の薬剤耐性遺伝子の有無についても評価ができる．MRSAにおけるメチシリン耐性遺伝子(*mecA*)や結核菌のリファンピシン耐性遺伝子(*rpoB*)といった，ある遺伝子をもつ場合には薬剤耐性があると判断できる場合に，それらの遺伝子の有無を検査することで薬剤耐性を早期に検査可能である．

これらの検査を全自動化したシステムが一般化している．専用のシステムを用いることで，核酸の抽出，増幅，検出を全自動で行うことができる．検査開始から目的の核酸の検出まで2～3時間で可能となり，実際の臨床に即した結果報告が可能となっている．また，これら全自動遺伝子検査システムでは，マルチプレックスPCRにより，1回の検査で複数の細菌の有無を判定するのと同時に，薬剤耐性遺伝子の検出が行える．

#### ⓑ 細菌に共通の遺伝子領域を増幅する検査

通常のPCR法が特異的な塩基配列を増幅するのに対して，broad-range PCRでは細菌に共通な16SrRNA領域を増幅する．増幅されたDNAの塩基配列を読み，データベースと比較することで，細菌を同定することができる．この方法は，培養困難な細菌の同定，抗菌薬使用後で培養されない細菌の同定などに利用される．

#### ⓒ 分子疫学的解析

パルスフィールドゲル電気泳動法(pulsed field gel electrophoresis；PFGE法)は菌株が同一かどうか判定可能な検査である．細菌のDNAを制限酵素で切断し，その切断断片を電気泳動により分離して，そのバンドパターンを比較することで菌株の同一性を評価できる．例えば特定の耐性菌のアウトブレイクがあった際に，それらの菌が同一由来株なのかどうか，この検査によって確定できる．PFGE法は手技が煩雑であり，検査に2日以上かかる．

これらの欠点を補う目的で開発された検査がPOT(PCR-based ORF typing)法である．菌株ごとに異なる複数の遺伝子配列に対するプライマーを用意し，それらをマルチプレックスPCRで検出する．それぞれの遺伝子配列の保有パターンを比較することで，菌株の同一性を評価する．POT法は半日程度で検査可能であり，また検査がキット化されている．さらに検査結果をPOT値として数値化することで，別に行った検査結果との比較が可能である．

## B 補助的血液検査

細菌感染症の診断および治療経過の判定には血液検査が有用である．重症細菌感染症は，血管内で好中球の消費が増大する病態として捉えると理解がしやすい．また，その際に血管内で炎症が起こるため血小板数の減少やCRPやプロカルシトニンの上昇が起こる．

### 1 白血球数，好中球分画

細菌感染症の際には，感染巣において好中球の消費が増大する．好中球が大量に消費されると骨髄は好中球の産生を増大させて，感染巣に好中球を供給しようとする．感染巣での好中球消費が，骨髄での好中球産生を上回る場合には，幼若な好中球まで供給しなければならないため，好中球の左方移動が起こる(図1-2，3頁参照)．つまり，左方移動は感染症に伴う好中球の消費増大および骨髄での好中球産生増大の表現形といえる．

好中球は血管内プールに約$7 \times 10^8$/kgあり，そのうち循環プール(circulating granulocyte pool；CGP)に$3.5 \times 10^8$/kg存在する．これとほぼ同量の好中球が肺，肝臓，脾臓などの末梢血管の内皮細胞に近接して抑留されていて，これを滞留プール(marginated granulocyte pool；MGP)と呼ぶ(図1-18，25頁参照)．成熟好中球はCGPとMGPを相互に移動することができる状態にある．その一方で，好中球の産生が行われている骨髄には，循環プールの約30～35倍の好中球が貯蔵されており，骨髄プールと呼ばれている．

細菌感染症が起こると，感染直後にはCGPの好中球が感染巣に移行するため，血液検査では白血球数は減少する．続いて感染成立から1～2時間後にはMGPからCGPに好中球が供給される．このときの白血球数は，感染巣での好中球の消費量に応じて増減する．このときには骨髄はまだ反応していないので左方移動は起こらない．

発症後，12～24時間が経過すると，貯蔵プールから成熟好中球が供給されるが，必要量が供給できなくなると骨髄で産生が増大した幼若な好中球(桿状核球，後骨髄球)が血中に出現する．この際には好中球の消費が多いため，白血球数は減少している．その後，宿主が感染症を制圧できた場合には，好中球の消費よりも骨髄での産生が上回るため，白血球数は増加する．すなわち，左方移動を伴った白血球数減少の状態から，左方移動を伴った白血球数増加に転じた際には，細菌感染症が改善していると判断できる．

細菌感染症の中には，血管内での好中球の消費が少ない感染症(感染性心内膜炎，膿瘍，細菌性髄膜炎)もあり，これらの細菌感染症では好中球の左方移動は起こりにくい．

### 2 血小板数

血液検査で血小板数は骨髄で産生された血小板数と，血管内で消費された血小板数のバランスで規定される．細菌感染症では感染症に伴う炎症により産生された炎症性サイトカイン(IL-6など)の働きにより，トロンボポエチン産生が増加するため，血小板数は上昇する．しかし，敗血症を合併し血管内の炎症が起これば，血管内で凝固が亢進し，血小板が消費され減少する．

反対に，細菌感染症において血小板数の増加がみられなかったり，血小板数が減少したりする場合にはDICの病態も考慮しなければならない．

### 3 CRP

CRP(C-reactive protein：C反応性蛋白)は急性期蛋白であり，炎症時に著しい上昇をするため，炎症のマーカーとして最も頻用されている．

CRPはマクロファージの活性化により産生される炎症性サイトカイン(IL-6など)の作用により，肝細胞で産生される．マクロファージの活性化には細菌の貪食が必要なため，CRPが上昇し始めるのは炎症が起こってから6時間を要する．その後，8時間ごとに倍増するため，CRPが十分に増加するためには感染症が成立してから数日が必要である．また，CRPの半減期は約19時間であり，細菌感染症が改善し始めても見かけ上は減少しない時期もある．これらの特徴を理解して，さらに他の検査結果と組み合わせることでCRPは細菌感染症の治療経過の判定に利用可能である．

### 4 プロカルシトニン

プロカルシトニン(procalcitonin；PCT)はカルシウム調整ホルモンであるカルシトニンの前駆体である．通常は甲状腺C細胞でのみ産生され，PCTとしては血中にほとんど放出されないが，重症感染症においては甲状腺以外のあらゆる臓器で産生され血中に放出される．

細菌感染症の成立からPCT産生までの時間は2～3時間とCRPに比べて早期に反応する．また，半減期は約1日であり長いものの，単純に炎症があるだけでは血中に放出されないため，CRPに比べ早期に減少する．

PCTが導入された当初は，全身性細菌感染症のときのみ上昇するとされていたが，偽陽性も多い．細菌感染症を伴わない急性呼吸促迫症候群や重症外傷，重症熱傷など全身性に侵襲が加わった際には上昇するとされている．

### 5 エンドトキシン

エンドトキシンはグラム陰性桿菌の細胞壁に存在するリポ多糖(lipopolysaccharide；LPS)であり，血中に放出されることで炎症性サイトカインを誘導し，DICを引き起こす．

敗血症のマーカーといえなくもないが，エンドトキシンの数値と臨床症状の相関は示されておらず，現状ではエンドトキシン吸着療法の適応の判断や，治療効果判定にも用いられている．

# 3 真菌感染症

## A 診断検査

### 1 培養，同定検査

真菌は分離培地としてSabouraud寒天培地やポテト・デキストロース培地を用いる．これらの培地は糸状菌，酵母ともによく発育する．真菌の培養は細菌に比べ遅く，培養には長時間を要する．

糸状菌の同定は，形態学的に行う．形態学的検査は，スライド培養法を行い鏡検したり，巨大集落形成培養法により集落を観察する．酵母では形態学的特徴が比較的少ないため，生化学的性状での検査も行う．またクロモアガー・カンジダ培地は酵母の鑑別培地であり，培地上のコロニー所見で酵母を同定することが可能である．

### 2 抗原検査

真菌は，その細胞壁にその真菌特有の抗原性をもつことがある．これらの抗原を測定することで，真菌感染症の補助診断を行う．

アスペルギルスの細胞壁の構成成分であるガラクトマンナンを抗原として測定する抗ガラクトマンナン抗原検査はアスペルギルス感染症の補助診断に用いられる．しかし，感度が高くなく，特定の抗菌薬使用で偽陽性が起こりうることから検査結果の解釈は慎重に行う必要がある．

### 3 核酸検査

#### a *Pneumocystis jirovecii*

*Pneumocystis jirovecii* は免疫不全患者に重症肺炎を起こす微生物である．以前は原虫に分類されていたが，rRNA の配列から現在は真菌に分類されている．診断には誘発喀痰や気管支肺胞洗浄液などを Giemsa 染色や Grocott 染色を行い鏡検での確認や，β-D-グルカンも上昇するため補助検査として参考にする．現在は，PCR により高感度に検出が可能である．その一方，PCR 陽性となっても感染症と保菌の区別がつかないため，画像所見，血液検査所見などと総合的な判断が必要である．

#### b broad-range PCR

細菌の核酸検査と同様に，真菌に共通の 18S rRNA 領域を増幅し，塩基配列を読み，データベースと比較することで真菌の同定が可能である．

## B 補助的血液検査(β-D-グルカン)

深在性真菌感染症の有無の評価にβ-D-グルカンが検査として利用できる．β-D-グルカンは真菌の細胞壁の構成成分である．一方，カブトガニ(*Limulus polyphemus*)は血球中にG因子を有する．G因子はβ-D-グルカンと反応すると血液凝固を起こしゲル化する．この反応を利用して，β-D-グルカンを測定する(発色合成基質法，比濁時間分析法)．

β-D-グルカンは真菌の細胞壁の構成成分であるが，接合菌の細胞壁には存在しないため接合菌感染症では上昇しない．またクリプトコッカス症では厚い莢膜の影響で上昇しないことがある．その一方で，血液製剤の使用，大量のガーゼの使用，セルロース透析膜を用いた血液透析などで上昇することがある．

β-D-グルカンは真菌感染症を疑うためには有用であるが，治療効果判定には利用しにくい．理由の一つは，抗真菌薬により真菌が破壊されると，患者血中では壊れた細胞壁の構成成分であるβ-D-グルカンが高値になるためである．また，β-D-グルカンの値は重症度とも相関しない．仮に治療が順調であっても，血中のβ-D-グルカンの低下は臨床症状と一致しないことが多いため，経時的な測定の意義は乏しい．

# 4 ウイルス感染症

## A 診断検査

### 1 培養，同定検査

ウイルスは細菌と異なり，増殖するためには生きた細胞が必要である．目的ウイルスを培養細胞に感染させることで目的ウイルスを分離する．ウイルスが増殖すると感染細胞の変化が起こり，これを細胞変性効果(cytopathic effect；CPE)と呼ぶ．ウイルスによってCPEを起こす細胞や，CPEが起こるまでの時間，起こり方が異なるため，CPEでウイルスを推測できる．

増殖させたウイルスは同定検査を行う．既知の抗体を用いて不活化できるかといった検査(中和抗体法)や，標識した抗体での検出(蛍光抗体法)，核酸検査などによりウイルスを同定する．

ただし，これらの検査は専門的な施設，技術が必要であり，また長時間を要することから，日常臨床では行えない欠点がある．

### 2 抗原検査，抗体検査

ウイルスは一般の検査室では分離・培養が困難である．そこでウイルス特異抗体を用いた抗原検査が有用である．ウイルス抗原に対して，標識をした特異抗体の反応でウイルスの存在を評価する．基本的な原理は同じであるが，検査の方法によりイムノクロマト法，蛍光抗体法，酵素抗体法などがある．これらの検査はいずれも特異度が比較的高い．感度はウイルス量によって異なるため，発症早期では偽陰性も起こりうる．

ウイルス感染症においても，宿主は生体防御として獲得免疫を得るため，抗体が産生される．ペア血清を用いて抗体価の上昇を確認したり，感染初期から上昇するIgMの抗体価を測定することで，ウイルス感染症の診断を行う．

### 3 核酸検査

すべてのウイルスは固有のRNAまたはDNAをもっている．ハイブリダイゼーション法では，あらかじめ塩基配列が判明しているウイルス遺伝子の一部に標識した核酸プローブを用意しておき，検体中に標識核酸プローブとハイブリダイゼーションするウイルスが存在するかどうかを検出する．検体中のウイルスの核酸量は微量であるため，あらかじめPCRでウイルスを増幅しておいてからハイブリダイゼーションを行うことで高感度に検出できる．反対に，ごく少量でも核酸の汚染があれば，PCRで増殖してしまうため，核酸のコンタミネーションには細心の注意を払わなければならない．

## B 補助的血液検査

ルーチン検査で，ウイルス感染症に対して特異的な血液検査のマーカーは存在しない．ウイルス感染症に伴う炎症が存在するため，炎症マーカーの上昇があるものの，細菌感染症に比べて好中球増加や左方移動，CRP上昇といった所見に乏しいことがウイルス感染症の検査所見ともいえる．

## C ウイルス性肝炎

肝炎の原因で最も多いのは肝炎ウイルス（hepatitis virus）感染である．肝炎ウイルスは5種類が確認されている．これらの肝炎ウイルスの診断にはウイルスマーカーの検査が不可欠である（表15-14）．

### 1 A型肝炎ウイルス（HAV）マーカー

図15-5にA型肝炎の経過と関連検査の関係を示した．

#### a HA抗原とHAV RNA

潜伏期に一過性に血中や便中に出現する．日常診療では検査を行わない．

#### b HA抗体（IgG-HA Ab）とIgM-HA抗体（IgM-HA Ab）

IgG-HA抗体はIgGを反映するため，過去のHAV感染を評価できる．IgM-HA抗体は発症後1週間程度で陽性となり，回復とともに陰性となるので急性期の感染を評価できる．

### 2 B型肝炎ウイルス（HBV）マーカー

図15-6にB型肝炎の経過と関連検査の関係を示した．

#### a HBs抗原（HBs Ag），HBs抗体（HBs Ab）

HBs AgはHBVの表面（surface）抗原であり，陽性ならば，現在HBVの感染があることを示す．HBs AbはHBs Agに対する抗体であり，HBV感染後またはHBワクチン接種後に陽性になる．

#### b HBc抗体（HBc Ab）とIgM-HBc抗体（IgM-HBc Ab）

HBc抗原（HBc Ag）はHBVのcoreに含まれるため，特殊な処理をしないと検査ができない．HBc AbはHBc Agに対する抗体であり，HBV感染による肝細胞の破壊によって陽性となると考えられているので，B型肝炎を経過した患者で陽性

表 15-14　**肝炎ウイルスマーカーの種類とその意義**

| 肝炎 | 検査 | | 陽性結果の意義 |
|---|---|---|---|
| A 型肝炎 | IgG-HA Ab | | HAV の過去の感染 |
| | IgM-HA Ab | | HAV の急性期感染(数か月) |
| | HAV RNA | | HAV の感染状態 |
| B 型肝炎 | HBs Ag | | HBV の感染状態 |
| | HBs Ab | | HBV の過去の感染，防御抗体 |
| | IgG-HBc Ab | 低抗体価 | HBV の過去の感染 |
| | | 高抗体価 | HBV の持続感染状態 |
| | IgM-HBc Ab | 低抗体価 | HBV の急性期感染，慢性肝炎増悪期 |
| | | 高抗体価 | HBV の急性期感染 |
| | HBe Ag | | HBV 増殖マーカー/感染性の指標 |
| | HBe Ab | | 肝炎例が少ない |
| | HBV DNA | | 血中 HBV 量/抗ウイルス効果の指標 |
| C 型肝炎 | HCV Ab(第二，三世代) | | HCV 感染の検出と判別 |
| | HCV core Ab | | HCV の増殖マーカー |
| | HCV RNA | | HCV の存在とその量 |
| | HCV serogroup | | インターフェロン感受性の判定 |
| | HCV genotype | | インターフェロン感受性の判定 |
| | HCV core Ag | | 血中 HCV 量を反映 |
| デルタ(D 型)肝炎 | デルタ抗体 | 低抗体価 | HDV の過去の感染 |
| | | 高抗体価 | HDV の持続感染状態 |
| E 型肝炎 | IgA(IgM)-HEAb | | HEV の急性期感染(数か月) |
| | HEV RNA | | |

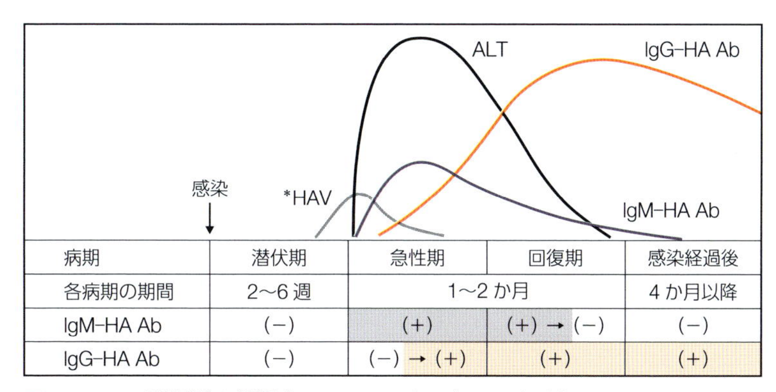


| 病期 | 潜伏期 | 急性期 | 回復期 | 感染経過後 |
|---|---|---|---|---|
| 各病期の期間 | 2〜6 週 | 1〜2 か月 | | 4 か月以降 |
| IgM-HA Ab | (−) | (+) | (+) → (−) | (−) |
| IgG-HA Ab | (−) | (−) → (+) | (+) | (+) |

図 15-5　**A 型肝炎の経過と HAV マーカー**(原図・河合)

*HAV：潜伏期すでに便中に検出される．

になる．高値であれば HBV キャリアを，低値なら過去の感染を考える．IgM-HBc Ab は急性肝炎発病初期に陽性となり，数か月で陰性になる．

### ⓒ HBe 抗原(HBe Ag)，HBe 抗体(HBe Ab)

HBe Ag は HBV の増殖の際に血中に分泌される蛋白であり，陽性時には HBV の増殖が活発であり感染力が強いといえる．HBe Ab は HBe Ag に対する抗体で，HBV の増殖が落ち着いていることを示す．

### ⓓ HBV DNA

HBV の DNA をリアルタイム PCR などを用いて定量的に測定する．HVB DNA 量は HBV の活性と相関するため，急性肝炎の増悪予測や慢性肝炎の経過観察に利用される．

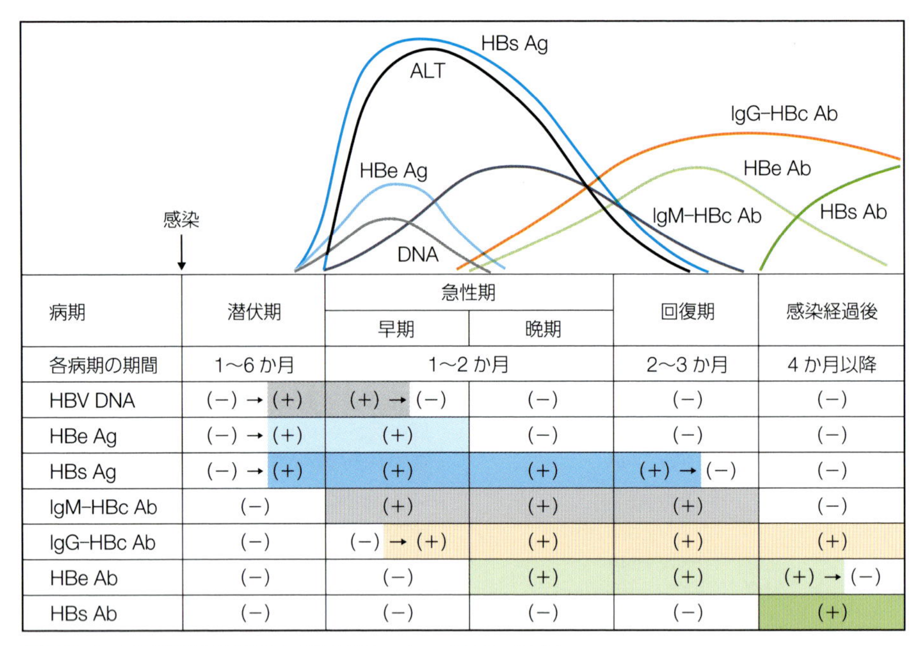


| 病期 | 潜伏期 | 急性期 | | 回復期 | 感染経過後 |
|---|---|---|---|---|---|
| | | 早期 | 晩期 | | |
| 各病期の期間 | 1〜6 か月 | 1〜2 か月 | | 2〜3 か月 | 4 か月以降 |
| HBV DNA | (−) → (+) | (+) → (−) | (−) | (−) | (−) |
| HBe Ag | (−) → (+) | (+) | (−) | (−) | (−) |
| HBs Ag | (−) → (+) | (+) | (+) | (+) → (−) | (−) |
| IgM-HBc Ab | (−) | (+) | (+) | (+) | (−) |
| IgG-HBc Ab | (−) | (−) → (+) | (+) | (+) | (+) |
| HBe Ab | (−) | (−) | (+) | (+) | (+) → (−) |
| HBs Ab | (−) | (−) | (−) | (−) | (+) |

**図 15-6　B 型肝炎の経過と HBV マーカー**（原図・河合）
急性早期では HBV が増殖中，急性晩期では HBV の増殖は停止．

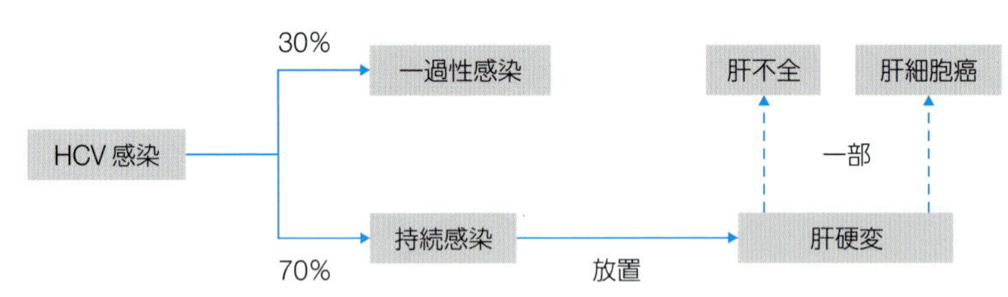


**図 15-7　HCV 感染の自然経過**

### ⓔ HBV 再活性化

HBV 感染患者において，免疫抑制療法や化学療法により HBV が再増殖すること（HBV 再活性化）が問題となっている．HBs 抗原陽性のキャリアからの再活性化と，HBs 抗原陰性で，HBc 抗体または HBs 抗体陽性である既感染患者からの再活性化に分類される．いずれも未然に防ぐことが可能なことが多く，免疫抑制療法や化学療法前のスクリーニングと，その結果に応じた抗ウイルス薬の予防投与や HBV DNA 量のモニタリングが必要となる．

## 3 C 型肝炎ウイルス（HCV）マーカー

図 15-7 に HCV 感染の自然経過を示した．

### ⓐ HCV 抗体

主に IgG 型抗体を検出するため，過去および現在の感染状態を意味する．早期診断には不適であるが，定量することで治療効果の指標になる．

### ⓑ HCV RNA

HCV RNA が陽性であれば現在の感染を示す．また定量することで治療方針の決定や治療効果の指標となる．HCV の遺伝子型（genotype）はインターフェロン治療の適応を決めるうえで重要である．

# D 風疹

風疹（rubella）はトガウイルス科に属する RNA

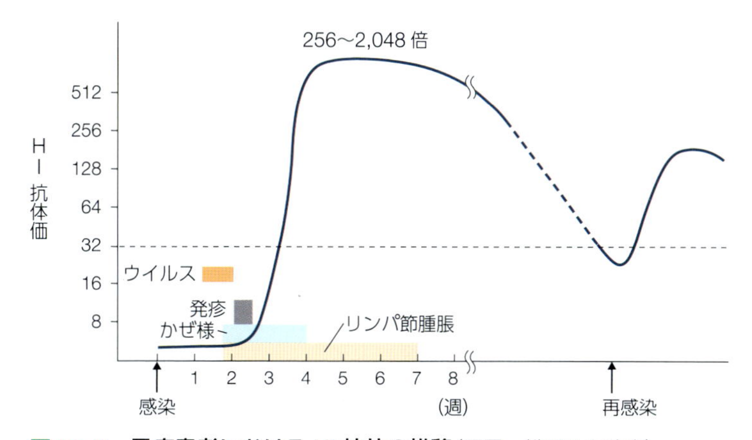


図 15-8 **風疹患者における HI 抗体の推移**(原図・松野らを改変)

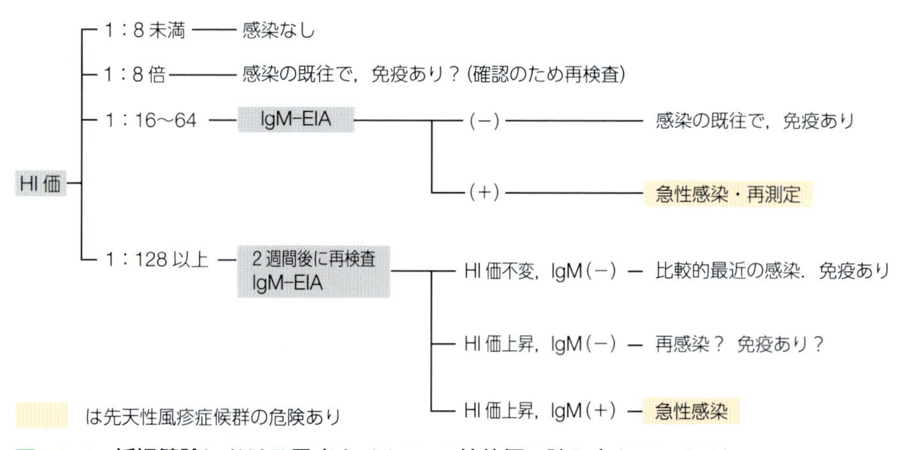


図 15-9 **妊婦健診における風疹ウイルス HI 抗体価の読み方**(原図・河合)

型ウイルスの感染によって起こる発疹性ウイルス感染症である．感染症法では第五類に含まれ，以前は定点把握疾患であったが 2008 年から全数把握疾患になっている．先天性風疹症候群も全数把握疾患である．飛沫感染により発症し，潜伏期は 14〜21 日である．

## 1 風疹ウイルス抗体検査法

風疹ウイルスに対する抗原抗体反応を用いる検査で，被検血清中の特異抗体を測定する．

① **血球凝集抑制(HI)試験**：動物赤血球とウイルスとの間の凝集反応を利用．最も広く普及．

② **補体結合(CF)試験**：抗原抗体結合時の補体消費を利用．HI 抗体価より低く，やや遅れて出現．

③ **受身赤血球凝集(PHA)試験**：ウイルス抗原感作赤血球と抗体との凝集反応を利用．

④ **ラテックス凝集試験**：ウイルス抗原吸着ラテックス粒子と抗体との凝集反応を利用．

⑤ **酵素免疫測定法(EIA, ELISA)**：IgM, IgG 型抗体の分別が可能．

## 2 風疹での抗体価の推移

一般的に，風疹ウイルスが経気道的に感染すると約 70% は顕性感染として発病し抗体価が上昇する．不顕性感染の 30% も抗体価は上昇する．いずれの場合でも同様の抗体価の推移を示す(図 15-8)．抗体は発疹が出現してから 4〜10 日で検出されるようになり，2〜4 週でピークに達する．血清診断ではペア血清で 4 倍以上の上昇があれば診断が確定される．

## 3 妊婦の血清診断

妊娠初期に妊婦が風疹ウイルスに初感染すると胎児への感染がしばしば起こる．風疹ウイルス抗体価検査により診断をするが，妊婦健診と風疹感染が疑われる妊婦の結果では判断が異なる．

① **妊婦健診**(図 15-9)：HI 抗体価が 1：8 倍以下の場合には感染を疑う症状がなければ問題ないと判断する．HI 抗体価が 1：16 倍以上のときは EIA 法を併用し，IgM 型抗体を測定する．IgM 抗体が陽性であれば急性感染の可能性が高くなる．疑わしい場合には 2 週間後の再検を行う．

② **風疹感染が疑われる妊婦の場合**：初回の抗体価にかかわらず，2 週間後にペア血清を測定する．2 回とも 1：8 倍以下であれば風疹ウイルスの感染はほぼないと判断できる．2 回目の検査で，HI 抗体価が少しでも上昇していれば EIA 法を併用し，経時的変化を追う．

# 16章 遺伝子検査

## 1 総論

### A 遺伝子関連検査

「検体検査の精度・品質確保を目的とした医療法等の改正(2017年6月公布，2018年12月施行)」により，検体検査の中に一次分類「遺伝子関連・染色体検査」，二次分類「病原体核酸検査・体細胞遺伝子検査・生殖細胞系列遺伝子検査・染色体検査」として分類された．この医療法等の改正は，ゲノム医療の実用化が求められる状況で，「遺伝子関連・染色体検査」を含めた検体検査の精度の確保を目的にして行われた．二次分類について詳細にその定義を見ると，①感染症の原因となる細菌・ウイルス等の外来性因子の遺伝子の検査「病原体核酸検査」，②「ヒト体細胞遺伝子検査(簡潔表現：体細胞遺伝子検査)」と「ヒト遺伝学的検査(生殖細胞系列遺伝子検査)(簡潔表現：遺伝学的検査)」に分類されている(表16-1)．

ヒト遺伝子名の記載は，HUGO Gene Nomenclature Committee(https://www.genenames.org/)を参照する．論文などで記載する際にも，正式な遺伝子名での記載が必要になる．遺伝子名は慣例的に使用されているものもあるため，結果報告書には，正式な遺伝子名と慣例的な遺伝子名が併記される場合もある．上記のサイトなどを利用して，最新の正式名称を把握しておく．

体細胞遺伝子検査や遺伝学的検査から得られた患者の塩基配列について，参照配列(集団において最も共通する塩基配列)と比較して変化している場合を「バリアント」と呼ぶ．バリアントの種類や用語については，Medical Genetics and Human Variation(NCBI, https://www.ncbi.nlm.nih.gov/variation/)の「Variation Glossary：variant type」が参考になる．バリアントの記載は，Human Genome Variation Society(HGVS) Sequence Variant Nomenclature(https://hgvs-nomenclature.org/)を参考にして記載する．遺伝子検査が院内実施されていない場合は，遺伝子解析担当者が身近にいないこともあり，遺伝子検査結果を正確に理解するには，結果報告書の記載を正しく理解できることが必要である．上記のサイトを閲覧するなどして，適宜，バリアントの種類や記載方法などを知っておく．遺伝子関連検査におけるバリアントを検査する主な検査法が，ポリメラーゼ連鎖反応(polymerase chain reaction；PCR)をはじめとした核酸増幅技術である．非常に汎用性の高い方法であり，研究分野から臨床検査に至るまで広く用いられている．

**表16-1　遺伝子関連検査の分類と定義**

**病原体遺伝子検査(病原体核酸検査)**
ヒトに感染症を引き起こす外因性の病原体(ウイルス，細菌などの微生物)の核酸(DNAあるいはRNA)を検出・解析する検査

**ヒト体細胞遺伝子検査**
がん細胞特有の遺伝子の構造異常などを検出する遺伝子検査および遺伝子発現解析など，疾患病変部・組織に限局し，病状とともに変化しうる一時的な遺伝子情報を明らかにする検査

**ヒト遺伝学的検査(生殖細胞系列遺伝子検査)**
単一遺伝子疾患，多因子疾患，薬物などの効果・副作用・代謝，個人識別にかかわる遺伝学的検査など，ゲノムおよびミトコンドリア内の原則的に生涯変化しない，その個体が生来的に保有する遺伝学的情報(生殖細胞系列の遺伝子解析より明らかにされる情報)を明らかにする検査

〔日本臨床検査標準協議会(JCCLS)遺伝子関連検査標準化専門委員会：遺伝子関連検査に関する日本版ベストプラクティス・ガイドライン解説版．2016より〕

遺伝子関連検査のなかでも，特に遺伝学的検査においては倫理的配慮が必要になる．場合によっては，患者(発端者)のみでなく，家族にも関連しうることであり，その倫理的・法的・社会的問題(ethical, legal and social issues；ELSI)が含まれてくる．遺伝学的検査に関連する一連の行為については，検査・結果報告を含めて，日本医学会の「医療における遺伝学的検査・診断に関するガイドライン」(2022年3月改定)を遵守しながら実施する必要がある．

## B 染色体検査

染色体検査では，「先天的染色体異常・変化」と「後天的染色体異常」を検査する．主な検査技術は分染法である．どちらの検査においても，分裂期細胞を得る必要があるため，細胞が分裂しなければならない．先天的染色体異常の検査では，分裂刺激剤を用いて末梢血中のリンパ球を強制的に細胞分裂させる．一方，後天的染色体異常の検査では，腫瘍細胞がより多く存在する検体(例えば骨髄血やリンパ節)を用いて，分裂刺激剤を加えず，含まれる腫瘍細胞自身の分裂能に任せる．いずれにおいても分染法を行うためには，細胞分裂中期に留める必要があるため，紡錘糸形成阻害剤を加えて，(棍棒状の)染色体を得る．その後に，Giemsa染色を用いたG分染法，キナクリンマスタードを用いたQ分染法などの染色を施して，分染像を得る．特にG分染法はコントラストがよいため詳細なバンド解析に適している．

分染法以外の染色体検査技術として，fluorescence *in situ* hybridization(FISH)法がある．FISH法では，蛍光標識プローブが標本上のDNAとハイブリダイゼーションし，得られる蛍光シグナルを蛍光顕微鏡下で検察する．シグナルパターンやシグナル数などから染色体異常を検査することができる．FISH法の利点は，分裂期核のみでなく，間期核も対象とすることができるため，ホルマリン固定パラフィン包埋(FFPE)標本のほかMay-Giemsa染色標本も検査材料として使用できることである．

染色体検査結果の記載方法(詳細は後述)は，国際規約(An International System for Human Cytogenomic Nomenclature；ISCN, 現在ISCN2020)に基づいて20個の分裂期細胞を検査し，再現性があり，一定数以上の異常が認められた場合，「核型(カリオタイプ)」として表記する．

後天的染色体異常の検査を行った場合でも，その患者の背景となる先天的な染色体構造の変化(例えば，均衡型相互転座)を検出することがある(偶発的所見)．また，骨髄移植後の染色体検査(後天的染色体異常の検査)においては，ドナー由来の染色体構造の変化を検出することもある．これらの偶発的所見に対して，どのように対応するかについては，難しい面がある．腫瘍を対象とする医師・検査技師は，このような偶発的所見が得られる可能性があることを知っておく必要がある．

## C 遺伝子検査か染色体検査か

遺伝子関連検査と染色体検査は，それぞれ主にPCR法と分染法，FISH法を基本技術としており，それぞれの検査でしかわからない異常がある．つまり，遺伝子レベルの結果なのか，染色体レベルの結果なのかをしっかり理解する必要がある．しかし各検査によって得られる情報には限界がある．遺伝子検査，染色体検査にはさまざまな検査項目があり，相互に補完しながら検査が実施されている(図16-1)．

遺伝子検査と染色体検査のそれぞれに適した検

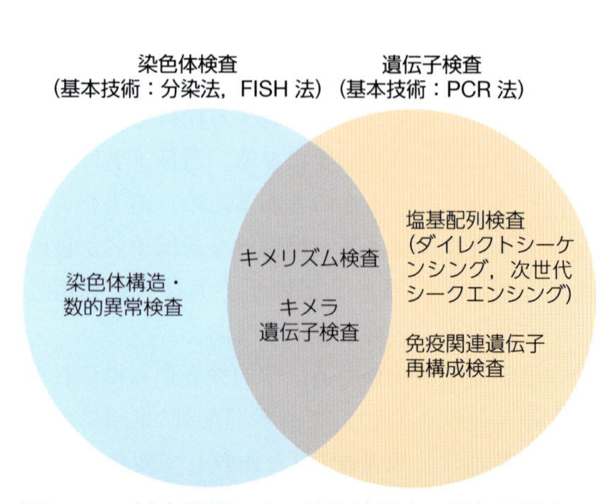


**図16-1　基本技術による染色体検査，遺伝子検査項目の区分**

査材料がある(表 16-2). 分染法による染色体検査では，細胞分裂を起こしうる生細胞を含む必要があるが，それ以外の検査では，核が存在する材料であれば基本的に使用できる．ただし，病原体遺伝子検査においては，生菌ではなく死菌でも陽性結果になることを念頭において結果解釈を行う必要がある．また，体細胞遺伝子検査では，検体の採取が何度もできない場合や部位によっては採取量が非常に微量な場合があるため，限られた材料を用いて，いずれの検査が実施可能であるかを考慮する．

遺伝子関連検査や染色体検査における検査項目の例とその方法について図 16-2 に示した．

分染法を用いた染色体検査は，一目で全ゲノムの観察ができる最も有用な検査であり，染色体構造異常や数的異常などを併せて検査できる．しかし，あくまで光学顕微鏡を用いて目視できる限り

**表 16-2 遺伝子検査，染色体検査で用いる検査材料**

**Ⅰ. 遺伝子検査**

PCR 法

1. 生細胞：病原体遺伝子検査においては，生菌と死菌でも陽性結果が得られる点に注意する．
2. 核酸を含む液性検体
3. ホルマリン固定パラフィン包埋標本，May-Giemsa 標本：間期核細胞が存在する検体

**Ⅱ. 染色体検査**

分染法

1. 生細胞を含む検体：分裂中期細胞が得られる検体

FISH 法

1. 生細胞を含む検体*
2. 生細胞でなくても，間期核細胞が含まれる検体・標本(ホルマリン固定パラフィン包埋標本，May-Giemsa 標本)

*分裂中期細胞のみならず，間期核上で解析可能．

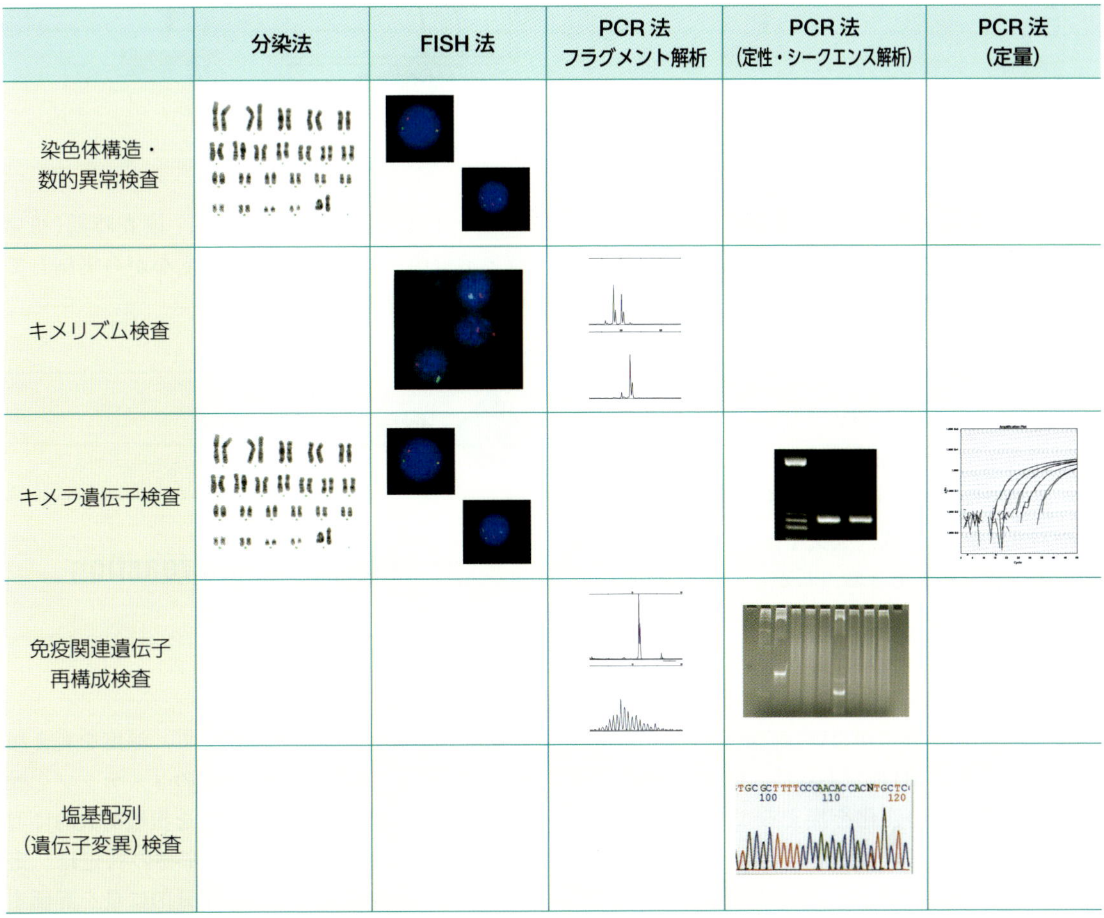

| | 分染法 | FISH 法 | PCR 法 フラグメント解析 | PCR 法 (定性・シークエンス解析) | PCR 法 (定量) |
|---|---|---|---|---|---|
| 染色体構造・数的異常検査 | | | | | |
| キメリズム検査 | | | | | |
| キメラ遺伝子検査 | | | | | |
| 免疫関連遺伝子再構成検査 | | | | | |
| 塩基配列(遺伝子変異)検査 | | | | | |

図 16-2 主な遺伝子・染色体検査と方法

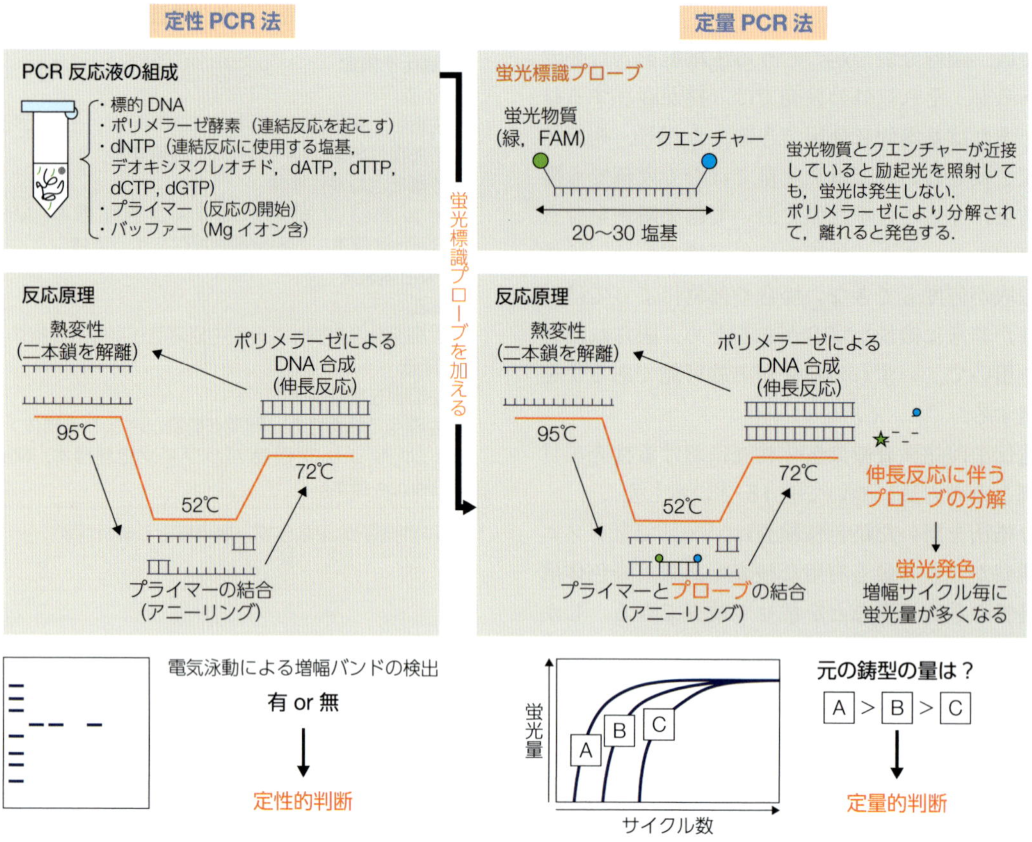

定性PCR法

PCR反応液の組成
・標的DNA
・ポリメラーゼ酵素（連結反応を起こす）
・dNTP（連結反応に使用する塩基，デオキシヌクレオチド，dATP，dTTP，dCTP，dGTP）
・プライマー（反応の開始）
・バッファー（Mgイオン含）

反応原理
熱変性（二本鎖を解離）
ポリメラーゼによるDNA合成（伸長反応）
95℃
52℃
72℃
プライマーの結合（アニーリング）

電気泳動による増幅バンドの検出
有 or 無
定性的判断

蛍光標識プローブを加える

定量PCR法

蛍光標識プローブ
蛍光物質（緑，FAM）
クエンチャー
20～30塩基
蛍光物質とクエンチャーが近接していると励起光を照射しても，蛍光は発生しない．ポリメラーゼにより分解されて，離れると発色する．

反応原理
熱変性（二本鎖を解離）
ポリメラーゼによるDNA合成（伸長反応）
95℃
52℃
72℃
プライマーとプローブの結合（アニーリング）
伸長反応に伴うプローブの分解
蛍光発色
増幅サイクル毎に蛍光量が多くなる

蛍光量
サイクル数
A　B　C
元の鋳型の量は？
A＞B＞C
定量的判断

**図16-3　定性PCR法と定量PCR法の比較**

での検査であり，また遺伝子異常の有無について解析を行っているわけではない．「正常核型」≠「遺伝子異常がない」ということになる．したがって，PCR法による遺伝子検査の必要性を常に考える．

一方で，PCR法を用いた遺伝子関連検査は，特定の遺伝子に対するプライマーを用いた高感度かつ迅速な検査である（詳細は後述）．キメラ遺伝子やバリアント（変異，欠失や挿入など）の遺伝子配列の変化を検査できる．しかし，あくまでプライマーで挟まれた該当遺伝子の特定部位についての限局的な検査である．既知の遺伝子変異をもたない症例でも，染色体異常を有する場合がある．つまり，「遺伝子異常がない」≠「正常核型」ということになる．実施可能であれば，染色体検査を行い，ゲノム全体の変化を捉えることも必要である．

また，キメリズム検査，キメラ遺伝子検査などのように，FISH法とPCR法の両法からアプローチできる検査項目があり，検査時期（初発時・治療中・移植後など）を考えながら実施していくことが望ましい．

# 2　核酸増幅検査

## A　polymerase chain reaction（PCR）法

### 1　測定原理と特徴

耐熱性ポリメラーゼを利用して，温度を変えながら熱変性-アニーリング-伸長の3ステップを繰り返し，対象遺伝子の特定部位を指数関数的に増幅する方法である．PCR後の産物の判定は，定性的に有無を判断する場合と定量的に量を評価する場合がある（図16-3）．それぞれ定性PCR法，定量PCR法と呼ぶ.

定量PCR法は，リアルタイムPCR法とも呼ばれるが，これは定性PCR法に用いる試薬以外に蛍光標識プローブを用いて，反応産物の増幅過程をまさにリアルタイムにモニタリングできるという特性を表している．リアルタイムに増幅過程(程度)を解析できるため，既知量の鋳型遺伝子を同時に解析することで，検体に含まれる未知量の鋳型遺伝子量(ゲノムDNA量あるいはmRNA発現量)を相対的あるいは絶対的に定量ができる(図16-4)．定量PCR法では，得られる蛍光強度がある一定の値(閾値，threshold)に達するサイクル数であるthreshold cycles(Ct)値を指標にする．mRNA発現量の相対定量を行う場合，ハウスクリーニング遺伝子(すべての細胞で一定量の発現が確認されている遺伝子)のCt値と，標的遺伝子のCt値の差(ΔCt)を求める．そして，基準となる時点(例えば初発時)のΔCtと治療経過中の検査時点のΔCtとの差(ΔΔCt)を求めることで，初発時に対して何倍増減しているかを相対的に評価できる(ΔΔCt法)．一方，絶対定量を行う場合，既知量の標準物質として標的遺伝子を含むプラスミドベクターなどを用いる．プラスミドベクターの希釈系列を使用して定量PCRを行い，各Ct値から標準曲線を作成する．そして同時に測定した未知量の検体のCt値を標準曲線に照らしてコピー数を求める．定量PCRは，定量的な評価ではなく，反応産物の有無を増幅曲線の立ち上がりの有無から判定できるため，定性的な判断にも利用できる

## 2 結果解釈

① **陽性の場合**：正常な状態においては本来存在しない微生物に特異的な遺伝子が検出された場合や，腫瘍細胞に特異的な遺伝子異常(変異など)が存在する，あるいは発現している場合に，定性的な判断によって「陽性(検出された)」というかたちで結果報告される.

② **陰性の場合**：PCR法によって「陰性(存在しない)」を証明することは，実は難しい．結局，PCR法の感度に依存している．「陰性」という結果を見たとき，あくまで「存在が完全には否定されていない」「感度以下」であったという認識をもつ.

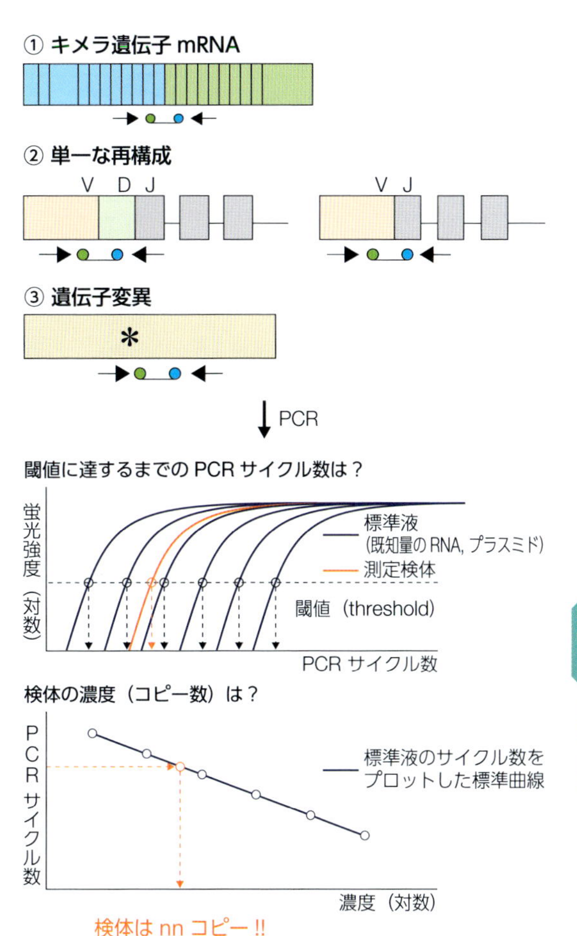


図16-4　**定量PCR法による定量値の求め方**

③ **nnコピー，初発時の○○○分の1などの場合**：定量的な評価を行った際には，絶対定量ではコピー数，相対的定量では，基準時点(初発時)に対する相対的量・発現比率というかたちで結果報告される.

## 3 代表的な体細胞遺伝子検査の検査項目

ここでは体細胞遺伝子検査のうち，主に白血病・リンパ腫を対象としてPCR法を用いて行われる遺伝子検査について説明する.

### a 免疫関連遺伝子再構成検査(図16-5)

免疫関連遺伝子再構成とは，B細胞とT細胞の成熟段階においてゲノムDNAの切断が生じ，それぞれ*IgH*遺伝子や*TCR*遺伝子などを構成する複数のV断片，D断片，J断片から一つずつの

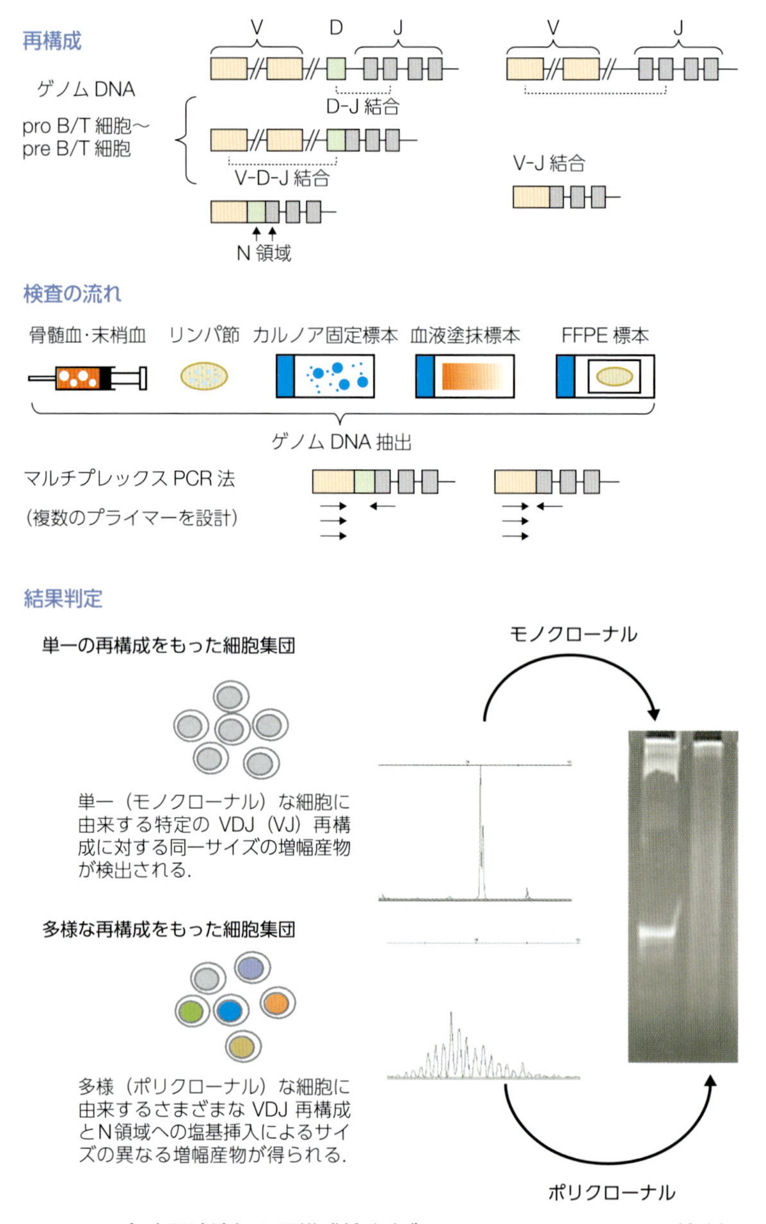


図16-5　**免疫関連遺伝子再構成検査(ゲノムDNAを用いたPCR検査)**

断片が選択され，D-J結合・V-D-J結合，あるいはV-J結合を起こし，再構成が行われる現象である．再構成での断片の組み合わせの多様性が抗体，受容体の多様性を生み出している．

この検査はゲノムDNAを検査材料とするため，新鮮材料，カルノア固定標本，血液塗抹標本，FFPE標本など核が存在する材料が使用できる．リンパ腫の診断では，FFPE標本を用いて病理組織学的に腫瘍を疑わせる部位を特定し，標本の一部を削り取って検査することで，正常細胞の混入を避けることができる．方法は，DJ配列の共通する配列部位に設計した複数のプライマーを使用したPCR法(マルチプレックスPCR法)を行う．結果判定は，SDSポリアクリルアミドゲル電気泳動あるいはキャピラリーシークエンサーを用いたフラグメント解析を行い，それぞれ増幅バンドあるいは増幅ピークの形状から，B細胞やT細胞が，単一な(モノクローナルな)集団か，多様な(ポリクローナルな)集団かを判定する．SDSポリアクリルアミドゲル電気泳動による増幅バン

キメラ遺伝子形成（例：*BCR*::*ABL*1）

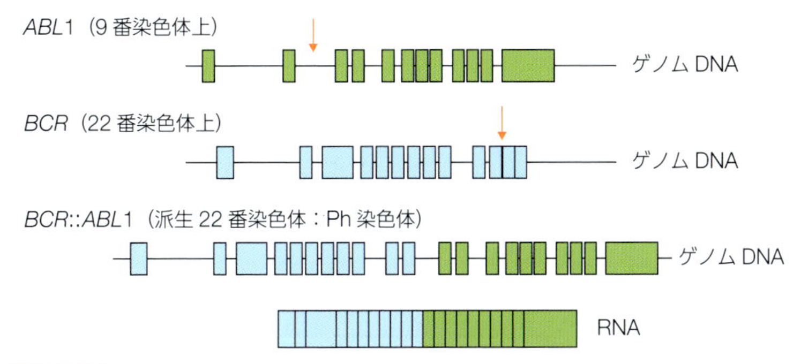


検査の流れ

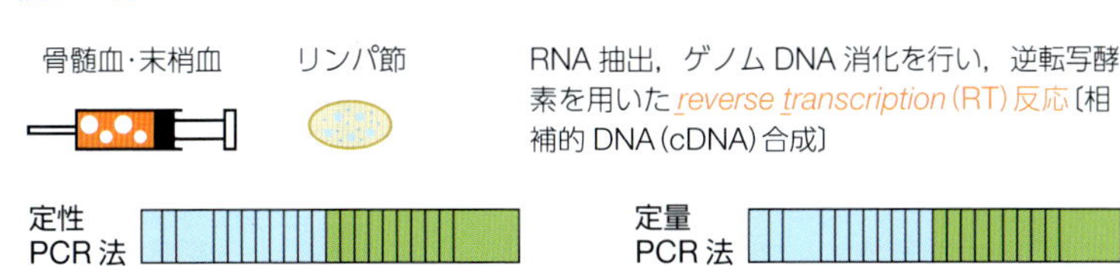


結合（融合）した 2 種類の遺伝子のエクソンを挟むプライマーを設計し，PCR を行う．

定性 PCR 法に用いたプライマーの他にプローブを用いて PCR を行う．

結果判定

キメラ遺伝子 RNA 発現（発現量）は，定性 PCR 法では，アガロースゲル電気泳動で増幅バンドの有無から，定量 PCR 法では，増幅曲線から確認できる．

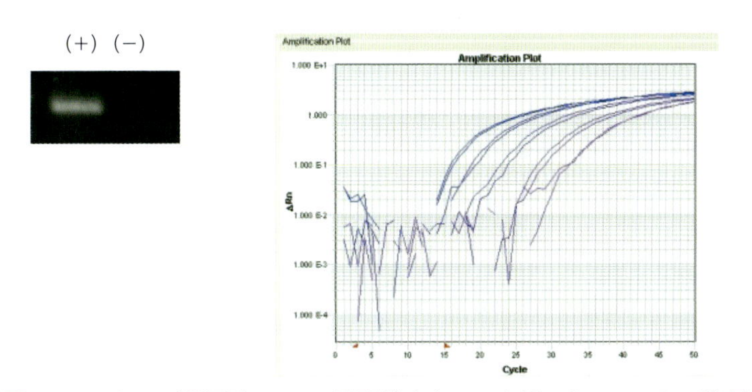


**図 16-6　キメラ遺伝子 mRNA 発現検査（RNA を用いた RT-PCR 検査）**

ドについては，モノクローナルの場合はシャープなシングルバンドが検出され，ポリクローナルの場合は特定のシングルバンドではなくスメア上のバンドの形状となる．キャピラリーシークエンサーを用いたフラグメント解析では，モノクローナルの場合，シャープなシングルピークが検出され，ポリクローナルの場合，複数のピークが検出される．モノクローナルであった場合，腫瘍性の裏付けになる．

また，再構成は B，T 細胞の特定の分化段階で生じるため，腫瘍発生の分化段階が再構成以前か以降かという細胞起源の評価を行うこともできる．結果解釈にあたっては以下の点を注意する．VDJ，VJ の組み合わせは非常に多様であり，現在のマルチプレックス PCR 法に使用するプライマーでもすべての配列を網羅できていない．ゴールドスタンダードはサザンブロット法であるが，高濃度の DNA を必要とするなど，臨床検査には不適な方法である．したがって，PCR 法による判定で，モノクローナルでなくても，腫瘍性を完全に否定しているわけではない．他の検査結果と併せて判断する必要がある．

### ⓑ キメラ遺伝子 mRNA 発現検査（図 16-6）

キメラ遺伝子とはゲノム DNA の切断と再結合が生じること（染色体転座など）で，2 種類の遺伝子が融合したものである．スプライシングによって，イントロン配列が除かれ，キメラ遺伝子 mRNA として発現され，キメラ蛋白が産生される．RNA を検査対象とするため，新鮮材料を用いる．また RNA 抽出時には，ゲノム DNA 消化を行い，逆転写反応（reverse transcription, RT 反応）を行って相補 DNA（cDNA）を合成する．各遺伝子が融合した境界のエクソン内に設計したプライマーを使用して PCR 法を行う．

検査判定は，増幅バンドあるいは増幅曲線の有無から判定する．キメラ遺伝子 mRNA 発現は病型特異的な転座に由来するものが多く，陽性であった場合，腫瘍性の確認だけでなく，病型診断につながる．結果解釈にあたっては以下の点を注意する．RNA を対象とした検査で陰性の場合，真に mRNA の発現がないためか，抽出・増幅反応過程に問題があって陰性なのかわからない．そのため，ハウスキーピング遺伝子（細胞で一定量発現が確認されている遺伝子）を陽性コントロールとして判別する．

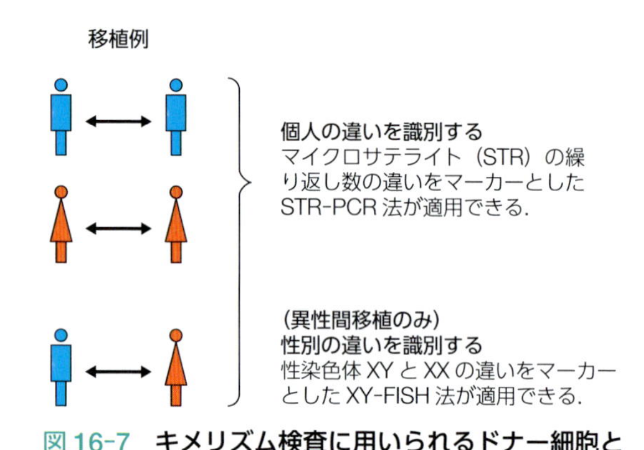


図 16-7 キメリズム検査に用いられるドナー細胞とレシピエント細胞を識別するマーカー

a. STR はさまざまな染色体上に存在する（□内は，名称・染色体座位・繰り返し塩基種類・繰り返し塩基数を示す）
検査では，主に 4 塩基繰り返しの領域が使用される

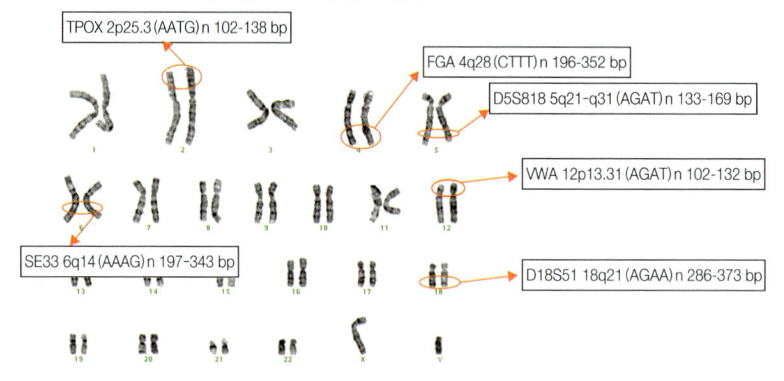


b. STR-PCR 法—STR 領域の繰り返し数の違いを検査（例：D5S818）

① 蛍光標識プライマーを用いて PCR を行う．

AGAT AGAT AGAT AGAT AGAT AGAT AGAT AGAT …………

AGAT AGAT AGAT AGAT AGAT AGAT AGAT AGAT ………………

② 一方に蛍光標識された PCR 産物ができる．
PCR 産物の長さは，各 STR 領域の繰り返し数を反映する．

N 回繰り返し

N+1 回繰り返し

最低 1 回の繰り返し分，つまり 4 塩基の長さの違いを判別する必要がある！

図 16-8 マイクロサテライト（short tandem repeat；STR）をマーカーとして用いたキメリズム検査

## C キメリズム検査(移植後生着確認)

### ❶ キメリズムとは

染色体レベルから見たキメラ状態とは，「異なる受精卵に由来する染色体構成の異なる細胞が同一個体内に存在する」ことである(一方，モザイク状態は，「同一の受精卵に由来する染色体構成の異なる細胞が同一個体内に存在する」ことである)．移植においては，「ドナー由来細胞とレシピエント(患者)由来細胞が移植後の患者の体の中に混在する」ことをいう．そして，その状態・割合(キメリズム)を評価する検査がキメリズム検査である．定期的なモニタリングを行うことで，生着・拒絶，そして再発を評価できる．

### ❷ ドナーとレシピエントを識別するマーカー(特にマイクロサテライトについて)

ドナーとレシピエントという個人に由来する細胞を識別できるマーカーとして血液型や性別もある．性別は，異性間移植に限れば，性染色体(男性 XY，女性 XX)の違いをマーカーとして FISH 法を用いて検査できる．一方，ドナーとレシピエントの性別に関係なく，マイクロサテライト(short tandem repeat；STR)と呼ばれるゲノム DNA 中に存在する 2〜4 塩基の繰り返し領域の繰り返し数の違いをマーカーとして PCR 法を用いて検査できる(図 16-7)．STR は，さまざまな染色体(ゲノム DNA)上に存在する(図 16-8)．キメリズム検査では基本的に 4 塩基程度の繰り返し領域を使用する．STR の繰り返し数の違いについて PCR 法を用いて検査する．方法は，蛍光色素を標識したプライマーを用いて繰り返し領域の増幅を行う(STR-PCR)．PCR の結果，一方が標識された繰り返し数を反映する長さの PCR 産物ができる(図 16-8)．その PCR 産物をシークエンサーによりキャピラリー電気泳動することで，産物のフラグメント(ピーク)が得られ，4 塩基の繰り返しの違いを検出することができる．ゲノム DNA 上に存在する STR は，基本的に父由来，母由来の相同染色体上でそれぞれ繰り返し数が決まっている．したがって，相同染色体で繰り返し数が異なる場合は，シークエンサーによる解析から長さの異なる 2 本のピークが検出される．一方，相同染色体で繰り返し数が同じ場合は，ピークが 1 本のみ検出される(図 16-9)．

### ❸ STR-PCR 法によるキメリズム検査の流れ

キメリズム検査は，移植前にドナーとレシピエントを識別可能な STR 領域のスクリーニングから開始する(図 16-10)．移植前レシピエント細胞とドナー細胞からゲノム DNA を抽出し，複数の STR について繰り返し数の違いを検査する．繰り返し数の違いのパターンによって，レシピエント由来ピークを特異的に判定できるピークパターンの場合，識別に利用できる．しかし，パターンによっては，特異的なピークがなく(繰り返し数が一致してしまうなど)識別に利用できない領域もある．移植後には，得られたピークパターンから，ドナー由来あるいはレシピエント由来ピークを判別する．レシピエント由来ピークが全くない場合を「完全キメラ」，両者のピークが混在する場合を「混合キメラ」と呼ぶ．混合キメラの場合，全体のピークの高さ(面積)の総計と，レシピエント由来ピークあるいはドナー由来ピークの高さ(面積)から比率を計算して評価する．

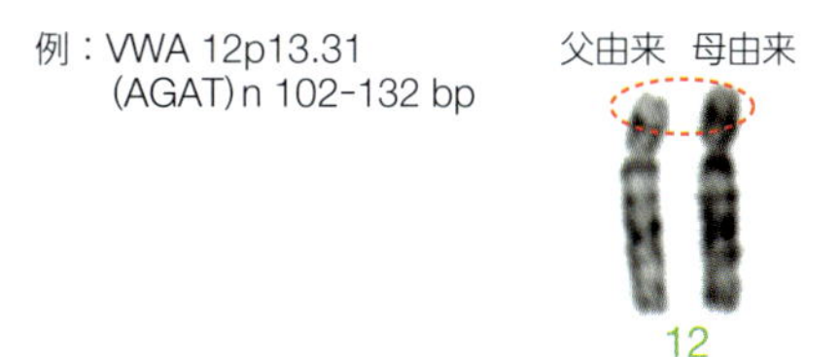


→ 相同染色体上の繰り返し数が異なる場合

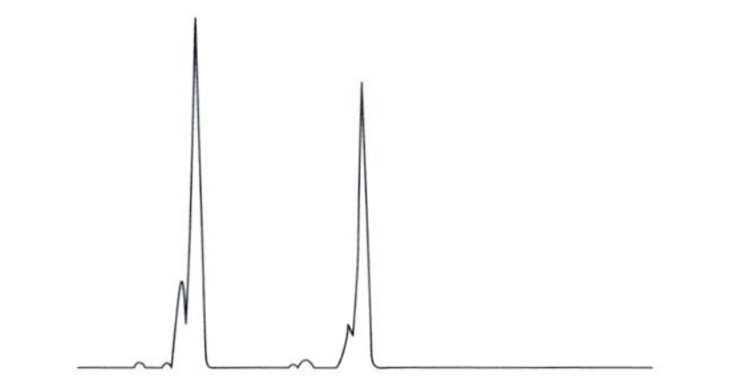

異なる繰り返し数を反映する 2 本のピークが得られる

→ 相同染色体上の繰り返し数が同じ場合

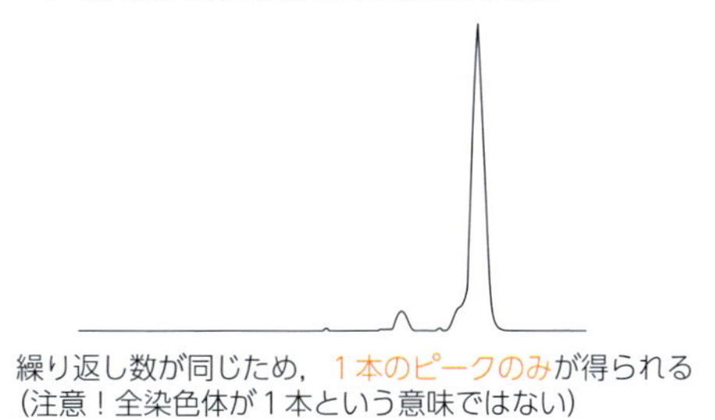

繰り返し数が同じため，1 本のピークのみが得られる
(注意！全染色体が 1 本という意味ではない)

図 16-9 STR-PCR でのピークパターン
STR 領域の繰り返しは，相同(父由来・母由来)染色体で同じ場合と異なる場合がある．

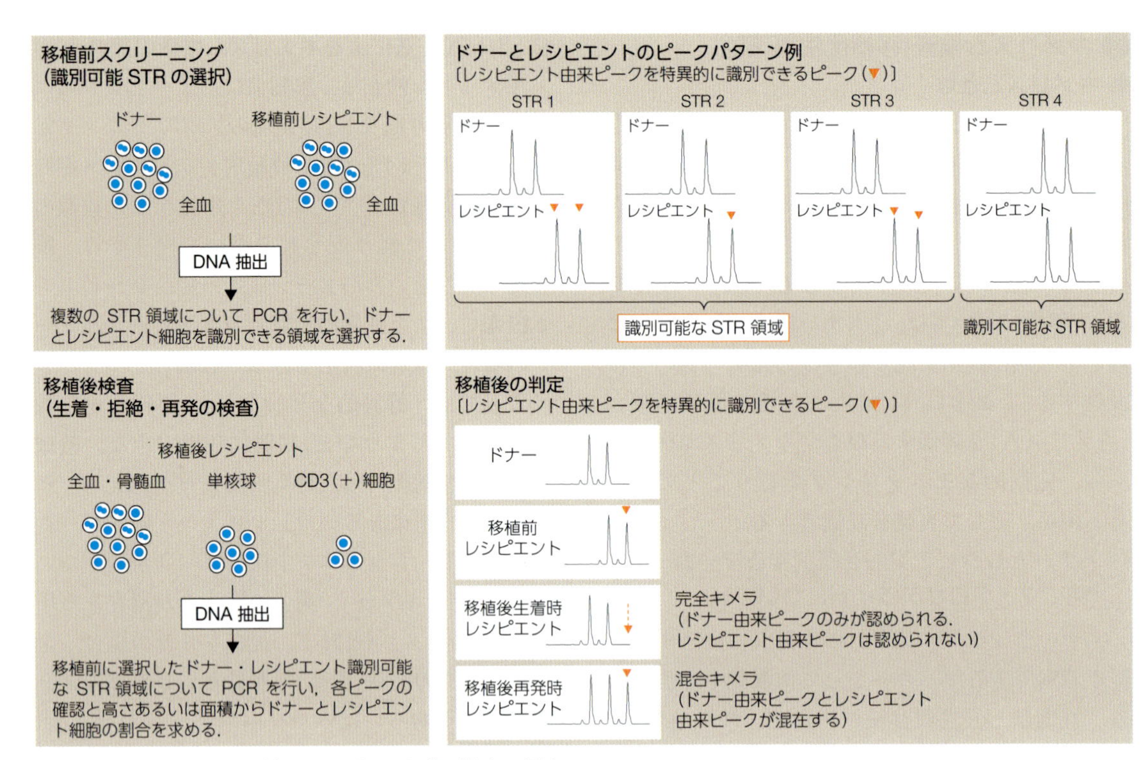


図16-10　**STR-PCR法によるキメリズム検査の流れ**

## B　マイクロサテライト不安定検査(図16-11)

PCR法とフラグメント(ピーク)解析を組み合わせて行う検査として，固形癌におけるマイクロサテライト不安定性検査や，Lynch症候群におけるマイクロサテライト不安定性検査がある．マイクロサテライト不安定性は複製エラー時の修復機能が低下することにより，癌細胞での繰り返し数が正常細胞と異なる現象である．以下に検査法についてMSI検査キット(FALCO)添付文書に従い説明する．前述のキメリズム検査時には，4塩基繰り返し数のSTRを対象としたが，本検査では，1塩基の繰り返し領域を5種類使用し，正常組織での各領域のPCR産物に由来するフラグメント(ピーク)がそれぞれ平均値±3塩基(「QMVR幅」)に収まる．1塩基繰り返し領域のフラグメント形状は，5塩基繰り返し領域のフラグメントと形状が異なり，スタッターピークと呼ばれるPCR時のスリッページによりできる本来の繰り返し数を反映するピーク以外のピークが複数認め

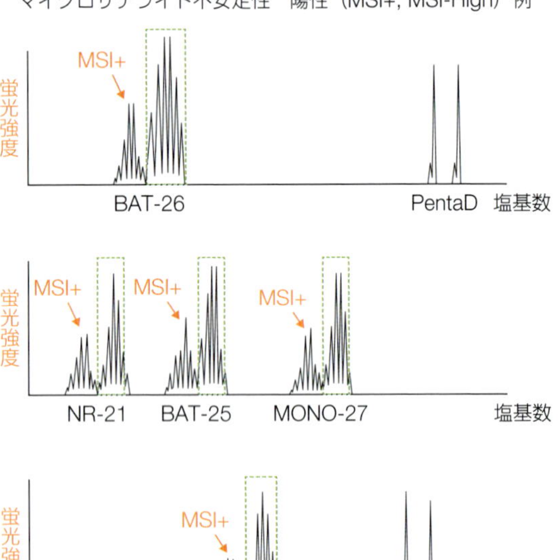


図16-11　**PCR＆フラグメント解析によるマイクロサテライト不安定性検査イメージ**

各緑色点線囲みが，正常組織由来DNAを用いた場合の「QMVR幅」を示す
〔参考資料：MSI検査キット(FALCO)(ファルコバイオシステムズ株式会社)添付文書〕

られる．腫瘍組織でのフラグメント(ピーク)が正常組織での QMVR 幅以外にもある場合，高頻度マイクロサテライト不安定性，MSI(＋)識別し MSI-High(MSI-H)を判定する．この方法では，Penta C，Penta D と呼ばれる 5 塩基繰り返しの個人差の大きな領域の反応系も含まれ，再検査において正常組織と腫瘍組織を比較する時に，同じ患者由来の検体であることを(検体間違えがない)確認できる．

本検査を行うことにより，MSI-High(MSI-H)であった場合，免疫チェックポイント阻害薬〔オプジーボ®(ニボルマブ)やキイトルーダ®(ペムブロリズマブ)〕の抗腫瘍効果が認められている．

## C loop-mediated isothermal amplification(LAMP)法

### 1 測定原理と特徴

一種類の酵素(鎖置換型 DNA ポリメラーゼ)により，すべての反応が等温(60～65℃)で進行する．つまり，変性-アニーリング-伸長反応に応じた温度変化は必要ない．そのため，精密な温度制御は必要なく，温度を一定に保つ装置があれば反応が可能な点が特徴である．6 領域を含む 4 種類のプライマーを使用するため，特異性が極めて高い．また，反応産物による阻害が起こらないという特徴から，迅速かつ高感度な増幅効率が得られる．感染症を対象とした検査法として利用されている．栄研化学株式会社から本原理を用いた検出キットが発売されている．

### 2 結果解釈

① **陽性**：反応増幅曲線の立ち上がりを確認して，「陽性」として報告される．

② **検出せず**：PCR 検査と同様に，「陰性(存在しない)」を証明することは，難しい．反応増幅曲線の立ち上がりがないことを確認して，「検出せず」として報告される．

# 3 染色体検査(*in situ* ハイブリダイゼーション検査を含む)

## A 総論

染色体検査は，先天性疾患，生殖障害や腫瘍において実施されている．いずれの対象においても，その結果は診断に重要な情報を提供する．腫瘍，特に白血病の診断においては，染色体異常に基づく分類が行われており，診断に直結する検査といえる．方法は分染法と FISH 法に大別される(図 16-12)．

## B 分染法(図 16-12 の a)

### 1 培養と標本作製

骨髄穿刺により得られた骨髄血(ヘパリン加採血管に分注)を用いて，培養を開始する．先天異常での検査とは対照的に分裂刺激剤を使用しない．腫瘍細胞自身の分裂能に依存しているため，分裂期細胞が得られない場合もある．紡錘糸形成阻害剤(例：コルセミド)を添加して，細胞を分裂期中期に留める．低張液で溶血後に，カルノア(メタノール：酢酸＝3：1)固定を行い，標本上に展開する．G 分染法はトリプシン処理・Giemsa 染色を，Q 分染法はキナクリンマスタード染色を行う．

### 2 標本観察と解析

光学顕微鏡を用いて，標本観察を行う．スライド上には，分裂(中)期核(棍棒状の染色体)や間期核が観察される．顕微鏡下あるいは解析ソフトを用いて，G 分染法や Q 分染法による白黒あるいは明暗の分染パターンから染色体番号を認識し検査する．染色体異常は，数的異常と構造異常に大別される．構造異常については，あくまで染色体の長さ，分染パターンの違いとして表出される異常のみが検出でき，パターンや長さに変化がない構造異常は検出できない．

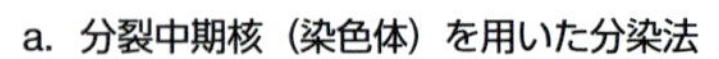

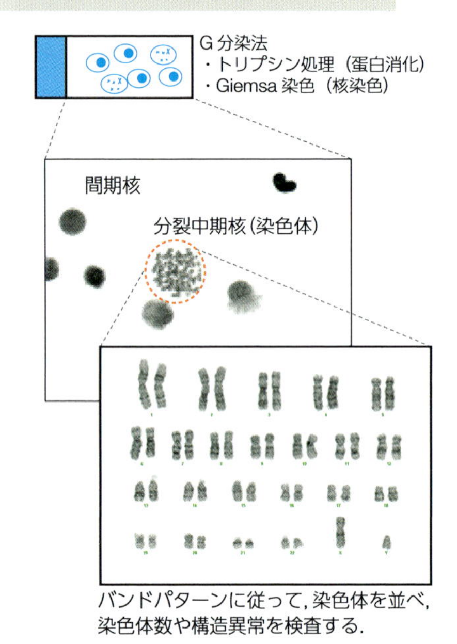


**図 16-12　分染法と FISH 法**

## 3 結果の記載方法

染色体検査結果の記載方法は，国際規約（ISCN）に基づいて「核型（カリオタイプ）」として表記する．

染色体は，短腕を p，長腕を q として表記し，それぞれバンドを 11（「じゅういち」ではなく「いちいち」と呼ぶ），12....として番号が振られている．［　］内に解析細胞数を示す．

基本的に，染色体総数，性染色体の順番で，カンマで区切って記載する．さらに，異常が検出された場合，性染色体の後に，カンマで区切って異常を記載する（図 16-13）．

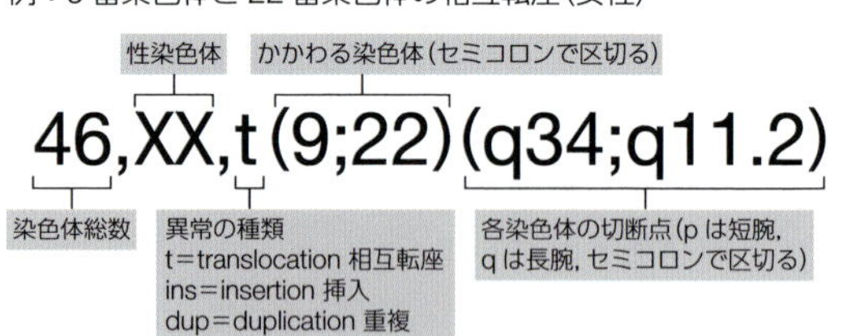


**図 16-13　染色体異常核型の記載方法**

## 4 結果解釈と注意点

### a 異常の記載方法の違い

先天性異常と後天的な腫瘍細胞での異常の場合で核型記載が異なる点がある．認められた異常が先天性で生殖細胞系列に存在する場合，①性染色体の異常は，染色体総数の後の性染色体情報の位置に記載し（図 16-14 の a），②常染色体の異常は，通常どおり性染色体のあとにカンマで区切って記載するが，異常の最後に c を記載する．この c は，constitutive（構成的）を意味する．この c の付記があることで先天的な異常・変化であるということを示し，後天的な異常とは区別する（図 16-14 の b）．後天的な染色体異常の場合，性染

a. 先天的な異常であることを示す
（クラインフェルター症候群の患者）

47, XXY ⟷ 47, XY, +X

c. 腫瘍細胞で X 染色体の付加異常があることを示す

b. 21 トリソミーをもつダウン症の女性患者が 9 番染色体と 22 番染色体の相互転座があることを示す

47, XX, t(9;22) (q34;q11.2), +21c ⟷ 47, XX, t(9;22) (q34;q11.2), +21

d. 腫瘍細胞で 9 番染色体と 22 番染色体の相互転座に加えて，21 番染色体の増加（異数性）があることを示す

先天的な変化であることを明示するため c を付記する．
c＝constitutive（構成的）

**図 16-14　染色体異常核型の記載方法の違い**

色体の異常が先天的でない場合は，性染色体記載の後に，別に記載する（図 16-14 の c）．つまり，この記載を見た場合，この異常はあくまで腫瘍細胞で付加的に見られる異常であり，先天的な変化ではないことを意味する．常染色体の異常については，性染色体の記載の後にカンマで区切って記載するが，c は付記しない（図 16-14 の d）．

### b 解析細胞数による制限

分染法による染色体検査は，基本的に分裂期の細胞を 20 個解析する．つまり，分裂期の細胞がない場合，分染法による解析は不可能となる．「増殖不良」「解析不可」などの結果となってしまう．しかし，後述のように，FISH 法による検査では，間期核上での解析も可能である．

| 種類 | 分裂中期細胞（染色体） | 間期核細胞 |
|---|---|---|
| **a. 染色体着色（ペインティング）プローブ**<br>特定の染色体から作成した DNA ライブラリーを蛍光標識したプローブであり，染色体全腕に特異的な DNA プローブ |  |  |
| **b. 領域特異的プローブ**<br>染色体の特定領域部分だけに相補性を示す特異的な DNA プローブ | 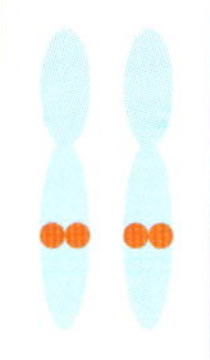 |  |
| **c. セントロメア（サテライト）特異的プローブ**<br>染色体の動原体（セントロメア）領域および Y 染色体不活性部分特異的な DNA プローブ | 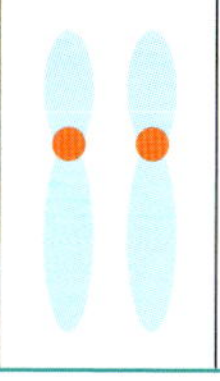 | 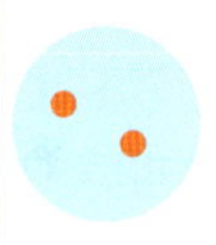 |

**図 16-15　FISH 法に用いられるプローブの種類**

## C *in situ* ハイブリダイゼーション（ゲノム DNA を対象とした場合）

### 1 fluorescence *in situ* hybridization（FISH）法

FISH 法では，熱変性して，それぞれ 1 本鎖になった蛍光標識プローブと標本上の DNA がハイブリダイゼーションして得られる蛍光シグナルを観察する．シグナル数，シグナルパターンの観察を行い，異常の検索を行う．

FISH 法の最大の利点は，分裂期核（染色体）のみでなく，間期核上でシグナル解析ができることである（図 16-12 の b）．分染法による検査で，分裂期核（染色体）が得られず，「増殖不良」となってしまった場合でも，基本的には間期核さえあれば解析ができる．このため，FFPE 標本や May-Giemsa 染色標本を用いて，標本上の細胞核を対象に解析ができる．FISH 法は，形態学的検査と併せて染色体・遺伝子異常を視覚的に確認できる優れた方法である．

### 2 プローブの種類

FISH 法に用いられる各種のプローブについては，図 16-15 のように分類できる．

① **染色体着色プローブ**：まさに棍棒状の染色体として凝集している時期に染色体全体が染色され

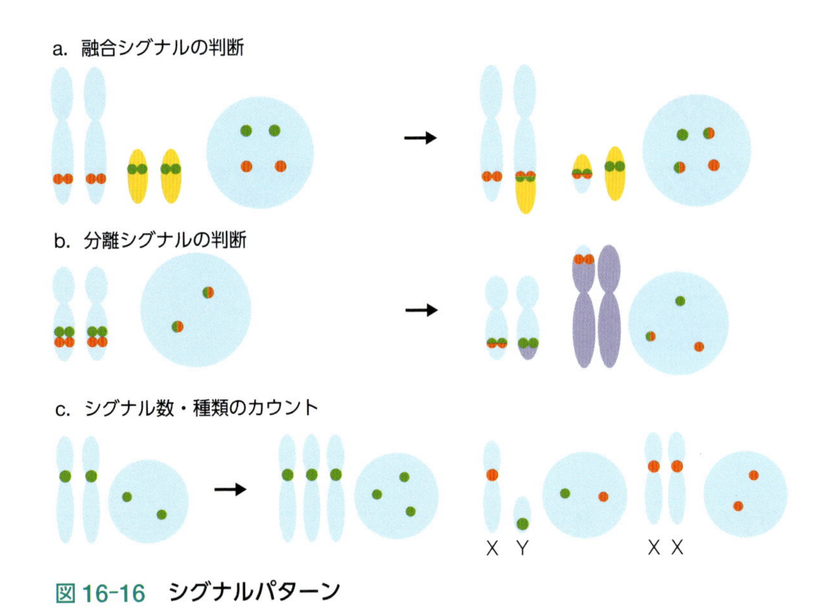


図16-16　シグナルパターン

た状態で観察できる．しかし，間期核上ではシグナルが拡散してしまい解析できない(図16-15のa)．

② **領域特異的プローブ**：特定の遺伝子に対するプローブであり，この種類のプローブが最も頻用されている．転座，欠失や重複などを検出できる(図16-15のb)．

③ **セントロメア特異的プローブ**：染色体数を確認したり，X染色体とY染色体を区別するために用いられる．特にセントロメア特異的プローブを用いたXY-FISH法は異性間移植後の生着・再発確認に用いられる(図16-15のc)．

### 3 chromogenic *in situ* hybridization (CISH)法

基本的な原理はFISH法と同様である．大きく異なる点は明視野で光学顕微鏡を用いて観察できる点である．すなわち，ペルオキシダーゼやアルカリホスファターゼの反応による色素発色によりシグナルの視覚化を行っている．特に病理組織標本(FFPE標本)を用いた解析では，組織学的所見と併せて遺伝子増幅や欠失などを評価することができる．また，FISH法を施した標本は蛍光の減弱が行われてしまい保存性はよくないが，CISH法を施した標本は保存が可能である．

### 4 結果解釈(主にFISH法)(図16-16)

① **融合シグナルを陽性と判断する場合**：染色体転座に関与する2本の染色体上に設計された領域特異的プローブを使用することで，転座陽性例において融合シグナルが得られる(図16-16のa)．

② **分離シグナルを陽性と判断する場合**：転座相手染色体は一定しないが，一方の染色体転座部位が一定している場合，染色体切断部位に領域特異的プローブを2種類設計することで転座陽性例において分離シグナルが得られる(図16-16のb)．

③ **シグナル数やシグナル種類(X染色体/Y染色体)をカウントする場合**：セントロメア(サテライト)特異的プローブを使用することで染色体数の異常あるいは性別に基づいた細胞の識別ができる(図16-16のc)．

上記のシグナルパターンに基づき，500～1,000個の間期核をカウントする．FISH法の結果は，陽性か陰性かのみではなく，定量的な評価値としても解釈できる．

## D　染色体検査と遺伝子検査のかかわり(染色体転座を例に)

転座は，「ゲノムDNAの切断と再結合」という現象だが，転座により生じる遺伝子異常は2種類

a. 2つの遺伝子がキメラ遺伝子を形成し，異常機能をもったキメラ蛋白をつくる．
このタイプの転座：t(9;22)，t(8;21)，t(15;17)，t(12;21)など

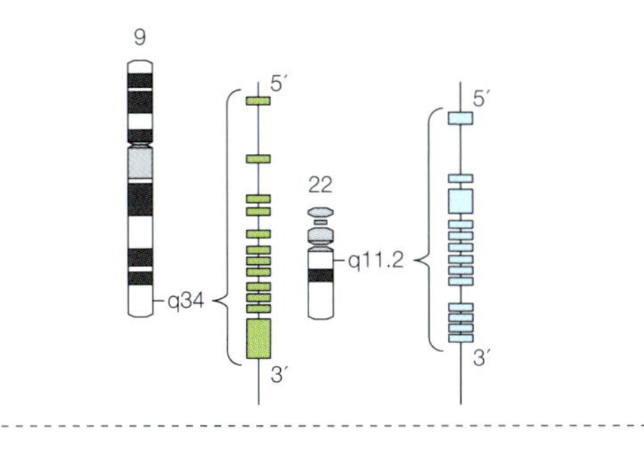


例：t（9;22）

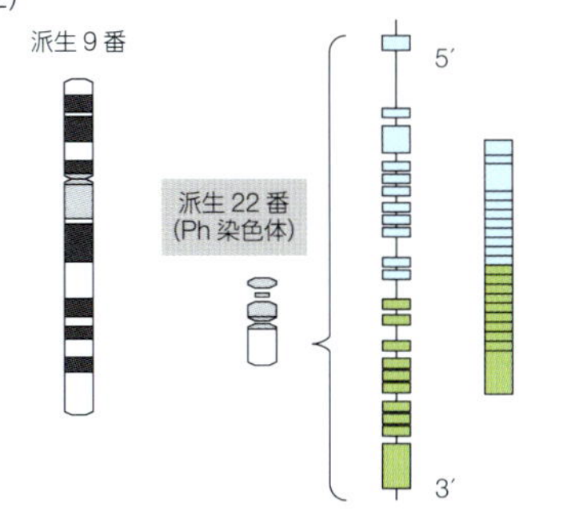


*BCR* 遺伝子と *ABL1* 遺伝子が融合し，キメラ遺伝子 *BCR::ABL1* mRNA が発現する．
BCR-ABL キメラ蛋白として恒常的なチロシンキナーゼ活性を示す．

→ 検査法は？

・RNA を対象とした RT-PCR 法
・ゲノム DNA を対象とする FISH 法
・染色体を対象とした分染法

b. 転座により免疫関連遺伝子（*IGH* など）の近傍に位置した遺伝子が，強力なプロモーター（エンハンサー）活性により，発現が脱制御状態となる．
このタイプの転座 t(14;18)，t(8;14)，t(11;14)，t(2;8)など

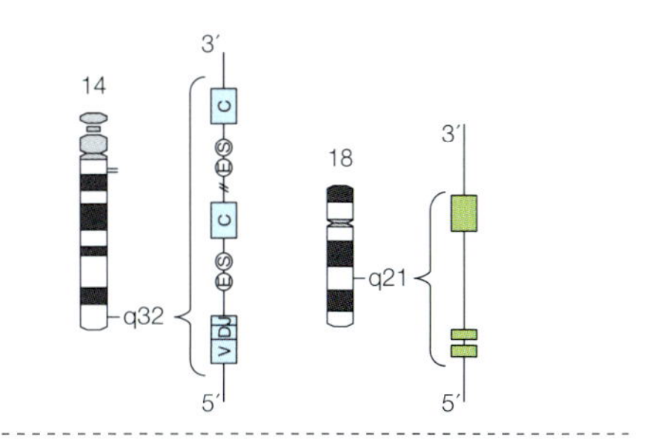


例：t（14;18）

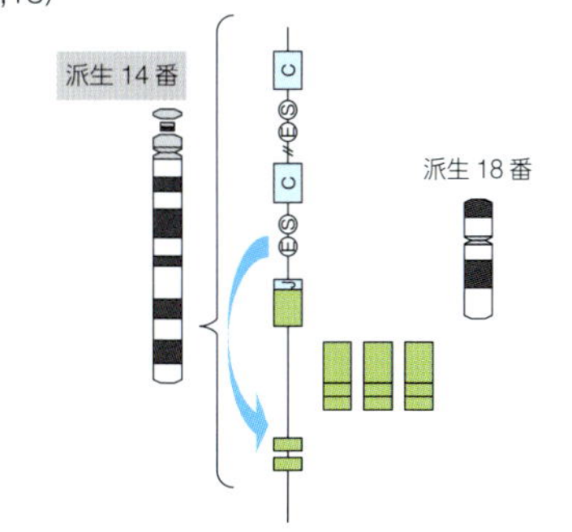


*IGH* 遺伝子のプロモーター（エンハンサー）活性下で脱制御により *BCL2* mRNA が過剰発現し，抗アポトーシスを示す．

→ 検査法は？

・ゲノム DNA を対象とした FISH 法
・染色体を対象とした分染法

**図 16-17　染色体検査と遺伝子検査のかかわり（転座による遺伝子異常の大別）**

に大別される．①2つの遺伝子がキメラ遺伝子を形成し，異常機能をもったキメラ蛋白を作る（図 16-17 の a），②転座により免疫関連遺伝子（IgH など）の近傍に位置した遺伝子の発現が，免疫関連遺伝子の強力なプロモーター（エンハンサー）活性により脱制御となって蛋白が多量に作られる（図 16-17 の b）．後者ではキメラ蛋白は作られない．

「転座の検出」を目的とすれば，どちらのパターンでも分染法，FISH 法によって判定ができる．しかし，「キメラ遺伝子 mRNA の発現」を目的とすれば前者のパターンの転座のみが適用となり PCR 法により判定する．

各種の疾患に認められる染色体転座と関連遺伝子およびキメラ遺伝子を表 16-3 に示した．

## E　治療効果判定に必要な微小残存病変評価（図 16-18）

微小残存病変（minimal residual disease；MRD）は，治療中，移植後に残存する微量な腫瘍細胞を指す．MRD 評価に使用される検査法に必要な条件として，以下の点がある．

① **マーカー**：腫瘍細胞の有無を確認するためは，正常細胞と腫瘍細胞を特異的に識別する指標（マーカー）が必要である．形態学的所見や表面抗原というマーカーでは，正常細胞と腫瘍細胞の特異的な識別が難しい場合でも，染色体・遺伝子レベルでの異常をマーカーとして用いることで，よ

**表16-3　各種の疾患に認められる染色体転座と関連遺伝子およびキメラ遺伝子**

| 疾患例 | 染色体転座 | 関連遺伝子 | キメラ遺伝子 |
|---|---|---|---|
| 急性骨髄性白血病 | t(8;21)(q22;q22.1) | *21q22.1; RUNX1 / 8q22; RUNX1T1* | *RUNX1::RUNX1T1* |
| 慢性骨髄性白血病 | t(9;22)(q34.1;q11.2) | *22q11.2; BCR / 9q34; ABL1* | *BCR::ABL1* |
| 急性リンパ性白血病 | t(12;21)(p13.2;q22.1) | *12p13.2; ETV6 / 21q22.1; RUNX1* | *ETV6::RUNX1* |
| 濾胞性リンパ腫 | t(14;18)(q32;q21.3) | *14q32.3; IgH / 18q21.3; BCL2* | *IGH::BCL2** |
| Burkitt リンパ腫 | t(8;14)(q24;q32) | *8q24; MYC / 14q32.3; IGH* | *IGH::MYC** |
| Ewing 肉腫 | t(11;22)(q24.3;q12.2) | *22q12.2; EWSR1 / 11q24.3; FLI1* | *EWSR1::FLI1* |

*キメラ蛋白を形成するのではなく，*BCL2* や *MYC* 遺伝子発現の脱制御を受けることが原因(図16-17のb参照).

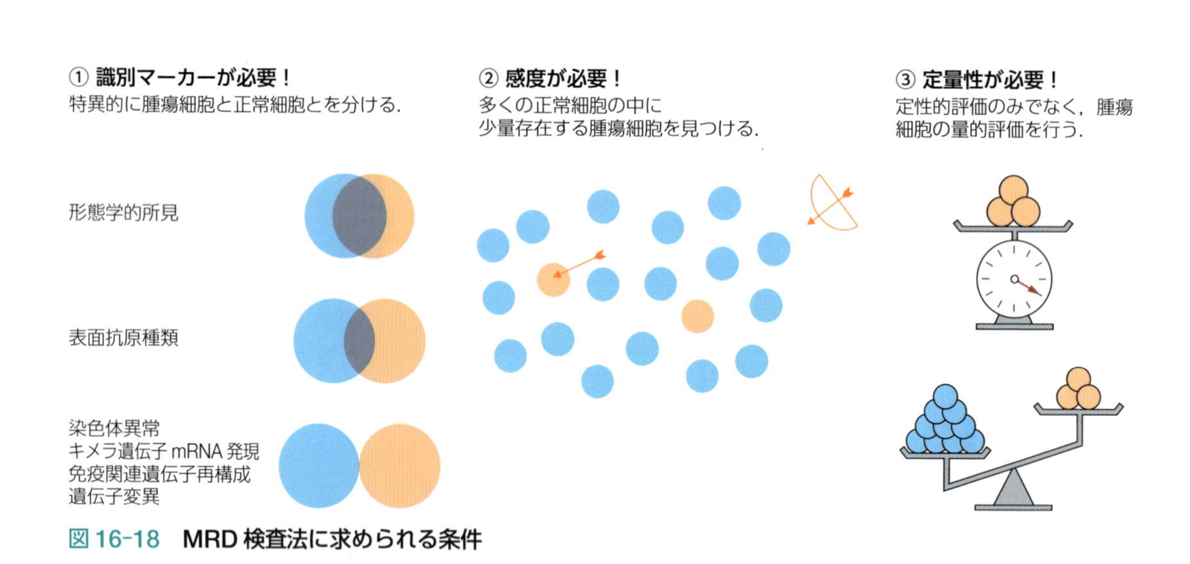


**図16-18　MRD検査法に求められる条件**

り特異的に両者を識別することができる(図16-18の①).

② **高感度**：多量な正常細胞の中にあるごく微量な腫瘍細胞の有無を確認するためには，高感度な方法が必要である．上記のマーカーを用いる際は，その検出法の感度を考慮する(図16-18の②).

③ **定量性**：マーカーを用いて，高感度に腫瘍細胞を検出するのみではMRD評価として不十分である．つまり，治療など介入により腫瘍細胞がどの程度変化したかを確認するためには，腫瘍細胞の量的評価が必要である．高感度かつ定量的に優れた方法を用いる(図16-18の③).

図16-2(305頁参照)に示した染色体構造・数的異常やキメラ遺伝子，免疫関連遺伝子再構成，遺伝子変異などの異常は，すなわちMRD評価での正常細胞と腫瘍細胞の識別マーカーになりうる．それぞれの識別マーカーについて分染法，FISH法やPCR法により検査を行い，MRD評価を行う．感度については，PCR法に基づく各種の方法が優れている．また，定量性も考慮した場合，FISH法と定量PCR法が優れている．特に白血病におけるキメラ遺伝子mRNA発現定量は，治療効果を判定するMRD検査として利用されている．その中で慢性骨髄性白血病では，国際標準値を用いた定量値が導入され，施設間差のない国際的に共通の治療効果判定が可能となっている．

キメリズム検査では，ドナー由来細胞とレシピエント由来細胞を識別して評価する．厳密に腫瘍細胞の存在を確認するには，腫瘍細胞特異的な異常をマーカーとしたMRD検査が必要である．しかし，すべての腫瘍細胞が特異的で，検査に利用できる異常(マーカー)をもっているわけではないため，STR-PCR 法を用いたキメリズム検査のように汎用性のある方法は，移植後の細胞由来の同定から再発を予測でき，MRD 検査を補完する検査となる(図 16-19).

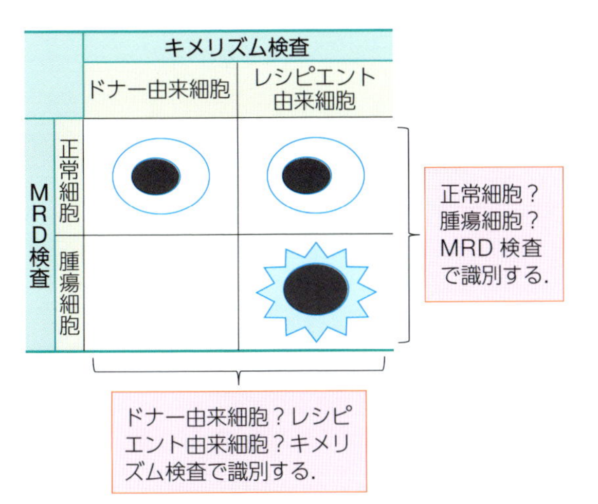


**図 16-19 キメリズム検査と微小残存病変(MRD)検査について**

## F リキッドバイオプシー(コンパニオン診断薬による分子標的薬の適用判断に応用)(図 16-20)

固形腫瘍の診断において原発巣あるいは転移巣など疾患部位から腫瘍細胞を含む組織を採取し主に病理学的な検査を行うバイオプシー(生検)が行われている．バイオプシーは直接的に腫瘍細胞を採取するため信頼性の高い診断が得られる．しかし，バイオプシーは侵襲性の高い検査であり，頻回に行うことが難しい場合もある．一方，リキッドバイオプシー(液体生検)は主に末梢血を採取してバイオマーカーの検査を行うものであり，低侵襲かつリアルタイムに繰り返し行うことができる．リキッドバイオプシーには，「血中循環腫瘍細胞(circulating tumor cell；CTC)」のみでなく，核酸がむき出しになった「無細胞 DNA(cell free DNA；cfDNA)」として，「血中循環腫瘍 DNA (circulating tumor DNA；ctDNA)」や，マイクロ RNA，細胞から分泌されるエクソソーム(exosome)なども含まれる.

バイオマーカーは，特に分子標的薬の適用可否を事前に判断するための遺伝子レベルあるいは蛋白レベルでのマーカーであり，適切な検査試薬・



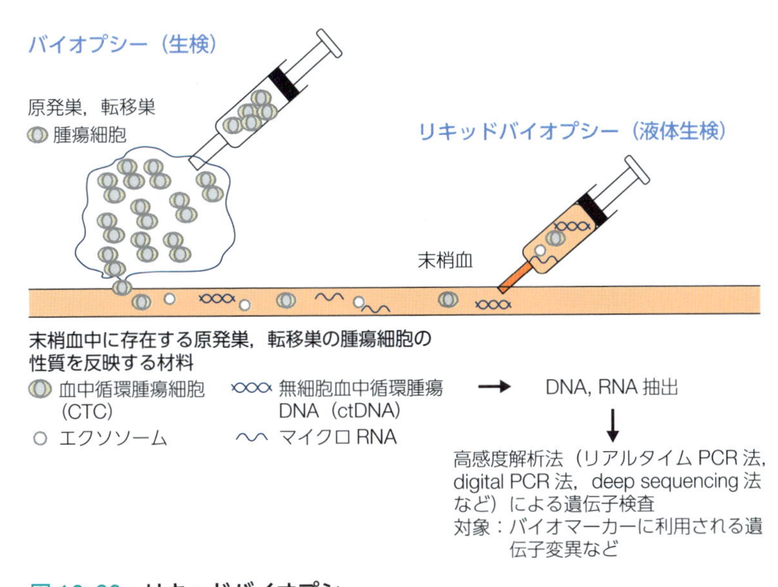


**図 16-20 リキッドバイオプシー**

コンパニオン診断薬による分子標的薬の適用判断に応用.

方法を用いて行う必要がある．特に，分子標的薬の薬事承認と同時期に体外診断医薬品として認証されるバイオマーカーの検査試薬をコンパニオン診断薬と呼ぶ．現在，がんゲノムプロファイリング検査と呼ばれるような次世代シークエンシングを用いた検査があり，バイオプシーあるいはリキッドバイオプシーによる検査が認められている．この検査は包括的ながんゲノムプロファイリングと分子標的薬の適用を判断するコンパニオン診断の2つの意義がある．リキッドバイオプシーとして血液を用いたがんゲノムプロファイリング検査(および抗悪性腫瘍薬判定)は，非小細胞肺癌，結腸・直腸癌や前立腺癌で用いられている．

# 17章 検査値を適切に利用するために

## 1 検査値の基礎

### A 精確な検査値とは

臨床検査で供される結果，特に数値で表されるものは正しいものでなければならない．この「正しい」というのは曖昧な表現で，今は「精確」という表現が当てられる．「精確」とは，同じ値がいつも(再現性よく)得られるという精度(precision)と，その検査値が正確であるかという正確度(accuracy)または真度(trueness)を併せもった表現である．

精度は，同じ検体を複数回(通常は10〜20回)測定したときの標準偏差(SD)から算出される変動係数(CV)で評価される．

$$CV = \frac{SD}{\text{mean}(\text{平均値})} \times 100(\%)$$

例えばCV 1%の性能がある検査で100という値が得られたら2×CVが誤差範囲とされるので，98〜102の範囲内にあると考えてよく，CVが5%であれば90〜110と幅が広がる．多くの生化学検査項目は，CV 1%程度が達成されており，抗原抗体反応による項目は，CV約5%を目標にされている．

一方，いかに再現性のよい検査であっても，その値に科学的な正しさ，妥当性(正確度)がなければ昨今のガイドラインに示された値が適用できなかったり，他の施設との値にずれが生じたりして診療に影響する．この議論を進める前提として，検査値というものがどのように定められているかを理解する必要がある．

定量検査には原則として値の基となる標準物質(検量物質，キャリブレータ)が必要で，おおまかには3種類の標準物質がある．汎用されるのは，毎日の測定に使う日常標準物質であり，その値は試薬会社での測定で決められている．試薬会社では，一段階上の常用標準物質を保持し，日常標準物質の値付けをしている．その常用標準物質の値付けの基となっているのが，国際的に定められた最も権威のある国際標準物質である．標準物質だけでなく測定法も規定されたものである必要があり，この全体をトレーサビリティ体系と呼ぶ(図17-1)．試薬会社では，機会あるごとに自身の保持している常用標準物質の正しさを，国際標準物質に対して確認し，日常検査施設は自身の測定の正しさを同様に常用標準物質に対して確認することが望まれる．これをトレーサビリティの確認と呼ぶ．後述する共用基準範囲が適用されている多くの基本的生化学的検査は，このトレーサビリティ体系が構築されており，「標準化」が達成された検査といえる．「標準化された」とは，どこでたとえ試薬会社の異なる検査を実施しても同じ値が得られるという意味である．一方，腫瘍マーカーや抗原抗体反応を利用して測定される項目や測定

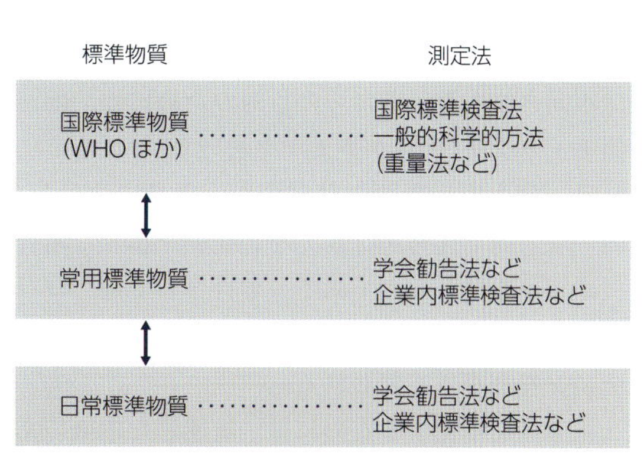


図17-1 検査のトレーサビリティ体系

頻度の高くない項目については，原則としてトレーサビリティ体系の構築が困難であったり，未整備であったりするものが多く，標準化が達成されておらず，試薬間差・施設間差が存在する．

## B 精確な検査値を得るために

検査は医師のオーダーから患者への結果の報告までの全工程が適切に行われて完結する．この工程には，検査部門で検査が行われる分析と，検査前と検査後の全部で3つのフェーズがある．検査前フェーズには，正しい検体の採取と扱い，保存などが含まれ，分析フェーズの適正化の進歩に伴い，このフェーズの重要性が増してきている．検査後フェーズには，適切な報告などが含まれる．分析フェーズの品質を保つために，検査部門では精度と正確度の管理を行っている．

精度を管理するために，**内部精度管理**を行っている，あらかじめ値がどれくらいになるか既知の管理試料(コントロール)を日常検査中に数回測定し，許容できる範囲の値を示したか，そのばらつきが少ないことでその検査の精度を確認する．その日のコントロールをxとし，ばらつき(最大値と最小値の差)をRとして経日的にチャートで確認するx-R管理図法が汎用されている．一方，管理試料を使用せず，日々測定する患者データのうち基準範囲内を示したものの平均を指標に管理する方法がある(潜在基準値平均法)．これは患者の大半は基準範囲内の値を示し，その平均値は毎日ほぼ同じであることを利用している．

以上の方法は試薬や機器の不具合といった全体に影響の出る誤差の検出に有用であるが，その検体だけに出現する不具合や検体取り違えの検出には不向きである．それらの目的のためには，前回値チェック法(デルタチェック法)が使われる．これは，個人内生理的変動が少ない項目に注目し，同一患者内で通常起こりえない変動を示した場合にエラーを疑うものである．項目としては，コリンエステラーゼ(ChE)，コレステロール，クレアチニンなどがよく使われる．

正確度を確認するためには，前述した権威のある標準物質を測定して自身の値を確認すればよいが，そのような物質の入手は困難であったり，元来存在しなかったりして現実的ではない．そこで同じ検体を各施設に測定して結果を比較するという外部精度評価という事業に参加して間接的に真度を確認するという作業が行われる．これを**外部精度管理**と呼ぶ．全施設の平均値が正確であると仮定して，それとの差を評価する．調査規模が大きくなるほど，どの検査法(試薬)が多く用いられているか，試薬間の差などの情報が得られる．

## C 検査のしきい値

### 1 基準値と基準範囲

健康で，当該検査値に影響する状態・病態を可能な限り除外された健常者を基準個体と規定し，その基準個体が示す値を「基準値」(サイドメモ)とする．この基準値から計算された平均値の－2SDから＋2SD(全体の95.5%)までが「基準範囲」である．以前，正常値と呼んでいたが，正常であっても2SDを外れることがあることや「正常」という表現の印象などからこの用語は使わないことになっている．基準範囲は，得られた検査値の立ち位置を判断する物差しとして使うものである．当然ながら，上限値や下限値を境に極端な評価をすべきでない．例えば，ALTが基準範囲内にあってもその上限値に近ければ，軽度の肝細胞傷害の可能性を考慮すべきである．また，基準範囲は集団の検査値の考え方で，個人には個人が示す特有の変動幅(個人の基準範囲)があるので，個々の対象者

**サイドメモ　「基準値」という表現**

臨床検査の分野では基準範囲を算出するときの個人を基準個体とし，その基準個体が示す値を基準値(狭義の基準値)と定義してきた．しかし，医療や一般社会において，○○の基準という表現が汎用され，関連書籍においても「基準値」が基準範囲や臨床判断値を意味するものとして使われている．この現状から，日本臨床検査医学会は，一般的に使われている「基準値」という表現を許容し，狭義の基準範囲の代わりに「基準個体値」の使用を提唱している(https://www.jslm.org/about/jslm/20190712.pdf)．

**表 17-1　共用基準範囲**

| 項目名称 | 単位 | | 下限 | 上限 |
|---|---|---|---|---|
| 白血球数(WBC) | $10^3$/μL | | 3.3 | 8.6 |
| 赤血球数(RBC) | $10^6$/μL | 男性 | 4.35 | 5.55 |
| | | 女性 | 3.86 | 4.92 |
| ヘモグロビン(Hb) | g/dL | 男性 | 13.7 | 16.8 |
| | | 女性 | 11.6 | 14.8 |
| ヘマトクリット(Ht) | % | 男性 | 40.7 | 50.1 |
| | | 女性 | 35.1 | 44.4 |
| 平均赤血球容積(MCV) | fL | | 83.6 | 98.2 |
| 平均赤血球血色素量(MCH) | pg | | 27.5 | 33.2 |
| 平均赤血球血色素濃度(MCHC) | % | | 31.7 | 35.3 |
| 血小板数(PLT) | $10^3$/μL | | 158 | 348 |
| 総蛋白(TP) | g/dL | | 6.6 | 8.1 |
| アルブミン(ALB) | g/dL | | 4.1 | 5.1 |
| グロブリン(GLB) | g/dL | | 2.2 | 3.4 |
| アルブミン，グロブリン比(A/G) | | | 1.32 | 2.23 |
| 尿素窒素(UN) | mg/dL | | 8 | 20 |
| クレアチニン(CRE) | mg/dL | 男性 | 0.65 | 1.07 |
| | | 女性 | 0.46 | 0.79 |
| 尿酸(UA) | mg/dL | 男性 | 3.7 | 7.8 |
| | | 女性 | 2.6 | 5.5 |
| ナトリウム(Na) | mmol/L | | 138 | 145 |
| カリウム(K) | mmol/L | | 3.6 | 4.8 |
| クロール(Cl) | mmol/L | | 101 | 108 |
| カルシウム(Ca) | mg/dL | | 8.8 | 10.1 |
| 無機リン(IP) | mg/dL | | 2.7 | 4.6 |
| グルコース(GLU) | mg/dL | | 73 | 109 |
| 中性脂肪(TG) | mg/dL | 男性 | 40 | 234 |
| | | 女性 | 30 | 117 |

| 項目名称 | 単位 | | 下限 | 上限 |
|---|---|---|---|---|
| 総コレステロール(TC) | mg/dL | | 142 | 248 |
| HDL-コレステロール(HDL-C) | mg/dL | 男性 | 38 | 90 |
| | | 女性 | 48 | 103 |
| LDL-コレステロール(LDL-C) | mg/dL | | 65 | 163 |
| 総ビリルビン(TB) | mg/dL | | 0.4 | 1.5 |
| アスパラギン酸アミノトランスフェラーゼ(AST) | U/L | | 13 | 30 |
| アラニンアミノトランスフェラーゼ(ALT) | U/L | 男性 | 10 | 42 |
| | | 女性 | 7 | 23 |
| 乳酸脱水素酵素(LD) | U/L | | 124 | 222 |
| アルカリホスファターゼ(ALP) | U/L | | 38 | 113 |
| γ-グルタミルトランスフェラーゼ(γ-GT) | U/L | 男性 | 13 | 64 |
| | | 女性 | 9 | 32 |
| コリンエステラーゼ(ChE) | U/L | 男性 | 240 | 486 |
| | | 女性 | 201 | 421 |
| アミラーゼ(AMY) | U/L | | 44 | 132 |
| クレアチンキナーゼ(CK) | U/L | 男性 | 59 | 248 |
| | | 女性 | 41 | 153 |
| C 反応性蛋白(CRP) | mg/dL | | 0.00 | 0.14 |
| 鉄(Fe) | μg/dL | | 40 | 188 |
| 免疫グロブリン(IgG) | mg/dL | | 861 | 1,747 |
| 免疫グロブリン(IgA) | mg/dL | | 93 | 393 |
| 免疫グロブリン(IgM) | mg/dL | 男性 | 33 | 183 |
| | | 女性 | 50 | 269 |
| 補体蛋白(C3) | mg/dL | | 73 | 138 |
| 補体蛋白(C4) | mg/dL | | 11 | 31 |
| ヘモグロビン A1c(HbA1c) | % | | 4.9 | 6.0 |

〔日本臨床検査標準協議会(JCCLS)基準範囲共用化委員会：日本における主要な臨床検査項目の共用基準範囲．https://www.jccls.org/wp-content/uploads/2020/11/public_20190222.pdf〕

の検査値の評価にあたっては，個人内の変動を評価するのが原則である．この意味で検査種ごとの個人の生理的変動幅を理解することが重要となる．

基準範囲は，各施設でそれぞれの方針に則って定められてきたが，方法間差が少ない検査項目に限っては，各施設間で基準範囲を共有できることになる．そこで臨床検査関連団体(日本臨床検査標準協議会が中心)が，共用基準範囲(表 17-1)を

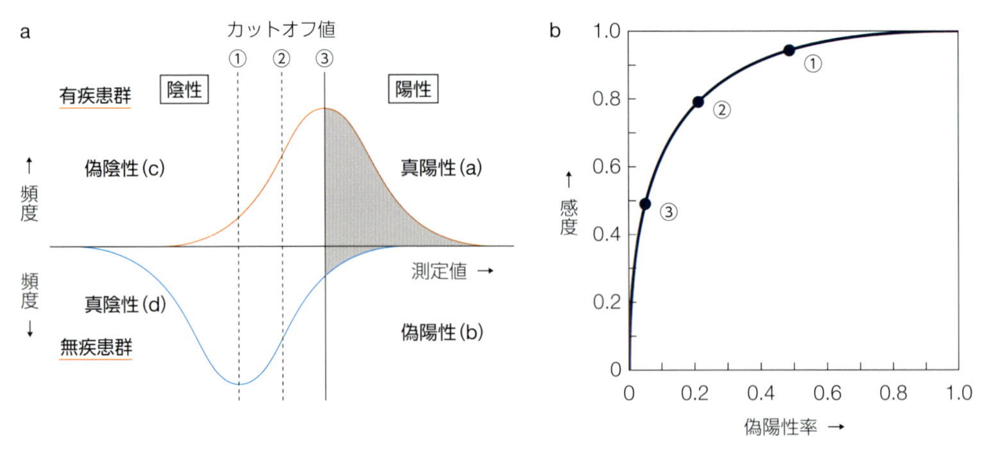


**図 17-2　カットオフ値の求め方**

検査値は左図のように，疾患群と対照群で重なりをもって分布する．感度と特異度の両方の折り合いをつける値を決定するため，右図の ROC 解析を行う．候補カットオフ値における，感度(有疾患群での陽性率)と偽陽性率(対照群での陽性率または 1－陰性率)をプロットし，左隅に最も近い値(③)を採用する．

公開し，これを採用する施設が増えつつある．

### 2 臨床判断値

基準範囲は，健常者が示す値の目安として有用であるが，診療上は使いにくいことがある．例えば，コレステロールの基準範囲を求める際の基準個体には，潜在的な動脈硬化症も含まれるし，そのリスクの高いものも含まれる．基準範囲にかかわらず，動脈硬化症を予防するために介入すべき値が現実的には求められる．このように何らかの臨床判断につながる値を「**臨床判断値**」(「医学的判断値」「臨床的意思決定値」などともいう)と総称する．これには，ある疾患を診断するときに用いる「病態識別値」や，予防・治療の観点からハイリスク群を判別して治療を行うべきかを決定する「予防医学的判断値」がある．血清脂質(総コレステロール，LDL コレステロール，HDL コレステロール，トリグリセライド)，尿酸，血糖，ヘモグロビン A1c は，「臨床判断値」が検査一覧や値の高低の判断に使われていることが多い．

「病態識別値」は，ある疾患とその疾患を有しない群を識別する値であり，例えば肝細胞癌と良性肝疾患を識別する腫瘍マーカーの「カットオフ値」などが該当する．原則的には ROC 曲線(図 17-2 の b)を作成して，臨床判断に最も効率のよい値として設定される．

「臨床判断値」は，臨床疫学的研究，あるいは専門医集団の勧告によって決定されるものが多い．

## D 有効な検査値の使い方

### 1 感度，特異度，偽陽性，偽陰性

検査の診断特性を示す指標は「感度(sensitivity)」と「特異度(specificity)」である．両者は，当該疾患を有する群・有しない群でのある検査法(試薬)での陽性・陰性の率であり，図 17-2 の a の記号を使う(以下同じ)と，感度は a/a+c，特異度は d/b+d となる．これらは当該の検査法(試薬)が登場した際の検討，研究の成績により求められた一定の値である．

偽陽性とは，疾患がないにもかかわらず陽性になることである．例えば膵癌の腫瘍マーカーは，膵癌を目的にしているのに，膵炎などの良性疾患で陽性になることはよく知られたことで，偽陽性の頻度はカットオフ値の設定に左右される．これは当該物質が正しく測定，検出されている場合の偽陽性であり，検査技術や検査法に基づく因子による偽陽性は別に考えると整理しやすい．抗原抗体反応を使う検査では，異好抗体などの非特異反応による偽陽性が起こりうる．核酸・遺伝子を検出する検査法は原則，非特異反応が少ないが，検

出感度が高いためコンタミネーションなどの偽陽性が起こりうる．

偽陰性とは，疾患があるのに陰性になることである．例えば腫瘍マーカーの場合，腫瘍が小さいための陰性などが相当する．検査の因子による偽陰性は，単純に試薬の検出感度の不足，反応の妨害をする物質の存在などが考えられ，加えてさまざまな検査エラーが含まれる．

### 2 予測値(的中率)

臨床で，実際に知りたいのは，検査が陽性だったらどのくらいの確率でその疾患といえるのか〔陽性予測値(的中率)：a/a＋b〕，陰性だったらどのくらいの確率でその疾患を否定できるのか〔陰性予測値(的中率)：d/c＋d〕である(記号は図17-2のa)．

ここで集団に検査を行った場合に，高い陽性予測値を得る条件を考えてみる．まずa＋c/a＋b＋c＋dで表される有病率が高いことが求められる．また，d/b＋dが大きいこと，つまり特異度が高いこと(偽陰性が少ない)が求められる．例えば健康診断など有病率の低い場面では高い陽性予測値は期待できず，それでも予測値を高めるには特異度の高い検査が必要となる．

集団ではなく，個人に検査を行った場合にはBayesの公式が使われる．その際は，有病率に検査前確率(検査を行う前の情報，所見からどれくらいの確率でその疾患が想定されるか)，予測値に検査後確率という表現を使う．

［Bayesの公式］

［検査後オッズ］＝［検査前オッズ］
×［(陽性)尤度比］

$$\frac{a}{b}=\frac{a+c}{b+d}\times\frac{a/(a+c)}{b/(b+d)}$$

実際的にはa/b＝(検査前確率/1－検査前確率)×(感度/1－特異度)であり，求めたい検査後確率はa/a＋bとなる．ここで用いる陽性尤度比は感度と特異度から算出されるその検査特有の値である．高い尤度比が望ましく，そのためには特異度が高いことが求められることがわかる．例をあげると，急激な38℃に及ぶ熱発があるが，頭痛，咽頭痛，関節痛はなくインフルエンザの可能性(検査前確率)を40%に見積もった患者に，感度80%，特異度98%のインフルエンザの抗原検査を実施した場合，陽性尤度比は80/100－98＝40(かなり高い)となり，a/b＝4/6×40，a/a＋b＝0.964と検査後確率は96.4%と跳ね上がり，検査を行う意義は高いと判断される．

以上の理解をもとに，どのような場面でどのような性能の検査を行うかによって，結果の評価があらかじめ予想できることを理解して検査を依頼，実施すべきである．

# 2 検査値に影響を与える因子

## A 生理的変動

### 1 個人(個体)間変動(表17-2)

#### ❶ 年齢差

身体的成長や退化と関係していることが多く，一例として成長期でアルカリホスファターゼ(ALP)が高めとなる．女性においては妊娠，閉経が影響する．妊娠によりALP(胎盤由来)が高めとなり，閉経後に総コレステロールが高めとなる．

#### ❷ 性差

筋肉量や運動量，蛋白摂取量が影響するため尿酸，尿素窒素，クレアチニンなどは男性が女性より高値である．女性は閉経後に多くの項目が男性とほぼ同等となる．例えばHDLコレステロールは，20〜50歳では女性は男性と比較して15〜25 mg/dLの高値であるが，閉経後にこの男女差はほとんどなくなる．また，IgMは女性が高めである．

#### ❸ 血液型

CA19-9はルイス血液型が構造の一部であるため，陰性者〔$Le^{(a-b-)}$〕では原則検出されない．

#### ❹ 生活習慣

飲酒常習者ではγ-GTやトリグリセライドが高値となりやすい．CEAは喫煙者では高値になる．

**表 17-2　個人(個体)間変動因子**

|  |  |
|---|---|
| **年齢(小児)** | 低値：免疫グロブリン |
| **年齢(小児)** | 高値：リンパ球比率 |
| **年齢(成長期)** | 高値：ALP |
| **年齢(高齢)** | 低値：総蛋白，アルブミン，赤血球数，ヘモグロビン，ヘマトクリット |
| **性別** | 男性>女性：赤血球数，ヘモグロビン，ヘマトクリット，尿酸，尿素窒素，クレアチニン，血清鉄 |
| **性別** | 女性>男性：HDL-コレステロール，IgM，ALP(妊娠時) |
| **飲酒** | 上昇：γ-GT，トリグリセライド |
| **喫煙** | 上昇：CEA |
| **高脂肪食** | 上昇：トリグリセライド，総コレステロール |
| **高地在住** | 上昇：ヘモグロビン |

**表 17-3　個人(個体)内変動因子**

|  |  |
|---|---|
| **食事** | 上昇：血糖，トリグリセライド，白血球数 |
| **食事** | 低下：遊離脂肪酸，無機リン |
| **運動** | 上昇：CK，LD，AST，白血球数(好中球) |
| **体位** | 立位・坐位>臥位：総蛋白，アルブミン，Ca，総コレステロール |
| **日内変動** | 朝>夕：副腎皮質ホルモン，血清鉄 |
| **日内変動** | 朝<夕：白血球数 |

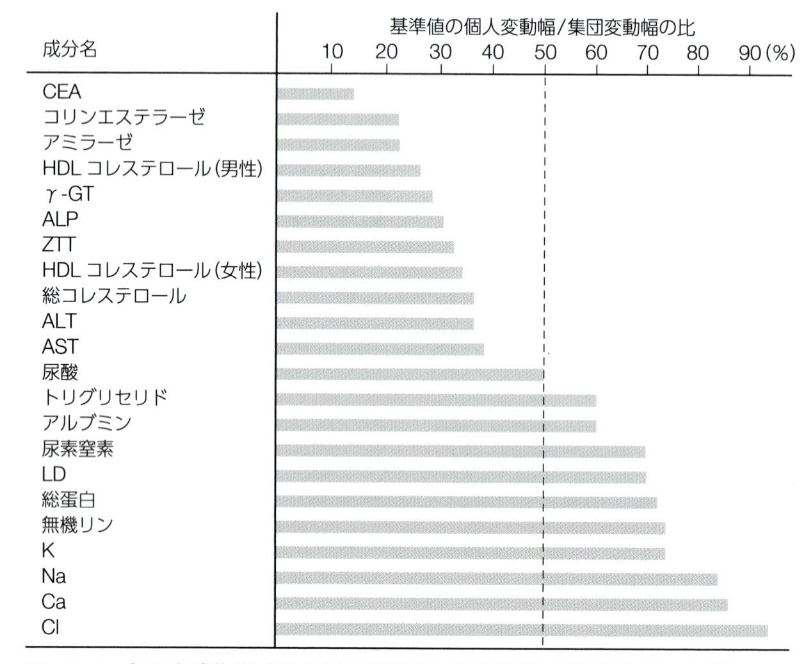


**図 17-3　主な血清化学成分の個人健常値の変動幅/集団基準範囲の変動幅**

〔北村元仕：Medicina 19(8)：1417，1982 から作図〕

## 2 個人(個体)内変動(表 17-3)

### ❶ 食事

血糖や中性脂肪は上昇し，遊離脂肪酸は低下する．

### ❷ 運動

CK，LD や AST などの筋由来酵素が上昇，白血球数が増加する．

### ❸ 採血時の姿勢

坐位では臥位での採血に比較して循環血漿量減少による濃縮効果で，高分子成分である総蛋白，アルブミン，総コレステロール(リポ蛋白であるため)，Ca(アルブミンと結合しているため)は10～15% 低度高値となる．

### ❹ 日内リズム

副腎皮質ホルモンは朝に高値となる．血清鉄も

**表 17-4　各種抗凝固剤の用途と使用法**

| 抗凝固剤 | 必要量(mg/mL) | 用途 | 使用法 |
|---|---|---|---|
| EDTA 塩 | 1 | 血球算定 | 1〜10% 水溶液を乾燥 |
| クエン酸 Na | 5 | 赤血球沈降速度 | 0.4 mL に対して全血 1.6 mL |
| | | 凝固検査 | 1 容に対して全血 9 容 |
| フッ化 Na | 5〜10 | 血糖検査(解糖系阻止) | (他の抗凝固剤が添加される) |
| ヘパリン | 0.01 | 動脈血ガス分析，染色体検査 | |

同様の傾向にある．

**❺ 個人内変動の大小**

検査項目には，個人内変動の少ないものと，大きなものがある．図 17-3 はその個人の変動幅を集団の変動幅(集団の個人間差，いわゆる基準範囲にほぼ相当)との関係でまとめたもので，比率が小さいほど個人内変動が少なく，大きいほど個人内変動が大であるため個人間差が明確でないことになる．

個人内変動の少ないものは，基準範囲で評価するより，その個人内の変動に重きをおいて評価することが望ましい．例えば，HDL-コレステロールが 55 mg/dL であった男性が，1 か月後に 45 mg/dL になった場合は，集団の基準範囲内の変動とはいえ，何らかの脂質代謝の変化があったと考えるべきである．個人内変動が少なく，測定頻度の高い項目であるコレステロール，尿酸，尿素窒素，クレアチニン，ALP，ChE などは，検体取り違えや偶発エラーを検出するための前回値チェック法(デルタチェック法)に使われている．一方，個人内の変動の大きな項目は，集団の基準範囲の感覚で評価してよいことになる．

# 3 試料採取と取り扱いによる影響

## A　正しい採血管の使用

採血にあたっては真空採血管という陰圧で血液を吸引する試験管が使用され，それぞれ用途に応じた添加剤(主に抗凝固剤)が添加されている(表 17-4)．正しい試験管を使うだけでなく，用量を守ることが重要である．不十分量の採血は，圧力較差が残って溶血を起こす場合や，凝固検査では抗凝固作用が強すぎて検査できないなどの問題が生ずる．不十分な混和は，見た目凝固していないようでも微小凝固塊に血小板が巻き込まれて低値になる．EDTA 採血の残り(血漿)を，他の検査に使用したい場合があるが，EDTA は 2 価金属イオンをキレートするので，それら金属の検査，それら金属イオンを要求する ALP 活性の検査に影響がでる．

## B　不適切な採血手技

静脈を怒張させるために，駆血させた後に手指の開閉や強握を行わせて採血すると K の上昇をもたらす．長時間の駆血により低分子成分の低下が起こるとされている．乱雑な操作は溶血の原因となり，K や LD が上昇する．真空採血管を使う場合には試験管から試験管への持ち込みを起こさないように注意する．前項で述べたように特に EDTA の混入は影響が大きい．

## C　保存の影響

尿をカップのまま放置すると，ケトン体が揮発する．また，細菌が増殖して pH がアルカリに傾く．

全血を冷蔵保存すると血清 K が上昇する．血糖はフッ化 Na の添加が有効であるが，効力を発揮するまでは低下は避けられない．血液ガス検体は，現在はプラスチックシリンジが使用されており，密閉して速やかに測定する．氷冷保存はガス濃度に影響する．アンモニアは室温保存で上昇する．

細菌培養用の検査保存の原則は，目的菌を生かし，常在菌を増やさないことで，血液や脳脊髄液は冷蔵せず，他の多くの試料は冷蔵する．

# 本書で使用した主な略語

**ACTH** adrenocorticotropic hormone 副腎皮質刺激ホルモン

**ADH** antidiuretic hormone 抗利尿ホルモン

**AFP** $\alpha$-fetoprotein $\alpha$-胎児蛋白

**AIDS** acquired immune deficiency syndrome 後天性免疫不全症候群

**AIHA** autoimmune hemolytic anemia 自己免疫性溶血性貧血

**ALP** alkaline phosphatase アルカリホスファターゼ

**ALT** alanine aminotransferase アラニンアミノトランスフェラーゼ

**ANA** anti-nuclear antibody 抗核抗体

**ANCA** anti-neutrophil cytoplasmic antibody 抗好中球細胞質抗体

**ANP** atrial natriuretic peptide 心房性ナトリウム利尿ペプチド

**APP** acute phase proteins 急性期蛋白

**APS** antiphospholipid antibody syndrome 抗リン脂質抗体症候群

**APTT** activated partial thromboplastin time 活性化部分トロンボプラスチン時間

**A/R 比** aldosterone renin ratio アルドステロン/レニン比

**AST** aspartate aminotransferase アスパラギン酸アミノトランスフェラーゼ

**AT** antithrombin アンチトロンビン

**ATP** adenosine triphosphate アデノシン三リン酸

**BJP** Bence Jones protein Bence Jones 蛋白

**BNP** brain natriuretic peptide 脳性ナトリウム利尿ペプチド

**cAMP** cyclic adenosine monophosphate 環状アデノシン一リン酸

**CBC** complete blood counting 全血球算定

**CD 抗原** cluster of differentiation antigen CD 分類による細胞膜抗原

**CEA** carcinoembryonic antigen 癌胎児性抗原

**ChE** cholinesterase コリンエステラーゼ

**CK** creatine kinase クレアチンキナーゼ

**CRH** corticotropin-releasing hormone 副腎皮質刺激ホルモン放出ホルモン

**CRP** C-reactive protein C 反応性蛋白

**DHEA** dehydroepiandrosterone デヒドロエピアンドロステロン

**DIC** disseminated intravascular coagulation 播種性血管内凝固

**eGFR** estimated glomerular filtration rate 推算糸球体濾過量

**EIA** enzyme immunoassay 酵素免疫測定法

**ESR** erythrocyte sedimentation rate 赤血球沈降速度

**FCM**　flow cytometry　フローサイトメトリー

**FDP**　fibrin/fibrinogen degradation product　フィブリン/フィブリノゲン分解産物

**FSH**　follicle stimulating hormone　卵胞刺激ホルモン

**$\gamma$-GT**　$\gamma$-glutamyl transpeptidase　$\gamma$-グルタミルトランスペプチダーゼ

**抗 GAD 抗体**　anti-glutamic acid decarboxylase antibody　抗グルタミン酸デカルボキシラーゼ抗体

**G-CSF**　granulocyte colony-stimulating factor　顆粒球コロニー刺激因子

**GH**　growth hormone　成長ホルモン

**HA(B, C, E)V**　hepatitis A(B, C, E) virus　A(B, C, E)型肝炎ウイルス

**Hb 濃度**　hemoglobin concentration　ヘモグロビン濃度

**HbA1c**　hemoglobin A1c　ヘモグロビン A1c

**hCG**　human chorionic gonadotropin　ヒト絨毛性ゴナドトロピン

**HDL**　high-density lipoprotein　高密度リポ蛋白

**HDL-C**　high-density lipoprotein cholesterol　HDL コレステロール

**H-FABP**　心臓型脂肪酸結合蛋白　heart-type fatty acid binding protein

**HPLC**　high performance liquid chromatography　高速液体クロマトグラフィ法

**HPS**　hemophagocytic syndrome　血球貪食症候群

**Ht 値**　hematocrit value　ヘマトクリット値

**HVA**　homovanillic acid　ホモバニリン酸

**IDL**　intermediate-density lipoprotein　中間密度リポ蛋白

**INR**　international normalized ratio　プロトロンビン時間国際標準比

**LCAT**　lecithin cholesterol acyl transferase　レシチンコレステロールアシルトランスフェラーゼ

**LD, LDH**　lactate dehydrogenase　乳酸脱水素酵素

**LDL**　low-density lipoprotein　低密度リポ蛋白

**LH**　luteinizing hormone　黄体化(黄体形成)ホルモン

**LPS**　lipopolysaccharide　リポ多糖

**MCH**　mean corpuscular hemoglobin　平均赤血球ヘモグロビン量

**MCHC**　mean corpuscular hemoglobin concentration　平均赤血球ヘモグロビン濃度

**MCV**　mean corpuscular volume　平均赤血球容積

**MDS**　myelodysplastic syndrome　骨髄異形成症候群

**MM**　multiple myeloma　多発性骨髄腫

**MMP-3**　matrix metalloproteinase 3　マトリックスメタロプロテイナーゼ 3

**MRD**　minimal residual disease　微小残存病変

**NAG**　*N*-acetyl-$\beta$-D-glucosaminidase　*N*-アセチルグルコサミニダーゼ

**OGTT**　oral glucose tolerance test　経口ブドウ糖負荷試験

**PAI-Ⅰ**　plasminogen activator inhibitor-Ⅰ　プラスミノゲンアクチベータインヒビターⅠ

**PCR 法**　polymerase chain reaction 法　ポリメラーゼ連鎖反応法

**Plt**　platelet count　血小板数

**PRL**　prolactin　プロラクチン

**PSA**　prostate specific antigen　前立腺特異抗原

**PTH**　parathyroid hormone　副甲状腺ホルモン

**PTHrP**　parathyroid hormone-related protein　副甲状腺ホルモン関連蛋白

**RA**　rheumatoid arthritis　関節リウマチ

**RAA 系**　renin-angiotensin-aldosterone system　レニン-アンジオテンシン-アルドステロン系

**RBC**　red blood cell count　赤血球数

**RBP**　retinol-binding protein　レチノール結合蛋白

**RF**　rheumatoid factor　リウマトイド因子

**RIA**　radioimmunoassay　ラジオイムノアッセイ

**RLP**　remnant like particle　レムナント様リポ蛋白

**RT 反応**　reverse transcription　逆転写反応

**SAA**　serum amyloid A　血清アミロイド A 蛋白

**SIADH**　syndrome of inappropriate secretion of antidiuretic hormone　バソプレシン分泌過剰症

**SjS**　Sjögren syndrome　Sjögren 症候群

**SLE**　systemic lupus erythematosus　全身性エリテマトーデス

**SMBG**　self-monitoring of blood glucose　血糖自己測定

**TAT**　thrombin-antithrombin complex　トロンビン・アンチトロンビン複合体

**Tf**　transferrin　トランスフェリン

**TIBC**　total iron binding capacity　総鉄結合能

**TNF-$\alpha$**　tumor necrosis factor-$\alpha$　腫瘍壊死因子 $\alpha$

**TnT**　troponin T　トロポニン T

**TP**　total protein　血清総蛋白

**TRH**　thyrotropin-releasing hormone　甲状腺刺激ホルモン放出ホルモン

**TSH**　thyroid stimulating hormone　甲状腺刺激ホルモン

**TTR**　transthyretin　トランスサイレチン

**UIBC**　unsaturated iron binding capacity　不飽和鉄結合能

**VLDL**　very-low-density lipoprotein　超低密度リポ蛋白

**VMA**　vanillylmandelic acid　バニリルマンデル酸

**WBC**　white blood cell count　白血球数

# 和文索引

## さ



## し

## す



## せ



## そ



## た



## ち・つ



## て



## と

## ら



## り



## る・れ・ろ

# 欧文索引

## ギリシャ文字



## 数字



## A



## B



## C

## D



## E



## F



## G



## H



## I